Manque de temps ?
Envie de réussir ?
Besoin d'aide ?

La solution

Le *Compagnon Web* :

www.erpi.com/perron.cw

Il contient des outils en ligne qui vous permettront de tester ou d'approfondir vos connaissances.

- ✔ **Solutionnaire partiel**
- ✔ **Modèles d'états financiers**
- ✔ **Chapitre 8 Les coopératives**

Comment accéder au Compagnon Web de votre manuel ?

Étape 1 : Allez à l'adresse www.erpi.com/perron.cw

Étape 2 : Lorsqu'ils seront demandés, entrez le nom d'usager et le mot de passe ci-dessous :

Nom d'usager pe21982 **Mot de passe** tapkjd

Étape 3 : Suivez les instructions à l'écran

Assistance technique : tech@erpi.com

7843

COMPTABILITÉ

2 LES POSTES DU BILAN

COMPTABILITÉ

LES POSTES DU BILAN

2

Johanne Perron
Cégep de Saint-Félicien

Luc Belisle
Cégep de Saint-Félicien

Louise Cotnoir
Collège de Maisonneuve

Cathy Lessard
Cégep François-Xavier Garneau

ERPI
ÉDITIONS DU RENOUVEAU PÉDAGOGIQUE INC.
5757, RUE CYPIHOT, SAINT-LAURENT (QUÉBEC) H4S 1R3
TÉLÉPHONE : (514) 334-2690 TÉLÉCOPIEUR : (514) 334-4720
erpidlm@erpi.com www.erpi.com

Développement de produits: Isabelle de la Barrière

Supervision éditoriale: Christiane Desjardins

Révision linguistique: Philippe Sicard

Correction d'épreuves: Carole Laperrière

Direction artistique: Hélène Cousineau

Supervision de la production: Muriel Normand

Conception graphique de l'intérieur et de la couverture: Martin Tremblay

Illustrations: Jean Morin

Édition électronique: Infographie GL

Dans cet ouvrage, le générique masculin est utilisé sans aucune discrimination et uniquement pour alléger le texte.

Dépôt légal: 2007
Bibliothèque et Archives nationales du Québec
Bibliothèque nationale du Canada
Imprimé au Canada

ISBN 10: 2-7613-1992-3
ISBN 13: 978-2-7613-1992-8

1234567890 IG 0987
20392 ABCD OF10

Avant-propos

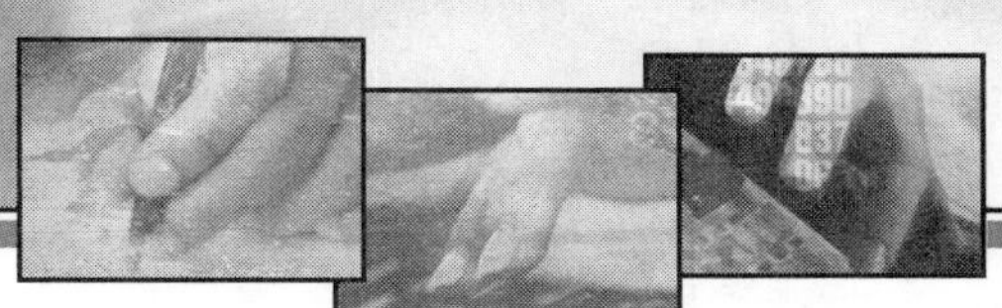

La réforme de l'enseignement collégial a suscité une profonde réflexion et de nombreuses remises en question de nos pratiques d'enseignement de la comptabilité. Nous devons maintenant utiliser des situations représentatives de l'exercice de la profession, tout en nous assurant que nos élèves atteignent les compétences formulées pas le ministère de l'Éducation.

Comment satisfaire à ces exigences tout en continuant de donner un enseignement de qualité, de favoriser le développement de la pensée des étudiants et leur sens des responsabilités ? Comment transmettre des habitudes de rigueur et de clarté dans une présentation de l'information qui soit conforme aux normes du gouvernement et des ordres professionnels ?

Nous vous présentons le fruit d'une dizaine d'années de recherche et d'expérimentation en enseignement de la comptabilité. En fait, cet ouvrage répond à la fois aux exigences de la réforme, de la profession comptable et du marché du travail québécois ainsi qu'aux besoins des professeurs.

Une équipe de professeurs – auteurs, collaborateurs et lecteurs – a conçu, expérimenté et enrichi ce volume avant tout pour les étudiants. Par ses nombreuses démonstrations, mises en situation, exercices et problèmes, il amène les étudiants à participer activement à leur propre apprentissage.

L'ouvrage aborde la comptabilité dans son ensemble, selon une approche progressive alimentée d'exemples, mettant l'accent sur la compréhension des notions essentielles à une pratique comptable fiable. Enfin, ce tome 2 de *Comptabilité*, intitulé *Les postes du bilan*, vise la maîtrise par les étudiants des notions nécessaires à la comptabilisation des opérations portant sur les postes du bilan, que ce soit pour les sociétés en nom collectif, les sociétés par actions ou les coopératives.

■ **Des définitions de termes clés** dans la marge, au fur et à mesure qu'ils apparaissent dans la théorie. Les termes définis apparaissent en caractères gras de couleur dans le texte.

VALEUR NETTE DES COMPTES CLIENTS
Valeur totale des comptes clients, diminuée du montant de la provision pour créances irrécouvrables.

Si vous étiez le banquier qui, sur la base des états financiers de 20X7, a prêté de l'argent à l'entreprise ABC, seriez-vous satisfait de l'information fournie ? Vous estimeriez certainement que les états financiers de 20X7 auraient dû mentionner la **possibilité** qu'un compte client ne soit jamais encaissé. Les normes comptables exigent en effet que le bilan présente la **valeur nette des comptes clients**, c'est-à-dire la valeur que l'entreprise encaissera probablement.

■ **Des suggestions de problèmes** pour chaque grande notion.

Problèmes suggérés : 2.5 et 2.6.

■ **Des mises en situation** avec début de solution, que l'étudiant peut compléter dans le manuel. Elles lui permettent d'appliquer la matière sur-le-champ.

Mise en situation 1.11

La comptabilisation au journal général d'un billet à ordre non honoré

Le 15 novembre 20X6, l'entreprise ABC rend des services pour 3 000 $ plus taxes à Sébastien Lucien. Celui-ci signe un billet à ordre échéant le 15 juin 20X7 et portant intérêt au taux annuel de 7 %. La date de fin d'exercice de l'entreprise est le 31 décembre. À l'échéance du billet, le client ne l'honore pas.

Travail à faire

Passez au journal général les écritures requises.

Journal général

Date	Nom des comptes et explications	Réf.	Débit	Crédit
20X7				

- **Des démonstrations** sous la forme de problèmes résolus, qui indiquent la démarche à adopter.

Démonstration 3.6

L'acquisition de placements temporaires en actions avec dividende et l'encaissement du dividende

Le 15 mars 20X7, Dulac acquiert 2 000 actions ordinaires de Norlac au coût de 10 800 $, y compris un dividende attaché et les frais de courtage de 3 %. Le 1er mars, Norlac avait déclaré un dividende en espèces de 0,50 $ par action ordinaire, payable le 31 courant aux actionnaires inscrits à la clôture des registres le 20 courant.

- **Des icônes variées**, indiquant des notions importantes.

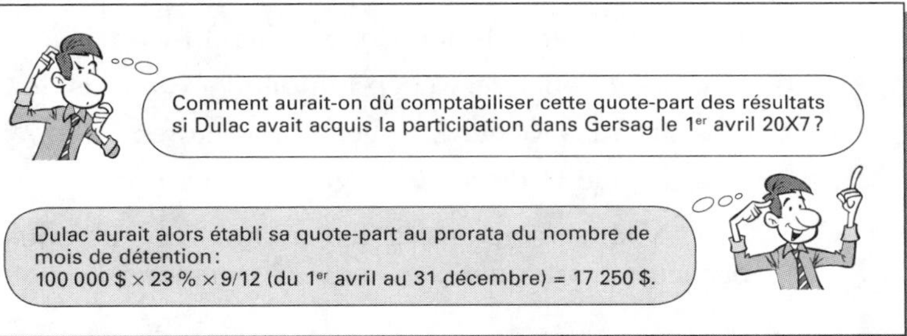

- **Des problèmes** de longueur et de difficulté variées. Les problèmes sont organisés par paires, et l'étudiant a accès à une solution sur deux.

Problème 4.16 La disposition ou l'échange d'une immobilisation corporelle

Le 1er avril 20X7, l'entreprise Expert-Copies acquiert un camion de livraison au coût de 30 000 $ avant taxes. La durée de vie prévue est de 10 ans et la durée de vie utile, de 6 ans. La valeur résiduelle et la valeur de récupération sont nulles. Expert-Copies applique la méthode de l'amortissement dégressif à taux double. Le 1er octobre 20Y1, l'entreprise désire vendre son camion.

Travail à faire

a) Passez au journal général les écritures d'acquisition et de régularisation de l'amortissement des années 20X7 à 20Y0.

b) Établissez la fiche de l'actif.

Remerciements

Nous tenons à adresser nos sincères remerciements à toutes les personnes qui ont collaboré de près ou de loin à la production de cet ouvrage, particulièrement aux professeurs suivants :

- Brigitte Auger, Cégep de Sainte-Foy ;
- Monique Bélanger, Collège de Maisonneuve ;
- Gilles Berthiaume, Cégep Limoilou ;
- Sophie Brodeur, Cégep de Saint-Hyacinthe ;
- Pierre Camiré, Cégep de Thetford ;
- Hélène Charland, Cégep François-Xavier Garneau ;
- Mireille Deshaies, La Cité collégiale ;
- Michèle Dorion, Collège Lionel-Groulx ;
- Christine Dupuis, Collège de Maisonneuve ;
- Réal Frigon, Cégep de Trois-Rivières ;
- Nathalie Girard, Collège de l'Assomption ;
- Robert Giroux, Collège de Valleyfield ;
- Henri Gosselin, Cégep de Lévis-Lauzon ;
- Michel Laflamme, Cégep du Vieux-Montréal ;
- Marie-Pierre Laforest, Cégep André-Laurendeau ;
- Pierre Laliberté, Cégep Saint-Jean-sur-Richelieu ;
- Jean-Marc Mimar, Collège Gérald-Godin ;
- Réal Peticlerc, Cégep Limoilou – Campus de Charlesbourg ;
- Jacques Richard, Collège Montmorency ;
- Nicole St-Pierre, Collège de Rosemont.

Nous remercions également tous les étudiants qui ont contribué par leurs remarques judicieuses à améliorer le contenu du manuel.

Les auteurs

Table des matières

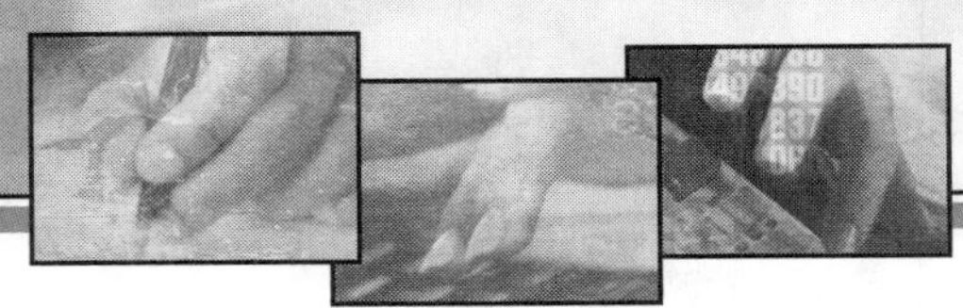

CHAPITRE

1 Les créances

Compétence :

Analyser et traiter les données du cycle comptable (01H8).

Éléments de compétence	Objectifs d'apprentissage
Recueillir et analyser l'information comptable.	■ À partir d'une pièce justificative, déterminer la nature d'une transaction en tenant compte des particularités propres aux comptes clients : remises de commerce, escomptes de caisse, rendus et rabais sur ventes. ■ À partir d'une pièce justificative, déterminer la nature d'une transaction en tenant compte des particularités propres aux effets à recevoir.
Enregistrer l'ensemble des opérations du cycle comptable.	■ Enregistrer au journal général les transactions propres aux comptes clients.
Régulariser les comptes.	■ Calculer et régulariser le montant de la provision pour créances irrécouvrables. ■ Calculer et régulariser le montant des intérêts à recevoir sur les effets de commerce.
Produire le bilan, l'état des résultats et l'état des capitaux propres.	■ Présenter au bilan les comptes clients à leur valeur nette, les effets à recevoir et les intérêts à recevoir.

Section 1.1

Les types de créances

Dans le cours de ses affaires, l'entreprise peut acquérir le droit légal d'exiger dans le futur le paiement d'une somme par une autre entité (entreprise ou individu) : l'entreprise est alors le **créancier** et l'entité qui doit verser la somme est le **débiteur**.

Ce droit du créancier peut découler du prêt d'une certaine somme au débiteur. Les deux parties signent alors un document qui précise les modalités de remboursement et les autres conditions. Dans les livres comptables du créancier, on enregistre un **effet à recevoir**. L'entreprise peut aussi avoir acquis ce droit au regard de biens vendus ou de services rendus qui ne lui ont pas encore été payés : on parle alors de **comptes clients**. Enfin, d'autres créances doivent être enregistrées dans des comptes distincts : on comptabilise en **intérêts à recevoir** un produit de placement gagné qui n'a pas encore été encaissé ; le prêt consenti à une personne ou à une entité avec laquelle l'entreprise entretient des liens privilégiés (propriétaire, employé, filiale, etc.) est une **avance** qu'on présente dans un poste distinct de l'actif, comme les avances aux actionnaires, les avances aux employés, etc.

Les créances constituent bien des éléments d'actif pour l'entreprise puisqu'il s'agit de ressources qu'elle pourra utiliser dans le futur. Si l'échéance de la somme à recevoir est de moins de un an, on classe ce poste dans l'actif à court terme. Si l'entreprise ne peut pas encaisser cette somme dans l'année qui vient, il faut alors la présenter dans une catégorie de l'actif à long terme. Enfin, si le débiteur est une personne morale ou physique liée à l'entreprise (actionnaire, filiale, etc.), il faut mentionner le fait dans les états financiers.

CRÉANCIER
Titulaire d'une créance, c'est-à-dire la personne physique ou morale à qui est dû le paiement d'une somme d'argent.

DÉBITEUR
Personne physique ou morale qui a une obligation à l'égard d'une autre, notamment une obligation de payer une somme d'argent.

EFFET À RECEVOIR
Somme qu'un créancier doit recouvrer d'un débiteur qui a signé une traite ou un billet à ordre.

INTÉRÊTS À RECEVOIR
Intérêts courus sur des effets de commerce, des prêts ou des obligations, constituant des produits à recevoir constatés à l'actif.

AVANCE
Somme prêtée, généralement à court terme, par une entité à une autre entité ou à une personne, par exemple la somme avancée par une société mère à sa filiale.

Section 1.2

Les comptes clients

Pourquoi une entreprise décide-t-elle de faire crédit à ses clients ? Ne dit-on pas qu'« un tiens vaut mieux que deux tu l'auras » ? L'entreprise offre la possibilité à sa clientèle de différer les paiements dans le but d'attirer de nouveaux clients ou de fidéliser ses clients actuels au détriment de ses concurrents. Cette pratique commerciale qui consiste à offrir des **conditions de crédit** lui permet donc d'augmenter substantiellement son chiffre d'affaires.

Mais attention ! Le crédit accordé aux clients est rentable pour l'entreprise seulement si l'augmentation des ventes qui en découle égale ou, mieux, dépasse les pertes liées à un non-paiement. Dans le cas contraire, les pertes sont évidemment plus grandes que celles liées au fait de ne pas avoir vendu de marchandises puisque l'entreprise court le risque de ne jamais revoir les biens livrés au client. De plus, la gestion du crédit et le recouvrement des comptes nécessitent du personnel, ce qui entraîne d'autres frais.

Enfin, l'usage du crédit a aussi un effet direct sur les **liquidités** de l'entreprise. Tant que ses clients ne l'ont pas payée, l'entreprise n'a pas dans ses coffres l'argent pour payer ses employés, ses fournisseurs, etc. Si c'est le cas, il arrive qu'elle doive contracter un emprunt bancaire (et payer des intérêts) pour remplir ses obligations.

CONDITIONS DE CRÉDIT
Conditions ou modalités selon lesquelles un vendeur accepte de financer, pour une période déterminée, les achats faits par un client.

LIQUIDITÉS
Espèces et autres valeurs dont une entité peut disposer immédiatement pour effectuer des règlements sans nuire aux activités courantes.

Démonstration 1.1

Faire crédit ou ne pas faire crédit?

Le volume des ventes au comptant de l'entreprise ABC atteint 1 500 000 $, sa marge bénéficiaire brute est de 50 % et sa marge bénéficiaire nette est de 20 %. En offrant des conditions de crédit intéressantes à ses clients, l'entreprise prévoit augmenter son chiffre d'affaires de 25 %. Cependant, l'introduction de cette pratique provoquera une augmentation de 20 % des charges d'exploitation.

Travail à faire

a) Dressez l'état des résultats sommaire d'ABC selon qu'elle offre ou non des conditions de crédit.

b) À l'aide de cet état financier, déterminez si l'offre de conditions de crédit aux clients peut être rentable pour l'entreprise.

a)

ABC
État des résultats

Sans conditions de crédit		Avec conditions de crédit	
Ventes	1 500 000 $	Ventes (125 % × 1 500 000 $)	1 875 000 $
Coût des marchandises vendues	750 000	Coût des marchandises vendues	937 500
Marge bénéficiaire brute (50 %)	750 000 $	Marge bénéficiaire brute (50 %)	937 500 $
Charges d'exploitation	450 000	Charges d'exploitation (120 % × 450 000 $)	540 000
Bénéfice net (20 %)	300 000 $	Bénéfice net (21,2 %)	397 500 $

b) Si les prévisions s'avèrent exactes, la décision sera rentable puisque la marge bénéficiaire nette passera de 20 % à 21,2 % pour un bénéfice net additionnel de 97 500 $.

Fin de la démonstration 1.1

Mise en situation 1.1

Faire crédit ou ne pas faire crédit?

Le propriétaire de l'entreprise Latour envisage de faire crédit à ses clients. Il croit que cette mesure lui permettra d'augmenter son chiffre d'affaires en amenant 2 000 000 $ de ventes additionnelles, ventes pour lesquelles la marge bénéficiaire brute sera de 30 %. Cependant, M. Latour craint que les mauvaises créances n'atteignent 3 % du volume de ces ventes.

Il devra par ailleurs embaucher un autre employé au service de la comptabilité, au coût de 25 000 $ par année, et un directeur du crédit dont le salaire représentera 1,5 % du montant total des ventes à crédit. La période moyenne de recouvrement sera de 50 jours. Enfin, le taux d'intérêt annuel sur la marge de crédit de l'entreprise est de 10 %.

Travail à faire

Dressez l'état des résultats de Latour et déterminez si l'offre de conditions de crédit aux clients est rentable pour l'entreprise.

Latour
État des résultats partiel

Fin de la mise en situation 1.1

L'utilisation du crédit est très largement répandue chez les grossistes. Dans ce type d'entreprise, les transactions sont effectuées d'entreprise à entreprise. La valeur moyenne des transactions est beaucoup plus élevée que dans le commerce de détail, mais le nombre de clients est souvent moindre. De plus, les garanties offertes par les entreprises sont plus intéressantes. Tous ces facteurs simplifient la gestion du crédit pour les grossistes.

Les commerces de détail réalisent des ventes auprès d'individus. Ces entreprises acceptent généralement les cartes de crédit bancaires (par exemple MasterCard, Visa) de leurs clients, ce qui est une façon indirecte de leur offrir du crédit. Du point de vue de la comptabilité de l'entreprise, il s'agit cependant de ventes au comptant, car l'établissement financier remet immédiatement à cette dernière l'argent de la transaction. C'est donc la banque qui assume la totalité du risque de perte lié à ce genre de transactions. En échange de ce service, la banque exige du commerçant des frais mensuels établis au prorata des transactions.

Certains commerces de détail proposent aux clients d'utiliser une carte de crédit maison (par exemple Sears, La Baie). Dans ce cas, le commerce encaisse le produit de ces ventes lorsque le client rembourse le solde de son état de compte. Il s'agit alors de véritables ventes à crédit et on doit les comptabiliser comme telles.

Section 1.3 Le contrôle et la gestion des comptes clients

Pour réduire le risque de perte lié au crédit accordé à ses clients, l'entreprise doit absolument mettre en place des politiques d'entreprise et des outils de contrôle interne. Ces mesures concernent l'acceptation des débiteurs, toutes les étapes du processus de vente et le recouvrement des comptes clients.

1.3.1 La politique de crédit

POLITIQUE DE CRÉDIT
Ensemble d'orientations et de règles d'action en matière d'accord de crédit à ses clients, que l'entreprise choisit pour tenir compte de ses besoins et de ses exigences, et qui reflète les normes de son secteur d'activité.

D'abord, l'entreprise doit se doter d'une **politique de crédit** qui lui permet d'évaluer la solvabilité d'un client et d'établir les conditions de crédit qui lui seront offertes, le cas échéant.

Ainsi, l'entreprise exige d'un nouveau client des informations sur sa situation financière personnelle (par exemple ses états financiers et des références d'établissements bancaires ou de commerce). Elle lui demande aussi l'autorisation écrite de vérifier ces données. Elle peut alors communiquer avec les établissements concernés.

DOSSIER DE CRÉDIT (ou ANTÉCÉDENTS DE CRÉDIT)
Relevé faisant état de la conduite passée d'une personne ou d'une entreprise par rapport aux crédits qui lui ont été consentis, notamment sa diligence à honorer ses engagements.

De plus, le recours à une agence d'évaluation du crédit (par exemple Equifax, Dun & Bradstreet) permet de connaître le **dossier de crédit** (ou **antécédents de crédit**) du client et ses comportements antérieurs comme débiteur. Enfin, si le client présente un risque plus élevé que la normale, on peut exiger de lui des garanties particulières.

Lorsque la demande de crédit d'un client est acceptée, la limite en est établie en fonction des besoins du client et de l'expérience antérieure de l'entreprise avec des clients similaires. On doit aussi fixer la période de crédit, les escomptes de caisse et le taux d'intérêt qui s'applique aux soldes en retard. Il faut établir ces conditions de paiement en tenant compte de celles des concurrents.

1.3.2 Le contrôle interne

Pour que le système comptable fournisse une information fiable sur les sommes à recevoir de ses clients, l'entreprise doit exercer un contrôle tout au long du processus de vente, de la commande du client à l'encaissement du compte. Les principaux aspects du **contrôle interne** sont les suivants :

CONTRÔLE INTERNE
Organisation structurelle de l'entité et ensemble des politiques et des procédures définies et maintenues par la direction en vue d'assurer, notamment, la protection des actifs de l'entité, la fiabilité de l'information financière, l'utilisation optimale des ressources ainsi que la prévention et la détection des erreurs et des fraudes.

- On vérifie la limite de crédit du client et son respect des conditions de crédit avant de faire une livraison.
- En comptabilité manuelle, on utilise des documents prénumérotés attestant de chaque étape du processus de vente (bon de commande, bon de livraison et facture de vente, bon de réception et note de crédit), ce qui facilite leur enregistrement. On vérifie ces pièces justificatives, on les confronte et on les conserve adéquatement. En comptabilité informatisée, le système numérote ces mêmes documents selon les paramètres qu'a définis l'usager.
- On consulte le grand livre auxiliaire des clients pour connaître le solde de chacun. On garde à jour ce registre et on vérifie régulièrement si le solde est égal à celui du solde du compte de contrôle clients dans le grand livre général.
- Pour éviter les fraudes et le camouflage d'opérations douteuses, l'employé qui est chargé de l'enregistrement des ventes et des encaissements ne doit pas être le même que celui qui tient le grand livre auxiliaire des clients.
- C'est un supérieur de l'employé responsable de l'enregistrement comptable qui doit autoriser la radiation (voir la sous-section 1.6.1) d'un compte définitivement perdu.

1.3.3 La politique de recouvrement des créances

RECOUVREMENT DES CRÉANCES
Action, pour l'entité, de rentrer en possession de sommes qui lui sont dues.

L'entreprise doit se doter d'une politique de **recouvrement des créances** pour encadrer ses interventions auprès des clients. Le recouvrement est une opération des plus délicates. Nous avons déjà abordé le sujet dans *Comptabilité 1 – Le cycle comptable* (voir la sous-section 3.2.3). Rappelons qu'il faut éviter d'indisposer inutilement les clients tout en maximisant l'encaissement des comptes de l'entreprise.

Tant que la période de crédit n'est pas terminée et que le client n'est pas en défaut, on ne peut pas exiger le paiement de son compte. Les échanges doivent donc demeurer cordiaux, mais il faut prévoir des interventions de plus en plus fermes pour les clients récalcitrants. Le tableau 1.1 passe en revue les étapes du recouvrement d'une créance.

Tableau 1.1 Les étapes du recouvrement d'une créance

1. Envoyer régulièrement un relevé de compte (voir le modèle ci-dessous) à tous les clients. Si le compte est en souffrance, on doit l'indiquer sur le relevé. Cette pièce justificative est un outil qui permet à l'entreprise de vérifier si la somme à recevoir correspond bien au montant inscrit dans ses registres comptables.

Entreprise ABC — 1200, rue Beaubien Est, Montréal (Québec) H2S 2P9

Relevé de compte

Client	**Adresse**		
Pavite	345, rue des Érables Sainte-Agathe-des-Monts (Québec) J8C 1W7	Date	28 février 20X7
		Client nº	23456
			2/10, n/30

DATE DE FACTURE	NUMÉRO DE FACTURE	COURANT	30-60 JOURS	PLUS DE 60 JOURS
20X6-11-17	7689			700,00 $
20X7-01-04	9743		200,00 $	
20X7-02-07	9856	100,00 $		
		100,00 $	200,00 $	700,00 $
			TOTAL	**1 000,00 $**

Compte en souffrance. Un paiement serait apprécié.

2. Envoyer une lettre de rappel lorsque le délai de paiement indiqué dans la politique de l'entreprise est dépassé.
3. Téléphoner au client et lui rendre visite, s'il y a lieu. L'objectif n'est pas d'intimider le client, mais bien d'évaluer sa situation financière et de fixer avec lui des modalités de remboursement.
4. Confier la créance à une agence de recouvrement qui poursuivra le processus de rappel auprès du client. Ces agences sont rémunérées en proportion des comptes effectivement encaissés.
5. Recourir aux conseillers juridiques de l'entreprise pour engager une poursuite. Si le client refuse toujours de payer après le prononcé du jugement, engager la procédure de saisie de ses biens. Cependant, comme ce genre de procédure entraîne des frais juridiques importants, il importe d'évaluer si le jeu en vaut la chandelle.
6. Si on décide de cesser les procédures de recouvrement ou si les biens saisis ont une valeur inférieure à celle de la créance, il faut **radier** le compte. Cette décision doit être autorisée par le supérieur de la personne responsable du recouvrement.

RADIER
Retirer totalement du bilan un actif ou un passif qui y figure.

1.3.4 La liste chronologique des clients

Pour gérer les comptes clients, le responsable du recouvrement a recours à un outil fort précieux : la liste chronologique des clients. Ce rapport est produit à partir des informations que contiennent le compte clients du grand livre général et le grand livre auxiliaire des clients. Il présente une liste des comptes clients établie en fonction de leur échéance (par exemple 30 jours et moins, 31-60 jours, 61-90 jours, 91 jours et plus), ce qui permet de faire ressortir les comptes les plus problématiques.

Il faut appliquer les paiements et les notes de crédit aux factures concernées. Généralement, les clients indiquent sur leurs chèques les numéros des factures payées. S'il est impossible de faire le lien, on attribue le paiement aux factures les plus anciennes.

Démonstration 1.2

L'établissement de la liste chronologique des clients

Travail à faire

À l'aide du grand livre général partiel et du grand livre auxiliaire des clients ci-dessous, préparez la liste chronologique des clients au 30 avril 20X7.

Grand livre général partiel

Clients — Compte nº 110

Date	Explications	Réf.	Débit	Crédit	Solde	Dt/Ct
20X7						
01-31		JV-1	5 000,00		5 000,00	Dt
01-31		JE-1		3 000,00	2 000,00	Dt
02-28		JV-2	5 000,00		7 000,00	Dt
02-28		JE-2		2 500,00	4 500,00	Dt
03-31		JV-3	7 000,00		11 500,00	Dt
03-31		JE-3		3 000,00	8 500,00	Dt
04-30		JV-3	10 000,00		18 500,00	Dt
04-30		JE-3		1 500,00	17 000,00	Dt

Grand livre auxiliaire des clients

Clôtures Bérubé — XX23

Date	Explications	Débit	Crédit	Solde	
20X7					
01-14	Fact. nº 2	1 500,00		1 500,00	Dt
01-18	Fact. nº 3	2 500,00		4 000,00	Dt
01-28	Paiement (fact. nº 3)		2 500,00	1 500,00	Dt
02-17	Fact. nº 4	5 000,00		6 500,00	Dt
02-28	Paiement (fact. nº 4)		2 000,00	4 500,00	Dt
03-02	Paiement (fact. nº 2)		1 500,00	3 000,00	Dt

Fenêtres Leclair — CV43

Date	Explications	Débit	Crédit	Solde	
20X7					
01-03	Fact. nº 1	1 000,00		1 000,00	Dt
01-31	Paiement (fact. nº 1)		500,00	500,00	Dt
02-19	Paiement (fact. nº 1)		500,00	0	Dt
03-03	Fact. nº 5	7 000,00		7 000,00	Dt
03-28	Paiement (fact. nº 5)		1 500,00	5 500,00	Dt
04-03	Fact. nº 6	10 000,00		15 500,00	Dt
04-23	Paiement (fact. nº 5)		1 500,00	14 000,00	Dt

Liste chronologique des clients au 30 avril 20X7

Nom du client	Numéro du client	Courant	31-60 jours	61-90 jours	91 jours et plus	Total
Clôtures Bérubé	XX23			3 000,00		3 000,00
Fenêtres Leclair	CV43	10 000,00	4 000,00			14 000,00
		10 000,00	4 000,00	3 000,00		17 000,00

Fin de la démonstration 1.2

Mise en situation 1.2

L'établissement de la liste chronologique des clients

Travail à faire

À l'aide du grand livre général partiel et du grand livre auxiliaire des clients ci-dessous, préparez la liste chronologique des clients au 31 décembre 20X7.

Grand livre général partiel

Clients						Compte nº 110
Date	Explications	Réf.	Débit	Crédit	Solde	Dt/Ct
20X7						
09-30		JV-9	4 500,00		4 500,00	Dt
10-31		JV-10	5 000,00		9 500,00	Dt
10-31		JE-10		2 500,00	7 000,00	Dt
11-30		JV-11	7 000,00		14 000,00	Dt
11-30		JE-11		9 000,00	5 000,00	Dt
11-30		JG-11		1 000,00	4 000,00	Dt
12-31		JV-12	10 000,00		14 000,00	Dt
12-31		JE-12		1 500,00	12 500,00	Dt
12-31		JG-12		500,00	12 000,00	Dt

Grand livre auxiliaire des clients

Alain Chevalier					AC45
Date	Explications	Débit	Crédit	Solde	
20X7					
09-17	Fact. nº 2	1 500,00		1 500,00	Dt
10-04	Fact. nº 3	2 000,00		3 500,00	Dt
10-05	Fact. nº 4	1 000,00		4 500,00	Dt
10-17	Paiement (fact. nº 2)		1 500,00	3 000,00	Dt
10-21	Paiement (fact. nº 3)		1 000,00	2 000,00	Dt
11-04	Fact. nº 6	7 000,00		9 000,00	Dt
11-05	Paiement (fact. nº 4)		1 000,00	8 000,00	Dt
11-05	Crédit (fact. nº 6)		1 000,00	7 000,00	Dt
11-30	Paiement (fact. nº 6)		5 000,00	2 000,00	Dt

Zoé Latour					ZL37
Date	Explications	Débit	Crédit	Solde	
20X7					
09-30	Fact. nº 1	3 000,00		3 000,00	Dt
10-18	Fact. nº 5	2 000,00		5 000,00	Dt
11-01	Paiement (fact. nº 1)		2 000,00	3 000,00	Dt
11-03	Paiement (fact. nº 5)		1 000,00	2 000,00	Dt
12-03	Paiement (fact. nº 1)		500,00	1 500,00	Dt
12-03	Fact. nº 7	3 000,00		4 500,00	Dt
12-23	Paiement (fact. nº 7)		1 000,00	3 500,00	Dt
12-29	Fact. nº 8	7 000,00		10 500,00	Dt
12-30	Crédit (fact. nº 8)		500,00	10 000,00	Dt

Liste chronologique des clients au 31 décembre 20X7

Nom du client	Numéro du client	Courant	31-60 jours	61-90 jours	91 jours et plus	Total
Alain Chevalier	AC45					
Zoé Latour	ZL37					

Fin de la mise en situation 1.2

Section 1.4 La comptabilisation des transactions relatives aux comptes clients

Une vente est conclue au moment où le client devient responsable de la marchandise, selon les conditions de vente relatives au transport. C'est donc généralement aussi à cette date que sera établie et enregistrée la facture de vente. L'encaissement d'une vente à crédit peut survenir plusieurs jours plus tard (voir le tableau 1.2).

Tableau 1.2 La vente à crédit

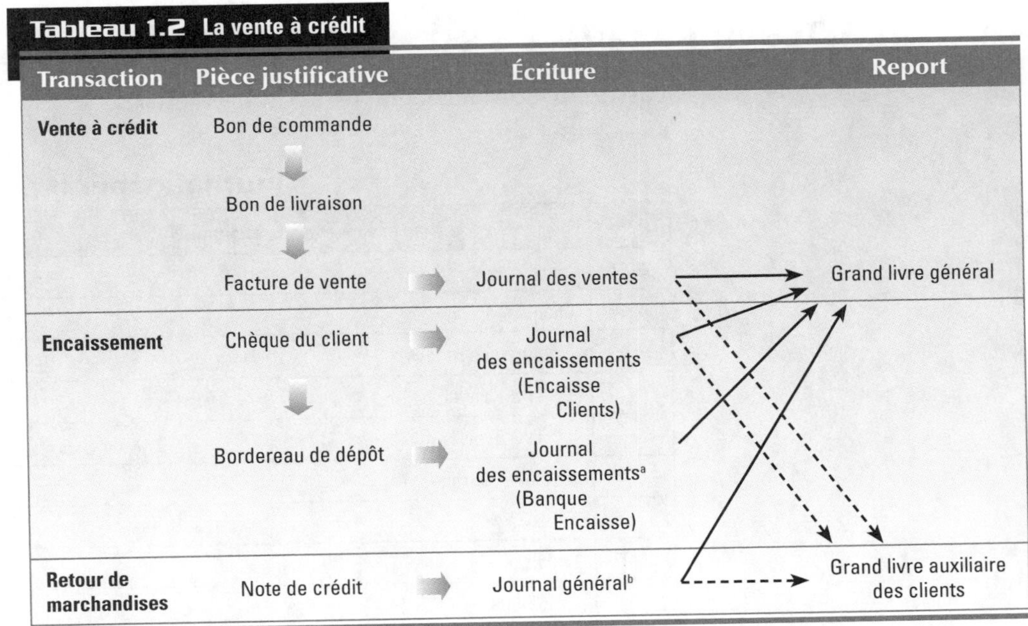

a. Ou journal général.
b. Ou journal des ventes.

Dans les deux prochaines sections, nous étudierons plus précisément la comptabilisation des rabais et des réductions, puis celle des créances irrécouvrables.

Section 1.5 Les rabais et les réductions

Une entreprise commerciale dresse la liste des prix des articles qu'elle vend. Cependant, elle peut décider d'accorder des réductions à ses clients pour diverses raisons. Le produit d'exploitation de l'entreprise correspond alors au montant net des transactions.

1.5.1 La remise

REMISE (ou RABAIS)
Réduction qui est consentie sur le prix d'un bien ou d'un service, et qui est accordée en fonction d'une clientèle déterminée ou en fonction de l'importance de la vente.

La **remise** (ou **rabais**) est une réduction accordée sur une vente parce que le client achète en grande quantité (remise sur quantité) ou parce que c'est un client très fidèle. L'entreprise peut aussi accorder une remise à un client potentiel qu'elle veut attirer. Puisqu'on a établi le montant de la remise avant la vente, la facture de vente est rédigée au montant net. Donc, l'enregistrement de la transaction se fait aussi au montant net en date de la facturation.

Démonstration 1.3

La comptabilisation au journal général d'une vente avec remise

Le bureau d'architectes Lavallée Langlois facture généralement son travail à ses clients au taux horaire de 70 $. Les services rendus du 1er au 28 février 20X7 à la société Martineau totalisent 150 heures. Compte tenu du fait qu'il s'agit d'un nouveau client, le cabinet d'architectes lui accorde un rabais de 15 %. La facture réelle, datée du 28 février 20X7, est donc de 8 925 $ ((150 h × 70 $) – (15 % × 10 500 $)) avant taxes[1]. Le client paie la facture en entier le 7 avril 20X7.

Travail à faire

Passez au journal général les écritures requises.

Journal général

Date	Nom des comptes et explications	Réf.	Débit	Crédit
20X7				
02-28	Clients		10 265,98	
	Services rendus			8 925,00
	TPS à payer			624,75
	TVQ à payer			716,23
	(Facture, Martineau)			
04-07	Encaisse		10 265,98	
	Clients			10 265,98
	(Encaissement, 7 avril, Martineau)			

On calcule les taxes sur le montant net après rabais, soit 8 925 $.

Fin de la démonstration 1.3

1. Le taux de la TPS et celui de la TVQ sont sujets à changement, mais le traitement des montants demeure le même. Les taux utilisés dans ce volume sont 7 % pour la TPS et 7,5 % pour la TVQ.

Mise en situation 1.3

La comptabilisation au journal général d'une vente avec remise sur quantité

Le 15 janvier 20X7, l'entreprise Fournitures de bureau Tremblay reçoit une commande de Maheu et Martin, CA, pour 30 000 stylos à bille noirs. Le prix de vente unitaire conseillé est 0,13 $. Compte tenu de l'importance de la commande, le fournisseur accorde une remise sur quantité de 325 $. Le montant de la vente est donc de 3 575 $. Le client paie la facture le 7 février 20X7.

Travail à faire

a) Complétez la pièce justificative suivante.

b) Passez au journal général les écritures requises.

a)

Fournitures de bureau Tremblay
6672, rue Saint-Denis
Montréal (Québec) H2J 2K8

FACTURE

Client	Adresse de livraison
Maheu et Martin, CA 345, rue Leconte Laval (Québec) H7N 7N7	Même

Date	18 janvier 20X7
Facture	CF567084
Numéro du client	78694
Date de commande	15 janvier 20X7
Date de livraison	18 janvier 20X7
Conditions de paiement	n/30

CODE　　VENDEUR

QUANTITÉ	NUMÉRO DE PRODUIT	DESCRIPTION	PRIX UNITAIRE ($)	MONTANT ($)
30 000	AE786	Stylos à bille noirs	0,13	
			Remise sur quantité	

RÉSERVÉ À L'USAGE INTERNE

SOUS-TOTAL	
N°: 123456789 TPS 7 %	
N°: 9876543210 TVQ 7,5 %	
MONTANT TOTAL	

b)

Journal général

Date	Nom des comptes et explications	Réf.	Débit	Crédit
20X7				

Fin de la mise en situation 1.3

1.5.2 L'escompte de caisse

L'escompte de caisse est une réduction accordée à un client si son paiement respecte certaines conditions précisées au moment de la vente. Ces escomptes ont pour but d'accélérer l'encaissement des comptes clients. Toutefois, le client n'est pas obligé de se prévaloir de conditions de paiement avantageuses pour lui.

Comme on ne sait pas, au moment de la vente, ce qu'il en adviendra, il faut établir la facture au montant brut (sans escompte). On enregistre aussi la transaction au montant brut en date de la facture de vente. On inscrira l'escompte – qui se calcule sur le montant avant taxes – au moment du paiement, si le client respecte les conditions nécessaires.

À l'état des résultats, les escomptes sur ventes sont présentés en diminution du compte ventes, ce qui permet de déterminer le véritable produit d'exploitation, soit les ventes nettes.

Démonstration 1.4

La comptabilisation au journal général d'une vente avec escompte

Une entreprise effectue une vente le 18 mars 20X7 à Raysol. La facture totalise 1 000 $ avant taxes. Les conditions de paiement sont 3/15, n/30. Le client paie le 2 avril 20X7.

Travail à faire

Passez au journal général les écritures requises.

Remarque : L'escompte se calcule sur le montant avant taxes.

Journal général

Date	Nom des comptes et explications	Réf.	Débit	Crédit
20X7				
03-18	Clients		1 150,25	
	Ventes			1 000,00
	TPS à payer			70,00
	TVQ à payer			80,25
	(Facture, Raysol, 3/15, n/30)			
04-02	Encaisse		1 120,25	
	Escomptes sur ventes		30,00	
	Clients			1 150,25
	(Encaissement, 2 avril, Raysol : 3 % × 1 000 $ = 30 $)			

On accorde l'escompte sur ventes parce que le client a effectué le paiement dans un délai de 15 jours. S'il avait fait son paiement après le 2 avril, il aurait dû payer la somme de 1 150,25 $.

Fin de la démonstration 1.4

Mise en situation 1.4

La comptabilisation au journal général d'une vente avec escompte

L'entreprise Fournitures de bureau Tremblay reçoit une commande de Gaston Guay le 16 janvier 20X7. Deux jours plus tard, elle expédie la marchandise au client, accompagnée de la facture ci-dessous. Le client paie le 28 courant.

Fournitures de bureau Tremblay
6672, rue Saint-Denis
Montréal (Québec) H2J 2K8

FACTURE

Client
Gaston Guay
345, rue Leroy
Laval (Québec)
H7N 6N6

Adresse de livraison
Même

Date: 18 janvier 20X7
Facture: CF567085
Numéro du client: 72870
Date de commande: 16 janvier 20X7
Date de livraison: 18 janvier 20X7
Conditions de paiement: 2/10, n/30

CODE

VENDEUR

QUANTITÉ	NUMÉRO DE PRODUIT	DESCRIPTION	PRIX UNITAIRE ($)	MONTANT ($)
1 700	AE786	Stylos à bille noirs	0,13	221,00
2 000	AE785	Stylos à bille rouges	0,13	260,00

RÉSERVÉ À L'USAGE INTERNE

	SOUS-TOTAL	481,00
Nº : 123456789	TPS 7 %	33,67
Nº : 9876543210	TVQ 7,5 %	38,60
	MONTANT TOTAL	**553,27**

Travail à faire

Passez au journal général les écritures requises.

Remarque : L'escompte se calcule sur le montant avant taxes.

Journal général

Date	Nom des comptes et explications	Réf.	Débit	Crédit
20X7				

Journal général

Date	Nom des comptes et explications	Réf.	Débit	Crédit
20X7				

Fin de la mise en situation 1.4

1.5.3 La note de crédit

La note de crédit est une réduction accordée après la vente parce que le client n'est pas satisfait de la marchandise. Si le client retourne la marchandise, on parle de rendu sur ventes. Si le client garde tout de même la marchandise, il s'agit plutôt d'un rabais sur ventes.

Au moment de la vente, on suppose que le client sera satisfait de la marchandise et on établit la facture au montant sans réduction. On enregistre aussi la transaction au montant brut en date de la facture de vente. Ce n'est qu'au moment où le client manifeste son insatisfaction qu'on peut décider de lui accorder un crédit.

À l'état des résultats, les rendus et rabais sur ventes sont présentés en diminution du compte ventes, ce qui permet de déterminer le véritable produit d'exploitation, soit les ventes nettes.

Démonstration 1.5

La comptabilisation au journal général d'une vente avec note de crédit

Une entreprise effectue une vente le 18 novembre 20X7 à Jules Véronneau. La facture totalise 1 000 $ plus taxes. La condition de paiement est n/30. Le 20 courant, le client communique avec son fournisseur pour se plaindre de la qualité du produit. Après négociations, l'entreprise accorde un rabais de 10 % et le client conserve la marchandise. Il fait le paiement le 15 décembre 20X7.

Travail à faire

Passez au journal général les écritures requises.

Journal général

Date	Nom des comptes et explications	Réf.	Débit	Crédit
20X7				
11-18	Clients		1 150,25	
	Ventes			1 000,00
	TPS à payer			70,00
	TVQ à payer			80,25
	(Facture, Jules Véronneau, n/30)			

Journal général

Date	Nom des comptes et explications	Réf.	Débit	Crédit
20X7				
11-20	Rendus et rabais sur ventes		100,00	
	TPS à payer		7,00	
	TVQ à payer		8,03	
	Clients			115,03
	(Note de crédit, Jules Véronneau)			
12-15	Encaisse		1 035,22	
	Clients			1 035,22
	(Encaissement, 15 décembre, Jules Véronneau :			
	1 150,25 $ – 115,03 $ = 1 035,22 $)			

Fin de la démonstration 1.5

Mise en situation 1.5

La comptabilisation au journal général d'une vente avec note de crédit

L'entreprise Fournitures de bureau Tremblay reçoit une commande de Martin Villeneuve le 15 janvier 20X7. Trois jours plus tard, elle expédie la marchandise accompagnée de la facture ci-dessous.

Fournitures de bureau Tremblay
6672, rue Saint-Denis
Montréal (Québec) H2J 2K8

FACTURE

Client
Martin Villeneuve
49, rue Lecor
Laval (Québec)
H7N 2Y4

Adresse de livraison
Même

Date: 18 janvier 20X7
Facture: CF567086
Numéro du client: 78236
Date de commande: 15 janvier 20X7
Date de livraison: 18 janvier 20X7
Conditions de paiement: n/30

CODE

VENDEUR

QUANTITÉ	NUMÉRO DE PRODUIT	DESCRIPTION	PRIX UNITAIRE ($)	MONTANT ($)
10 000	AE786	Stylos à bille noirs	0,13	1 300,00

RÉSERVÉ À L'USAGE INTERNE

	SOUS-TOTAL	1 300,00
Nº : 123456789	TPS 7 %	91,00
Nº : 9876543210	TVQ 7,5 %	104,33
	MONTANT TOTAL	**1 495,33**

Le 25 janvier 20X7, Martin Villeneuve retourne une partie de la marchandise et on lui établit la note de crédit ci-dessous. Il paie le 31 courant.

Fournitures de bureau Tremblay

6672, rue Saint-Denis
Montréal (Québec) H2J 2K8

NOTE DE CRÉDIT

Client
Martin Villeneuve
49, rue Lecor
Laval (Québec)
H7N 2Y4

Adresse de livraison
Même

Date: 25 janvier 20X7
Note de crédit: NC567086
Numéro du client: 78236
Numéro de facture: CF567086
Date de facture: 18 janvier 20X7
Date de retour de marchandise: 25 janvier 20X7

QUANTITÉ	NUMÉRO DE PRODUIT	DESCRIPTION	PRIX UNITAIRE ($)	MONTANT ($)
1 000	AE786	Stylos à bille noirs	0,13	130,00

Explications
Marchandise défectueuse (encre séchée).

RÉSERVÉ À L'USAGE INTERNE

	SOUS-TOTAL		130,00
N°: 123456789	TPS	7 %	9,10
N°: 9876543210	TVQ	7,5 %	10,43
	MONTANT TOTAL		**149,53**

Travail à faire

Passez au journal général les écritures requises.

Journal général

Date	Nom des comptes et explications	Réf.	Débit	Crédit
20X7				

Fin de la mise en situation 1.5

Problèmes suggérés : 1.1, 1.2, 1.3 et 1.4.

Section 1.6

Les créances irrécouvrables

Le fait d'accepter de faire crédit à ses clients implique qu'on ne pourra pas encaisser certains comptes, les **créances irrécouvrables**. Il en résultera alors une perte pour l'entreprise. Quand et comment doit-on comptabiliser la charge d'une créance irrécouvrable ?

CRÉANCE IRRÉCOUVRABLE
Créance considérée comme perdue définitivement, le créancier n'espérant plus récupérer la somme due parce que, par exemple, le débiteur a disparu ou a fait faillite.

1.6.1 La radiation directe

Afin de bien comprendre la **radiation directe** (ou **passation directe en charges**), examinons en détail un exemple.

Démonstration 1.6

La radiation directe d'un compte client

L'entreprise ABC appartient à Mme Lajoie. Au 1er janvier 20X7, l'entreprise n'a en stock qu'un seul article, soit une caisse de boutons à 4 trous achetée au cours de l'année précédente au coût de 60 $. Pour simplifier davantage la démonstration, nous ne tiendrons pas compte des taxes à la consommation. Examinons les opérations relatives à cette marchandise.

RADIATION DIRECTE (ou PASSATION DIRECTE EN CHARGES)
Méthode qui consiste à imputer une charge à l'exercice uniquement si l'entité a effectivement subi une perte (créance irrécouvrable) ou réellement engagé une dépense (travaux résultant d'une garantie).

Date	Opération
20X7	
02-27	Le voisin du cousin de Mme Lajoie recommande vivement un client: M. Beauparleur. Mme Lajoie lui vend à crédit la caisse de boutons au prix de 100 $. Les conditions de paiement sont 2/10, n/30.
03-27	N'ayant pas encore obtenu de paiement, Mme Lajoie communique avec M. Beauparleur, qui lui assure qu'il a déjà posté le chèque de paiement.
04-30	Mme Lajoie apprend que M. Beauparleur a déclaré faillite.
05-15	Le syndic de faillite annonce à Mme Lajoie qu'elle ne peut rien récupérer.

ABC a finalement perdu son unique caisse de boutons. Selon la méthode de la radiation directe, on enregistre la perte d'un compte client au compte de charges créances irrécouvrables seulement quand il n'y a plus aucun espoir de récupérer la somme due.

Travail à faire

a) Passez au journal général l'écriture requise pour inscrire la créance irrécouvrable.

b) Rédigez l'état des résultats partiel pour l'exercice terminé le 31 décembre 20X7 et le bilan partiel à cette date.

a) **Journal général**

Date	Nom des comptes et explications	Réf.	Débit	Crédit
20X7				
05-15	Créances irrécouvrables		100,00	
	Clients			100,00
	(Radiation directe du compte de M. Beauparleur)			

Quand on détermine le caractère irrécouvrable d'un compte dans l'exercice financier où on a enregistré la vente, la présentation de l'information financière est simple. On établit à zéro le compte clients du bilan, et l'état des résultats rend compte de la perte subie.

b)

ABC
État des résultats partiel
pour l'exercice terminé le 31 décembre 20X7

Ventes		100 $
Coût des marchandises vendues		
Stock au début	60 $	
Achats	0	
	60 $	
Stock à la fin	0	
Coût des marchandises vendues		60
Marge bénéficiaire brute		40 $
Charges d'exploitation		
Créances irrécouvrables		100
Perte nette		60 $

ABC
Bilan partiel
au 31 décembre 20X7

Actif à court terme	
Clients	0 $

Fin de la démonstration 1.6

Mise en situation 1.6

La radiation directe d'un compte client

Paysagiste Laverdure est une entreprise spécialisée en paysagement et en entretien de pelouse. Voici les opérations relatives au compte client Jean Santerre.

Date	Opération
20X7	
06-25	Paysagiste Laverdure rend des services à M. Santerre pour 2 000 $ plus taxes. Les conditions de paiement sont 2/10, n/30.
07-27	Le paiement n'a toujours pas été fait et on apprend que M. Santerre a déclaré faillite. Le syndic précise que l'entreprise devrait récupérer 20 % de la somme due.
09-30	Le syndic remet à l'entreprise la somme annoncée.

Travail à faire

Passez au journal général les écritures requises.

Remarque : Les taxes à la consommation facturées sur la vente doivent être annulées au moment de la radiation.

Journal général

Date	Nom des comptes et explications	Réf.	Débit	Crédit
20X7				

Fin de la mise en situation 1.6

1.6.2 La provision pour créances irrécouvrables

Lorsque la perte du compte est établie dans un exercice ultérieur, l'utilisation de la méthode de la radiation directe peut entraîner une surévaluation de la performance de l'entreprise pour l'exercice précédent.

Reprenons l'exemple de l'entreprise ABC. Supposons que Mme Lajoie ne soit informée de la faillite de M. Beauparleur qu'au cours de l'exercice suivant, soit en 20X8. Examinons-en l'effet sur les états des résultats et sur les bilans de 20X7 et de 20X8.

ABC
État des résultats
pour l'exercice terminé le 31 décembre 20X7

Ventes		100 $
Coût des marchandises vendues		
Stock au début	60 $	
Achats	0	
	60 $	
Stock à la fin	0	
Coût des marchandises vendues		60
Marge bénéficiaire brute		40 $
Charges d'exploitation		
Créances irrécouvrables		0
Bénéfice net		40 $

ABC
État des résultats
pour l'exercice terminé le 31 décembre 20X8

Ventes		0 $
Coût des marchandises vendues		
Stock au début		
Achats		
Stock à la fin		
Coût des marchandises vendues		0
Marge bénéficiaire brute		0 $
Charges d'exploitation		
Créances irrécouvrables		100
Perte nette		100 $

ABC
Bilan partiel
au 31 décembre 20X7

Actif à court terme	
Clients	100 $

ABC
Bilan partiel
au 31 décembre 20X8

Actif à court terme	
Clients	0 $

VALEUR NETTE DES COMPTES CLIENTS
Valeur totale des comptes clients, diminuée du montant de la provision pour créances irrécouvrables.

PROVISION POUR CRÉANCES IRRÉCOUVRABLES (ou PROVISION POUR CRÉANCES DOUTEUSES)
Compte de contrepartie où figurent les sommes que l'entité estime ne pas pouvoir recouvrer de ses clients.

Si vous étiez le banquier qui, sur la base des états financiers de 20X7, a prêté de l'argent à l'entreprise ABC, seriez-vous satisfait de l'information fournie ? Vous estimeriez certainement que les états financiers de 20X7 auraient dû mentionner la **possibilité** qu'un compte client ne soit jamais encaissé. Les normes comptables exigent en effet que le bilan présente la **valeur nette des comptes clients**, c'est-à-dire la valeur que l'entreprise encaissera probablement.

Pour présenter au bilan la possibilité que les comptes clients ne soient pas tous encaissés, on utilise le compte **provision pour créances irrécouvrables** (ou **provision pour créances douteuses**). Ainsi, au 31 décembre 20X7, même s'il est possible que l'entreprise radie le compte en 20X8, il faut inscrire à l'état des résultats la charge des créances irrécouvrables et, au bilan, une provision pour présenter le fait que la créance de M. Beauparleur semble irrécouvrable.

Démonstration 1.7

La surévaluation de la performance d'une entreprise

Cette démonstration renvoie aux données de l'entreprise ABC, en supposant que Mme Lajoie ne soit informée de la faillite qu'en 20X8.

Travail à faire

a) Passez au journal général l'écriture pour inscrire la créance irrécouvrable.
b) Dressez à nouveau l'état des résultats et le bilan partiel d'ABC pour les deux exercices concernés.

a)

Journal général

Date	Nom des comptes et explications	Réf.	Débit	Crédit
20X7				
12-31	Créances irrécouvrables		100,00	
	Provision pour créances irrécouvrables			100,00
	(Pour inscrire la charge de créances irrécouvrables)			

b)

ABC
État des résultats
pour l'exercice terminé le 31 décembre 20X7

Ventes		100 $
Coût des marchandises vendues		
Stock au début	60 $	
Achats	0	
	60 $	
Stock à la fin	0	
Coût des marchandises vendues		60
Marge bénéficiaire brute		40 $
Charges d'exploitation		
Créances irrécouvrables		100
Perte nette		60 $

ABC
État des résultats
pour l'exercice terminé le 31 décembre 20X8

Ventes		0 $
Coût des marchandises vendues		
Stock au début		
Achats		
Stock à la fin		
Coût des marchandises vendues		0
Marge bénéficiaire brute		0 $
Charges d'exploitation		
Créances irrécouvrables		0
Perte nette		0 $

ABC
Bilan partiel
au 31 décembre 20X7

Actif à court terme	
Clients	100 $
Moins : provision pour créances irrécouvrables	100
Valeur nette des comptes clients	0 $

ABC
Bilan partiel
au 31 décembre 20X8

Actif à court terme	
Clients	0 $
Moins : provision pour créances irrécouvrables	0
Valeur nette des comptes clients	0 $

Chaque fois qu'on dresse les états financiers, il faut refaire l'estimation de la provision pour créances irrécouvrables en tenant compte des hypothèses économiques du moment. On obtient ainsi une valeur plus précise, conformément au principe du rapprochement des produits et des charges.

De cette façon, le banquier aurait pu tout de suite constater que la valeur du compte clients au bilan n'était pas de 100 $, mais bien de 0 $. De plus, la perte liée à la vente à crédit aurait été présentée dans l'état des résultats du même exercice financier que la vente elle-même, ce qui aurait respecté le principe du rapprochement des produits et des charges.

Fin de la démonstration 1.7

En recourant à la provision pour créances irrécouvrables, il faut prévoir les pertes liées aux comptes clients. Pour évaluer le montant de ce compte, le gestionnaire doit se baser sur son propre jugement et sur l'expérience antérieure de l'entreprise. Voyons maintenant comment calculer ce montant et comment passer au journal général les écritures nécessaires à la régularisation des comptes du grand livre général et à la production des états financiers.

La provision pour créances irrécouvrables établie selon l'âge des comptes clients

Démonstration 1.8

L'établissement de la provision pour créances irrécouvrables selon l'âge des comptes clients

M. Smith exploite un commerce sous la raison sociale Smith. Cet homme d'affaires accepte de faire crédit à certains de ses clients selon la condition n/30. Il croit réaliste d'évaluer la provision pour créances irrécouvrables sur la base d'une analyse détaillée des comptes clients. En se fondant sur son expérience antérieure, il estime que le risque de perte d'un compte augmente avec le nombre de jours de retard.

Après avoir considéré les indicateurs de la situation économique et l'historique des créances irrécouvrables de son entreprise, il évalue le risque de pertes lié aux comptes clients actuels de l'entreprise selon le barème suivant.

Il semble très logique que le pourcentage de la provision augmente avec l'âge des comptes. En effet, plus un client tarde à payer et moins il respecte les conditions de la vente, moins il y a de chances réelles de récupérer ce compte !

Âge du compte (jours)	Provision pour créances irrécouvrables (%)
0-30	0,5
31-60	2,0
61-90	25,0
91 et plus	60,0

Voici le grand livre auxiliaire des clients de Smith au 31 janvier 20X7.

Grand livre auxiliaire des clients

Lauzon

Date	Explications	Réf.	Débit	Crédit	Solde	Dt/Ct
20X6						
12-25	Facture n° 183		1 115,03		1 115,03	Dt
20X7						
01-01	Facture n° 234		3 000,00		4 115,03	Dt
01-02	Note de crédit (facture n° 183)			315,03	3 800,00	Dt

Larin

Date	Explications	Réf.	Débit	Crédit	Solde	Dt/Ct
20X6						
09-30	Facture n° 131		1 700,58		1 700,58	Dt
12-04	Facture n° 158		3 200,00		4 900,58	Dt
12-08	Paiement (facture n° 131)			200,58	4 700,00	Dt
20X7						
01-13	Paiement (facture n° 158)			200,00	4 500,00	Dt

Laframboise						
Date	**Explications**	**Réf.**	**Débit**	**Crédit**	**Solde**	**Dt/Ct**
20X6						
11-03	Facture nº 177		5 700,99		5 700,99	Dt
12-04	Note de crédit (facture nº 177)			1 700,99	4 000,00	Dt
12-18	Paiement (facture nº 177)			2 000,00	2 000,00	Dt
20X7						
01-13	Paiement (facture nº 177)			1 000,00	1 000,00	Dt

Lafrance						
Date	**Explications**	**Réf.**	**Débit**	**Crédit**	**Solde**	**Dt/Ct**
20X6						
12-03	Facture nº 181		5 780,00		5 780,00	Dt
20X7						
01-02	Paiement (facture nº 181)			5 780,00		Dt
01-18	Facture nº 247		4 567,32		4 567,32	Dt
01-23	Facture nº 249		3 632,68		8 200,00	Dt

Travail à faire

a) Préparez la liste chronologique des clients au 31 janvier 20X7.
b) Déterminez la provision pour créances irrécouvrables à cette date.
c) Passez au journal général l'écriture de régularisation requise.

a)

Liste chronologique des clients au 31 janvier 20X7

Nom du client	Numéro du client	Courant	31-60 jours	61-90 jours	91 jours et plus	Total
Lauzon		3 000,00	800,00			3 800,00
Larin			3 000,00		1 500,00	4 500,00
Laframboise				1 000,00		1 000,00
Lafrance		8 200,00				8 200,00
		11 200,00	3 800,00	1 000,00	1 500,00	17 500,00

b)

Âge du compte (jours)	Calcul de la provision pour créances irrécouvrables ($)
0-30	0,5 % × 11 200,00 = 56,00
31-60	2,0 % × 3 800,00 = 76,00
61-90	25,0 % × 1 000,00 = 250,00
91 et plus	60,0 % × 1 500,00 = 900,00
Total	1 282,00

Le montant de la provision calculé de cette façon inclut les taxes puisqu'elles sont comprises dans les comptes clients. Le taux combiné des taxes à la consommation est de 15,025 %. Comme l'entreprise Smith pourra récupérer les taxes des comptes radiés, le montant de la provision pour créances irrécouvrables sera de 1 114,54 $ (1 282,00 $/1,15025).

On établit toujours le solde des comptes créances irrécouvrables et provisions pour créances irrécouvrables à partir des montants des comptes clients avant taxes.

c) **Journal général**

Date	Nom des comptes et explications	Réf.	Débit	Crédit
20X7				
01-31	Créances irrécouvrables		1 114,54	
	Provision pour créances irrécouvrables			1 114,54
	(Estimation de la provision basée sur			
	l'analyse de l'âge des comptes clients)			

Fin de la démonstration 1.8

Examinons à nouveau les deux soldes suivants au 31 janvier 20X7.

- Solde du compte clients de 17 500,00 $ (dt) : il s'agit de l'ensemble des sommes que l'entreprise Smith peut légalement exiger de ses clients.
- Solde du compte provision pour créances irrécouvrables de 1 114,54 $ (ct) : il s'agit de l'estimation générale de la somme que M. Smith pense, malgré tous ses efforts, ne pas pouvoir encaisser parmi les comptes clients qui totalisent 17 500,00 $ au 31 janvier 20X7.

À cette étape, M. Smith ne connaît pas les comptes qui seront effectivement perdus. Cette provision est nécessaire pour établir au bilan la valeur nette de l'actif à 16 385,46 $.

Clients	17 500,00 $
Moins : provision pour créances irrécouvrables	1 114,54
	16 385,46 $

La provision pour créances irrécouvrables établie selon l'âge des comptes clients permet une estimation plus juste de la valeur nette des comptes clients à présenter au bilan.

Soulignons que le montant des comptes clients inclut les taxes à la consommation, alors que la provision pour créances irrécouvrables n'en tient pas compte. La législation sur l'application des taxes à la consommation oblige à fonctionner de la sorte.

Démonstration 1.9

La radiation d'un compte client

Cette démonstration renvoie aux données de la démonstration 1.8.

Que devra faire M. Smith quand il constatera qu'il a définitivement perdu un compte? Supposons que le compte Laframboise ne soit pas récupérable: M. Smith devra alors le radier.

Il faut porter la somme perdue au crédit du compte clients ainsi qu'au débit du compte provision pour créances irrécouvrables. Attention! Le compte de charges créances irrécouvrables ayant déjà été débité avec l'écriture de régularisation de la provision pour créances irrécouvrables, il ne faudrait pas le débiter une seconde fois puisque cela doublerait le montant de la charge!

Enfin, tout comme on n'inclut pas les taxes dans le compte provision pour créances irrécouvrables, il faut, au moment de radier un compte client, débiter les comptes TPS à payer et TVQ à payer. En d'autres mots, c'est comme si les transactions de vente étaient annulées. Finalement, le solde du compte Laframboise doit être remis à zéro dans le grand livre auxiliaire des clients.

Travail à faire

Passez au journal général l'écriture requise.

Journal général

Date	Nom des comptes et explications	Réf.	Débit	Crédit
20X7				
01-31	Provision pour créances irrécouvrables		869,37	
	TPS à payer		60,86	
	TVQ à payer		69,77	
	Clients			1 000,00
	(Pour radier le compte Laframboise : 1 000 $)			

Fin de la démonstration 1.9

Mise en situation 1.7

La radiation d'un compte client et l'établissement de la provision pour créances irrécouvrables

L'entreprise Pierres et briques appartient à M. Lapierre. L'exercice financier de l'entreprise se termine le 31 décembre 20X7. À cette date, le grand livre général indique les soldes suivants.

Clients	55 870,00 $
Provision pour créances irrécouvrables	13 310,00 $

Voici des renseignements relatifs à l'exercice terminé le 31 décembre 20X7.

Services rendus à crédit	121 000,00 $
Encaissements relatifs aux comptes clients	98 390,10 $

Enfin, voici deux opérations survenues vers la fin de l'exercice.

Date	Opération
20X7	
12-13	M. Lapierre apprend que son client Tout feu vient de faire faillite. Le compte s'élève à 15 879,15 $. M. Lapierre estime que le jugement de faillite ne lui permettra de récupérer que 1 000 $.
12-31	Au moment de préparer les états financiers, le comptable procède à l'analyse des comptes clients et détermine que la provision pour créances irrécouvrables devrait s'établir à 7 760 $.

Travail à faire

Passez au journal général les écritures relatives aux services rendus à crédit, aux encaissements et aux deux opérations de décembre.

Journal général

Date	Nom des comptes et explications	Réf.	Débit	Crédit
20X7				

Journal général

Date	Nom des comptes et explications	Réf.	Débit	Crédit
20X7				

Fin de la mise en situation 1.7

Lorsqu'on établit la provision pour créances irrécouvrables en fonction de l'âge des comptes clients, on estime le risque de perte à partir de l'expérience antérieure de l'entreprise et des indicateurs de la situation économique. Nous avons vu comment établir la provision dans un ordre croissant de pourcentage du montant total de chaque catégorie d'âge (courant, 30-60 jours, etc.). En fait, il existe plusieurs variantes de cette méthode.

Si la clientèle est peu nombreuse, on peut effectuer l'analyse individuelle des comptes en se basant sur notre connaissance de chaque client et en vérifiant les paiements survenus après la date de fin d'exercice. En effet, il existe un délai entre cette date et la date de production des états financiers. Ce délai peut n'être que de quelques jours pour des états financiers intermédiaires, mais il peut être de quelques mois pour les états financiers de fin d'exercice.

L'information additionnelle fournie par ces événements subséquents est très utile pour estimer plus précisément la valeur nette des comptes clients. Il est aussi possible de combiner ces deux méthodes : on procède à l'analyse individuelle des comptes les plus importants (ou des comptes les plus en retard) et on utilise un pourcentage global pour les autres comptes.

La provision pour créances irrécouvrables établie selon un pourcentage des ventes à crédit

Lorsqu'on prépare des états financiers intermédiaires pour la gestion interne de l'entreprise, on s'intéresse surtout aux résultats d'exploitation de la période. On voudra parfois éviter le travail d'évaluation de la provision pour créances irrécouvrables. Pour ce faire, on comptabilisera une charge estimative de créances irrécouvrables en fonction du niveau des ventes à crédit de la période, sans se préoccuper de l'impact sur le bilan. Lorsqu'on dressera les états financiers annuels, il faudra toutefois corriger le compte de bilan.

Démonstration 1.10

L'établissement de la provision pour créances irrécouvrables selon un pourcentage des ventes à crédit

L'entreprise Mistral accepte de faire crédit à certains de ses clients selon la condition de vente n/30. L'historique de ses clients montre que 4 % de ses ventes à crédit ont été passées en créances irrécouvrables. Les gestionnaires de l'entreprise estiment que cette tendance se maintiendra au cours de la prochaine année.

Au 1er janvier 20X7, le solde du compte clients du grand livre général est de 15 500 $. Le grand livre auxiliaire des clients indique à cette date les soldes suivants.

ABC	11 200 $
DEF	1 200 $
GHI	3 100 $

Toujours à la même date, le solde du compte provision pour créances irrécouvrables du grand livre général est de 2 500 $.

Enfin, voici quelques opérations effectuées par Mistral en janvier 20X7.

Date	Opération
20X7	
01-03	Encaissement de GHI : 2 500 $.
01-07	Vente à crédit à ABC : 7 000 $ plus taxes.
01-19	Vente à crédit à DEF : 22 000 $ plus taxes.
01-27	Information obtenue d'un syndic : GHI a fait faillite et Mistral ne peut espérer récupérer que 200 $.

Travail à faire

Les gestionnaires de Mistral veulent établir le compte créances irrécouvrables sur la base d'un pourcentage des ventes à crédit.

a) Passez au journal général les écritures requises.

b) Établissez la balance de vérification partielle pour rendre compte de ces inscriptions.

c) Déterminez les soldes et le total du grand livre auxiliaire des clients.

d) Déterminez la valeur nette du compte clients présentée à l'actif de l'entreprise.

On n'inclut pas les taxes à la consommation dans l'établissement du montant pour créances irrécouvrables puisque le calcul se fait sur le montant des ventes avant taxes.

a) **Journal général**

Date	Nom des comptes et explications	Réf.	Débit	Crédit
20X7				
01-03	Encaisse		2 500,00	
	Clients			2 500,00
	(Encaissement, paiement partiel, GHI)			
01-07	Clients		8 051,75	
	Ventes			7 000,00
	TPS à payer			490,00
	TVQ à payer			561,75
	(Vente, ABC)			
01-19	Clients		25 305,50	
	Ventes			22 000,00
	TPS à payer			1 540,00
	TVQ à payer			1 765,50
	(Vente, DEF)			
01-27	Provision pour créances irrécouvrables		347,75	
	TPS à payer		24,34	
	TVQ à payer		27,91	
	Clients			400,00
	(Radiation partielle, GHI : (3 100 $ – 2 500 $) – 200 $ = 400 $)			
01-31	Créances irrécouvrables		1 160,00	
	Provision pour créances irrécouvrables			1 160,00
	(Estimation de la charge pour janvier :			
	(7 000 $ + 22 000 $) × 4 % = 1 160 $)			

b)

Mistral
Balance de vérification partielle
au 31 janvier 20X7

	Débit	Crédit
Clients	45 957,25 $	
Provision pour créances irrécouvrables		3 312,25 $
Ventes		29 000,00
Créances irrécouvrables	1 160,00	

c) Au 31 janvier 20X7, le grand livre auxiliaire des clients de Mistral indique les soldes suivants.

ABC	19 251,75 $
DEF	26 505,50
GHI	200,00
Total	45 957,25 $

d) La valeur nette du compte clients présentée à l'actif de l'entreprise est donc de 42 645 $.

Clients	45 957,25 $
Moins : provision pour créances irrécouvrables	3 312,25
Valeur nette du compte clients	42 645,00 $

Le calcul de la provision pour créances irrécouvrables selon le pourcentage des ventes à crédit sert à l'établissement du compte de charges à l'état des résultats. Cependant, la valeur présentée au bilan ne représente pas nécessairement la valeur nette des comptes clients.

Pour déterminer qu'il s'agit bien de la valeur nette, il faut refaire l'analyse des comptes clients au 31 janvier 20X7 et régulariser, s'il y a lieu, le montant de la provision pour créances irrécouvrables.

Fin de la démonstration 1.10

Quelle que soit la méthode utilisée pour l'établissement de la provision pour créances irrécouvrables, le traitement comptable de la radiation d'un compte client reste le même.

1.6.3 Le recouvrement d'un compte radié

Pour être en mesure d'enregistrer un encaissement lié à un compte précédemment radié, il faut d'abord annuler la radiation, puis réinscrire le compte au grand livre auxiliaire des clients, et ce, quelle que soit la méthode de détermination de la provision pour créances irrécouvrables.

Démonstration 1.11

Le recouvrement d'un compte radié

Au 1er janvier 20X7, le grand livre général de l'entreprise Typhon présente les soldes suivants.

Provision pour créances irrécouvrables	1 245,00 $
Clients	14 000,50 $

À la même date, le grand livre auxiliaire des clients indique les soldes suivants.

ABC	7 200,90 $
DEF	3 200,10 $
JKL	3 599,50 $

Le 15 janvier 20X7, Typhon reçoit la somme de 1 150,25 $ de l'entreprise GHI. Il s'agit d'un compte que l'entreprise avait radié en juillet 20X6 après avoir vainement tenté de le récupérer. Comme ce compte client n'existe plus dans les registres de l'entreprise, il faut annuler la radiation, puis enregistrer l'encaissement.

Travail à faire

Passez au journal général les écritures requises.

Journal général

Date	Nom des comptes et explications	Réf.	Débit	Crédit
20X7				
01-15	Clients		1 150,25	
	Provision pour créances irrécouvrables			1 000,00
	TPS à payer			70,00
	TVQ à payer			80,25
	(Pour annuler la radiation du compte GHI)			
01-15	Encaisse		1 150,25	
	Clients			1 150,25
	(Encaissement, GHI)			

Fin de la démonstration 1.11

Mise en situation 1.8

Le recouvrement d'un compte radié, la radiation d'un compte et l'établissement de la provision pour créances irrécouvrables

M. Tremblay exploite un commerce sous la raison sociale Tremblay. Il accepte de faire crédit à certains de ses clients selon la condition de paiement n/30. L'entreprise comptabilise une provision pour créances irrécouvrables sur la base d'un pourcentage de 2 % des ventes à crédit. Au 1er janvier 20X7, le grand livre général présente les soldes suivants.

Provision pour créances irrécouvrables	110 $
Clients	13 500 $

À la même date, le grand livre auxiliaire des clients indique les soldes suivants.

Lajoie	9 200 $
Larose	1 200 $
Latulipe	3 100 $

Voici quelques opérations effectuées par l'entreprise en janvier 20X7.

Date	Opération
20X7	
01-03	Vente au comptant à Laviolette : 200 $ plus taxes.
01-07	Vente à crédit à Larose : 700 $ plus taxes.

Date	Opération
01-08	Encaissement de Lajoie : 3 500 $.
01-19	Encaissement de La jolie marguerite, compte radié en décembre 20X6 : 340 $.
01-25	Vente à crédit à Larose : 1 100 $ plus taxes.
01-27	Information obtenue d'un syndic : Latulipe a fait faillite et l'entreprise Tremblay ne peut espérer récupérer que 1 000 $.

Travail à faire

Passez au journal général les écritures requises.

Journal général

Date	Nom des comptes et explications	Réf.	Débit	Crédit
20X7				

Journal général

Date	Nom des comptes et explications	Réf.	Débit	Crédit
20X7				

Fin de la mise en situation 1.8

Mise en situation 1.9

L'analyse des comptes clients à l'aide de la liste chronologique des clients et de la balance de vérification ainsi que la régularisation de la provision pour créances irrécouvrables

Après avoir enregistré les opérations effectuées en janvier 20X7 par l'entreprise Tremblay, on peut se poser plusieurs questions. Quels sont les soldes des comptes? Quel sens doit-on leur donner? Que doit-on faire si l'analyse des comptes indique que la provision pour créances irrécouvrables devrait être de 10 % des soldes des clients au 31 janvier 20X7?

Travail à faire

a) Établissez la balance de vérification partielle au 31 janvier 20X7.

b) Dressez la liste chronologique des clients au 31 janvier 20X7.

c) Expliquez pourquoi le solde du compte provision pour créances irrécouvrables est débiteur.

d) Si, après une analyse réaliste des soldes des clients, on arrive à la conclusion que la provision devrait être de 10 % des soldes avant taxes au 31 janvier 20X7, à combien faudrait-il donc la rétablir?

e) Passez au journal général l'écriture de régularisation de la provision pour créances irrécouvrables.

a)

Tremblay
Balance de vérification partielle
au 31 janvier 20X7

	Débit	Crédit
Clients		
Provision pour créances irrécouvrables		
Ventes		
Créances irrécouvrables		

b) **Liste chronologique des clients**

Compte	Courant	Plus de 30 jours	Total
Lajoie			
Larose			
Latulipe			

c)

d) Lajoie $
Larose
Latulipe
Total $

Calculs: $

e) **Journal général**

Date	Nom des comptes et explications	Réf.	Débit	Crédit
20X7				

Fin de la mise en situation 1.9

Il existe une autre façon d'enregistrer le recouvrement d'un compte radié: au lieu de créditer le compte de bilan **provision pour créances irrécouvrables**, on peut créditer le compte de résultats **recouvrement des comptes radiés**. En fin de période, le compte provision pour créances irrécouvrables sera de toute façon régularisé après l'analyse des soldes des clients. La provision pour créances irrécouvrables sera donc du même montant, quelle que soit la méthode utilisée.

L'avantage de ce mode d'enregistrement est de présenter distinctement à l'état des résultats les comptes radiés et recouvrés au cours de la période. Il faut voir si l'information additionnelle fournie est nécessaire et justifiée en fonction de l'importance des montants.

Problèmes suggérés: 1.5, 1.6, 1.7 et 1.8.

Section 1.7

Les effets à recevoir

Lorsque l'entreprise prête une somme, qu'elle vend des biens ou rend des services pour lesquels elle offre des conditions de crédit inhabituelles ou encore qu'elle accepte de prolonger le délai de paiement d'un compte client, elle exigera que le débiteur lui signe un document attestant des conditions de remboursement de la somme due: un **billet à ordre**. On comptabilisera ces sommes à recevoir dans un compte différent des comptes clients ordinaires, soit le compte effets à recevoir.

BILLET À ORDRE
Effet de commerce par lequel une personne (le souscripteur) s'engage à payer, à vue ou à une date déterminée, une somme au bénéficiaire désigné ou à son ordre.

SOUSCRIPTEUR
Débiteur qui émet un billet à ordre et qui s'engage par le fait même à le payer.

Un billet à ordre est un document qui comporte les renseignements suivants: le nom de la personne ou de l'entreprise (le **souscripteur**) qui doit de l'argent à l'entreprise (le bénéficiaire), le montant dû, la date du prêt, la date d'échéance ainsi que le taux d'intérêt et certaines modalités de paiement, s'il y a lieu.

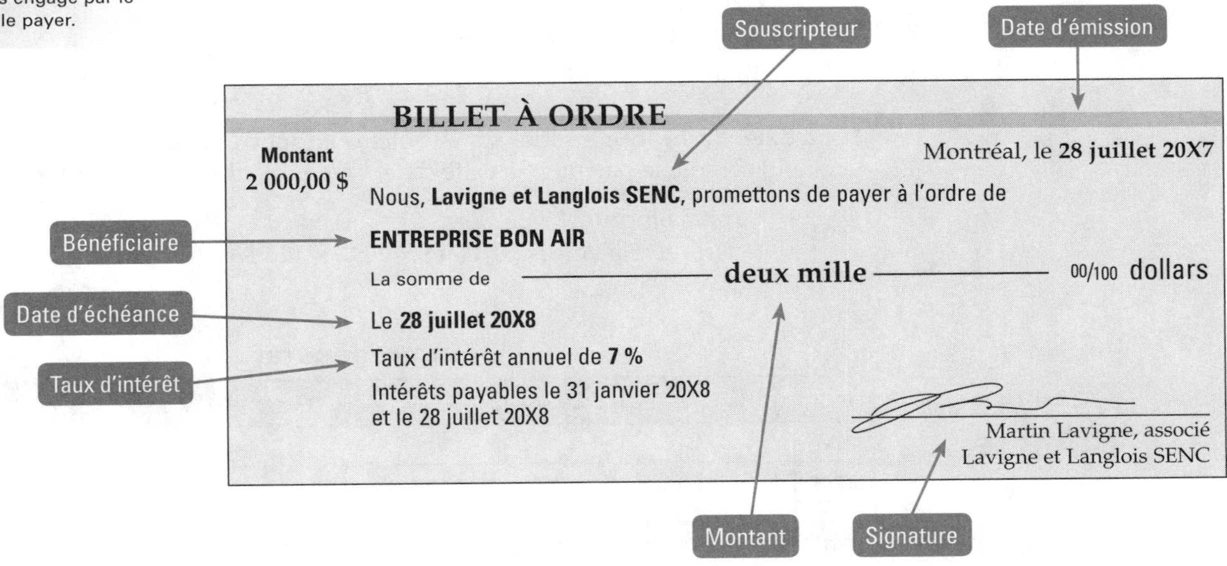
BILLET À ORDRE

Montant
2 000,00 $

Montréal, le **28 juillet 20X7**

Nous, **Lavigne et Langlois SENC**, promettons de payer à l'ordre de
ENTREPRISE BON AIR
La somme de ——— **deux mille** ——— 00/100 dollars
Le **28 juillet 20X8**
Taux d'intérêt annuel de **7 %**
Intérêts payables le 31 janvier 20X8
et le 28 juillet 20X8

Martin Lavigne, associé
Lavigne et Langlois SENC

DÉLAI DE GRÂCE
Délai accordé à un débiteur, par la loi ou par convention, pour régler une dette après son échéance.

Il faut prêter attention à la date d'échéance d'un billet à ordre. La loi canadienne accorde un **délai de grâce** de trois jours après la date inscrite sur le billet avant que le bénéficiaire ne puisse effectivement considérer que l'effet n'est pas honoré et entreprendre des procédures de recouvrement. Par ailleurs, pour déterminer la période de calcul des intérêts, on ne tient pas compte du jour de la date d'émission du billet, mais on tient compte du jour de la date d'échéance et des trois jours de grâce si le souscripteur fait valoir cette disposition.

Démonstration 1.12

Le calcul des intérêts d'un billet à ordre et la comptabilisation au journal général

Le 4 juillet 20X7, l'entreprise Xanadu rend des services à un nouveau client pour une somme de 15 000 $, taxes comprises. Comme il s'agit à la fois d'une somme importante et d'un nouveau client, Xanadu consent à accorder un délai de paiement exceptionnel de 120 jours. Cependant, le client paiera des intérêts sur la somme due au taux annuel de 10 %. Le client signe un billet à ordre pour accepter ces conditions.

Travail à faire

a) Déterminez la date d'échéance du billet à ordre et calculez le montant total que le souscripteur doit payer.

b) Passez au journal général les écritures requises dans le cas où le paiement est fait à la date d'échéance.

c) Passez au journal général les écritures requises dans le cas où le souscripteur se prévaut du délai de grâce accordé par la loi.

---

a) On calcule comme suit la date d'échéance selon le délai de 120 jours.

Juillet (on ne tient pas compte de la date d'émission)	27 jours
Août	31
Septembre	30
Octobre	31
Novembre (on tient compte de la date d'échéance)	1
Total	120 jours

La date d'échéance inscrite sur le billet doit donc être le 1er novembre 20X7. Si le client effectue le paiement à cette date, on en calcule le montant comme suit.

Capital emprunté	15 000,00 $
Plus : intérêts versés (15 000 $ × 10 % × 120/365)	493,15
Total	15 493,15 $

b)

Journal général

Date	Nom des comptes et explications	Réf.	Débit	Crédit
20X7				
07-04	Effets à recevoir		15 000,00	
	Services rendus			13 040,64
	TPS à payer			912,85
	TVQ à payer			1 046,51
	(Contrat de service rendu et billet à ordre)			
11-01	Banque		15 493,15	
	Effets à recevoir			15 000,00
	Produit d'intérêts			493,15
	(Bordereau de dépôt, 1er novembre)			

c) Si le client se prévaut du délai de grâce accordé par la loi, le calcul des intérêts se fait comme suit : 15 000,00 $ × 10 % × **123**/365 = 505,48 $.

Journal général

Date	Nom des comptes et explications	Réf.	Débit	Crédit
20X7				
07-04	Effets à recevoir		15 000,00	
	Services rendus			13 040,64
	TPS à payer			912,85
	TVQ à payer			1 046,51
	(Contrat de service rendu et billet à ordre)			
11-04	Banque		15 505,48	
	Effets à recevoir			15 000,00
	Produit d'intérêts			505,48
	(Bordereau de dépôt, 4 novembre)			

Fin de la démonstration 1.12

Mise en situation 1.10

Le calcul des intérêts d'un billet à ordre et la comptabilisation au journal général

L'entreprise Bonheur vend des meubles et accorde des conditions de crédit avantageuses aux clients qui lui achètent pour 10 000 $ et plus. Un jeune couple achète du mobilier pour un total de 11 500 $ plus taxes. L'entreprise établit un billet à ordre en conséquence. Les jeunes gens respectent les modalités du billet tout en se prévalant du délai de grâce.

Voici la facture de vente de la transaction.

BONHEUR
1200, boul. de la Concorde
Laval (Québec) H6N 2Z5

FACTURE

Date: 18 janvier 20X7
Facture: 20X7-01-18-22
Numéro du contrat: 564AX342
Date de commande: 15 janvier 20X7
Date de livraison: 18 janvier 20X7

Client
Martin Veillette et Martine Villemure
49, rue de la Victoire
Laval (Québec) H7Z 3A3

Adresse de livraison
Même

CODE

VENDEUR

QUANTITÉ	NUMÉRO DE PRODUIT	DESCRIPTION	PRIX UNITAIRE ($)	MONTANT ($)
1	2345	Mobilier de chambre à coucher	5 500,00	5 500,00
1	435	Mobilier de salon	4 000,00	4 000,00
1	6758	Mobilier de cuisine	2 000,00	2 000,00

SOUS-TOTAL		11 500,00
Nº : 234567890	TPS 7 %	805,00
Nº : 8765432109	TVQ 7,5 %	922,88
MONTANT TOTAL		**13 227,88**

Conditions de paiement
Nous nous engageons à rembourser à l'entreprise Bonheur la somme de 13 227,88 $, plus les intérêts calculés au taux annuel de 11 %, au plus tard le 18 juillet 20X7.

Martin Veillette et Martine Villemure

Travail à faire

Passez au journal général les écritures requises.

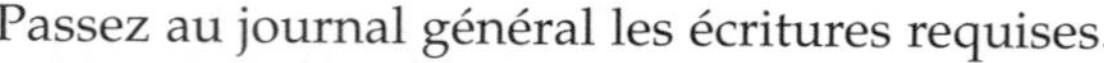

Journal général

Date	Nom des comptes et explications	Réf.	Débit	Crédit
20X7				

Fin de la mise en situation 1.10

Après l'expiration du délai de grâce, le compte d'un client qui n'a pas honoré un billet à ordre devient un compte client ordinaire et l'entreprise peut entreprendre des démarches de recouvrement. La somme qu'on est en droit de réclamer inclut les intérêts. Il faut alors virer la somme à recevoir (y compris les intérêts) dans le compte clients du grand livre général.

Démonstration 1.13

La comptabilisation au journal général d'un billet à ordre non honoré

Cette démonstration renvoie aux données de la démonstration 1.12.

Advenant que le client n'ait pas encore honoré le billet à ordre au 4 novembre 20X7, il devrait 15 505,48 $ à l'entreprise Xanadu.

Capital remboursé	15 000,00 $
Plus : intérêts cumulés (15 000,00 $ × 10 % × 123/365)	505,48
Total	15 505,48 $

Travail à faire

Passez au journal général l'écriture requise le 4 novembre 20X7.

Journal général

Date	Nom des comptes et explications	Réf.	Débit	Crédit
20X7				
11-04	Clients		15 505,48	
	Effets à recevoir			15 000,00
	Produit d'intérêts			505,48
	(Billet à ordre échu et non honoré)			

Fin de la démonstration 1.13

Comme nous l'avons vu précédemment, il va de soi que, dans le cas de démarches de recouvrement infructueuses et après le virement dans le compte clients du grand livre général, on peut radier le compte d'un client qui n'a pas honoré un billet à ordre.

Section 1.8

La régularisation des intérêts à recevoir

En vertu du principe de réalisation, l'entreprise doit enregistrer tous les produits gagnés au cours de l'exercice, même s'ils ne sont pas encore encaissés à la fin de cet exercice. Il faut donc, au moyen d'une écriture de régularisation, enregistrer le produit d'intérêts relatif aux effets à recevoir à la date de fin d'exercice. Voyons l'exemple d'une entreprise qui accorde un prêt à une cliente.

Démonstration 1.14

La régularisation des intérêts à recevoir sur un billet à ordre

L'exercice financier de l'entreprise Decelles se termine le 31 décembre. Le 1er octobre 20X7, l'entreprise prête la somme de 5 000 $ à Noémie Tremblay. Voici le billet à ordre relatif à cette transaction.

BILLET À ORDRE

Montant
5 000,00 $

Montréal, le 1er octobre 20X7

Je, Noémie Tremblay, promets de payer à l'ordre de

DECELLES

La somme de ———— **cinq mille** ———— 00/100 dollars

Le 31 juillet 20X8

Taux d'intérêt annuel de 5 %
Intérêts payables à l'échéance

Noémie Tremblay
Noémie Tremblay

Travail à faire

a) Passez au journal général l'écriture relative à ce billet à ordre.

b) Régularisez le produit d'intérêts de Decelles pour l'exercice financier se terminant le 31 décembre 20X7.

c) Enregistrez l'encaissement du billet à ordre le 31 juillet 20X8.

a) **Journal général**

Date	Nom des comptes et explications	Réf.	Débit	Crédit
20X7				
10-01	Effets à recevoir		5 000,00	
	Banque			5 000,00
	(Billet à ordre signé par Mme Tremblay)			

b) **Journal général**

Date	Nom des comptes et explications	Réf.	Débit	Crédit
20X7				
12-31	Intérêts à recevoir		62,33	
	Produit d'intérêts			62,33
	(Intérêts : 5 000,00 $ × 5 % × 91/365 = 62,33 $)			

c) **Journal général**

Date	Nom des comptes et explications	Réf.	Débit	Crédit
20X8				
07-31	Banque		5 207,54	
	Effets à recevoir			5 000,00
	Produit d'intérêts			145,21
	Intérêts à recevoir			62,33
	(Intérêts : 5 000,00 $ × 5 % × 212/365 = 145,21 $)			

Le produit d'intérêts est donc gagné au fur et à mesure que le temps passe, conformément au principe de réalisation des produits. C'est pourquoi on a comptabilisé 91 jours d'intérêts dans l'exercice terminé le 31 décembre 20X7 et 212 jours d'intérêts dans l'exercice suivant.

Fin de la démonstration 1.14

Mise en situation 1.11

La comptabilisation au journal général d'un billet à ordre non honoré

Le 15 novembre 20X6, l'entreprise ABC rend des services pour 3 000 $ plus taxes à Sébastien Lucien. Celui-ci signe un billet à ordre échéant le 15 juin 20X7 et portant intérêt au taux annuel de 7 %. La date de fin d'exercice de l'entreprise est le 31 décembre. À l'échéance du billet, le client ne l'honore pas.

Travail à faire

Passez au journal général les écritures requises.

Journal général

Date	Nom des comptes et explications	Réf.	Débit	Crédit
20X6				

Fin de la mise en situation 1.11

Problèmes suggérés : 1.9, 1.10, 1.11 et 1.12.

Résumé

L'entreprise peut acquérir le droit légal d'exiger dans le futur le paiement de sommes par une autre entité ; ces montants correspondent à des créances. Selon l'échéance, on présente les créances dans l'actif à court terme ou dans l'actif à long terme.

Les biens vendus ou les services rendus qui n'ont pas encore été payés constituent des comptes clients. L'entreprise offre la possibilité à sa clientèle de différer les paiements dans le but d'attirer de nouveaux clients ou de fidéliser ses clients actuels. Pour que le crédit accordé soit rentable, il faut que l'augmentation des ventes qui en découle dépasse le montant des pertes liées au non-paiement. C'est pourquoi les entreprises mettent en place un système de contrôle et de gestion des comptes clients qui fait appel, notamment, à la liste chronologique des clients.

On présente à l'état des résultats comme produit d'exploitation d'une entreprise le montant net des ventes effectuées, déduction faite des remises, des escomptes de caisse et des notes de crédit.

On peut comptabiliser une créance irrécouvrable en radiant directement le compte client concerné. Cependant, si la perte du compte ne survient pas dans le même exercice, il faut utiliser le compte de contrepartie provision pour créances irrécouvrables afin de présenter dans les états financiers la possibilité que ce compte ne soit pas encaissé. En se fondant sur l'expérience antérieure de l'entreprise et sur des indicateurs de la situation économique, on peut établir la provision pour créances irrécouvrables selon l'âge des comptes clients ou selon un pourcentage des ventes à crédit. Par ailleurs, le recouvrement d'un compte radié commande l'annulation de la radiation et la réinscription du compte au grand livre auxiliaire des clients.

Lorsque l'entreprise prête de l'argent, qu'elle vend des biens ou rend des services pour lesquels elle offre des conditions de crédit inhabituelles ou encore qu'elle accepte de prolonger le délai de paiement d'un compte client, on comptabilise les sommes à recevoir dans un compte différent : le compte effets à recevoir. Le document qui atteste ce genre de créance est le billet à ordre. Ces créances portent généralement intérêt. En vertu du principe de réalisation, l'entreprise doit comptabiliser ce produit d'intérêts et présenter au bilan les intérêts à recevoir à la date des états financiers.

Problème 1.1 La comptabilisation d'une transaction de vente avec escompte et note de crédit

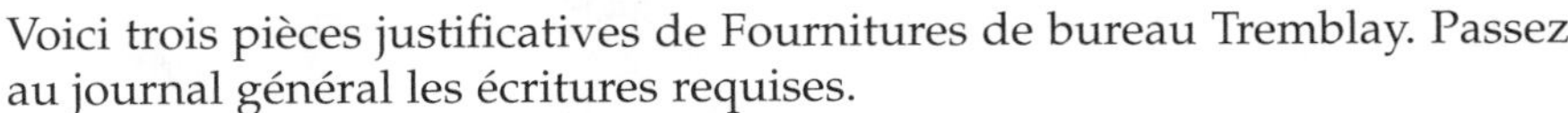

Travail à faire

Voici trois pièces justificatives de Fournitures de bureau Tremblay. Passez au journal général les écritures requises.

Fournitures de bureau Tremblay
6672, rue Saint-Denis
Montréal (Québec) H2J 2K8

FACTURE

Client	Adresse de livraison
Martin Deblois 349, 3e Rue Laval (Québec) H7N 7N7	Même

Date	18 mars 20X7
Facture	CF567086
Numéro du client	78236
Date de commande	15 mars 20X7
Date de livraison	18 mars 20X7
Conditions de paiement	2/10, n/30

CODE VENDEUR

QUANTITÉ	NUMÉRO DE PRODUIT	DESCRIPTION	PRIX UNITAIRE ($)	MONTANT ($)
10 000	AE886	Trombones	0,15	1 500,00

RÉSERVÉ À L'USAGE INTERNE

SOUS-TOTAL	1 500,00
No : 123456789 TPS 7 %	105,00
No : 9876543210 TVQ 7,5 %	120,38
MONTANT TOTAL	**1 725,38**

Fournitures de bureau Tremblay
6672, rue Saint-Denis
Montréal (Québec) H2J 2K8

NOTE DE CRÉDIT

Client	Adresse de livraison
Martin Deblois 349, 3e Rue Laval (Québec) H7N 7N7	Même

Date	20 mars 20X7
Note de crédit	NC567086
Numéro du client	78236
Numéro de facture	CF567086
Date de facture	18 mars 20X7
Date de retour de marchandise	20 mars 20X7

QUANTITÉ	NUMÉRO DE PRODUIT	DESCRIPTION	PRIX UNITAIRE ($)	MONTANT ($)
1 000	AE886	Trombones	0,15	150,00

Explications
Défaut de fabrication.

RÉSERVÉ À L'USAGE INTERNE

SOUS-TOTAL	150,00
No : 123456789 TPS 7 %	10,50
No : 9876543210 TVQ 7,5 %	12,04
MONTANT TOTAL	**172,54**

BANQUE PROVINCIALE — **Bordereau de dépôt**

Créditez le compte de		Succursale	567
Nom du client	**FOURNITURES DE BUREAU TREMBLAY**	Date	28 mars 20X7

Folio **45-987-45**

Chèques		**Espèces**	
Martin Deblois	1 525,84	____ × 100 $	
		____ × 50 $	
		____ × 20 $	
		____ × 10 $	
		____ × 5 $	
		Monnaie	
		Total des espèces	
		Total des chèques	1 525,84
		Total MasterCard	
Total des chèques	1 525,84	Total du dépôt	1 525,84

Note : Le chèque de Martin Deblois a été reçu le 27 mars 20X7.

Problème 1.2 La comptabilisation d'une transaction de vente avec remise sur quantité et note de crédit

Travail à faire

Voici trois pièces justificatives de l'entreprise Marchand. Passez au journal général les écritures requises.

Entreprise Marchand 222, boul. de la Concorde Laval (Québec) H7N 2Z7

FACTURE

Client	**Adresse de livraison**
Gilles Roy 57, boul. des Prairies Laval (Québec) H7N 1L1	Même

Date	18 octobre 20X7
Facture	CF567096
Numéro du client	78236
Date de commande	15 octobre 20X7
Date de livraison	18 octobre 20X7
Conditions de paiement	2/15, n/30

CODE

VENDEUR

QUANTITÉ	NUMÉRO DE PRODUIT	DESCRIPTION	PRIX UNITAIRE ($)	MONTANT ($)
17 000	AE459	Boulons	0,70	11 900,00
			Remise sur quantité (10 %)	1 190,00

RÉSERVÉ À L'USAGE INTERNE

	SOUS-TOTAL	10 710,00
Nº : 345678901	TPS 7 %	749,70
Nº : 7654321098	TVQ 7,5 %	859,48
	MONTANT TOTAL	**12 319,18**

Entreprise Marchand 222, boul. de la Concorde
Laval (Québec) H7N 2Z7

NOTE DE CRÉDIT

Client	**Adresse de livraison**
Gilles Roy 57, boul. des Prairies Laval (Québec) H7N 1L1	Même

Date	20 octobre 20X7
Note de crédit	NC567096
Numéro du client	78236
Numéro de facture	CF567096
Date de facture	18 octobre 20X7
Date de retour de marchandise	20 octobre 20X7

QUANTITÉ	NUMÉRO DE PRODUIT	DESCRIPTION	PRIX UNITAIRE ($)	MONTANT ($)
1 000	AE459	Boulons	0,63	630,00

Explications
Défaut de fabrication.

RÉSERVÉ À L'USAGE INTERNE

SOUS-TOTAL	630,00
Nº : 345678901 TPS 7 %	44,10
Nº : 7654321098 TVQ 7,5 %	50,56
MONTANT TOTAL	**724,66**

BANQUE PROVINCIALE **Bordereau de dépôt**

Créditez le compte de
Nom du client **ENTREPRISE MARCHAND**

Succursale 567
Date 31 octobre 20X7

Folio **56043**

Chèques		**Espèces**	
Gilles Roy	11 392,92	× 100 $	
		× 50 $	
		× 20 $	
		× 10 $	
		× 5 $	
		Monnaie	
		Total des espèces	
		Total des chèques	11 392,92
		Total MasterCard	
Total des chèques	11 392,92	Total du dépôt	11 392,92

Note : Le chèque de Gilles Roy a été reçu le 30 octobre 20X7.

Problème 1.3 L'établissement et l'analyse de la liste chronologique des clients

Vous trouverez ci-dessous le compte clients du grand livre général et le grand livre auxiliaire des clients d'Au joyeux lutin, fabricant de jeux éducatifs. L'entreprise accorde un crédit à ses principaux clients selon la condition de vente n/30.

Travail à faire

a) Dressez la liste chronologique des clients au 31 janvier 20X7 et calculez le pourcentage des comptes pour chaque âge.

b) Commentez la politique de crédit d'Au joyeux lutin et proposez des solutions.

Grand livre général partiel

Clients					Compte nº 110	
Date	**Explications**	**Réf.**	**Débit**	**Crédit**	**Solde**	**Dt/Ct**
20X6						
09-30		JV-9	2 700,00		2 700,00	Dt
10-31		JV-10	7 400,00		10 100,00	Dt
10-31		JE-10		500,00	9 600,00	Dt
11-30		JV-11	10 900,00		20 500,00	Dt
11-30		JE-11		5 200,00	15 300,00	Dt
11-30		JG-11		1 500,00	13 800,00	Dt
12-31		JV-12	15 600,00		29 400,00	Dt
12-31		JE-12		2 200,00	27 200,00	Dt
12-31		JG-12		1 700,00	25 500,00	Dt
20X7						
01-31		JV-1	22 200,00		47 700,00	Dt
01-31		JE-1		10 400,00	37 300,00	Dt
01-31		JG-1		400,00	36 900,00	Dt

Grand livre auxiliaire des clients

Jouets Arthur						
Date	**Explications**	**Réf.**	**Débit**	**Crédit**	**Solde**	**Dt/Ct**
20X6						
12-25	Fact. nº 183		1 000,00		1 000,00	Dt
20X7						
01-01	Fact. nº 234		3 000,00		4 000,00	Dt
01-02	Note de crédit (fact. nº 183)			200,00	3 800,00	Dt

Jeux et jouets Bérubé						
Date	**Explications**	**Réf.**	**Débit**	**Crédit**	**Solde**	**Dt/Ct**
20X6						
09-30	Fact. nº 131		1 700,00		1 700,00	Dt
12-04	Fact. nº 182		3 200,00		4 900,00	Dt
12-08	Paiement (fact. nº 131)			200,00	4 700,00	Dt
20X7						
01-13	Paiement (fact. nº 131)			200,00	4 500,00	Dt

Jouets Côté						
Date	**Explications**	**Réf.**	**Débit**	**Crédit**	**Solde**	**Dt/Ct**
20X6						
11-03	Fact. nº 177		5 700,00		5 700,00	Dt
12-04	Note de crédit (fact. nº 177)			1 700,00	4 000,00	Dt
12-18	Paiement (fact. nº 177)			2 000,00	2 000,00	Dt
20X7						
01-13	Paiement (fact. nº 177)			1 000,00	1 000,00	Dt

Jeux Dubeau						
Date	**Explications**	**Réf.**	**Débit**	**Crédit**	**Solde**	**Dt/Ct**
20X6						
12-03	Fact. nº 181		5 700,00		5 700,00	Dt
20X7						
01-02	Paiement (fact. nº 181)			5 700,00		Dt
01-18	Fact. nº 236		5 000,00		5 000,00	Dt
01-23	Fact. nº 237		3 200,00		8 200,00	Dt

Éduc-atout Éthier						
Date	**Explications**	**Réf.**	**Débit**	**Crédit**	**Solde**	**Dt/Ct**
20X6						
09-25	Fact. nº 130		1 000,00		1 000,00	Dt
10-31	Paiement (fact. nº 130)			500,00	500,00	Dt
20X7						
01-07	Fact. nº 235		3 000,00		3 500,00	Dt
01-12	Note de crédit (fact. nº 235)			200,00	3 300,00	Dt

Jeux éducatifs Frenette						
Date	**Explications**	**Réf.**	**Débit**	**Crédit**	**Solde**	**Dt/Ct**
20X6						
10-17	Fact. nº 132		1 700,00		1 700,00	Dt
11-04	Fact. nº 178		3 200,00		4 900,00	Dt
11-18	Paiement (fact. nº 132)			1 000,00	3 900,00	Dt
20X7						
01-23	Paiement (fact. nº 132)			500,00	3 400,00	Dt

Jouets Gauthier						
Date	Explications	Réf.	Débit	Crédit	Solde	Dt/Ct
20X6						
10-23	Fact. nº 133		5 700,00		5 700,00	Dt
11-04	Note de crédit (fact. nº 133)			1 500,00	4 200,00	Dt
11-06	Fact. nº 179		2 000,00		6 200,00	Dt
11-15	Paiement (fact. nº 133)			4 200,00	2 000,00	Dt
20X7						
01-09	Paiement (fact. nº 179)			1 000,00	1 000,00	Dt

Jeux éducatifs Hétu						
Date	Explications	Réf.	Débit	Crédit	Solde	Dt/Ct
20X6						
12-27	Fact. nº 184		5 700,00		5 700,00	Dt
20X7						
01-29	Paiement (fact. nº 184)			2 000,00	3 700,00	Dt
01-30	Fact. nº 238		5 000,00		8 700,00	Dt
01-31	Fact. nº 239		3 000,00		11 700,00	Dt

Problème 1.4 L'établissement et l'analyse de la liste chronologique des clients

Travail à faire

À l'aide du compte clients du grand livre général et du grand livre auxiliaire des clients, dressez la liste chronologique des clients au 31 décembre 20X7.

Grand livre général partiel

Clients					Compte nº 110	
Date	Explications	Réf.	Débit	Crédit	Solde	Dt/Ct
20X7						
09-30		JV-9	4 500,00		4 500,00	Dt
10-31		JV-10	5 000,00		9 500,00	Dt
10-31		JE-10		1 500,00	8 000,00	Dt
11-30		JV-11	7 000,00		15 000,00	Dt
11-30		JE-11		9 000,00	6 000,00	Dt
11-30		JG-11		1 000,00	5 000,00	Dt
12-31		JV-12	10 000,00		15 000,00	Dt
12-31		JE-12		1 500,00	13 500,00	Dt
12-31		JG-12		500,00	13 000,00	Dt

Grand livre auxiliaire des clients

Entreprise ABC

Date	Explications	Réf.	Débit	Crédit	Solde	Dt/Ct
20X7						
09-17	Fact. nº 2		1 500,00		1 500,00	Dt
10-02	Fact. nº 3		2 000,00		3 500,00	Dt
10-05	Fact. nº 4		1 000,00		4 500,00	Dt
10-17	Paiement (fact. nº 2)			500,00	4 000,00	Dt
10-21	Paiement (fact. nº 3)			1 000,00	3 000,00	Dt
11-02	Fact. nº 6		7 000,00		10 000,00	Dt
11-05	Paiement (fact. nº 4)			1 000,00	9 000,00	Dt
11-05	Note de crédit (fact. nº 6)			1 000,00	8 000,00	Dt
11-30	Paiement (fact. nº 6)			5 000,00	3 000,00	Dt

Entreprise XYZ

Date	Explications	Réf.	Débit	Crédit	Solde	Dt/Ct
20X7						
09-30	Fact. nº 1		3 000,00		3 000,00	Dt
10-18	Fact. nº 5		2 000,00		5 000,00	Dt
11-19	Paiement (fact. nº 1)			2 000,00	3 000,00	Dt
11-20	Paiement (fact. nº 5)			1 000,00	2 000,00	Dt
12-03	Paiement (fact. nº 1)			500,00	1 500,00	Dt
12-03	Fact. nº 7		3 000,00		4 500,00	Dt
12-23	Paiement (fact. nº 7)			1 000,00	3 500,00	Dt
12-29	Fact. nº 8		7 000,00		10 500,00	Dt
12-30	Note de crédit (fact. nº 8)			500,00	10 000,00	Dt

Problème 1.5

Le recouvrement d'un compte radié, la radiation d'un compte ainsi que la détermination du solde des comptes loyers à recevoir, provision pour créances irrécouvrables et créances irrécouvrables

L'entreprise Immobilira exploite des logements locatifs. Ses produits sont exonérés des taxes à la consommation. Au 1er janvier 20X7, date du début de l'exercice financier, le grand livre général de l'entreprise présente les soldes suivants.

Loyers à recevoir	121 400 $
Provision pour créances irrécouvrables	4 428 $

Par ailleurs, le propriétaire estime qu'en moyenne 1,5 % des loyers ne sont jamais encaissés.

Voici les opérations effectuées par l'entreprise au cours du mois de janvier 20X7.

Date	Opération
20X7	
01-01	Le comptable de l'entreprise enregistre les loyers gagnés pour le mois courant selon les informations incluses dans les baux des locataires : 75 633 $.
01-01	Le comptable enregistre la provision basée sur l'estimation des loyers.
01-13	Le propriétaire apprend que le locataire Robert Barrette vient de faire faillite. Il estime que le jugement ne lui permettra de récupérer que 500 $ du compte total, qui s'élève à 1 589 $.
01-31	Les encaissements de loyers reçus en janvier 20X7 totalisent 68 390 $. Ils incluent une somme de 4 500 $, relativement au compte du locataire Marc Lafleur, qui avait été totalement radié en septembre 20X6.
01-31	En préparant les états financiers le 31 janvier 20X7, le comptable de l'entreprise procède à l'analyse des loyers à recevoir et détermine que la provision pour créances irrécouvrables devrait s'établir à 19 760,50 $.

Travail à faire

a) Comptabilisez ces opérations au journal général.

b) Déterminez le solde au 31 janvier 20X7 des comptes suivants : loyers à recevoir, provision pour créances irrécouvrables, créances irrécouvrables. Dans chaque cas, indiquez si le solde est au débit ou au crédit.

Problème 1.6 Le recouvrement d'un compte radié, la radiation d'un compte et la régularisation de la provision pour créances irrécouvrables

Le propriétaire de l'entreprise Crolane comptabilise une provision pour créances irrécouvrables basée sur un pourcentage des ventes à crédit. Il estime qu'en moyenne 2 % du montant des ventes à crédit (excluant les taxes) n'est jamais encaissé. Au 1er septembre 20X7, le grand livre général de l'entreprise présente les soldes suivants.

Clients	155 000 $
Provision pour créances irrécouvrables	17 400 $

Voici les opérations effectuées par l'entreprise en septembre 20X7.

Date	Opération
20X7	
09-08	Le propriétaire de Crolane apprend le décès d'un client qui devait à l'entreprise la somme de 5 751,25 $. Il ne croit pas pouvoir récupérer cette somme.
09-13	L'entreprise reçoit un chèque au montant de 100 $ de Marie Lafortune. Le compte de cette cliente avait été radié au cours de l'exercice précédent.
09-30	L'inscription des ventes au comptant et celle des ventes à crédit sont respectivement de 65 000 $ et de 80 000 $ avant taxes.
09-30	Le comptable enregistre la provision basée sur l'estimation des ventes à crédit.
09-30	Les encaissements relatifs aux comptes clients totalisent 68 000 $.
09-30	En préparant les états financiers intermédiaires, le comptable de l'entreprise procède à l'analyse des comptes clients et détermine que la provision pour créances irrécouvrables devrait s'établir à 18 000 $.

Travail à faire

Passez au journal général les écritures requises.

Problème 1.7

La régularisation de la provision pour créances irrécouvrables

Au 31 décembre 20X7, 70 % des comptes clients de l'entreprise ABC n'accusent aucun retard de paiement. À la même date, le comptable estime que la provision pour créances irrécouvrables devrait être de 2 % des comptes courants et de 15 % des comptes en retard.

Voici la balance de vérification d'ABC à cette date.

ABC
Balance de vérification
au 31 décembre 20X7

	Débit	Crédit
Encaisse	8 070 $	
Clients	17 070	
Provision pour créances irrécouvrables		1 500 $
Fournisseurs		2 400
TPS à payer		290
TVQ à payer		310
Marc Arthur – capital		21 100
Services rendus		19 400
Salaires	10 370	
Loyer	4 820	
Créances irrécouvrables	4 670	
	45 000 $	45 000 $

Travail à faire

Passez au journal général l'écriture de régularisation de la provision pour créances irrécouvrables.

Problème 1.8

La régularisation de la provision pour créances irrécouvrables

Au 28 février 20X7, 85 % des comptes clients de l'entreprise ABC n'accusent aucun retard de paiement. À la même date, le comptable estime que la provision pour créances irrécouvrables devrait être de 3 % des comptes courants et de 12 % des comptes en retard.

Voici la balance de vérification d'ABC à cette date.

ABC **Balance de vérification** au 28 février 20X7		
	Débit	**Crédit**
Encaisse	43 769 $	
Clients	89 675	
Provision pour créances irrécouvrables	5 676	
Fournisseurs		23 513 $
TPS à recevoir	1 267	
TVQ à recevoir	1 453	
TPS à payer		7 290
TVQ à payer		8 357
Effets à payer		10 000
Marc Arthur – capital		19 100
Services rendus		214 540
Salaires	115 370	
Loyer	24 820	
Créances irrécouvrables	670	
Intérêts débiteurs	100	
	282 800 $	**282 800 $**

Travail à faire

Passez au journal général l'écriture de régularisation de la provision pour créances irrécouvrables.

Problème 1.9 La comptabilisation d'un billet à ordre non honoré et de la radiation d'un compte client

L'exercice financier de l'entreprise Mobilier Brien se termine le 31 décembre. Voici quelques opérations de l'entreprise en 20X7.

Date	Opération
20X7	
06-15	L'entreprise vend des meubles à M. Lafortune pour un total de 3 000 $ plus taxes. Comme il s'agit d'un nouveau client, on lui accorde des conditions de crédit avantageuses. M. Lafortune paie 1 000 $ comptant et signe un billet à ordre pour le solde, daté du 15 juin 20X7, échéant le 1er novembre de la même année et portant intérêt à 10 %.
11-04	À l'échéance (en tenant compte du délai de grâce), le client n'honore pas le billet. Le propriétaire de Mobilier Brien décide de ne pas lui faire signer un nouveau billet et d'entreprendre les démarches pour récupérer la somme qui lui est due.
12-15	On apprend d'un syndic que M. Lafortune a déclaré faillite et que Mobilier Brien ne récupérera que 300 $, comprenant les intérêts dûs.

Travail à faire

Passez au journal général les écritures requises.

Problème 1.10 La comptabilisation d'un billet à ordre non honoré et de la radiation d'un compte client

L'exercice financier de l'entreprise Deschênes et Fils se termine le 31 décembre. Voici quelques opérations de l'entreprise en 20X7.

Date	Opération
20X7	
07-15	M. Larose, responsable de la perception des comptes clients chez Deschênes et Fils, communique avec l'entreprise BCD pour lui réclamer le solde de son compte, soit 1 875 $, dû depuis 45 jours. Comme le client est dans l'impossibilité de payer tout de suite, M. Larose accepte de prolonger le délai de paiement à la condition que le client lui signe un billet à ordre daté du jour même, échéant le 1er octobre 20X7 et portant intérêt à 8 %.
10-04	À l'échéance (en tenant compte du délai de grâce), le client n'honore pas le billet.
11-12	M. Larose apprend que l'entreprise BCD a déclaré faillite et il décide de radier le compte.

Travail à faire

Passez au journal général les écritures requises

Problème 1.11 La comptabilisation d'un billet à ordre honoré

Le 7 août 20X6, l'entreprise Lajoie prête 2 000 $ à M. Lucien, un employé fidèle. Celui-ci signe un billet à ordre échéant un an plus tard et portant intérêt au taux annuel de 5 %. L'exercice financier de l'entreprise se termine le 31 décembre. À l'échéance du billet, l'employé rembourse la somme prêtée.

Travail à faire

Passez au journal général les écritures requises.

Problème 1.12 La comptabilisation d'un billet à ordre honoré en vertu du délai de grâce

Le 17 septembre 20X6, l'entreprise Laviolette prête 5 000 $ à Marcel Bossuet. Voici le billet à ordre relatif à la transaction.

BILLET À ORDRE

Montant
5 000,00 $

Montréal, le 17 septembre 20X6

Je, Marcel Bossuet, promets de payer à l'ordre de

LAVIOLETTE

La somme de ——————— cinq mille ——————— 00/100 dollars

Le 17 mars 20X7

Taux d'intérêt annuel de 5 %
Intérêts payables à l'échéance

Marcel Bossuet
Marcel Bossuet

L'exercice financier de l'entreprise se termine le 31 décembre. Le souscripteur se prévaut du délai de grâce et rembourse le billet.

Travail à faire

Passez au journal général les écritures requises.

CHAPITRE

2

Les stocks

Compétence :

Analyser et traiter les données du cycle comptable (01H8).

Éléments de compétence	Objectifs d'apprentissage
Recueillir et analyser l'information comptable.	■ À partir d'une pièce justificative, déterminer la nature d'une transaction en tenant compte des différents coûts à inclure dans le coût d'acquisition des stocks. ■ Estimer les stocks pour la production des états financiers intermédiaires.
Enregistrer l'ensemble des opérations du cycle comptable.	■ Dans le cadre d'un système d'inventaire permanent, enregistrer au journal général et au grand livre auxiliaire des stocks les transactions d'acquisition et de vente de marchandises en utilisant les différentes méthodes d'évaluation (coût propre, coût moyen, épuisement successif et épuisement à rebours).
Régulariser les comptes.	■ Dans le cadre d'un système d'inventaire périodique, évaluer le stock de marchandises à la date de fin d'exercice en utilisant les différentes méthodes d'évaluation (coût propre, coût moyen, épuisement successif et épuisement à rebours). ■ Dans le cadre d'un système d'inventaire permanent, régulariser les stocks pour tenir compte des marchandises désuètes, mises au rebut ou volées. ■ Effectuer la démarcation de fin de période des transactions relatives au stock de marchandises et régulariser les comptes ou la valeur du stock, s'il y a lieu. ■ Déterminer la valeur de marché du stock de marchandises et enregistrer la perte, s'il y a lieu.
Produire le bilan, l'état des résultats et l'état des capitaux propres.	■ Présenter au bilan le stock de marchandises au moindre du coût d'acquisition ou de la valeur de marché et rédiger la note complémentaire aux états financiers.

L'entreprise commerciale n'acquiert pas les marchandises juste au moment de les revendre. Elle constitue d'abord un stock d'articles qu'elle mettra en vente dans son établissement. Tant qu'ils ne sont pas vendus, ces articles constituent un actif pour l'entreprise, et il s'agit d'un actif à court terme puisque l'entreprise compte bien utiliser ces produits dans son exploitation en les revendant en moins d'un an. Pour l'entreprise commerciale, c'est souvent l'actif à court terme le plus important.

Quel que soit le système comptable utilisé, la valeur de l'actif stock de marchandises présentée au bilan doit être la même. Dans un contexte d'inventaire permanent, l'entreprise qui acquiert des marchandises destinées à la vente débite le compte stock de marchandises du grand livre général. Par contre, dans un contexte d'inventaire périodique, elle enregistre l'acquisition de marchandises au compte achats. À la fin de l'exercice, il lui faudra passer une écriture de régularisation pour ajuster le compte stock de marchandises de façon qu'il représente bien la valeur des marchandises qu'elle possède à cette date.

Section 2.1 La gestion des stocks

Le maintien d'un niveau de stock suffisant pour satisfaire la demande de sa clientèle est essentiel au bon fonctionnement de l'entreprise. Une **rupture de stock** risque de lui faire perdre des ventes au profit de ses concurrents. Aussi, si l'entreprise commande en trop petites quantités, elle risque de ne pas pouvoir profiter de la **remise sur quantité** que pourraient lui accorder ses fournisseurs.

RUPTURE DE STOCK
Situation dans laquelle le stock physique est provisoirement épuisé, ce qui empêche l'entité de fonctionner normalement.

REMISE SUR QUANTITÉ
Réduction, généralement égale à un certain pourcentage du prix de vente habituel, qu'un fournisseur accorde à un client en raison de la forte quantité de marchandises qu'il achète.

GESTION DES STOCKS
Ensemble des mesures prises pour assurer un approvisionnement efficace des marchandises, des matières et des fournitures ainsi que leur entreposage, de façon à satisfaire aux besoins à plus ou moins long terme de la production ou de la vente.

Par ailleurs, en plus des coûts associés à l'acquisition de la marchandise, l'entreprise doit aussi prendre à sa charge des frais d'entreposage importants. Elle doit acquérir ou louer l'espace nécessaire, prévoir du matériel et du personnel pour manipuler les marchandises et mettre en place un système d'information efficace. Elle doit financer ces activités tant que la marchandise ne s'est pas transformée en ventes. Enfin, si les marchandises demeurent trop longtemps en stock, elles risquent de devenir désuètes ou de se détériorer.

Pour toutes ces raisons, le but premier de la **gestion des stocks** est la détermination du niveau optimal de marchandises qui permettra de réduire ces coûts le plus possible tout en répondant à la demande de la clientèle.

Le stock de marchandises constitue souvent un actif de grande valeur. Il faut prévenir le vol et la détérioration du stock et, donc, mettre en place un ensemble de mesures de contrôle interne pour en assurer la protection. Ainsi, il faut prévoir des conditions d'entreposage et des mesures de sécurité adéquates. Par exemple, dans un magasin à grande surface, on doit réfrigérer certains produits et assurer la rotation des marchandises périssables; les marchandises les plus susceptibles de tenter les voleurs, telles que les vêtements et les disques compacts, sont munies d'étiquettes magnétiques antivol; on installe des caméras de surveillance et on fait appel à des agents de sécurité. On doit également assurer convenablement les marchandises pour prévenir les pertes causées par des sinistres. Enfin, on doit bien répartir les tâches entre les employés pour éviter les vols à l'interne.

Les responsables de l'approvisionnement et ceux de l'entrepôt ont besoin d'information pour bien gérer les stocks. En plus des états financiers, le système comptable de l'entreprise fournit des rapports pertinents et utiles à ces gestionnaires.

Section 2.2

L'évaluation des stocks et le coût d'acquisition

MÉTHODE D'ÉVALUATION (ou BASE D'ÉVALUATION)
Convention sur laquelle repose la valeur attribuée à un élément à constater dans les états financiers.

MÉTHODE DE LA MOINDRE VALEUR (ou MÉTHODE DE LA VALEUR MINIMALE)
Méthode qui consiste, conformément au principe de prudence, à évaluer certains biens (par exemple les stocks) à leur coût d'origine ou à leur valeur de marché, selon le moins élevé des deux.

COÛT D'ACQUISITION (ou COÛT D'ACHAT)
Prix d'achat d'un bien majoré de certains frais (frais de courtage, de transport, de manutention, de douanes, etc.) qu'il est nécessaire d'engager avant que l'entité puisse utiliser ce bien.

VALORISATION (ou ÉVALUATION)
Attribution d'une valeur aux quantités dénombrées d'articles stockés, valeur qui correspond généralement à leur coût d'acquisition.

Le stock de marchandises est constitué de l'ensemble des biens que l'entreprise possède dans le but de les revendre. Pour être en mesure de préparer le bilan, il faut déterminer la valeur du stock selon une **méthode d'évaluation** (ou **base d'évaluation**).

Les normes comptables exigent l'évaluation du stock de marchandises au moindre du coût d'acquisition ou de la valeur de marché : c'est ce qu'on appelle la **méthode de la moindre valeur** (ou **méthode de la valeur minimale**). Nous verrons d'abord comment établir le coût d'acquisition et nous traiterons de la valeur de marché dans la section 2.7.

La détermination du **coût d'acquisition** (ou **coût d'achat**) des marchandises peut paraître simple au premier abord : il suffit de consulter la facture d'achat et de multiplier le coût unitaire par le nombre d'unités de chaque produit en stock à la fin de la dernière journée de l'exercice financier ! Pourtant, ce n'est pas si facile : il faudra pour y arriver franchir plusieurs étapes et poser plusieurs hypothèses.

Deux problèmes se posent alors. Premièrement, quels sont les frais à prendre en compte pour établir le coût unitaire de chaque produit ? Deuxièmement, si on a fait plusieurs achats d'un même produit à des prix différents, quel est le coût des unités restantes ? Ces deux aspects constituent l'essence de la **valorisation** (ou **évaluation**) des stocks.

L'évaluation du stock au coût d'acquisition comporte trois étapes incontournables : le dénombrement des marchandises, la démarcation (pour s'assurer que les marchandises appartiennent bien à l'entreprise à la date de fin d'exercice) et l'établissement des coûts incorporables.

2.2.1 Le dénombrement des marchandises

Dans le contexte de l'inventaire périodique, l'entreprise doit absolument procéder à un inventaire physique pour être en mesure de dresser ses états financiers. La méthode de l'inventaire permanent permet de connaître en tout temps les quantités de chaque produit destiné à la vente. Cependant, il faut quand même procéder régulièrement au dénombrement des marchandises pour corroborer l'information apparaissant au grand livre auxiliaire des stocks.

Pour que le dénombrement soit efficace, l'entreprise doit prévoir plusieurs mesures de contrôle afin, notamment, de ne pas oublier de marchandises ni d'en compter en double :

- Dresser la liste complète des lieux d'entreposage et les inclure dans la liste des stocks.
- Faire le ménage des entrepôts avant le dénombrement et jeter au rebut les marchandises détériorées.
- Regrouper les marchandises selon leur nature.
- Préparer une liste de toutes les catégories de produits de l'entreprise.
- Interrompre les entrées et les sorties de marchandises durant le dénombrement.
- Utiliser des étiquettes prénumérotées en deux sections pour distinguer les marchandises qui ont été comptées de celles qui restent à inventorier : une section de l'étiquette demeure sur la marchandise, alors que la seconde sert à compléter la liste des stocks.
- S'assurer de ne pas inclure les articles qui n'appartiennent pas à l'entreprise même s'ils se trouvent sur les lieux.

- Affecter au dénombrement de la marchandise des employés autres que ceux qui sont normalement responsables de la circulation des marchandises ou des inscriptions dans le grand livre auxiliaire des stocks.
- Faire vérifier le nombre des unités par une tierce personne.
- Vérifier les calculs sur la liste des stocks.

2.2.2 La démarcation

DÉMARCATION
Arrêt théorique de l'enregistrement des opérations ou de l'écoulement des stocks en vue de respecter le postulat de l'indépendance des exercices.

L'application du principe de réalisation devient particulièrement importante pour les transactions de fin d'exercice. Il faut alors procéder à la **démarcation**, ou arrêt des comptes, et s'assurer que chaque transaction de vente est bien enregistrée dans le bon exercice financier.

De plus, en vertu du principe du rapprochement des produits et des charges, le coût des marchandises vendues doit être enregistré dans le même exercice que leur vente. En conséquence, il faut s'assurer que le traitement des unités en stock est en conformité avec le traitement comptable des produits d'exploitation.

Les marchandises en transit

Pour respecter le principe de réalisation, les produits d'exploitation sont constatés au moment où le droit de propriété, avec ses avantages et ses responsabilités, est transféré au client. En règle générale, cette prise en compte correspond au moment de la livraison de la marchandise (ou de la prestation du service), sans égard au paiement du client.

Qu'advient-il des marchandises en route vers le client à la date de fin d'exercice? Sont-elles considérées comme vendues ou appartiennent-elles encore à l'entreprise?

MARCHANDISES EN TRANSIT
Marchandises ou produits expédiés, mais non encore parvenus à destination.

La propriété des **marchandises en transit** est déterminée par les conditions de livraison convenues entre les parties au moment de la transaction. Examinons deux de ces conditions et leur effet sur la comptabilisation des marchandises en transit:

- Si l'entreprise est responsable de la livraison des marchandises chez le client (**FAB point d'arrivée**), la vente n'est pas encore conclue et les biens appartiennent encore au vendeur, même s'ils ne se trouvent plus dans ses locaux.
- Si le client est responsable de la cueillette de ses marchandises ainsi que du transport (**FAB point de départ**), les biens ne sont plus la propriété de l'entreprise dès leur sortie et on doit alors enregistrer la vente.

Démonstration 2.1

La comptabilisation des marchandises en transit selon les conditions de livraison

L'entreprise montréalaise ABC vend à crédit des produits à un client de Vancouver. La marchandise quitte l'entrepôt d'ABC le 27 décembre 20X6 et arrive à destination le 8 janvier 20X7. Le client paie la marchandise le 12 février 20X7. La fin de l'exercice d'ABC est le 31 décembre 20X6.

Travail à faire

Déterminez la date de comptabilisation de la vente.

Si l'entreprise ABC est responsable de la livraison de la marchandise chez le client (FAB point d'arrivée), la vente doit être reconnue seulement le 8 janvier 20X7 et la marchandise doit être incluse dans le stock de marchandises du bilan au 31 décembre 20X6. L'entreprise doit donc les ajouter à son inventaire physique.

Par contre, si le client est responsable de la cueillette de la marchandise à l'entrepôt d'ABC (FAB point de départ) ainsi que du transport, la vente doit être enregistrée en date du 27 décembre 20X6 et le coût des marchandises vendues doit être présenté comme charge dans l'état des résultats pour l'exercice financier terminé le 31 décembre 20X6. Les articles ne doivent pas être inclus dans le dénombrement.

Fin de la démonstration 2.1

Mise en situation 2.1

La comptabilisation des marchandises en transit selon la condition de livraison FAB point d'arrivée

Le 23 février 20X7, l'entreprise québécoise Voie royale négocie l'achat de 150 000 $ de bulbes de fleurs à une entreprise de Victoria, en Colombie-Britannique, selon la condition FAB point d'arrivée. La marchandise quitte la province de l'Ouest le 24 février et arrive à l'entrepôt de Voie royale le 15 mars. Comme la fin d'exercice de Voie royale est le 28 février, le comptable enregistre l'achat en date du 23 février 20X7 et il s'assure d'inclure les bulbes dans la liste des stocks au 28 février 20X7.

Travail à faire

Déterminez si le traitement comptable est juste ou non. Dites pourquoi.

Fin de la mise en situation 2.1

Les marchandises en consignation

MARCHANDISES EN CONSIGNATION
Marchandises ou produits expédiés à une entreprise par un fournisseur qui en conserve la propriété.

Les fournisseurs (fabricants ou distributeurs) sollicitent fréquemment les commerces pour les amener à offrir de nouveaux produits à leurs clients. Lorsque le commerçant a de la difficulté à évaluer le potentiel de nouveaux produits auprès de sa clientèle, il peut choisir d'accepter ces **marchandises en consignation**. Cela signifie que le fournisseur laisse des marchandises sur les lieux de vente du commerçant tout en en conservant la propriété.

Bien qu'il n'enregistre à ce moment aucune transaction, le commerce doit noter, dans un document extracomptable, qu'il a en sa possession des marchandises en consignation. Rien ne distingue cette marchandise pour le client, mais, dans les faits, elle n'appartient pas au commerce. Lorsqu'un client achète un article en consignation, le commerce en enregistre à la fois l'achat au fournisseur et la vente au client.

En faisant l'inventaire physique pour préparer les états financiers, on ne doit pas tenir compte des articles en consignation puisqu'ils n'appartiennent pas à l'entreprise. À l'inverse, quand on laisse des marchandises en consignation chez un client, il faut les compter.

Mise en situation 2.2

La comptabilisation des marchandises laissées en consignation

L'entreprise L'art nouveau distribue des articles de décoration faits à la main par de jeunes artistes. Elle laisse sa marchandise en consignation dans des boutiques spécialisées. L'art nouveau fixe le prix de vente de ces objets à 170 % de leur coût d'acquisition. Au cours de son premier exercice financier, elle a laissé en consignation des marchandises dont le coût d'acquisition est évalué à 40 000 $. Les boutiques ont vendu 80 % des articles en consignation au cours de l'exercice.

Travail à faire

Déterminez les ventes, le coût des marchandises vendues et la marge bénéficiaire brute de L'art nouveau pour l'exercice financier ainsi que la valeur du stock de marchandises à la fin de l'exercice.

Fin de la mise en situation 2.2

Les entrées et les sorties de marchandises durant l'inventaire

Idéalement, l'entreprise devrait interrompre les entrées et les sorties de marchandises durant l'inventaire. Très souvent, on profitera des heures de fermeture pour compter les articles. Certaines entreprises fonctionnent en continu et ne peuvent se permettre d'interrompre leurs opérations commerciales pour procéder au dénombrement des stocks. On doit alors prévoir un système qui effectue le suivi des entrées et des sorties de marchandises pendant l'inventaire.

Il est possible de préparer à l'avance et de ranger dans un endroit clairement identifié les marchandises à livrer durant la prise d'inventaire. On ne doit pas inclure ces marchandises dans le dénombrement. Il faut s'assurer d'apparier chaque bon de livraison avec la facture de vente correspondante et de bien enregistrer toutes les factures concernées dans l'exercice financier.

Par ailleurs, il est préférable de limiter les entrées de marchandises. La disposition physique des lieux doit permettre de distinguer les nouveaux arrivages des marchandises déjà en stock. Tout nouvel achat de marchandises doit être enregistré et les quantités, ajoutées à la liste des stocks.

Mise en situation 2.3

La comptabilisation des entrées et des sorties de marchandises durant l'inventaire

À la fin de son exercice financier, le 31 décembre 20X6, l'entreprise Labbé évalue ses stocks à 456 000 $. Les ventes de l'exercice se chiffrent à 5 007 000 $ et les achats, à 1 350 000 $. Toutes les marchandises reçues le jour de l'inventaire ont été incluses dans le dénombrement. Les livraisons effectuées ce jour-là ont été préparées à l'avance et n'ont pas été incluses. La condition de livraison FAB point de départ s'applique aux achats et aux ventes de marchandises. L'analyse des pièces justificatives des transactions effectuées pendant l'inventaire révèle certaines anomalies.

Travail à faire

Repérez ces anomalies et corrigez, s'il y a lieu, les montants suivants : valeur des stocks, achats et ventes.

Achats

Numéro du bon de réception	Date de réception de la marchandise	Date de la facture d'achat	Montant de la facture d'achat	Date de l'enregistrement comptable
923	20X6-12-31	20X6-12-31	1 000 $	Date de la facture d'achat
924	20X6-12-31	20X7-01-03	4 000 $	Date de la facture d'achat
925	20X6-12-31	20X7-01-02	1 500 $	Date de la facture d'achat
926	20X7-01-01	20X6-12-31	7 000 $	Date de la facture d'achat

Ventes

Numéro du bon de livraison	Date de livraison de la marchandise	Date de la facture de vente	Montant de la facture de vente	Date de l'enregistrement comptable
5467	20X6-12-31	20X6-12-31	500 $	Date de la facture de vente
5468	20X6-12-31	20X6-12-31	700 $	Date de la facture de vente
5469	20X6-12-31	20X7-01-01	300 $	Date de la facture de vente
5470	20X7-01-01	20X7-01-01	1 400 $	Date de la facture de vente
5471	20X7-01-01	20X7-01-01	700 $	Date de la facture de vente

Fin de la mise en situation 2.3

En théorie, on prend l'inventaire le dernier jour de l'exercice financier. En pratique, ce n'est pas toujours possible. Dans ce cas, il faut ajuster la liste des stocks pour tenir compte des transactions effectuées entre le dénombrement et la fin de l'exercice financier.

Problèmes suggérés: 2.1 et 2.2.

2.2.3 Les coûts incorporables

Les frais engagés pour acquérir des marchandises ne se limitent pas toujours au montant de la facture d'achat. En effet, pour rendre les produits disponibles pour la vente aux endroits voulus, plusieurs intervenants peuvent être nécessaires. Par exemple, il faut parfois retenir les services d'un transporteur pour aller chercher la marchandise chez le fournisseur. Chacun des intervenants facturera l'entreprise pour ses services, et le coût réel de la marchandise sera augmenté d'autant.

Les coûts incorporables se composent du coût de la facture d'achat exprimé en dollars canadiens, auquel on ajoute, s'il y a lieu, les frais douaniers, le fret à l'achat, les frais d'entreposage durant le transport et les frais de transformation des produits. En général, les taxes ne sont pas incluses dans le coût du stock, puisque l'entreprise peut les récupérer des gouvernements. Dans le cas particulier d'une entreprise qui n'est pas inscrite au régime de la TPS et de la TVQ, les taxes font partie des coûts incorporables. Par ailleurs, les escomptes sur achats réduisent le coût de la marchandise.

Une fois que la marchandise est enfin prête pour la vente, les frais additionnels d'entreposage, de manutention ou de livraison constituent des frais de vente. Par conséquent, on ne doit pas les inclure dans le coût d'acquisition du stock.

Mise en situation 2.4

L'établissement du coût d'acquisition

L'entreprise Alpha désire acquérir un lot de 4 000 appareils électroniques. Elle hésite entre deux fournisseurs. Bêta lui propose la marchandise à 100 $ l'unité plus taxes selon la condition FAB point d'arrivée. Alpha croit faire une meilleure affaire avec Oméga, qui lui propose la marchandise à 80 $ l'unité plus taxes selon la condition FAB point de départ. Dans ce dernier cas, Alpha devra assumer les frais de transport de 20 000 $ plus taxes. De plus, comme l'emballage fourni par Oméga ne respecte pas les normes d'Alpha, celle-ci devra prendre aussi à sa charge des frais d'emballage de 10 $ l'unité plus taxes.

Travail à faire

Déterminez le coût d'acquisition de la marchandise pour chaque fournisseur.

Problèmes suggérés: 2.3 et 2.4.

Fin de la mise en situation 2.4

Section 2.3

Les méthodes d'évaluation des stocks

Maintenant que nous savons qu'il faut tenir compte des coûts incorporables pour déterminer le coût d'acquisition d'un produit destiné à la vente, sommes-nous prêts à évaluer les unités de l'inventaire ? Eh bien, non ! Il reste à résoudre le problème que nous avons soulevé plus haut : quand une entreprise fait plusieurs achats d'un même article à des prix différents, quel est le coût d'acquisition des unités restantes à la fin de l'exercice ?

Voyons l'exemple d'un commerce spécialisé dans la vente d'articles de mode. À la fin de l'exercice, il lui reste neuf paires de lunettes de soleil du modèle AB23423. Le 11 mars, le commerce en a acheté 48 paires au coût unitaire de 18 $ et, le 6 juin, 8 paires au coût unitaire de 23 $. Les ventes de l'exercice ont été de 44 unités au prix unitaire de 50 $, pour un total de 2 200 $. Durant l'exercice, le commerce s'en est fait voler deux paires et a mis au rebut une paire brisée. Comment doit-on évaluer les neuf paires encore en stock à la fin de l'exercice ? Pour répondre à cette question, il faut être capable d'associer chaque unité en stock avec la facture d'achat correspondante (celle du 11 mars ou du 6 juin).

Dans certaines catégories d'entreprises, l'utilisation de codes de produit uniques rend cette association possible. Un concessionnaire automobile a en stock trois véhicules du même modèle, en apparence identiques ; cependant, le numéro de série propre à chaque véhicule lui permet de l'associer facilement à la facture d'achat correspondante. Dans l'industrie de l'élevage, on attribue aussi un code semblable aux animaux.

Ces systèmes de codification et, surtout, les systèmes d'information nécessaires pour les utiliser coûtent très cher en ressources matérielles (lecteurs optiques, ordinateurs, logiciels, etc.) et humaines. Leur emploi n'est donc pas généralisé. Imaginez une quincaillerie qui voudrait codifier chaque boulon vendu en vrac ! Parfois, c'est la nature même du produit vendu ou le mode d'entreposage qui empêche l'utilisation d'un système de codification. On n'a qu'à penser à une station-service : chaque nouvelle livraison est ajoutée à l'essence qui reste dans le réservoir.

Pour évaluer les unités en stock, il faut donc se résoudre à poser des hypothèses sur l'ordre d'écoulement des produits. Comme il y a plusieurs hypothèses possibles, le jugement professionnel du comptable a un impact direct sur la valeur d'un des plus importants actifs présentés au bilan de l'entreprise commerciale. La décision finale n'est cependant pas entièrement discrétionnaire. Les normes comptables précisent que le choix de la méthode d'évaluation du coût d'acquisition doit viser le meilleur rapprochement possible des produits et des charges de l'exercice.

MÉTHODE DU COÛT PROPRE (ou MÉTHODE DU COÛT D'ACHAT RÉEL)
Méthode qui consiste à attribuer aux unités vendues une valeur qui correspond au coût d'achat ou de production réel de chacune de ces unités.

2.3.1 La méthode du coût propre

Dans le cas d'une entreprise qui utilise un système de codification permettant d'associer les unités d'un produit avec la facture d'achat, il est facile de calculer le coût d'acquisition réel du stock. C'est ce qu'on appelle la **méthode du coût propre** (ou **méthode du coût d'achat réel**).

Démonstration 2.2

La méthode du coût propre et le bénéfice net

Revenons à notre exemple de lunettes de soleil.

Travail à faire

a) Calculez le coût d'acquisition total des unités destinées à la vente.
b) Calculez le coût du stock à la fin de l'exercice en utilisant la méthode du coût propre et en supposant que six paires de lunettes ont été achetées le 11 mars et trois, le 6 juin.
c) Déterminez le bénéfice net de l'exercice.

a) **Coût d'acquisition total des unités destinées à la vente**

$$(48 \times 18\ \$) + (8 \times 23\ \$) = 1\ 048\ \$$$

b) **Coût du stock à la fin**

Six paires de lunettes en stock ont été acquises le 11 mars et les trois autres l'ont été le 6 juin.

$$(6 \times 18\ \$) + (3 \times 23\ \$) = 177\ \$$$

c) **Bénéfice net**

La différence de 871 \$ (1 048 \$ – 177 \$) entre le coût total d'acquisition et le coût du stock à la fin représente le coût du stock utilisé pour réaliser les ventes de l'exercice. Puisque les ventes de l'exercice totalisent 2 200 \$, le bénéfice de l'exercice est de 1 329 \$ (2 200 \$ – 871 \$).

Fin de la démonstration 2.2

Mise en situation 2.5

L'évaluation du stock de marchandises selon la méthode du coût propre

Au début de l'exercice financier, L'art nouveau a en stock 3 lithographies numérotées (nos 4, 7 et 31) du tableau *Clair de lune* de l'artiste Lacoursière ; ces œuvres ont été acquises au coût de 500 \$ chacune. Au cours de l'exercice, l'entreprise en acquiert 4 autres (nos 9, 33, 76 et 77) au coût de 650 \$ chacune et elle en vend 3 (nos 7, 9 et 76) au prix de 1 000 \$ chacune.

Travail à faire

Évaluez le stock de marchandises à la fin de l'exercice selon la méthode du coût propre.

Fin de la mise en situation 2.5

MÉTHODE DU COÛT MOYEN
Méthode qui consiste à attribuer à un article en stock une valeur fondée sur le coût moyen des unités de même nature acquises par l'entité au cours d'une période donnée.

2.3.2 La méthode du coût moyen

Selon la **méthode du coût moyen**, les marchandises acquises sont vendues dans un ordre aléatoire. C'est souvent le cas dans les entreprises qui vendent des produits non périssables. On calcule donc le coût unitaire moyen de chaque article destiné à la vente et on utilise ce coût moyen pour valoriser le stock de marchandises à la fin de l'exercice.

Démonstration 2.3

La méthode du coût moyen et le bénéfice net

Dans notre exemple de lunettes de soleil, il y a eu au total 56 unités destinées à la vente au cours de l'exercice.

Travail à faire

a) Calculez le coût unitaire moyen des unités destinées à la vente.

b) Calculez le coût du stock à la fin de l'exercice selon la méthode du coût moyen.

c) Déterminez le bénéfice net de l'exercice.

a) **Coût unitaire moyen des unités destinées à la vente**

$$\frac{\text{Coût des marchandises destinées à la vente}}{\text{nombre d'unités destinées à la vente}} = \frac{(48 \times 18\ \$) + (8 \times 23\ \$)}{56} = 18{,}71\ \$$$

b) **Coût du stock à la fin**

$$9 \times 18{,}71\ \$ = 168{,}39\ \$$$

c) **Bénéfice net**

La différence de 879,61 $ (1 048,00 $ – 168,39 $) entre le coût total d'acquisition et le coût du stock à la fin représente le coût du stock utilisé pour réaliser les ventes de l'exercice. Puisque les ventes de l'exercice totalisent 2 200,00 $, le bénéfice de l'exercice est de 1 320,39 $ (2 200,00 $ – 879,61 $).

Fin de la démonstration 2.3

Mise en situation 2.6

L'évaluation du stock de marchandises selon la méthode du coût moyen

Cette mise en situation renvoie aux données de la mise en situation 2.5. Si les lithographies n'étaient pas numérotées, l'entreprise L'art nouveau n'aurait pas pu déterminer avec exactitude le coût de l'une d'elles en particulier ni utiliser la méthode du coût propre.

Travail à faire

Évaluez le stock de marchandises à la fin de l'exercice selon la méthode du coût moyen.

Fin de la mise en situation 2.6

2.3.3 La méthode de l'épuisement successif

MÉTHODE DE L'ÉPUISEMENT SUCCESSIF (MÉTHODE DU PREMIER ENTRÉ, PREMIER SORTI ou PEPS)
Méthode d'évaluation des stocks qui consiste à attribuer aux articles en stock les coûts les plus récents.

On désigne souvent la **méthode de l'épuisement successif (méthode du premier entré, premier sorti** ou **PEPS**) au moyen de son acronyme anglais *FIFO* (*first in, first out*). Selon cette hypothèse, l'entreprise vend ses marchandises dans l'ordre où elle les a acquises. Par conséquent, les unités en stock à la fin de l'exercice sont les plus récentes. C'est effectivement ce qui se produit dans de nombreuses entreprises qui vendent des produits périssables.

Démonstration 2.4

La méthode de l'épuisement successif et le bénéfice net

Dans notre exemple de lunettes de soleil, il reste neuf unités en stock à la fin de l'exercice.

Travail à faire

a) Calculez le coût du stock à la fin de l'exercice selon la méthode de l'épuisement successif.
b) Déterminez le bénéfice net de l'exercice.

a) **Coût du stock à la fin**

Il reste neuf unités en stock. Si ces unités sont les plus récentes, c'est donc dire que notre stock à la fin est composé des huit unités acquises le 6 juin et d'une unité acquise le 11 mars.

$$(8 \times 23\ \$) + (1 \times 18\ \$) = 202\ \$$$

b) **Bénéfice net**

La différence de 846 $ (1 048 $ – 202 $) entre le coût total d'acquisition et le coût du stock à la fin représente le coût du stock utilisé pour réaliser les ventes de l'exercice. Puisque les ventes de l'exercice totalisent 2 200 $, le bénéfice de l'exercice est de 1 354 $ (2 200 $ – 846 $).

Fin de la démonstration 2.4

Mise en situation 2.7

L'évaluation du stock de marchandises selon la méthode de l'épuisement successif

Cette mise en situation renvoie aux données de la mise en situation 2.5.

Travail à faire

Évaluez le stock de marchandises à la fin de l'exercice selon la méthode de l'épuisement successif.

Fin de la mise en situation 2.7

2.3.4 La méthode de l'épuisement à rebours

MÉTHODE DE L'ÉPUISEMENT À REBOURS (MÉTHODE DU DERNIER ENTRÉ, PREMIER SORTI ou DEPS)
Méthode d'évaluation des stocks qui consiste à attribuer aux articles en stock les coûts les plus anciens.

On désigne souvent la **méthode de l'épuisement à rebours** (**méthode du dernier entré, premier sorti** ou **DEPS**) au moyen de son acronyme anglais *LIFO* (*last in, first out*). Selon cette hypothèse, l'entreprise vend d'abord les marchandises acquises le plus récemment. Par conséquent, les unités en stock à la fin de l'exercice sont les plus vieilles. Cette hypothèse est adéquate dans le cas très particulier de marchandises placées en vrac dans des contenants ou de marchandises empilées. Elle est donc peu utilisée, sauf dans le secteur des ressources naturelles.

Dans un contexte économique inflationniste, où les prix ont généralement tendance à augmenter avec le temps, cette méthode donne toujours un montant de bénéfice inférieur à celui qu'on obtient avec les autres méthodes. En effet, en période d'inflation, le stock à la fin est évalué au coût des unités les plus anciennes, donc celles dont le coût d'acquisition est le moindre. Le coût des marchandises vendues est alors plus élevé et le bénéfice net, moins élevé.

Puisqu'on évalue le montant d'impôt à payer par l'entreprise sur la base du bénéfice net, cette méthode d'évaluation du coût des stocks a pour effet de réduire l'impôt. Pour cette raison, elle n'est pas acceptée à des fins fiscales au Canada. Les entreprises qui l'utilisent pour produire leurs états financiers doivent refaire le travail d'évaluation pour être en mesure de préparer leurs déclarations de revenu.

Démonstration 2.5

La méthode de l'épuisement à rebours et le bénéfice net

Reprenons notre exemple de lunettes de soleil.

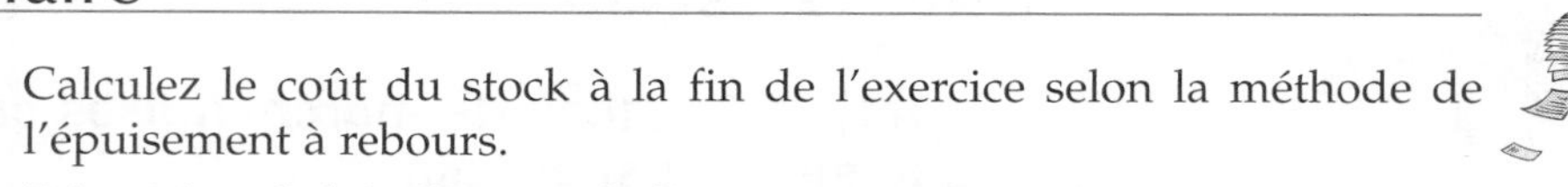

Travail à faire

a) Calculez le coût du stock à la fin de l'exercice selon la méthode de l'épuisement à rebours.

b) Déterminez le bénéfice net de l'exercice.

a) **Coût du stock à la fin**

Le stock à la fin de l'exercice est composé de neuf unités acquises le 11 mars.

$$9 \times 18\ \$ = 162\ \$$$

b) **Bénéfice net**

La différence de 886 $ (1 048 $ – 162 $) entre le coût total d'acquisition et le coût du stock à la fin représente le coût du stock utilisé pour réaliser les ventes de l'exercice. Puisque les ventes de l'exercice totalisent 2 200 $, le bénéfice de l'exercice est de 1 314 $ (2 200 $ – 886 $).

Fin de la démonstration 2.5

Mise en situation 2.8

L'évaluation du stock de marchandises selon la méthode de l'épuisement à rebours

Cette mise en situation renvoie aux données de la mise en situation 2.5.

Travail à faire

Évaluez le stock de marchandises à la fin de l'exercice selon la méthode de l'épuisement à rebours.

Fin de la mise en situation 2.8

Faisons maintenant la synthèse des divers résultats obtenus dans notre exemple de lunettes de soleil.

Méthodes d'évaluation des stocks

	Coût propre	Coût moyen	Épuisement successif (PEPS)	Épuisement à rebours (DEPS)
Stock (bilan)	177,00 $	168,39 $	202,00 $	162,00 $
Bénéfice (état des résultats)	1 329,00 $	1 320,39 $	1 354,00 $	1 314,00 $

Le coût des marchandises achetées reste toujours le même : 1 048 $. On observe que plus la valeur attribuée aux neuf unités en stock à la fin de l'exercice (actif) est élevée, plus la valeur attribuée aux unités utilisées au cours de l'exercice (charge d'exploitation) est faible et, donc, plus le bénéfice est élevé.

Le choix de la méthode d'évaluation des stocks a un impact important, tant sur le bilan que sur les résultats de l'entreprise. En vertu du principe de bonne information, il faut indiquer, dans les notes complémentaires aux états financiers, la méthode d'évaluation utilisée.

De plus, le principe de la permanence des méthodes exige l'utilisation de la même méthode d'évaluation des stocks d'exercice en exercice. Le cas échéant, il faut mentionner tout changement et en indiquer les répercussions sur le bénéfice de l'exercice concerné.

Problèmes suggérés : 2.5 et 2.6.

Section 2.4

Les erreurs d'évaluation et leurs répercussions sur l'information financière

On le constate, le processus d'évaluation des stocks, y compris celui de leur coût d'acquisition, est long et parsemé d'embûches. Une erreur peut survenir à chacune des étapes suivantes :

1. le dénombrement des unités en stock ;
2. la démarcation des transactions d'achat et de vente de fin d'exercice ;
3. la détermination du coût d'acquisition, y compris le choix d'une méthode d'évaluation et le calcul des coûts incorporables.

Les erreurs d'évaluation des stocks ont un impact direct sur l'information financière fournie dans le bilan et l'état des résultats, et elles peuvent influer sur le jugement que l'utilisateur des états financiers portera sur la situation de l'entreprise pour l'exercice en question.

Toutefois, les différences liées aux erreurs se résorbent quand on examine la situation de l'entreprise sur deux exercices financiers consécutifs puisque les marchandises en stock à la fin d'un exercice constituent le stock au début de l'exercice suivant.

Démonstration 2.6

Les répercussions des erreurs d'évaluation des stocks sur le bénéfice net

Revenons à notre exemple de lunettes de soleil en évaluant le stock selon la méthode du coût propre. Au cours de l'exercice 1, le coût d'acquisition total des unités destinées à la vente est de 1 048 $. Les ventes de l'exercice totalisent 2 200 $. À la fin de l'exercice, il reste 9 unités en stock, que nous avons évaluées à 177 $ ((6 × 18 $) + (3 × 23 $)). Si les 9 unités en stock sont vendues 50 $ l'unité au cours de l'exercice suivant, on aura les renseignements suivants dans les états financiers.

	Exercice 1	Exercice 2	Total
Bilan			
Stock de marchandises	177 $	0 $	**0 $**
État des résultats			
Ventes	2 200 $	450 $	**2 650 $**
Coût des marchandises vendues			
Stock au début	0 $	177 $	**0 $**
Achats	1 048	0	**1 048**
	1 048 $	177 $	**1 048 $**
Stock à la fin	177	0	**0**
	871 $	177 $	**1 048 $**
Bénéfice	1 329 $	273 $	**1 602 $**

Travail à faire

Supposons qu'on se soit trompé dans l'évaluation du stock à la fin de l'exercice 1 : les 9 unités en stock auraient dû être valorisées à 172 $ ((7 × 18 $) + (2 × 23 $)). Dressez les nouveaux états financiers.

	Exercice 1	Exercice 2	Total
Bilan			
Stock de marchandises	172 $	0 $	**0 $**
État des résultats			
Ventes	2 200 $	450 $	**2 650 $**
Coût des marchandises vendues			
Stock au début	0 $	172 $	**0 $**
Achats	1 048	0	**1 048**
Coût des marchandises destinées à la vente	1 048 $	172 $	**1 048 $**
Stock à la fin	172	0	**0**
	876 $	172 $	**1 048 $**
Bénéfice	1 324 $	278 $	**1 602 $**

Fin de la démonstration 2.6

En fait, bien que le bilan et l'état des résultats de chaque exercice soient différents des précédents, la colonne total montre bien que le résultat global (sur deux exercices) demeure le même.

Le stock à la fin d'un exercice n'est pas inclus dans le coût des marchandises vendues de cet exercice puisqu'il n'a pas été vendu. Par contre, il devient le stock au début de l'exercice suivant et fait partie du coût des marchandises vendues de cet exercice. Si on a commis une erreur d'évaluation du stock à la fin d'un exercice, on a automatiquement fait une erreur équivalente dans l'évaluation du stock au début de l'exercice suivant. Puisque ces deux éléments ont un effet inverse sur le calcul du coût des marchandises vendues, les deux erreurs s'annulent sur deux exercices.

- Unesurévaluation du stock à la fin provoque une surévaluation du bénéfice de l'exercice en cours et une sous-évaluation du bénéfice de l'exercice suivant.
- Unesous-évaluation du stock à la fin provoque une sous-évaluation du bénéfice de l'exercice en cours et une surévaluation du bénéfice de l'exercice suivant.
- Surdeux ans, ces différences s'annulent.

Mise en situation 2.9

Les répercussions des erreurs d'évaluation des stocks sur le bénéfice net

Les bénéfices nets des exercices 20X5 et 20X6 d'une entreprise ont été établis respectivement à 55 000 $ et à 110 000 $. Au début de l'année 20X7, en classant ses dossiers, la comptable s'aperçoit qu'elle a oublié une page de la liste des stocks au 31 décembre 20X5. Cette page totalise 7 000 $.

Travail à faire

Déterminez quel aurait été le bénéfice net des années 20X5 et 20X6 si le stock de marchandises au 31 décembre 20X5 avait été évalué correctement.

Fin de la mise en situation 2.9

Section 2.5 Les systèmes d'inventaire et les méthodes d'évaluation des stocks

Dans *Comptabilité 1 – Le cycle comptable*, nous avons présenté deux systèmes de comptabilisation des transactions de vente et d'achat de marchandises : l'inventaire périodique et l'inventaire permanent. À des fins pédagogiques, nous nous en sommes cependant tenus à des coûts d'acquisition constants. Maintenant que nous avons vu les quatre méthodes d'évaluation des stocks, il apparaît clairement que ces coûts ne sont pas constants.

Voyons comment mettre en application les méthodes de l'épuisement successif, de l'épuisement à rebours et du coût moyen dans le contexte de l'un et l'autre des systèmes d'inventaire. Nous ne traiterons pas davantage la méthode du coût propre, puisqu'elle s'applique de la même manière quel que soit le système d'inventaire.

2.5.1 L'inventaire périodique

Dans un système d'inventaire périodique, le compte stock de marchandises ne varie pas au cours de l'exercice et il n'y a pas de grand livre auxiliaire des stocks. Le stock de marchandises est évalué à la fin de l'exercice à partir de la liste des stocks valorisés au coût d'acquisition. Les sources d'information sont les deux comptes achats et ventes du grand livre général, qui ne fournissent aucun renseignement sur les quantités. Il est donc impossible de reconstituer la chronologie des transactions d'achat et de vente effectuées au cours de l'exercice, à moins d'accomplir un fastidieux travail de débroussaillage des pièces justificatives.

L'application de l'une ou l'autre des méthodes d'évaluation (épuisement successif, épuisement à rebours et coût moyen) doit donc se faire globalement pour l'exercice, comme si toutes les marchandises destinées à la vente avaient été disponibles au cours de l'exercice pour réaliser l'ensemble des ventes. C'est exactement ce que nous avons fait dans la section 2.3.

Démonstration 2.7

La valorisation des stocks dans un contexte d'inventaire périodique

Au 1er janvier 20X7, l'entreprise Girard possède un stock de 1 010 unités de l'unique produit qu'elle vend. Le coût d'acquisition de ce stock est évalué à 150 $ par unité, pour un total de 151 500 $. À la fin de l'exercice 20X7, il reste en stock 510 unités. Au 31 décembre 20X7, date de fin d'exercice, les soldes des deux comptes achats et ventes du grand livre général sont respectivement de 386 500 $ et de 870 000 $. Les pièces justificatives de l'entreprise fournissent les informations suivantes.

Achats

Date	Quantité achetée	Coût unitaire	Achats totaux
20X7			
04-23	1 900	160 $	304 000 $
10-27	500	165 $	82 500 $
Total	**2 400**		**386 500 $**

Ventes

Date	Quantité vendue	Prix de vente unitaire	Ventes totales
20X7			
01-19	900	300 $	270 000 $
06-14	1 000	300 $	300 000 $
08-19	1 000	300 $	300 000 $
Total	**2 900**		**870 000 $**

Ces informations confirment qu'il reste effectivement 510 unités, puisque le stock au début s'élevait à 1 010 unités, que l'entreprise en a acheté 2 400 autres et qu'elle en a vendu 2 900 : 1 010 + 2 400 – 2 900 = 510.

Travail à faire

Évaluez le stock de clôture selon chacune des trois méthodes suivantes :

a) L'épuisement successif.

b) L'épuisement à rebours.

c) Le coût moyen.

a), b) et c)

Épuisement successif	Épuisement à rebours	Coût moyen
Les 510 unités du stock à la fin sont les plus récentes : 500 unités sont considérées comme acquises le 27 octobre et 10 unités, le 23 avril.	Les 510 unités du stock à la fin sont les plus vieilles. Elles faisaient donc partie du stock au début de 1 010 unités.	Les 510 unités du stock à la fin peuvent provenir autant du stock au début que de n'importe quel achat de l'exercice. Le coût unitaire moyen des articles destinés à la vente est donc de 157,77 $, soit $\frac{151\ 500\ \$ + 386\ 500\ \$}{1\ 010 + 2\ 400}$.
(500 × 165,00 $) + (10 × 160,00 $) = **84 100,00 $**	510 × 150,00 $ = **76 500,00 $**	510 × 157,77 $ = **80 462,70 $**

Fin de la démonstration 2.7

Selon la méthode de l'épuisement à rebours appliquée dans un contexte d'inventaire périodique, on suppose que le stock au 31 décembre 20X7 est composé des unités du stock au début. Cependant, quand on examine la chronologie des transactions, on constate que la presque totalité des articles en main au 1er janvier ont été vendus… le 19 janvier !

Dans un système d'inventaire périodique, les registres comptables ne renseignent pas sur l'ordre chronologique des opérations. S'il y a eu des milliers de transactions d'achat et de vente concernant plusieurs produits différents, imaginez le travail nécessaire pour retrouver l'ordre chronologique des transactions et les quantités visées par chacune ! En appliquant globalement les méthodes d'évaluation, on n'a qu'à considérer les factures d'achat.

Mise en situation 2.10

La valorisation des stocks dans un contexte d'inventaire périodique

Voici les coûts d'acquisition des marchandises destinées à la vente pour le produit nº 45464 de l'entreprise XYZ.

Date	Quantité	Coût unitaire	Coût total
20X7			
01-01	5 000	1,10 $	5 500,00 $
04-23	3 000	1,20 $	3 600,00 $
07-01	18 000	1,38 $	24 840,00 $
08-19	13 000	1,27 $	16 510,00 $
12-27	8 000	1,54 $	12 320,00 $
Total	47 000		62 770,00 $

Selon la liste des stocks établie à la fin de l'exercice, il reste 9 000 unités en stock.

Travail à faire

Déterminez la valeur du stock selon chacune des trois méthodes suivantes:

a) L'épuisement successif.
b) L'épuisement à rebours.
c) Le coût moyen.

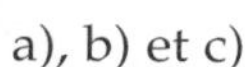

a), b) et c)

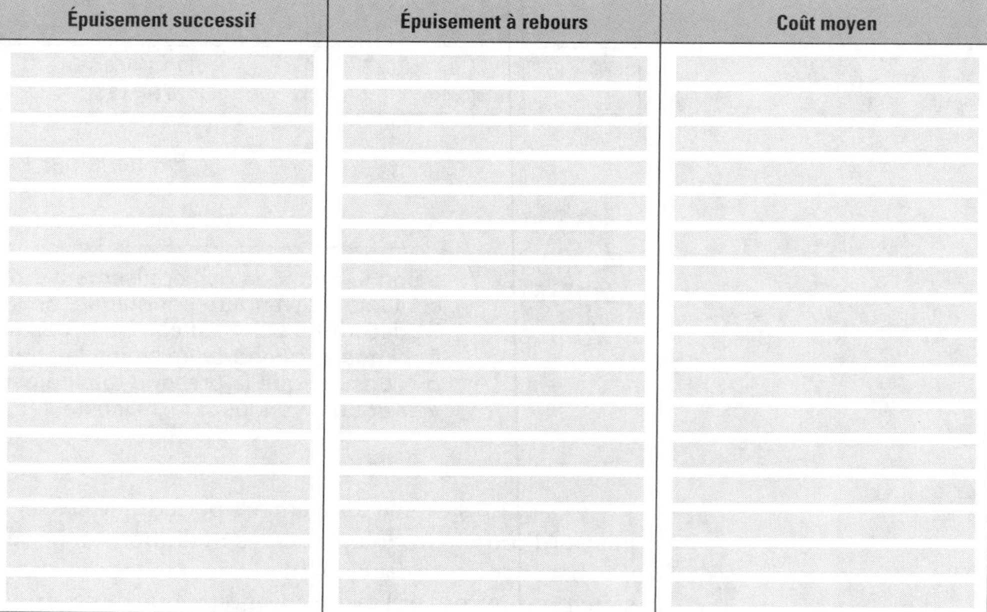

Épuisement successif	Épuisement à rebours	Coût moyen

Fin de la mise en situation 2.10

2.5.2 L'inventaire permanent

Dans un système d'inventaire permanent, les achats de marchandises sont enregistrés au compte d'actif stock. Au moment d'enregistrer les ventes, le coût d'acquisition des articles vendus est retiré du compte stock pour être débité au compte de charges coût des marchandises vendues. Ce système facilite le suivi continu du stock de marchandises. De plus, l'utilisation du grand livre auxiliaire des stocks permet de connaître en tout temps le détail du stock, tant en quantité qu'en valeur.

Dans ce contexte, on applique les méthodes d'évaluation selon la même logique, mais à chaque transaction plutôt que globalement. Les résultats seront donc différents de ceux auxquels on arrive dans un contexte d'inventaire périodique (sauf quand on applique la méthode de l'épuisement successif).

Démonstration 2.8

La valorisation des stocks dans un contexte d'inventaire permanent

Cette démonstration renvoie aux données de la démonstration 2.7.

Travail à faire

Présentez les transactions dans l'ordre chronologique.

Date	Transaction	Quantité	Coût unitaire	Prix de vente unitaire	Quantité disponible après la transaction
20X7					
01-01	Stock au début	1 010	150 $		1 010
01-19	Vente	900		300 $	110
04-23	Achat	1 900	160 $		2 010
06-14	Vente	1 000		300 $	1 010
08-19	Vente	1 000		300 $	10
10-27	Achat	500	165 $		510

Fin de la démonstration 2.8

Examinons maintenant les fiches d'inventaire du grand livre auxiliaire des stocks selon chacune des méthodes d'évaluation suivantes: épuisement successif, épuisement à rebours et coût moyen.

Les transactions dans un contexte d'épuisement successif

Comme nous l'avons déjà précisé, chaque transaction de vente effectuée dans un contexte d'épuisement successif porte d'abord sur les unités acquises le plus anciennement. Il faut donc garder trace du coût unitaire des marchandises de chaque lot pour être en mesure de calculer correctement le coût des unités vendues et le coût du stock restant après chaque transaction.

Démonstration 2.9

L'inventaire permanent et l'épuisement successif

Cette démonstration renvoie aux données de la démonstration 2.7 (p. 72).

Travail à faire

Remplissez la fiche du grand livre auxiliaire des stocks ci-dessous.

Date	ENTRÉES			SORTIES			SOLDE		
	Quantité	Coût unitaire	Coût total	Quantité	Coût unitaire	Coût total	Quantité	Coût unitaire	Coût total
20X7									
01-01							1 010	150,00	151 500,00
01-19				900	150,00	135 000,00	110	150,00	16 500,00
04-23	1 900	160,00	304 000,00				110 1 900	150,00 160,00	320 500,00
06-14				110 890	150,00 160,00	158 900,00	1 010	160,00	161 600,00
08-19				1 000	160,00	160 000,00	10	160,00	1 600,00
10-27	500	165,00	82 500,00				10 500	160,00 165,00	**84 100,00**
						453 900,00			

En appliquant la méthode de l'épuisement successif dans un contexte d'inventaire permanent, le coût des marchandises vendues au cours de l'exercice s'élève à 453 900 $ et la valeur du stock à la fin de l'exercice (au coût d'acquisition) est de 84 100 $.

Dans cet exemple, la méthode de l'épuisement successif donne le même solde, quel que soit le système d'inventaire, parce que le stock à la fin est évalué d'après les mêmes articles.

Fin de la démonstration 2.9

Les transactions dans un contexte d'épuisement à rebours

Comme nous l'avons déjà mentionné, chaque transaction de vente effectuée dans un contexte d'épuisement à rebours porte d'abord sur les unités acquises le plus récemment. Comme dans le cas de l'épuisement successif, il faut pouvoir retrouver le coût unitaire des marchandises de chaque lot pour être en mesure de calculer correctement le coût des unités vendues et le coût du stock restant après chaque transaction.

Démonstration 2.10

L'inventaire permanent et l'épuisement à rebours

Cette démonstration renvoie aux données de la démonstration 2.7.

Travail à faire

Remplissez la fiche du grand livre auxiliaire des stocks ci-dessous.

Date	ENTRÉES			SORTIES			SOLDE		
	Quantité	Coût unitaire	Coût total	Quantité	Coût unitaire	Coût total	Quantité	Coût unitaire	Coût total
20X7									
01-01							1 010	150,00	151 500,00
01-19				900	150,00	135 000,00	110	150,00	16 500,00
04-23	1 900	160,00	304 000,00				110 1 900	150,00 160,00	320 500,00
06-14				1 000	160,00	160 000,00	110 900	150,00 160,00	160 500,00
08-19				100 900	150,00 160,00	159 000,00	10	150,00	1 500,00
10-27	500	165,00	82 500,00				10 500	150,00 165,00	**84 000,00**
						454 000,00			

En appliquant la méthode de l'épuisement à rebours dans un contexte d'inventaire permanent, le coût des marchandises vendues au cours de l'exercice s'élève à 454 000 $ et la valeur du stock à la fin de l'exercice (au coût d'acquisition) est de 84 000 $.

La méthode de l'épuisement à rebours ne donne pas les mêmes résultats dans un contexte d'inventaire permanent (stock à la fin évalué à 84 000 $) et dans un contexte d'inventaire périodique (stock à la fin évalué à 76 500 $).

Fin de la démonstration 2.10

Sur le plan comptable, cette méthode peut être tout à fait pertinente. Cependant, comme nous l'avons déjà mentionné, la loi canadienne sur l'impôt ne l'autorise pas quand il s'agit de déterminer le revenu imposable d'une entreprise.

Les transactions dans un contexte de coût moyen

Chaque transaction d'achat effectuée dans un contexte de coût moyen nécessite une mise à jour du coût unitaire moyen des articles du stock. C'est ce nouveau coût unitaire moyen qui sera utilisé pour établir le coût des marchandises vendues au moment de la transaction de vente suivante.

Démonstration 2.11

L'inventaire permanent et le coût moyen

Cette démonstration renvoie aux données de la démonstration 2.7.

Travail à faire

Remplissez la fiche du grand livre auxiliaire des stocks ci-dessous.

Date	ENTRÉES			SORTIES			SOLDE		
	Quantité	Coût unitaire	Coût total	Quantité	Coût unitaire	Coût total	Quantité	Coût unitaire	Coût total
20X7									
01-01							1 010	150,00000	151 500,00
01-19				900	150,00000	135 000,00	110	150,00000	16 500,00
04-23	1 900	160,00	304 000,00				2 010	159,45273	320 500,00
06-14				1 000	159,45273	159 452,73	1 010	159,45273	161 047,27
08-19				1 000	159,45273	159 452,73	10	159,45273	1 594,54
10-27	500	165,00	82 500,00				510	164,89125	**84 094,54**
						453 905,46			

En appliquant la méthode du coût moyen dans un contexte d'inventaire permanent, le coût des marchandises vendues au cours de l'exercice s'élève à 453 905,46 $ et la valeur du stock à la fin de l'exercice (au coût d'acquisition) est de 84 094,54 $.

La méthode du coût moyen ne donne pas les mêmes résultats dans un contexte d'inventaire permanent (stock à la fin évalué à 84 094,54 $) et dans un contexte d'inventaire périodique (stock à la fin évalué à 80 462,70 $).

Fin de la démonstration 2.11

L'inventaire permanent et les méthodes d'évaluation

Alors que la méthode de l'épuisement successif donne le même résultat quel que soit le système d'inventaire, les méthodes de l'épuisement à rebours et du coût moyen donnent des résultats différents. C'est que dans un contexte d'inventaire permanent on tient compte de la chronologie des transactions. L'évaluation est ainsi plus juste. Cependant, le système d'inventaire périodique fournit une évaluation acceptable, à défaut d'informations plus précises, surtout quand on tient compte du fait que les différences d'évaluation du stock à la fin de l'exercice et leur effet sur le coût des marchandises vendues se renversent au cours de l'exercice financier suivant.

Mise en situation 2.11

L'inventaire permanent et les méthodes d'évaluation des stocks

Au cours de l'exercice financier 20X7, l'entreprise ABC a effectué les transactions suivantes, relatives au produit Jody.

Date	Transaction	Quantité	Coût unitaire	Prix de vente unitaire	Quantité disponible après la transaction
20X7					
01-01	Stock au début	5 000	2,10 $		5 000
02-28	Vente	4 000		5,10 $	1 000
03-03	Achat	3 000	2,35 $		4 000
09-14	Achat	1 000	2,40 $		5 000
11-17	Vente	2 000		5,75 $	3 000

Travail à faire

Remplissez les fiches d'inventaire ci-dessous selon chacune des trois méthodes suivantes :

a) L'épuisement successif.
b) L'épuisement à rebours.
c) Le coût moyen.

a) **L'épuisement successif**

Jody									
Date	**ENTRÉES**			**SORTIES**			**SOLDE**		
	Quantité	**Coût unitaire**	**Coût total**	**Quantité**	**Coût unitaire**	**Coût total**	**Quantité**	**Coût unitaire**	**Coût total**
20X7									
01-01									
02-28									
03-03									
09-14									
11-17									

b) **L'épuisement à rebours**

Jody									
Date	ENTRÉES			SORTIES			SOLDE		
	Quantité	Coût unitaire	Coût total	Quantité	Coût unitaire	Coût total	Quantité	Coût unitaire	Coût total
20X7									
01-01									
02-28									
03-03									
09-14									
11-17									

c) **Le coût moyen**

Jody									
Date	ENTRÉES			SORTIES			SOLDE		
	Quantité	Coût unitaire	Coût total	Quantité	Coût unitaire	Coût total	Quantité	Coût unitaire	Coût total
20X7									
01-01									
02-28									
03-03									
09-14									
11-17									

Fin de la mise en situation 2.11

Section 2.6 Les marchandises perdues, volées ou mises au rebut

Dans *Comptabilité 1 – Le cycle comptable*, nous avons vu que les marchandises perdues, volées ou mises au rebut sont attribuées au coût des marchandises vendues. En effet, dans un contexte d'inventaire périodique, on applique l'équation suivante :

Coût des marchandises vendues =
stock au début + achats nets de l'exercice – stock à la fin.

Les articles perdus, volés ou mis au rebut sont inclus dans les achats ou dans le stock au début. Cependant, on ne les considère pas dans le dénombrement à la fin de l'exercice puisqu'ils ne sont plus effectivement en stock. Ils se trouvent donc automatiquement inclus dans le calcul du coût des marchandises vendues.

Dans un contexte d'inventaire permanent, dès qu'on constate qu'une unité n'est plus utilisable, on crédite le compte stock de marchandises et on ajuste la fiche du produit dans le grand livre auxiliaire des stocks. On débite normalement le compte coût des marchandises vendues. On considère en effet comme normal de subir un certain pourcentage de pertes de cette nature : elles font partie des frais inévitables si on veut avoir de la marchandise disponible pour réaliser des ventes.

Pour assurer une meilleure gestion des stocks, il est toutefois intéressant de connaître le montant total de ces pertes. Aussi, les événements qui ont entraîné une perte peuvent être exceptionnels. Par exemple, des marchandises peuvent avoir été détruites à cause d'une inondation de l'entrepôt. Si les sommes en jeu sont importantes, le coût des marchandises vendues et la marge bénéficiaire brute de l'exercice financier en cours seront fortement touchés. L'utilisateur des états financiers ne pourrait pas alors effectuer une véritable comparaison avec les exercices antérieurs. Dans un cas comme celui-ci, on doit évaluer le coût des marchandises perdues et le débiter dans un compte de charges distinct plutôt que de l'enregistrer au coût des marchandises vendues.

Problèmes suggérés : 2.7, 2.8, 2.9 et 2.10.

Section 2.7

La valeur de marché des stocks

Nous savons que les normes comptables exigent l'évaluation des stocks au moindre du coût d'acquisition ou de la valeur de marché. Dans les sections précédentes, nous avons vu comment évaluer les stocks au coût d'acquisition. Il nous reste maintenant à comparer cette évaluation avec la valeur de marché.

VALEUR DE MARCHÉ
Montant correspondant soit au coût de remplacement, soit à la valeur de réalisation nette.

La **valeur de marché** des stocks représente la somme que l'entreprise peut s'attendre à récupérer en les vendant. Dans un contexte d'affaires normal, cette valeur est toujours supérieure au coût d'acquisition du stock. Sinon, à quoi bon se lancer en affaires ! Toutefois, dans un contexte de récession économique, si les marchandises en stock font l'objet d'une forte spéculation ou si elles deviennent rapidement désuètes, il peut arriver que le coût du stock soit supérieur à sa valeur sur le marché. En vertu des principes comptables de bonne information et de prudence, il est essentiel d'informer l'utilisateur des états financiers d'une telle situation, anormale et défavorable.

Il existe différentes façons d'évaluer la valeur de marché du stock. Examinons la plus utilisée.

2.7.1 La méthode de la valeur de réalisation nette

MÉTHODE DE LA VALEUR DE RÉALISATION NETTE
Méthode qui consiste à évaluer certains biens au prix de vente (généralement le cours déterminé sur un marché organisé) diminué des frais directs.

Selon la **méthode de la valeur de réalisation nette**, la valeur de marché des articles en stock correspond à leur prix de vente moins les frais directs nécessaires à leur vente. Ces frais incluent, entre autres, les frais de livraison, d'emballage ou de modifications nécessaires pour rendre les articles propres à la vente ainsi que les commissions payées aux vendeurs. Il faut aussi tenir compte des rabais qu'on devra accorder pour réussir à écouler certains articles désuets.

Lorsque la valeur de marché est inférieure au coût d'acquisition, il faut passer au journal général une écriture de régularisation qui diminue la valeur du stock à présenter dans le bilan à la fin de l'exercice financier. On ne réduit pas directement le compte stocks, car le grand livre auxiliaire des stocks, toujours tenu au coût d'acquisition, ne serait plus en équilibre avec le compte de contrôle stocks dans le grand livre général. On utilise donc un compte de provision dont le solde est créditeur. La contrepartie sera enregistrée au débit dans un compte de charges.

Démonstration 2.12

Le moindre du coût d'acquisition ou de la valeur de marché (estimée selon la méthode de la valeur de réalisation nette)

Voici la liste des stocks de l'entreprise Latulipe au 31 décembre 20X7. Les frais directs sont estimés à 15 % du prix de vente.

Travail à faire

a) Calculez le coût d'acquisition et la valeur de marché du stock.
b) Passez au journal général l'écriture requise.
c) Dressez le bilan partiel au 31 décembre 20X7.

a)

		Coût d'acquisition établi selon la méthode retenue par l'entreprise		Valeur de marché établie selon la valeur de réalisation nette		
Code de produit	**Quantité dénombrée**	**Coût unitaire**	**Coût total**	**Prix de vente unitaire net de réductions**	**Frais directs unitaires (15 %)**	**Prix total**
XERS2	12 500	100,00	1 250 000,00	40,00	6,00	425 000,00
XERS3	13 000	75,00	975 000,00	100,00	15,00	1 105 000,00
DRE23	3 450	50,00	172 500,00	65,00	9,75	190 612,50
FRT42	9 000	68,00	612 000,00	89,00	13,35	680 850,00
Total			3 009 500,00			2 401 462,50

b) Au total, la perte de valeur du stock atteint 608 037,50 $ (3 009 500,00 $ – 2 401 462,50 $).

Journal général

Date	Nom des comptes et explications	Réf.	Débit	Crédit
20X7				
12-31	Perte provoquée par la baisse de la valeur de marché du stock		608 037,50	
	Provision pour perte provoquée par la			
	baisse de la valeur de marché du stock			608 037,50
	(Pour enregistrer la perte de valeur du stock)			

c)

Latulipe
Bilan partiel
au 31 décembre 20X7

ACTIF
Actif à court terme

Stock	3 009 500,00 $
Provision pour perte provoquée par la baisse de la valeur de marché du stock	608 037,50
	2 401 462,50 $

La différence entre la valeur du stock au coût d'acquisition et sa valeur de réalisation nette se calcule généralement sur le montant global plutôt qu'article par article.

Fin de la démonstration 2.12

Mise en situation 2.12

Le moindre du coût d'acquisition ou de la valeur de marché (estimée selon la méthode de la valeur de réalisation nette)

L'entreprise Mueller vend deux articles. À la fin de l'exercice, la liste des stocks fournit les informations suivantes.

Numéro de produit	Quantité	Coût unitaire	Prix unitaire
6575	1 000	100 $	130 $
8769	3 000	200 $	210 $

Les frais directs s'élèvent à 10 % du prix de vente.

Travail à faire

a) Calculez la valeur du stock au moindre du coût d'acquisition ou de la valeur de marché (estimée selon la méthode de la valeur de réalisation nette).

b) S'il y a lieu, passez au journal général l'écriture de régularisation requise.

a)

b) **Journal général**

Date	Nom des comptes et explications	Réf.	Débit	Crédit
20X7				

Fin de la mise en situation 2.12

Section 2.8

Les stocks et les états financiers

Selon les normes comptables, il faut informer les lecteurs des états financiers de la base d'évaluation des stocks utilisée. Pour ne pas alourdir le bilan, on communique généralement cette information au moyen de notes complémentaires aux états financiers. Il faut donc indiquer que les stocks sont évalués au moindre du coût d'acquisition ou de la valeur de marché et préciser les méthodes d'évaluation retenues. Si on change de base d'évaluation, il faut l'indiquer et préciser les répercussions de cette modification sur le bénéfice net de l'exercice.

Enfin, les normes comptables exigent aussi la présentation détaillée du stock par l'indication du montant de chacune des grandes catégories de marchandises, telles que les matières premières, les produits en cours et les produits finis.

Problèmes suggérés : 2.11 et 2.12.

Section 2.9

Les méthodes d'estimation comptable des stocks

ESTIMATION COMPTABLE
Détermination approximative de la valeur d'un bien ou d'une dette à des fins comptables.

MÉTHODE DE LA MARGE BRUTE
Méthode d'estimation du chiffre du stock final fondée sur la constance de la marge brute.

Si l'entreprise n'a pas de système d'inventaire permanent, comment peut-elle préparer des états financiers intermédiaires sans avoir à procéder à un dénombrement des stocks et à la valorisation de chaque article ? Il faut faire l'**estimation comptable** des stocks. Examinons deux méthodes utilisées.

2.9.1 La méthode de la marge brute

Pour estimer les stocks en fin de période, on peut utiliser la **méthode de la marge brute**, qui renvoie au ratio de la marge bénéficiaire brute réalisée historiquement par l'entreprise. Pour pouvoir utiliser le ratio historique, il faut d'abord s'assurer que les politiques commerciales de l'entreprise et celles de ses fournisseurs sont relativement stables. Grâce à ce ratio et aux ventes de la période, on est en mesure de calculer la marge bénéficiaire brute de la période et le coût des marchandises vendues. Une fois cette étape terminée, on calcule la valeur du stock à la fin à l'aide du stock au début et du total des achats de la période.

Démonstration 2.13

L'estimation des stocks selon la méthode de la marge brute

Les registres comptables de l'entreprise XYZ indiquent que les ventes et les achats du mois totalisent respectivement 250 000 $ et 190 000 $. Le stock au début du mois s'élevait à 72 000 $ et le ratio de la marge bénéficiaire brute historique est de 30 %.

Travail à faire

Déterminez le stock à la fin du mois.

La marge bénéficiaire brute devrait être égale à 75 000 $ (30 % × 250 000 $). Par déduction, on peut estimer le coût des marchandises vendues à 175 000 $.

Ventes	250 000 $
Moins : coût des marchandises vendues	**175 000**
Marge bénéficiaire brute (30 %)	75 000 $

On décompose ensuite le coût des marchandises vendues pour déterminer que le stock à la fin totalise 87 000 $.

Stock au début	72 000 $
Plus : achats	190 000
Coût des marchandises destinées à la vente	262 000 $
Moins : stock à la fin	**87 000**
Coût des marchandises vendues	175 000 $

Fin de la démonstration 2.13

Mise en situation 2.13

L'estimation des stocks selon la méthode de la marge brute

Les ventes et les achats du mois pour l'entreprise ABC totalisent respectivement 900 000 $ et 390 000 $. Le stock au début du mois s'élevait à 572 000 $ et le ratio de la marge bénéficiaire brute historique est de 28 %.

Travail à faire

Déterminez le stock à la fin du mois.

Fin de la mise en situation 2.13

Problèmes suggérés : 2.13 et 2.14.

MÉTHODE DE L'INVENTAIRE AU PRIX DE DÉTAIL
Méthode d'évaluation du coût des marchandises en stock à partir de leur prix de détail, consistant essentiellement à déterminer leur coût estimatif en déduisant de leur valeur de vente le pourcentage de marge brute approprié.

RATIO DU COÛT AU PRIX DE DÉTAIL
Dans l'application de la méthode de l'inventaire au prix de détail, quotient obtenu en divisant le coût total des marchandises destinées à la vente par la valeur totale de vente de ces mêmes marchandises, compte tenu des majorations nettes et des réductions nettes.

2.9.2 La méthode de l'inventaire au prix de détail

Dans les entreprises de vente au détail, le prix de vente des marchandises est souvent fixé à partir des coûts d'acquisition, majorés d'un certain pourcentage qui assure une marge de profit acceptable. Dans ce contexte, les détaillants fixent les prix de vente dès l'acquisition des biens. Ces détaillants utilisent parfois la **méthode de l'inventaire au prix de détail** pour estimer la valeur du stock à la fin d'une période ou de l'exercice financier : ils déduisent de la valeur de vente le pourcentage de marge brute approprié.

Cette méthode peut s'appliquer seulement si on a noté le prix de détail associé à chaque achat de marchandises au cours de l'exercice financier. Il est alors possible d'estimer le **ratio du coût au prix de détail**, obtenu en divisant le coût total des marchandises destinées à la vente par la valeur totale de leur vente, compte tenu des majorations nettes et des réductions nettes.

Démonstration 2.14

L'estimation des stocks selon la méthode de l'inventaire au prix de détail

L'entreprise Lajoie vend un seul produit. Voici les transactions d'achat de l'exercice.

Date	Quantité	Coût d'acquisition unitaire	Coût total	Prix de détail unitaire	Prix de détail total
20X7					
Stock au début	1 000	50,00 $	50 000,00 $	65,00 $	65 000,00 $
01-07 Achat	5 000	55,00 $	275 000,00 $	70,40 $	352 000,00 $
08-19 Achat	12 000	53,00 $	636 000,00 $	68,37 $	820 440,00 $
Marchandises destinées à la vente			961 000,00 $		1 237 440,00 $

À la fin de l'exercice, il reste 9 000 articles au prix de détail de 68,37 $, soit le dernier prix de détail fixé par l'entreprise.

Travail à faire

Estimez la valeur du stock à la fin de l'exercice selon la méthode de l'inventaire au prix de détail.

On calcule d'abord le ratio du coût au prix de détail (coût d'acquisition/prix de détail).

$$\frac{\text{Marchandises destinées à la vente évaluées au coût d'acquisition}}{\text{marchandises destinées à la vente évaluées au prix de détail}} = \frac{961\ 000\ \$}{1\ 237\ 440\ \$} = 77{,}66\ \%$$

À la fin de l'exercice, on procède au dénombrement des stocks et on valorise le stock au prix de détail. Il ne reste plus qu'à appliquer le ratio du coût au prix de détail au total de l'inventaire pour obtenir l'estimation de la valeur du stock à la fin.

Estimation au prix de détail

$$9\ 000 \times 68{,}37\ \$ = 615\ 330{,}00\ \$$$

Estimation au coût d'acquisition

$$615\ 330{,}00\ \$ \times 77{,}66\ \% = 477\ 865{,}28\ \$$$

La valeur du stock à la fin est donc estimée à 477 865,28 $.

Fin de la démonstration 2.14

Mise en situation 2.14

L'estimation des stocks selon la méthode de l'inventaire au prix de détail

Les marchandises destinées à la vente de l'entreprise ABC totalisent 900 000 $ au coût d'acquisition et 1 310 000 $ au prix de détail.

Travail à faire

Évaluez le stock à la fin de l'exercice s'il totalise 58 600 $ au prix de détail.

Fin de la mise en situation 2.14

Problèmes suggérés: 2.15 et 2.16.

Résumé

Pour l'entreprise commerciale, le stock de marchandises constitue souvent l'actif à court terme le plus important. Elle doit donc gérer ce stock en assurant un approvisionnement efficace de façon à répondre aux besoins de la clientèle. Par ailleurs, les normes comptables exigent l'évaluation du stock de marchandises au moindre du coût d'acquisition ou de la valeur de marché.

La détermination de la valeur du stock au coût d'acquisition comporte trois étapes: le dénombrement des marchandises, la démarcation et l'établissement des coûts incorporables. Même dans un contexte d'inventaire permanent, l'entreprise doit procéder au dénombrement pour valider l'information inscrite au grand livre auxiliaire des stocks. La démarcation est un temps d'arrêt des comptes qui permet d'enregistrer les transactions dans le bon exercice financier et le coût des marchandises vendues dans le même exercice que leur vente. Il faut tenir compte des marchandises en transit, des marchandises en consignation ainsi que des entrées et des sorties de marchandises durant l'inventaire. Les coûts incorporables incluent le coût de la facture d'achat (moins les escomptes) et tous les frais engagés pour rendre les marchandises disponibles à la vente (frais douaniers, frais de transport et d'entreposage, etc.).

Pour déterminer la valeur des marchandises, il faut pouvoir associer chaque article à sa facture d'achat, ce qui n'est souvent possible qu'avec l'utilisation de codes de produit uniques. Sinon, on doit poser des hypothèses sur l'ordre d'écoulement des stocks tout en visant le meilleur rapprochement possible des produits et des charges. Les principales méthodes d'évaluation sont les suivantes: le coût propre, le coût moyen, l'épuisement successif et l'épuisement à rebours.

La méthode du coût propre s'applique de la même façon dans un contexte d'inventaire périodique ou permanent, ce qui n'est pas le cas de la méthode du coût moyen, de la méthode de l'épuisement successif ni de la méthode de l'épuisement à rebours. Enfin, peu importe la méthode ou le contexte, on doit tenir compte des marchandises perdues, volées ou mises au rebut.

Finalement, on doit évaluer les stocks selon la valeur de marché, afin de comparer celle-ci au coût d'acquisition et de présenter aux états financiers le moindre des deux. On recourt principalement à la méthode de la valeur de réalisation nette pour déterminer cette valeur du marché. De plus, on doit fournir aux lecteurs des états financiers les méthodes d'évaluation utilisées et la présentation détaillée du stock de marchandises par grandes catégories. Les deux principales méthodes d'estimation comptable des stocks sont la méthode de la marge brute et la méthode de l'inventaire au prix de détail.

Problèmes

Problème 2.1 La démarcation des ventes, des achats et des stocks

L'exercice financier de l'entreprise Véronneau se termine le 31 décembre 20X6. À cette date, la liste des stocks totalise 1 500 500 $. Les ventes et les achats de l'exercice se chiffrent respectivement à 7 657 000 $ et à 3 450 000 $. Par ailleurs, l'entreprise garde en consignation des marchandises d'un fournisseur pour une valeur de 11 000 $. Le comptable se demande toutefois s'il a correctement enregistré les opérations suivantes.

Date	Opération
20X6	
12-27	L'entreprise expédie des marchandises à un client à la condition de livraison FAB point d'arrivée. La vente totalise 45 000 $. Le coût d'acquisition de ces marchandises est estimé à 30 000 $. On comptabilise la facture de vente. La livraison à l'entrepôt du client se fait le 17 janvier 20X7. Les marchandises n'ont pas été incluses dans le stock de clôture au 31 décembre.
12-29	L'entreprise négocie l'achat de marchandises au coût de 55 000 $ selon la condition de livraison FAB point d'arrivée. On comptabilise la facture d'achat. La livraison à l'entrepôt du client se fait le 3 janvier 20X7. Les marchandises n'ont pas été incluses dans le stock de clôture au 31 décembre.
12-31	Les marchandises en consignation ne sont pas incluses dans le stock de clôture ni dans les achats de l'exercice.

Travail à faire

a) Le traitement comptable est-il juste ? Expliquez votre réponse.

b) Corrigez, s'il y a lieu, les soldes des comptes.

Problème 2.2 La démarcation des ventes, des achats et des stocks ainsi que les répercussions des erreurs sur plus d'un exercice

Voici l'état des résultats partiel des trois derniers exercices de l'entreprise ABC.

Entreprise ABC **État des résultats partiel** pour les exercices financiers terminés le 31 décembre 20X5, 20X6 et 20X7			
	20X5	**20X6**	**20X7**
Ventes	100 000 $	120 000 $	125 000 $
Coût des marchandises vendues			
Stock au début	15 000 $	18 000 $	33 000 $
Achats	43 000	99 000	16 000
Coût des marchandises destinées à la vente	58 000 $	117 000 $	49 000 $
Stock à la fin	18 000	33 000	19 000
Coût des marchandises vendues	40 000 $	84 000 $	30 000 $
Marge bénéficiaire brute	60 000 $	36 000 $	95 000 $

Le comptable s'explique mal les variations de la marge bénéficiaire brute. Après vérification, il fait les constatations suivantes :

- Au 31 décembre 20X5, une erreur s'est glissée dans l'addition de la liste des stocks. Le total a été sous-évalué de 5 000 $.
- Au 31 décembre 20X6, on n'a pas inclus dans la liste des stocks des marchandises laissées en consignation chez un client pour un montant de 18 000 $.
- Au 29 décembre 20X6, de la marchandise au coût d'acquisition de 12 000 $ a été expédiée à un client à la condition FAB point d'arrivée. La marchandise a été livrée chez le client le 3 janvier 20X7 et elle n'a pas été incluse dans l'inventaire au 31 décembre 20X6. La vente, qui totalisait 17 000 $, a été enregistrée le 3 janvier 20X7.

Travail à faire

a) Corrigez l'état des résultats de ces trois années.

b) Faites ressortir les répercussions des erreurs sur la marge bénéficiaire brute de chaque année. Expliquez votre réponse.

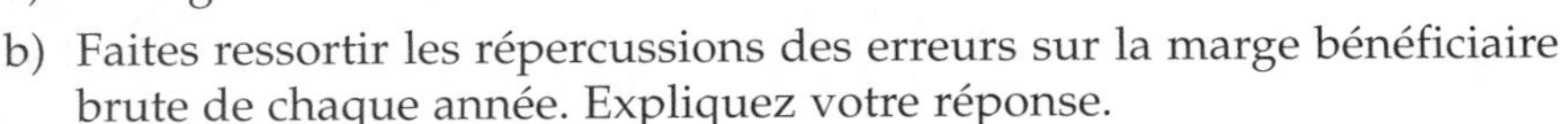

Problème 2.3 L'enregistrement des transactions relatives à l'acquisition de marchandises dans un contexte d'inventaire périodique et la valorisation du stock, y compris le calcul de certains coûts incorporables

Le 7 janvier 20X7, l'entreprise Lacroix achète un lot de 1 000 montres chez le fabricant Tictac. Le prix unitaire suggéré de l'article est de 15 $, mais, compte tenu de la quantité achetée, le fournisseur accorde une réduction de 10 % sur le prix total. Les taxes à la consommation s'appliquent à la transaction. Les conditions de paiement sont 2/10, n/30, et l'escompte de caisse est calculé sur le montant avant taxes. La condition de livraison est FAB point de départ.

Le 7 janvier 20X7, Lacroix engage le transporteur Pluvite pour aller chercher la marchandise et paie sa facture au montant de 862,69 $ taxes incluses.

Le 9 janvier 20X7, après inspection de la marchandise, Lacroix retourne au fabricant 100 montres dont le bracelet est défectueux. Le fabricant assume les frais de transport pour le retour. Le jour même, Lacroix reçoit une note de crédit de Tictac.

Le 17 janvier 20X7, Lacroix paie le fournisseur Tictac.

Travail à faire

a) Enregistrez ces opérations au journal général dans un contexte d'inventaire périodique.

b) Évaluez le stock de marchandises au 17 janvier 20X7 et calculez le coût unitaire des articles en stock.

Problème 2.4 La valorisation du stock, y compris le calcul de certains coûts incorporables

Le 17 juillet 20X7, l'entreprise Précis commande à Outils Baie-Comeau un lot de 21 unités du produit n° AD342 selon les conditions de paiement 3/15, n/45. Les frais de livraison sont à la charge de l'acheteur. La marchandise est transportée par avion jusqu'à Montréal, puis par camion jusqu'à l'entrepôt de Précis. La condition des deux transporteurs est n/30. Le 1er août, l'entreprise paie les factures suivantes, relatives à cet achat.

Outils Baie-Comeau — **FACTURE**

Client Précis | **Adresse de livraison**

Date : 17 juillet 20X7
Date de commande : 17 juillet 20X7
Conditions de livraison : FAB point de départ
Conditions de paiement : 3/15, n/45

CODE — VENDEUR

QUANTITÉ	NUMÉRO DE PRODUIT	DESCRIPTION	PRIX UNITAIRE ($)	MONTANT ($)
21	AD342	Appareils de précision	10 000,00	210 000,00
RÉSERVÉ À L'USAGE INTERNE			**SOUS-TOTAL**	210 000,00
			N° 456789012 TPS 7 %	14 700,00
			N° 6543210987 TVQ 7,5 %	16 852,50
			MONTANT TOTAL	**241 552,50**

Transporteur Air cargo — **FACTURE**

Client Précis | **Adresse de livraison**

Date : 17 juillet 20X7
Conditions de paiement : n/30

CODE — VENDEUR

QUANTITÉ	NUMÉRO DE PRODUIT	DESCRIPTION	PRIX UNITAIRE ($)	MONTANT ($)
		Transport aérien Baie-Comeau – Montréal		3 150,00
RÉSERVÉ À L'USAGE INTERNE			**SOUS-TOTAL**	3 150,00
			N° 567890123 TPS 7 %	220,50
			N° 5432109876 TVQ 7,5 %	252,79
			MONTANT TOTAL	**3 623,29**

Transporteur Le gros camion — **FACTURE**

Client	Adresse de livraison	Date	18 juillet 20X7
Précis		Conditions de paiement	n/30

CODE — VENDEUR

QUANTITÉ	NUMÉRO DE PRODUIT	DESCRIPTION	PRIX UNITAIRE ($)	MONTANT ($)
		Transport routier aéroport – entreprise		210,00
RÉSERVÉ À L'USAGE INTERNE			**SOUS-TOTAL**	210,00
			Nº 678901234 TPS 7 %	14,70
			Nº 4321098765 TVQ 7,5 %	16,85
			MONTANT TOTAL	**241,55**

Électricien Au courant — **FACTURE**

Client	Adresse de livraison	Date	31 juillet 20X7
Précis		Conditions de paiement	n/30

CODE — VENDEUR

QUANTITÉ	NUMÉRO DE PRODUIT	DESCRIPTION	PRIX UNITAIRE ($)	MONTANT ($)
9 heures		Modification de l'alimentation électrique	50,00	450,00
RÉSERVÉ À L'USAGE INTERNE			**SOUS-TOTAL**	450,00
			Nº 789012345 TPS 7 %	31,50
			Nº 3210987654 TVQ 7,5 %	36,11
			MONTANT TOTAL	**517,61**

Le 13 novembre 20X7, l'entreprise vend à crédit un appareil à l'entreprise Exact au prix de 23 000 $ plus taxes. Les frais de livraison, au montant de 170 $ plus taxes, sont à la charge de Précis. L'entreprise paie aussi à son vendeur une commission de 10 % de la vente, soit 2 300 $. Au 31 décembre 20X7, il reste 20 appareils en stock.

Travail à faire

a) Déterminez le coût unitaire des appareils achetés.

b) Déterminez la valeur du stock de marchandises qui doit apparaître dans le bilan au 31 décembre 20X7.

Problème 2.5 La valorisation du stock de clôture dans un contexte d'inventaire périodique et selon diverses méthodes d'évaluation

Au 1er janvier 20X7, l'entreprise ABC a en stock 4 500 L du produit suivant : vernis à base claire nº 1232. Le coût d'achat unitaire est de 4,00 $.

Voici la liste des achats effectués par ABC au cours de l'exercice pour le même produit.

Date	Quantité	Coût unitaire	Coût total
20X7			
01-17	15 000	4,10 $	
04-23	3 500	4,25 $	
07-01	12 000	4,38 $	
08-19	13 000	4,27 $	
12-27	28 000	4,57 $	

Le 31 décembre 20X7, date de fin d'exercice, la liste des stocks indique qu'il reste 29 000 L.

Travail à faire

Déterminez la valeur du stock de marchandises selon les trois méthodes suivantes :

a) L'épuisement successif.

b) L'épuisement à rebours.

c) Le coût moyen.

Problème 2.6 La valorisation du stock de clôture dans un contexte d'inventaire périodique et selon diverses méthodes d'évaluation

L'entreprise Laverdure vend des fertilisants biologiques pour pelouse. Au 1er janvier 20X7, elle avait en sa possession 3 000 L du produit Vert plus, au coût unitaire de 3,00 $.

Voici les opérations relatives à ce produit que l'entreprise a effectuées en 20X7.

Date	Opération
20X7	
03-17	Achat au comptant chez le fournisseur Jardin fleuri de 1 000 L de Vert plus : prix unitaire de 2,95 $ avant taxes, FAB point de départ.
03-17	Paiement à Transport Express pour le transport des unités achetées le 17 mars : 115,03 $ taxes incluses.
04-11	Achat chez le fournisseur Le pré vert de 300 L de Vert plus : prix unitaire de 3,15 $ avant taxes, FAB point d'arrivée, 2/10, n/30. L'escompte s'applique sur le montant avant taxes.
04-12	Retour au fournisseur de 20 L de Vert plus achetés la veille.
04-17	Vente au comptant de 500 L de Vert plus : prix de vente unitaire de 8,00 $ avant taxes.
04-21	Paiement du fournisseur Le pré vert.
05-29	Vente au comptant de 3 300 L de Vert plus : prix unitaire de 8,00 $ avant taxes.
08-30	Achat au comptant au fournisseur La belle tulipe de 600 L de Vert plus : prix unitaire de 3,20 $ avant taxes, FAB point d'arrivée.

Au 31 décembre, date de fin d'exercice, après le ménage de l'entrepôt et la mise au rebut des marchandises désuètes, il reste 1 020 L de Vert plus.

Travail à faire

Évaluez le stock de clôture selon chacune des trois méthodes suivantes :

a) L'épuisement successif.
b) L'épuisement à rebours.
c) Le coût moyen.

Problème 2.7 L'enregistrement des transactions relatives à l'acquisition et à la vente de marchandises selon la méthode du coût propre utilisée dans un contexte d'inventaire permanent

L'entreprise Zoé, propriété de Mme Zoé Zoulou, vend deux produits, Zut et Bof, dont les prix de vente sont respectivement de 400 $ et de 300 $.

Au 1er septembre 20X7, les soldes des comptes sont les suivants :

Banque	50 000 $
Stock	6 200 $
Zoé Zoulou – capital	56 200 $

Les ventes et les achats sont payés comptant. Voici les transactions (montants avant taxes) réalisées en septembre 20X7 par l'entreprise.

	Produit Zut						Produit Bof					
	ENTRÉES			SORTIES			ENTRÉES			SORTIES		
Date	Quantité	Coût unitaire	Total	Quantité	Prix unitaire	Total	Quantité	Coût unitaire	Total	Quantité	Prix unitaire	Total
20X7												
09-01 Stock au début	16	200,00	3 200,00			0	20	150,00	3 000,00			0
09-05 Achat	10	210,00	2 100,00			0			0			0
09-06 Vente[a]			0	22	400,00	8 800,00			0			0
09-09 Vente[b]			0			0			0	19	300,00	5 700,00
09-10 Achat			0			0	13	160,00	2 080,00			0
09-19 Achat	7	215,00	1 505,00			0			0			0

a. 12 unités provenant du stock au début et 10 de l'achat du 5 septembre.
b. Unités provenant toutes du stock au début.

Travail à faire

a) Enregistrez ces opérations au journal général et effectuez le suivi au grand livre auxiliaire des stocks.
b) Reportez les écritures au grand livre général.
c) Vérifiez l'équilibre entre le grand livre auxiliaire des stocks et le compte de contrôle du grand livre général en préparant la liste des stocks au 30 septembre 20X7.
d) Dressez l'état des résultats partiel pour le mois de septembre 20X7.

Problème 2.8 L'enregistrement des transactions relatives à l'acquisition et à la vente de marchandises selon la méthode du coût propre utilisée dans un contexte d'inventaire permanent

L'entreprise ABC est spécialisée dans la distribution de machinerie de précision. Chaque article possède un numéro de série permettant de l'identifier. Le 1er janvier 20X7, le stock de marchandises s'élève à 716 000 $ (500 unités à 1 432 $ chacune).

Voici les transactions réalisées par l'entreprise en janvier 20X7.

Date	Opération
20X7	
01-04	Achat à crédit de quatre machines d'un fournisseur ontarien au prix total de 5 800 $ plus taxes. Conditions: FAB point de départ, 2/10, n/30. (L'escompte se calcule sur le montant total avant taxes.)
01-06	Vente à crédit de trois machines au client Usinar pour un total de 9 600 $ plus taxes. Conditions: 2/15, n/30. Les unités vendues proviennent du stock d'ouverture. (L'escompte se calcule sur le montant total avant taxes.)
01-08	Découverte d'une erreur dans la préparation de la commande d'Usinar. Le commis a expédié une machine de trop. ABC a donc repris la marchandise et émis une note de crédit à son client pour un montant de 3 200 $ plus taxes.
01-10	Réception de la marchandise achetée le 4 janvier. La facture du transporteur s'élève à 300 $ plus taxes et est payable sur réception.
01-11	Une machine achetée le 4 janvier présente un problème de qualité. Après de multiples tractations, le fournisseur accepte d'accorder un rabais de 300 $ avant taxes. ABC conserve toutefois la marchandise.
01-13	Paiement de l'achat du 4 janvier, compte tenu du rabais accordé le 11 janvier.
01-16	Encaissement de la vente du 6 janvier à Usinar, compte tenu de la note de crédit du 8 janvier.
01-31	Dénombrement des marchandises en stock. La liste des stocks indique un total de 717 394 $. En effet, une machine désuète a été mise au rebut.

Travail à faire

Enregistrez ces opérations au journal général et effectuez le suivi au grand livre auxiliaire des stocks.

Problème 2.9 La préparation des fiches du grand livre auxiliaire des stocks selon diverses méthodes d'évaluation des stocks

Voici les transactions (montants avant taxes) de l'exercice relatives au produit Joie de vivre.

Date	Transaction	Quantité	Coût unitaire	Prix de vente unitaire
20X7				
01-01	Stock au début	6 000	12,20 $	
03-29	Vente	3 000		17,00 $
06-13	Achat	700	12,35 $	
06-13	Fret à l'achat		1,00 $	
09-19	Vente	1 000		17,75 $
12-21	Achat	2 000	12,40 $	
12-29	Escompte sur achat de 2 %		(0,248 $)	

Travail à faire

Préparez la fiche d'inventaire du produit Joie de vivre selon chacune des méthodes suivantes :

a) L'épuisement successif.
b) L'épuisement à rebours.
c) Le coût moyen.

Problème 2.10 La préparation des fiches du grand livre auxiliaire des stocks selon diverses méthodes d'évaluation des stocks

L'entreprise Buissière vend deux produits : le produit X et le produit Y. Au 1er janvier 20X7, elle possédait les stocks de marchandises suivants.

Produit	Quantité	Coût unitaire	Coût total
X	1 000	1,00 $	1 000 $
Y	700	3,00 $	2 100 $

Au cours du mois de janvier 20X7, l'entreprise a réalisé les opérations suivantes (montants avant taxes).

Date	Opération
20X7	
01-07	Achat au comptant de 100 unités du produit X au prix unitaire de 1,20 $, FAB point de départ, n/30.
01-09	Paiement du transport des unités du produit X achetées le 7 janvier : 10,00 $.
01-11	Achat à crédit de 200 unités du produit Y au coût unitaire de 3,15 $, FAB point d'arrivée, 2/10, n/30. (L'escompte se calcule sur le montant avant taxes.)
01-12	Retour au fournisseur de 10 unités du produit Y achetées la veille.
01-17	Vente au comptant de 50 unités du produit X au coût unitaire de 8,00 $.
01-20	Paiement du fournisseur du produit Y.
01-29	Vente au comptant de 300 unités du produit Y au prix unitaire de 5,00 $.
01-31	Mise au rebut d'une unité du produit Y.

Travail à faire

Préparez les fiches d'inventaire des produits X et Y selon chacune des méthodes suivantes :

a) L'épuisement successif.
b) L'épuisement à rebours.
c) Le coût moyen.

Problème 2.11 La présentation des stocks au moindre du coût d'acquisition ou de la valeur de marché (estimée selon la valeur de réalisation nette)

L'entreprise Zéna vend deux articles : Win et Yun. À la fin de l'exercice terminé le 31 juillet 20X7, la liste des stocks fournit les informations suivantes.

Produit	Quantité	Coût unitaire	Prix unitaire
Win	6 000	7,00 $	9,00 $
Yun	8 000	11,00 $	13,00 $

Les frais directs s'élèvent à 20 % du prix de vente.

Travail à faire

a) Calculez la valeur du stock au moindre du coût d'acquisition ou de la valeur de marché (estimée selon la méthode de la valeur de réalisation nette).

b) S'il y a lieu, passez au journal général l'écriture de régularisation requise.

Problème 2.12 La présentation des stocks au moindre du coût d'acquisition ou de la valeur de marché (estimée selon la valeur de réalisation nette)

La lainière est un distributeur de laine à tricoter. Le dénombrement du stock de l'entreprise, au 31 décembre 20X7, fournit au comptable les informations suivantes.

Qualité	Coloris	Quantité (paquets de 12 pelotes)	Coût unitaire	Coût total	Prix de vente unitaire	Prix de vente total
Angora	Blanc	1 000	27,00 $	160 650,00 $	35,00 $	
Angora	Azur	900				
Angora	Carmin	1 550				
Angora	Forêt	1 300				
Angora	Ivoire	1 200				
Shetland	Blanc	3 400	16,00 $	257 120,00 $	20,00 $	
Shetland	Bleu	2 700				
Shetland	Rouge	2 800				
Shetland	Gris	4 570				
Shetland	Ivoire	2 600				
Alpaga	Noir	750	24,00 $	53 040,00 $	30,00 $	
Alpaga	Soleil	600				
Alpaga	Souris	860				
Norvège	Blanc	560	31,00 $	37 200,00 $	40,00 $	
Norvège	Noir	640				
				508 010,00 $		

Le shetland ne se vend pas aussi facilement que prévu. On solde donc le stock en le réduisant de 30 %. Les frais directs s'élèvent à 15 % du coût d'acquisition.

L'entreprise utilise la méthode de l'épuisement successif pour déterminer le coût d'acquisition. La valeur de marché est fixée selon la méthode de la valeur de réalisation nette.

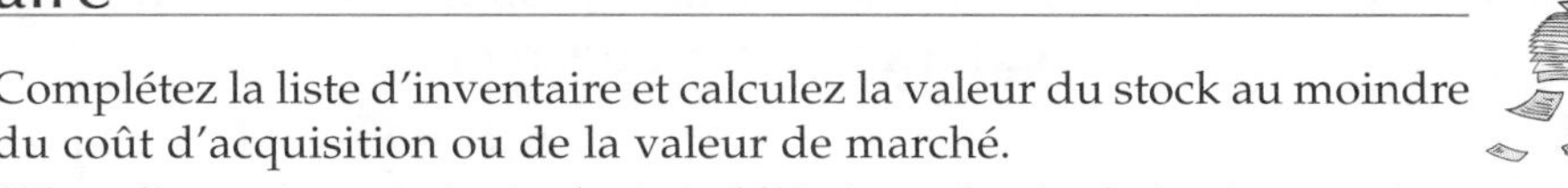

Travail à faire

a) Complétez la liste d'inventaire et calculez la valeur du stock au moindre du coût d'acquisition ou de la valeur de marché.

b) S'il y a lieu, passez au journal général l'écriture de régularisation requise.

c) Présentez le stock comme il doit apparaître au bilan et rédigez la note complémentaire à joindre aux états financiers.

Problème 2.13 L'estimation des stocks selon la méthode de la marge brute

Les ventes et les achats du mois pour l'entreprise ABC totalisent respectivement 7 600 000 $ et 4 412 000 $. Le stock au début du mois s'élevait à 340 000 $ et le ratio de la marge bénéficiaire brute historique est de 52 %.

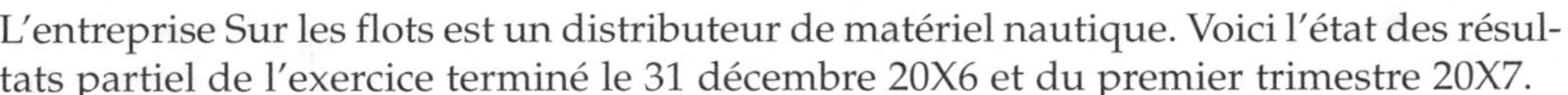

Travail à faire

Déterminez le stock à la fin du mois.

Problème 2.14 L'estimation des stocks selon la méthode de la marge brute

L'entreprise Sur les flots est un distributeur de matériel nautique. Voici l'état des résultats partiel de l'exercice terminé le 31 décembre 20X6 et du premier trimestre 20X7.

Sur les flots
État des résultats partiel
pour l'exercice terminé le 31 décembre 20X6
et le premier trimestre 20X7

	20X6	Premier trimestre 20X7
Ventes	1 370 000 $	360 000 $
Coût des marchandises vendues		
Stock au début	85 000 $	78 000 $
Achats	746 500	193 000
Coût des marchandises destinées à la vente	831 500 $	271 000 $
Stock à la fin	78 000	
Coût des marchandises vendues	753 500 $	
Marge bénéficiaire brute	616 500 $	
Charges d'exploitation	309 000	75 000
Bénéfice net	307 500 $	

Le comptable de l'entreprise estime que les conditions économiques de l'année en cours sont semblables à celles de l'année précédente. Il veut donc estimer la marge bénéficiaire brute du premier trimestre 20X7 sur la base des résultats de l'exercice 20X6.

Travail à faire

a) Estimez le ratio de la marge bénéficiaire brute du premier trimestre 20X7.

b) Estimez la valeur du stock à la fin du premier trimestre 20X7 et complétez l'état des résultats de ce trimestre.

Problème 2.15 L'estimation des stocks selon la méthode de l'inventaire au prix de détail

L'entreprise Légaré et Martineau vend un seul produit. Voici les transactions d'achat de l'exercice.

Date	Quantité	Coût d'acquisition unitaire	Coût total	Prix de détail unitaire	Prix de détail total
Stock au début	7 000	17,00 $	119 000,00 $	23,80 $	166 600,00 $
03-06 Achat	12 000	16,00 $	192 000,00 $	23,80 $	285 600,00 $
09-21 Achat	15 000	19,00 $	285 000,00 $	26,60 $	399 000,00 $
Marchandises destinées à la vente			596 000,00 $		851 200,00 $

À la fin de l'exercice, il reste 6 500 unités en stock.

Travail à faire

a) Estimez la valeur du stock à la fin de l'exercice selon la méthode de l'inventaire au prix de détail.

b) À quelle méthode d'évaluation (épuisement successif, épuisement à rebours ou coût moyen) la méthode d'estimation de l'inventaire au prix de détail s'apparente-t-elle le plus ? Expliquez votre réponse.

Problème 2.16 L'estimation des stocks selon la méthode de l'inventaire au prix de détail

L'entreprise Arsenault vend trois produits. Voici le détail de l'évaluation au coût d'acquisition et au prix de détail des marchandises destinées à la vente ainsi que l'évaluation au prix de détail du stock à la fin de l'exercice financier.

Évaluation du stock de marchandises

	Marchandises destinées à la vente		Stock à la fin
	Au coût d'acquisition	Au prix de détail	Au prix de détail
Produit A	876 000 $	1 138 800 $	52 300 $
Produit B	765 000 $	956 250 $	235 000 $
Produit C	745 000 $	1 117 500 $	76 000 $
Total	2 386 000 $	3 212 550 $	363 300 $

Travail à faire

a) Estimez la valeur du stock à la fin de l'exercice selon la méthode de l'inventaire au prix de détail en utilisant un ratio coût d'acquisition/prix de détail global pour les trois produits.

b) Estimez la valeur du stock à la fin de l'exercice selon la méthode de l'inventaire au prix de détail en utilisant un ratio coût d'acquisition/prix de détail propre à chaque produit.

c) Déterminez la méthode la plus précise et expliquez votre réponse.

CHAPITRE 3

Les placements

Compétence :

Analyser et traiter les données du cycle comptable (01H8).

Éléments de compétence	Objectifs d'apprentissage
Recueillir et analyser l'information comptable.	■ Nommer les caractéristiques des placements temporaires. ■ Nommer les caractéristiques des placements à long terme.
Enregistrer l'ensemble des opérations du cycle comptable.	■ Enregistrer les opérations portant sur les placements temporaires en certificats de placement garanti, en dépôts à terme, en bons du Trésor, en obligations et en actions. ■ Enregistrer les opérations portant sur les placements de portefeuille en obligations et en actions ainsi que sur les participations dans des sociétés satellites.
Régulariser les comptes.	■ Comptabiliser les intérêts à recevoir sur les placements temporaires en obligations. ■ Appliquer la méthode de la moindre valeur. ■ Comptabiliser les intérêts à recevoir sur les placements de portefeuille en obligations et amortir la prime ou l'escompte d'acquisition d'obligations.
Produire le bilan, l'état des résultats et l'état des capitaux propres.	■ Présenter les placements temporaires et les placements à long terme aux états financiers selon les normes comptables.

Section 3.1 Les types de placements

Le bilan d'une entreprise peut présenter deux types de placements: les placements temporaires et les placements à long terme.

L'entreprise ayant un excédent de liquidités générées par ses activités courantes préférera les investir sous forme de placements temporaires qui lui rapporteront un meilleur rendement que si elle les laissait dans son compte bancaire. L'objectif est de faire fructifier le plus possible l'excédent de liquidités en les investissant à court terme dans des placements tels que des dépôts à terme, des certificats de placement garanti, des bons du Trésor, des actions ou des obligations.

D'un autre côté, l'entreprise investira dans des placements à long terme lorsqu'elle voudra obtenir un rendement à long terme ou exercer un contrôle sur une autre entité.

PLACEMENT TEMPORAIRE (ou PLACEMENT À COURT TERME)
Placement en valeurs facilement réalisables, souvent acquises au moyen d'un excédent temporaire de fonds, que l'acquéreur n'a pas l'intention de conserver plus d'un an ou au-delà d'un cycle normal d'exploitation, s'il excède un an, et qu'il convient de présenter parmi les actifs à court terme dans le bilan.

TITRE DE CRÉANCE
Titre constatant le lien de droit entre un créancier et son débiteur.

TITRE DE PARTICIPATION
Titre donnant à son porteur le droit à une participation liée aux résultats de l'entité émettrice et le droit au partage de l'actif net en cas de liquidation.

3.1.1 Les placements temporaires

Les **placements temporaires** (ou **placements à court terme**) regroupent des **titres de créance** (générant un produit d'intérêts [ou intérêts créditeurs]) et des **titres de participation** (conférant un droit de propriété et pouvant générer un dividende). Ils font partie des actifs à court terme. Deux caractéristiques permettent de les distinguer: ils sont facilement réalisables à court terme, et l'entreprise n'a pas l'intention de les conserver plus d'un an.

La réalisation relativement rapide

La première caractéristique du placement temporaire est qu'il peut être réalisé rapidement, c'est-à-dire qu'il a une valeur de marché et qu'il est possible de le vendre sans trop de difficulté. Ainsi, on peut vendre un portefeuille d'obligations de la Ville de Québec sans difficulté, car ce titre constitue un placement très peu risqué et qu'il existe un marché pour le négocier. Par contre, il peut être difficile de vendre un lot important d'actions, soit parce qu'il n'existe pas de marché pour les négocier (c'est le cas des actions d'une société fermée, c'est-à-dire non inscrite à la Bourse), soit parce que la société émettrice éprouve des difficultés, ce qui rend le titre risqué et peu attrayant pour les investisseurs.

L'intention de la direction de l'entreprise

La seconde caractéristique du placement temporaire est que les acquéreurs ont la volonté de le réaliser au cours du prochain exercice. L'analyse du budget de caisse du prochain exercice, l'examen des pratiques de l'entreprise en la matière et les commentaires de la direction sont autant d'indications qui permettent de juger de cette intention.

Mise en situation 3.1

La reconnaissance des placements temporaires

Travail à faire

Dans chaque cas, expliquez brièvement pourquoi il s'agit d'un placement temporaire ou non.

a) Avec son excédent de liquidités, la société Tremblay et Fils acquiert le 1er mars 20X7 un certificat de dépôt venant à échéance le 28 avril 20X8.

b) Le 15 mars 20X7, la société Tremblay et Fils acquiert 1 000 actions de la société Ferblanc, une société fermée.

c) Le 31 mars 20X7, la société Tremblay et Fils acquiert des obligations de la Ville de Québec venant à échéance cinq ans plus tard, soit le 30 juin 20Y2, parce qu'elles ont un rendement supérieur aux certificats de placement garanti venant à échéance dans six mois.

d) La société Tremblay et Fils possède des actions d'Alumitech. Elle a acquis ces actions l'année dernière dans l'intention de les revendre cette année. Toutefois, elle croit être incapable de le faire, faute d'acheteurs.

e) Au 1er janvier 20X7, la société Tremblay et Fils possède des obligations venant à échéance en 20Y0. L'analyse du budget de trésorerie de l'exercice courant permet cependant d'en retrouver l'encaissement au mois d'octobre 20X7.

f) La société ABC achète des obligations cotées à la Bourse dont elle prévoit disposer dans six ans pour couvrir les coûts de construction de sa nouvelle usine.

g) Avec son excédent de liquidités, ABC acquiert des actions ordinaires de la société Jonas, une société fermée.

h) Avec les fonds obtenus à la suite de la disposition d'un placement à long terme en obligations, ABC acquiert des bons du Trésor afin d'accroître le rendement de ses placements.

i) ABC acquiert un certificat de dépôt de la Banque Nationale échéant dans trois mois.

j) Depuis six mois, ABC détient un certificat de dépôt qu'elle prévoit renouveler pour deux ans à l'échéance.

Fin de la mise en situation 3.1

3.1.2 Les placements à long terme

PLACEMENT À LONG TERME
Placement en valeurs mobilières ou en biens immobiliers effectué par l'entité pour une durée non déterminée excédant 12 mois ou le cycle d'exploitation si celui-ci est plus long.

Les **placements à long terme** regroupent tous les placements qui n'ont pas les deux caractéristiques des placements temporaires, c'est-à-dire qui ne sont pas susceptibles d'être réalisés rapidement ou que la direction de l'entreprise n'a pas l'intention de réaliser à court terme. On peut classer les placements à long terme en quatre catégories :

- les placements de portefeuille ;
- les participations dans des sociétés satellites ;
- les participations dans des filiales ;
- les participations dans des coentreprises.

La méthode de comptabilisation diffère selon la nature du placement.

La première catégorie, soit les placements de portefeuille, regroupe des titres de créance ou de participation, alors que les trois autres ne comprennent que des titres de participation. Nous traitons dans ce volume les deux premières catégories.

Soulignons d'abord que la date d'échéance n'est pas un critère déterminant pour distinguer la nature temporaire ou à long terme d'un placement. Ainsi, dans le cas c) de la mise en situation 3.1, la société Tremblay et Fils acquiert le 31 mars 20X7 des obligations de la Ville de Québec venant à échéance cinq ans plus tard, tout en ayant comme objectif d'obtenir un rendement supérieur aux certificats de placement garanti de six mois. Son intention est donc d'obtenir, avec son excédent de liquidités, un rendement supérieur pour une période de six mois. Par conséquent, ce placement ne peut pas être considéré comme un placement à long terme, même si l'échéance du titre dépasse la date de la fin du prochain exercice.

L'inverse est également vrai. Supposons que la société Tremblay et Fils ait un portefeuille de placements à long terme composé de différents titres de créance et de participation. L'entreprise décide de remplacer certains titres, comme des obligations ou des actions, par des bons du Trésor afin de maintenir le rendement désiré. Le portefeuille ne perdra pas son caractère à long terme si cette décision s'inscrit dans une stratégie de placement à long terme.

3.1.3 Les différences entre les placements temporaires et les placements à long terme

Le tableau 3.1 fait ressortir les différences entre les placements temporaires et les placements à long terme.

Tableau 3.1 La comparaison entre les placements temporaires et les placements à long terme

	Placements temporaires	Placements à long terme
Caractéristiques	▪ Ils sont susceptibles d'une réalisation relativement rapide. ▪ Le détenteur a l'intention de les convertir en espèces au cours du prochain exercice.	Ils regroupent tous les placements qui n'ont pas les deux caractéristiques des placements temporaires.
Objectif	Investir des fonds excédentaires afin d'obtenir un meilleur rendement.	Investir des fonds afin d'obtenir un rendement à long terme ou d'exercer un contrôle sur une autre entité.
Exemples	**Titres de créance** Certificats de placement garanti, dépôts à terme, bons du Trésor, obligations, débentures **Titres de participation** Actions ordinaires et actions privilégiées	**Titres de créance** Obligations, débentures, hypothèques, valeur de rachat d'une police d'assurance vie, terrain en vue d'une expansion future **Titres de participation** Actions ordinaires et actions privilégiées

Mise en situation 3.2

La distinction des placements temporaires et des placements à long terme

Travail à faire

Dans chaque cas, indiquez si le placement est généralement considéré comme un placement temporaire ou comme un placement à long terme.

a) Les bons du Trésor.

b) Les certificats de placement garanti.

c) Les actions ordinaires d'une société fermée.

d) Les obligations acquises à l'aide des liquidités excédentaires.

e) Les dépôts à terme.

f) La valeur de rachat d'une police d'assurance vie.

g) Les actions ordinaires acquises pour exercer un contrôle sur une société.

Fin de la mise en situation 3.2

Section 3.2 La comptabilisation des placements temporaires

COÛT D'ACQUISITION (COÛT D'ACHAT ou VALEUR D'ACQUISITION)
Prix d'achat d'un bien majoré de certains frais (frais de courtage, de transport, de manutention, de douanes, etc.) qu'il est nécessaire d'engager avant que l'entité puisse utiliser ce bien.

MÉTHODE DE LA MOINDRE VALEUR (ou MÉTHODE DE LA VALEUR MINIMALE)
Méthode qui consiste, conformément au principe de prudence, à évaluer certains biens (par exemple les stocks et les placements temporaires) à leur coût d'origine ou à leur valeur de marché, selon le moins élevé des deux.

CERTIFICAT DE PLACEMENT GARANTI
Titre attestant qu'une somme a été placée dans un établissement financier à un taux d'intérêt stipulé d'avance pour une période déterminée, habituellement entre un et cinq ans. En règle générale, l'investisseur ne peut exiger que l'établissement financier lui rembourse son titre avant l'échéance.

DÉPÔT À TERME
Somme déposée dans une banque ou un autre établissement financier, que le déposant ne pourra retirer qu'à une date ultérieure déterminée d'avance.

Les placements temporaires peuvent prendre différentes formes : certificats de placement garanti, dépôts à terme, bons du Trésor, actions et obligations. Nous verrons dans cette section que ces placements sont comptabilisés à leur **coût d'acquisition** (**coût d'achat** ou **valeur d'acquisition**) et évalués selon la **méthode de la moindre valeur** (ou **méthode de la valeur minimale**), c'est-à-dire au moindre du coût d'acquisition ou de la valeur de marché[1].

3.2.1 Les placements temporaires en certificats de placement garanti, en dépôts à terme et en bons du Trésor

Les **certificats de placement garanti** et les **dépôts à terme** sont des placements à échéance fixe. Ils diffèrent des **dépôts à vue**, qui peuvent être retirés à n'importe quel moment et ne sont assortis d'aucune échéance. Les certificats de placement garanti et les dépôts à terme peuvent être retirés sans frais à l'échéance, ou avant s'ils sont assortis d'une clause de rachat.

Les **bons du Trésor** sont des titres à court terme émis par un gouvernement en grosses coupures et vendus pour un prix inférieur à leur **valeur nominale** (ou **principal**). Les bons du Trésor ne portent aucune mention de taux d'intérêt : l'investisseur reçoit un rendement qui correspond à la différence entre leur prix d'acquisition et leur valeur nominale. Par exemple, l'achat à un coût de 99 100 $ d'un bon du Trésor ayant une valeur nominale de 100 000 $ procure à son détenteur un produit de placements de 900 $.

On enregistre au coût d'acquisition les placements temporaires en certificats de placement garanti, en dépôts à terme et en bons du Trésor. Par la suite, on comptabilise le produit d'intérêts au moment de sa réalisation.

Au fil des démonstrations, nous comptabiliserons les opérations de l'entreprise Dulac et nous verrons comment utiliser le grand livre auxiliaire des placements temporaires. Soulignons que le calcul des intérêts est effectué sur une base mensuelle plutôt que quotidienne.

Démonstration 3.1

L'acquisition d'un dépôt à terme, son encaissement à l'échéance et celui des intérêts

Le 1er mars 20X7, Dulac investit 10 000 $ dans un dépôt à terme venant à échéance le 31 août de la même année et portant intérêt à 6 %. Les intérêts seront versés à l'échéance.

Travail à faire

a) Passez au journal général l'écriture relative à l'acquisition du placement.
b) Passez au journal général l'écriture relative à l'encaissement à l'échéance du dépôt à terme et des intérêts.
c) Mettez à jour le grand livre auxiliaire des placements temporaires.

1. Nous avons déjà présenté cette méthode dans la section 2.2, pour l'évaluation des stocks.

DÉPÔT À VUE
Somme déposée dans une banque ou un autre établissement financier, que le déposant peut retirer à sa discrétion.

BON DU TRÉSOR
Titre de créance à court terme émis par l'État à un prix inférieur à sa valeur nominale, l'écart tenant lieu d'intérêt.

VALEUR NOMINALE (ou PRINCIPAL)
Valeur de remboursement d'un effet de commerce ou d'une obligation.

a)

Journal général

Date	Nom des comptes et explications	Réf.	Débit	Crédit
20X7				
03-01	Placements temporaires – dépôts à terme		10 000,00	
	Banque			10 000,00
	(Investissement, dépôt à terme, 6 %, échéance le 31 août 20X7)			

b)

Journal général

Date	Nom des comptes et explications	Réf.	Débit	Crédit
20X7				
08-31	Banque		10 300,00	
	Placements temporaires – dépôts à terme			10 000,00
	Produit d'intérêts			300,00
	(Échéance du dépôt à terme : 10 000 $ × 6 % × 6/12 = 300 $)			

Les placements temporaires en certificats de placement garanti, en dépôts à terme et en bons du Trésor sont comptabilisés au coût d'acquisition.

c)

Dulac
Grand livre auxiliaire des placements temporaires

Date	Description	Quantité	Coût
20X7			
	Dépôt à terme, 6 %, échéant le 31 août 20X7		
03-01	Acquisition du dépôt à terme	1	10 000,00
08-31	Échéance du dépôt à terme	(1)	(10 000,00)
		0	0

Fin de la démonstration 3.1

3.2.2 Les placements temporaires en obligations

OBLIGATION
Titre de créance négociable émis par une société ou une collectivité publique dans le cadre d'un emprunt et remis au prêteur (ou obligataire) en représentation de sa créance.

Les **obligations** sont des titres de créance et elles ne confèrent pas à leur détenteur un droit de propriété sur l'entreprise émettrice. Les obligations permettent de réaliser un produit d'intérêts calculés sur leur valeur nominale et versés périodiquement. Ce produit d'intérêts est constaté selon le principe de réalisation. Les obligations sont remboursables à l'échéance, mais le détenteur peut en disposer à sa guise. À la disposition, le détenteur peut réaliser un gain ou subir une perte sur la vente de placements temporaires en obligations.

Les placements temporaires en obligations sont comptabilisés au coût d'acquisition, soit le prix exigé par le courtier en valeurs mobilières, qui comprend les frais de courtage, le cas échéant. Les obligations sont négociées selon un indice boursier. Par exemple, une obligation d'une valeur nominale de 1 000 $ vendue à 910 $ se négocie à une cote de 91. L'acquéreur sait alors que le coût d'acquisition de l'obligation est fixé à 91 % de sa valeur nominale.

OBLIGATION À ESCOMPTE
Titre obligataire émis ou négocié à un prix inférieur à sa valeur nominale, lorsque le taux d'intérêt effectif, ou taux du marché, excède le taux d'intérêt nominal de l'obligation.

TAUX D'INTÉRÊT NOMINAL
Taux d'intérêt s'appliquant à la valeur nominale d'un titre (une obligation par exemple) ou d'un effet de commerce.

OBLIGATION À PRIME
Titre obligataire émis ou négocié à un prix supérieur à sa valeur nominale, lorsque le taux d'intérêt effectif, ou taux du marché, est inférieur au taux d'intérêt nominal de l'obligation.

Dans une telle situation, l'obligation se négocie à escompte. L'**obligation à escompte** est acquise pour un prix inférieur à sa valeur nominale, car le **taux d'intérêt nominal** est inférieur au taux du marché. À l'inverse, si le prix payé est supérieur à la valeur nominale, l'obligation est négociée à prime. L'**obligation à prime** est acquise pour un prix supérieur à la valeur nominale, car elle procure un intérêt nominal supérieur au taux offert sur le marché. Généralement, les obligations sont vendues par coupures de 1 000 $; c'est pourquoi nous utilisons dans ce volume cette valeur nominale. Le tableau 3.2 fait ressortir les différences entre les diverses obligations.

Tableau 3.2 Les catégories d'obligations

Coût d'acquisition	Taux d'intérêt nominal	Caractéristique
Prix égal à la valeur nominale	Taux égal au taux du marché	Obligation sans escompte ni prime
Prix inférieur à la valeur nominale	Taux inférieur au taux du marché	Obligation à escompte
Prix supérieur à la valeur nominale	Taux supérieur au taux du marché	Obligation à prime

Pour comptabiliser correctement l'acquisition de placements temporaires en obligations, il faut tenir compte du moment de leur acquisition, soit à la date de versement des intérêts, soit entre deux dates de versement.

L'acquisition de placements temporaires en obligations à la date de versement des intérêts

Démonstration 3.2

L'acquisition de placements temporaires en obligations à la date de versement des intérêts et l'encaissement des intérêts

Le 1er avril 20X7, Dulac acquiert 5 obligations de la Ville de Québec à 98,5, d'une valeur nominale de 1 000 $ chacune. Les obligations viennent à échéance le 1er avril 20Y2 et portent intérêt à 6 %. Les intérêts sont payables le 1er avril et le 1er octobre de chaque année.

Illustrons cette acquisition.

Obligations de la Ville de Québec, 6 %, 1er avril et 1er octobre, échéant le 1er avril 20Y2
Acquisition de 5 obligations à 98,5 le 1er avril 20X7

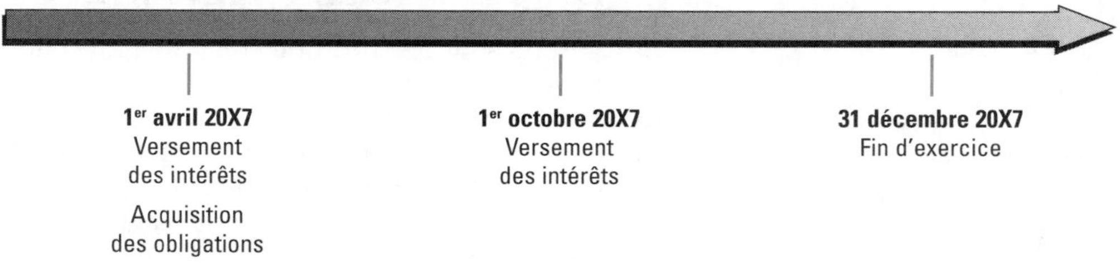

C'est le détenteur précédent qui a encaissé les intérêts dus le 1er avril 20X7.

Travail à faire

a) Passez au journal général l'écriture relative à l'acquisition du placement.
b) Passez au journal général l'écriture relative à l'encaissement des intérêts.

a) **Journal général**

Date	Nom des comptes et explications	Réf.	Débit	Crédit
20X7				
04-01	Placements temporaires – obligations		4 925,00	
	Banque			4 925,00
	(Acquisition de 5 obligations à 98,5, 6 %, Ville de Québec :			
	5 × 1 000 $ × 98,5 % = 4 925 $)			

L'acquisition de placements temporaires en obligations à la date de versement des intérêts se comptabilise au coût d'acquisition.

b) **Journal général**

Date	Nom des comptes et explications	Réf.	Débit	Crédit
20X7				
10-01	Banque		150,00	
	Produit d'intérêts			150,00
	(Encaissement des intérêts sur les obligations			
	de la Ville de Québec : 5 × 1 000 $ × 6 % × 6/12 = 150 $)			

Fin de la démonstration 3.2

L'acquisition de placements temporaires en obligations entre deux dates de versement des intérêts

Lors d'une vente d'obligations, on considère que le vendeur a gagné les intérêts courus jusqu'au moment de la transaction. Toutefois, puisque c'est le détenteur des obligations en date du versement des intérêts qui encaissera ces intérêts, le nouvel acquéreur doit payer au vendeur les intérêts courus à la date de la transaction.

Démonstration 3.3

L'acquisition de placements temporaires en obligations entre deux dates de versement des intérêts et l'encaissement des intérêts

Le 1er mai 20X7, Dulac acquiert 10 obligations de la société Hydro-Québec à 101,5 plus les intérêts courus, d'une valeur nominale de 1 000 $ chacune. Les obligations viennent à échéance le 1er septembre 20X9 et portent intérêt à 8 %. Les intérêts sont payables le 1er mars et le 1er septembre de chaque année.

Illustrons cette acquisition.

Obligations d'Hydro-Québec, 8 %, 1er mars et 1er septembre, échéant le 1er septembre 20X9
Acquisition de 10 obligations à 101,5 le 1er mai 20X7

C'est le détenteur précédent des obligations qui gagne les intérêts courus du 2 mars au 1er mai 20X7, mais c'est le nouveau détenteur (Dulac) qui les encaisse, le 1er septembre de la même année. Lorsqu'il acquiert les obligations, le nouveau détenteur paie au précédent les intérêts pour la période du 2 mars au 1er mai 20X7.

Travail à faire

a) Passez au journal général l'écriture relative à l'acquisition du placement.
b) Passez au journal général l'écriture relative à l'encaissement des intérêts.

a) **Journal général**

Date	Nom des comptes et explications	Réf.	Débit	Crédit
20X7				
05-01	Placements temporaires – obligations		10 150,00	
	Intérêts à recevoir		133,00	
	Banque			10 283,00
	(Acquisition de 10 obligations à 101,5 plus les intérêts courus)			

Calculs

Coût d'acquisition des obligations

10 obligations × 1 000 $ × 101,5 % 10 150 $

Intérêts à recevoir

10 obligations × 1 000 $ × 8 % × 2/12 133 $

Puisque le nouveau détenteur paie au détenteur précédent des intérêts qu'il récupérera de la société émettrice au moment du prochain versement, il les comptabilise dans le compte intérêts à recevoir.

L'acquisition de placements temporaires en obligations entre deux dates de versement des intérêts se comptabilise au coût d'acquisition, additionné des intérêts courus depuis le dernier versement.

b) **Journal général**

Date	Nom des comptes et explications	Réf.	Débit	Crédit
20X7				
09-01	Banque		400,00	
	Intérêts à recevoir			133,00
	Produit d'intérêts			267,00
	(Encaissement des intérêts sur les obligations d'Hydro-Québec)			

Calculs

Intérêts encaissés

10 obligations × 1 000 $ × 8 % × 6/12 400 $

Produit d'intérêts

10 obligations × 1 000 $ × 8 % × 4/12 267 $

Fin de la démonstration 3.3

La vente de placements temporaires en obligations

Il arrive régulièrement que le détenteur vende des titres de placements temporaires en obligations plus tôt que prévu parce qu'il a besoin de liquidités. Pour comptabiliser cette transaction, on doit calculer les montants suivants, relatifs aux obligations vendues :

1. le produit de la disposition ;
2. le produit d'intérêts des obligations vendues jusqu'à la date de la disposition ;
3. le montant encaissé ;
4. le coût d'acquisition des obligations vendues ;
5. le gain ou la perte sur la vente de placements temporaires.

Démonstration 3.4

La vente de placements temporaires en obligations

Cette démonstration renvoie aux données des démonstrations 3.2 et 3.3.

Le 1er octobre 20X7, Dulac vend 4 de ses 10 obligations d'Hydro-Québec à 102,2 plus les intérêts courus.

Illustrons cette disposition.

Obligations d'Hydro-Québec, 8 %, 1er mars et 1er septembre, échéant le 1er septembre 20X9
Disposition de 4 obligations à 102,2 le 1er octobre 20X7

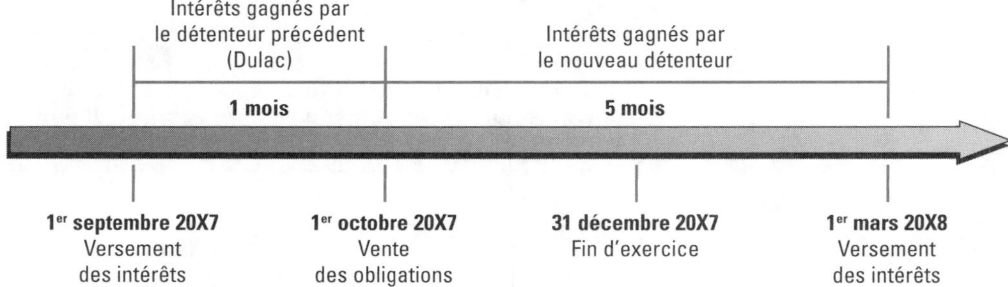

Le 1er septembre 20X7, c'est Dulac qui encaisse les intérêts, mais le 1er mars 20X8 ce sera le nouveau détenteur des obligations. Celui-ci doit payer à Dulac les intérêts courus du 2 septembre au 1er octobre 20X7. Le 1er mars 20X8, Dulac encaissera les intérêts sur les obligations non vendues.

Travail à faire

a) Passez au journal général l'écriture relative à la vente des obligations.
b) Mettez à jour le grand livre auxiliaire des placements temporaires.

a) **Journal général**

Date	Nom des comptes et explications	Réf.	Débit	Crédit
20X7				
10-01	Banque		4 115,00	
	Placements temporaires – obligations			4 060,00
	Produit d'intérêts			27,00
	Gains sur la vente de placements temporaires			28,00
	(Disposition de 4 obligations d'Hydro-Québec à 102,2			
	plus les intérêts courus)			

Calculs

1. *Produit de la disposition*

4 obligations × 1 000 $ × 102,2 %	4 088 $

2. *Produit d'intérêts des obligations vendues jusqu'à la date de la disposition*

4 obligations × 1 000 $ × 8 % × 1/12	27 $

3. *Montant encaissé*

Produit de la disposition	4 088 $
Plus : produit d'intérêts	27
Montant encaissé	4 115 $

4. *Coût d'acquisition des obligations vendues*

10 150 $[2] × 4 obligations/10 obligations	4 060 $

5. *Gain ou perte sur la vente de placements temporaires*

Produit de la disposition	4 088 $
Moins : coût d'acquisition	4 060
Gain sur la vente	28 $

À la vente de placements temporaires en obligations, il faut enregistrer le produit d'intérêts, créditer le compte de placements du coût d'acquisition des obligations vendues et inscrire la différence entre le produit net tiré de la vente et le coût d'acquisition à titre de gain ou de perte sur la vente de placements temporaires.

b)

Dulac
Grand livre auxiliaire des placements temporaires

Date	Description	Quantité	Coût
20X7			
	Dépôt à terme, 6 %, échéant le 31 août 20X7		
03-01	Acquisition du dépôt à terme	1	10 000,00
08-31	Échéance du dépôt à terme	(1)	(10 000,00)
		0	0
	Obligations de la Ville de Québec, 6 %		
	1er avril et 1er octobre, échéant le 1er avril 20Y2		
04-01	Acquisition de 5 obligations à 98,5	5	4 925,00
	Obligations d'Hydro-Québec, 8 %		
	1er mars et 1er septembre, échéant le 1er septembre 20X9		
05-01	Acquisition de 10 obligations à 101,5	10	10 150,00
10-01	Disposition de 4 obligations à 102,2	(4)	(4 060,00)
		6	6 090,00

Fin de la démonstration 3.4

2. Voir la démonstration 3.3.

Mise en situation 3.3

Les opérations portant sur les placements temporaires en obligations

Voici les opérations relatives aux placements temporaires en obligations de la société Tremblay et Fils pour l'année 20X7.

Date	Opération
20X7	
02-01	Achat, au coût de 82 000 $ plus les intérêts courus, de 80 obligations de la société Hydro-Ontario d'une valeur nominale de 1 000 $ chacune. Les obligations viennent à échéance le 1er janvier 20X9 et portent intérêt à 9 %. Les intérêts sont payables le 1er juillet et le 1er janvier de chaque année.
07-01	Encaissement des intérêts semestriels sur les obligations d'Hydro-Ontario.
09-01	Disposition de 30 obligations d'Hydro-Ontario à 101,5 plus les intérêts courus.

Travail à faire

a) Complétez l'illustration et passez au journal général les écritures relatives à l'acquisition des obligations et à l'encaissement des intérêts.

b) Complétez l'illustration et passez au journal général l'écriture relative à la disposition des obligations.

c) Mettez à jour le grand livre auxiliaire des placements temporaires.

a)

1er février 20X7

Obligations d'Hydro-Ontario, 9 %, 1er juillet et 1er janvier
Acquisition de 80 obligations au coût de 82 000 $ le 1er février 20X7

Intérêts gagnés par le détenteur précédent — mois

Intérêts gagnés par le nouveau détenteur (Tremblay et Fils) — mois

Versement des intérêts | Acquisition des obligations | Versement des intérêts | Fin d'exercice

Journal général

Date	Nom des comptes et explications	Réf.	Débit	Crédit
20X7				
02-01				

Calcul

Intérêts à recevoir

$

1er juillet 20X7

Journal général

Date	Nom des comptes et explications	Réf.	Débit	Crédit
20X7				
07-01				

Calculs

Intérêts encaissés

$

Produit d'intérêts

$

b)

1er septembre 20X7

Obligations d'Hydro-Ontario, 9 %, 1er juillet et 1er janvier
Disposition de 30 obligations à 101,5 le 1er septembre 20X7

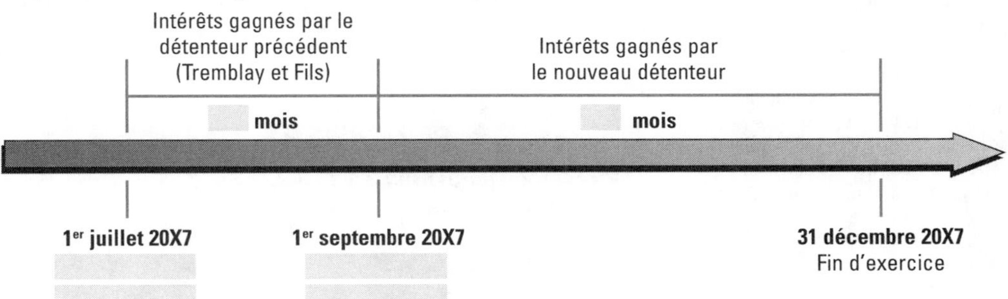

Journal général

Date	Nom des comptes et explications	Réf.	Débit	Crédit
20X7				
09-01				

Calculs

1. *Produit de la disposition*

$

2. *Produit d'intérêts des obligations vendues jusqu'à la date de la disposition*

$

3. *Montant encaissé*

Produit de la disposition	$
Plus : produit d'intérêts	
Montant encaissé	$

4. *Coût d'acquisition des obligations vendues*

$

5. *Gain ou perte sur la vente de placements temporaires*

Produit de la disposition	$
Moins : coût d'acquisition	
sur la vente	$

c) **Tremblay et Fils**
Grand livre auxiliaire des placements temporaires

Date	Description	Quantité	Coût
20X7			
	Obligations d'Hydro-Ontario, 9 %		
	1er juillet et 1er janvier, échéant le 1er janvier 20X9		
02-01	Acquisition de 80 obligations à 102,5		
09-01	Disposition de 30 obligations à 101,5		

Fin de la mise en situation 3.3

Problèmes suggérés : 3.1 et 3.2.

ACTION ORDINAIRE
Action accordant généralement à son titulaire le droit de voter aux assemblées générales ainsi que celui de participer, sans restrictions particulières, aux résultats de la société et à l'excédent de son actif sur son passif en cas de liquidation.

ACTION PRIVILÉGIÉE
Action accordant à son porteur des droits particuliers (dividende prioritaire, dividende cumulatif à taux fixe, participation additionnelle aux bénéfices, remboursement prioritaire en cas de liquidation, etc.), mais pouvant comporter certaines restrictions, notamment quant au droit de vote.

DIVIDENDE
Partie du bénéfice de l'exercice qu'une société distribue à ses actionnaires en proportion des actions qu'ils détiennent, compte tenu des droits attachés à chaque type d'actions.

DÉCLARATION DE DIVIDENDE
Résolution adoptée par le conseil d'administration ou l'assemblée générale d'une société par actions qui ainsi s'engage à verser, à une date déterminée, un dividende aux actionnaires inscrits à la date de clôture des registres.

3.2.3 Les placements temporaires en actions

Les placements temporaires en **actions ordinaires** ou en **actions privilégiées**[3] sont des titres de participation, c'est-à-dire qu'ils confèrent à leur détenteur un droit de propriété sur la société émettrice. Les actions permettent de réaliser un produit de **dividende**. Ce produit doit être constaté selon le principe de réalisation, c'est-à-dire au moment de la **déclaration de dividende** par l'émetteur et non pas au moment de son encaissement. Le détenteur peut réaliser un gain ou subir une perte sur la vente de placements temporaires en actions.

Les placements temporaires en actions sont comptabilisés au coût d'acquisition, soit le prix payé au courtier en valeurs mobilières, y compris les frais de courtage, le

3. Les différentes catégories d'actions et de dividendes sont traitées en détail dans le chapitre 7.

cas échéant. Il faut cependant porter une attention particulière au dividende, car on peut acquérir des actions sans dividende ou avec dividende. L'acquisition sans dividende peut signifier qu'il n'y a pas de dividende déclaré ou, s'il y a un dividende déclaré, que l'acquisition a eu lieu après la date de clôture des registres de l'émetteur. L'acquisition avec dividende implique que les actions ont été acquises entre la date de déclaration et la date de clôture des registres.

Trois dates relatives au dividende sont importantes dans la comptabilisation des placements en actions :

- la date de déclaration de dividende ;
- la date de clôture des registres ;
- la date de versement de dividende.

La date de déclaration correspond à la date où le conseil d'administration de la société émettrice s'engage à verser un dividende. La société émettrice contracte alors une dette et doit par conséquent comptabiliser un passif à court terme. C'est également à cette date que la société détentrice doit constater un produit de dividende.

La date de clôture des registres se situe habituellement deux semaines après la date de déclaration. Seuls les détenteurs des actions inscrits dans les registres de la société émettrice à la date de clôture ont droit à un dividende. Si des actions sont négociées entre la date de déclaration et la date de clôture des registres, elles comportent un **dividende attaché**, c'est-à-dire que le prix comprend le dividende.

DIVIDENDE ATTACHÉ
Se dit d'actions dont le cours ou la valeur de marché comprend un dividende déclaré mais impayé.

La date de versement correspond à la date où la société émettrice paie le **dividende en espèces** (ou **dividende en numéraire**) ou remet des certificats d'action dans le cas de **dividende en actions**.

DIVIDENDE EN ESPÈCES (ou DIVIDENDE EN NUMÉRAIRE)
Partie du bénéfice de l'exercice qu'une société par actions distribue par paiement au comptant à ses actionnaires, en proportion des actions que chacun de ceux-ci détient.

DIVIDENDE EN ACTIONS
Dividende payé sous forme d'actions de la société plutôt qu'en numéraire.

Illustrons la relation entre, d'une part, l'acquisition de placements temporaires en actions avec et sans dividende et, d'autre part, les trois dates relatives au dividende.

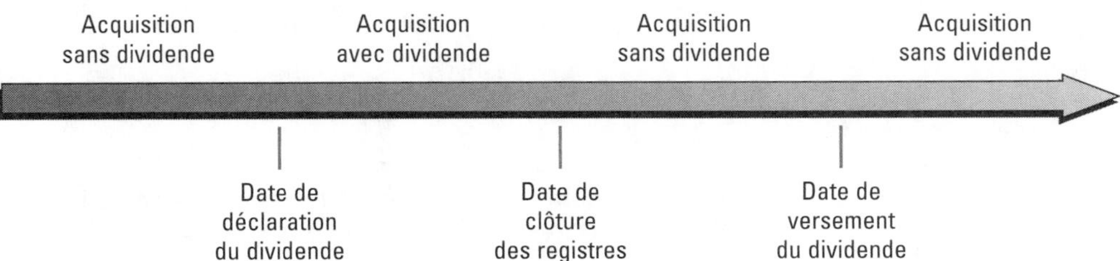

L'acquisition de placements temporaires en actions sans dividende

Démonstration 3.5

L'acquisition de placements temporaires en actions sans dividende

Au cours de l'exercice financier 20X7, l'entreprise Dulac effectue des opérations sur des placements temporaires en actions. Entre autres, le 15 janvier, elle acquiert 1 500 actions ordinaires de Montclair au coût unitaire de 4 $, plus les frais de courtage de 3 %.

Illustrons cette acquisition.

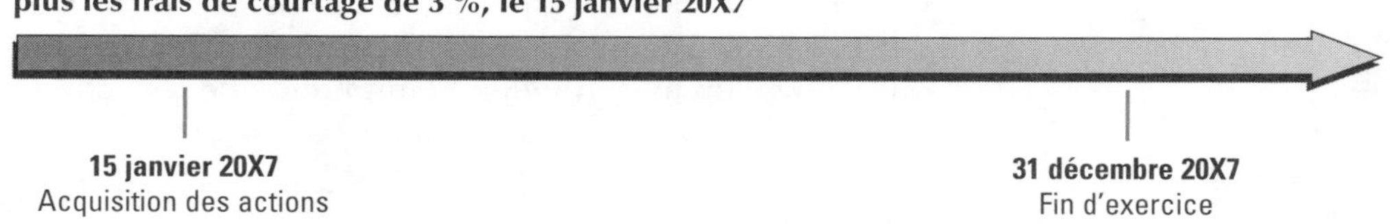

Travail à faire

Passez au journal général l'écriture relative à l'acquisition du placement.

Journal général

Date	Nom des comptes et explications	Réf.	Débit	Crédit
20X7				
01-15	Placements temporaires – actions		6 180,00	
	Banque			6 180,00
	(Acquisition de 1 500 actions ordinaires de Montclair			
	au coût unitaire de 4 $)			

Calculs

Coût d'acquisition des actions

1 500 actions ordinaires × 4 $	6 000 $
Plus : frais de courtage (6 000 $ × 3 %)	180
	6 180 $

L'acquisition de placements temporaires en actions sans dividende se comptabilise au coût d'acquisition.

Fin de la démonstration 3.5

L'acquisition de placements temporaires en actions avec dividende

Démonstration 3.6

L'acquisition de placements temporaires en actions avec dividende et l'encaissement du dividende

Le 15 mars 20X7, Dulac acquiert 2 000 actions ordinaires de Norlac au coût de 10 800 $, y compris un dividende attaché et les frais de courtage de 3 %. Le 1er mars, Norlac avait déclaré un dividende en espèces de 0,50 $ par action ordinaire, payable le 31 courant aux actionnaires inscrits à la clôture des registres le 20 courant.

Illustrons cette acquisition.

Actions ordinaires de Norlac
Acquisition de 2 000 actions ordinaires avec dividende au coût de 10 800 $ et frais de courtage de 3 % le 15 mars 20X7

C'est le détenteur des actions au 1er mars 20X7 qui enregistre le produit du dividende, mais c'est le détenteur des actions au 20 mars, soit Dulac, qui encaissera le dividende le 31 courant.

Travail à faire

a) Passez au journal général l'écriture relative à l'acquisition du placement.

b) Passez au journal général l'écriture relative à l'encaissement du dividende.

a) **Journal général**

Date	Nom des comptes et explications	Réf.	Débit	Crédit
20X7				
03-15	Placements temporaires – actions		9 800,00	
	Dividende à recevoir		1 000,00	
	Banque			10 800,00
	(Acquisition de 2 000 actions ordinaires de Norlac			
	au coût de 10 800 $)			

Calculs

Dividende attaché

2 000 actions ordinaires × 0,50 $	1 000 $

Coût d'acquisition des actions

Prix payé (y compris les frais de courtage)	10 800 $
Moins : dividende attaché	1 000
	9 800 $

Puisque le dividende payé au détenteur précédent des actions sera remis au nouveau détenteur au moment de son versement par la société émettrice, il est comptabilisé dans le compte dividende à recevoir.

L'acquisition de placements temporaires en actions avec dividende se comptabilise au coût d'acquisition, additionné du dividende attaché.

Soulignons qu'il n'y a aucune écriture comptable à effectuer le 20 mars 20X7.

b) **Journal général**

Date	Nom des comptes et explications	Réf.	Débit	Crédit
20X7				
03-31	Banque		1 000,00	
	Dividende à recevoir			1 000,00
	(Encaissement du dividende de 2 000 actions ordinaires de Norlac)			

Fin de la démonstration 3.6

Le dividende en actions et le fractionnement d'actions

Le dividende en actions n'implique aucun débours pour la société émettrice; il correspond plutôt à la distribution de nouvelles actions se traduisant par une diminution des bénéfices non répartis et par une augmentation du capital-actions. Le principal objectif de la société qui verse le dividende en actions est de maintenir l'attrait du titre en satisfaisant les attentes des investisseurs en matière de dividende sans diminuer la liquidité de l'entreprise.

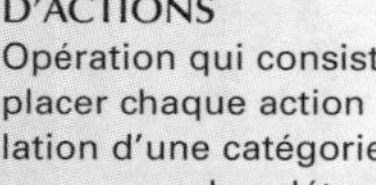

FRACTIONNEMENT D'ACTIONS
Opération qui consiste à remplacer chaque action en circulation d'une catégorie donnée par un nombre déterminé de nouvelles actions de la même catégorie, multipliant ainsi le nombre d'actions en circulation de la catégorie concernée.

Pour sa part, le **fractionnement d'actions** ne constitue pas un dividende, même s'il s'agit de distribuer de nouvelles actions aux actionnaires comme pour le dividende en actions. L'objectif poursuivi est alors l'augmentation de la négociabilité du titre par la diminution de sa valeur boursière.

Dans les deux cas, le détenteur se retrouve en possession d'un plus grand nombre d'actions sans modification de leur coût d'acquisition.

Démonstration 3.7

Le dividende en actions et le fractionnement d'actions

Cette démonstration renvoie aux données des démonstrations 3.5 et 3.6.

Le 1er juin 20X7, Norlac déclare un dividende en actions de 5 % aux détenteurs d'actions ordinaires inscrits à la clôture des registres le 20 courant. L'émission des nouvelles actions est prévue le 30 courant. Le 1er juillet, Montclair procède à un fractionnement d'actions selon le ratio 4/1.

Comment doit-on comptabiliser ce dividende en actions et ce fractionnement d'actions?

La société détentrice n'a aucune comptabilisation à effectuer, mais il lui faut mettre à jour le grand livre auxiliaire des placements temporaires.

Travail à faire

Mettez à jour le grand livre auxiliaire des placements temporaires.

Calcul relatif au dividende en actions

Nombre d'actions reçues

2 000 actions ordinaires × 5 % — 100 actions ordinaires

Calcul relatif au fractionnement d'actions

Nombre d'actions reçues

Nombre d'actions après le fractionnement (1 500 actions × 4)	6 000
Moins : actions détenues	1 500
	4 500

Dulac
Grand livre auxiliaire des placements temporaires

Date	Description	Quantité	Coût
20X7			
	Actions ordinaires de Montclair		
01-15	Acquisition de 1 500 actions au coût unitaire de 4 $,		
	plus les frais de courtage de 3 %	1 500	6 180,00
07-01	Fractionnement d'actions selon le ratio 4/1	4 500	0
		6 000	6 180,00
	Actions ordinaires de Norlac		
03-15	Acquisition de 2 000 actions avec dividende au coût de 10 800 $,		
	y compris les frais de courtage	2 000	9 800,00
06-01	Dividende en actions de 5 %	100	0
		2 100	9 800,00

Fin de la démonstration 3.7

La vente de placements temporaires en actions

Pour comptabiliser une vente de placements temporaires en actions, on doit calculer les montants suivants, relatifs aux actions vendues :

1. le produit de la disposition ;
2. le coût d'acquisition des actions vendues ;
3. le gain ou la perte sur la vente de placements temporaires.

Démonstration 3.8

La vente de placements temporaires en actions

Cette démonstration renvoie aux données des démonstrations 3.2 à 3.7.

Le 12 août 20X7, Dulac cède 25 % de ses actions de Norlac au prix unitaire de 4,80 $, moins les frais de courtage de 100 $.

Illustrons cette disposition.

Actions ordinaires de Norlac
Disposition de 525 actions ordinaires au prix unitaire de 4,80 $, moins les frais de courtage de 100 $, le 12 août 20X7

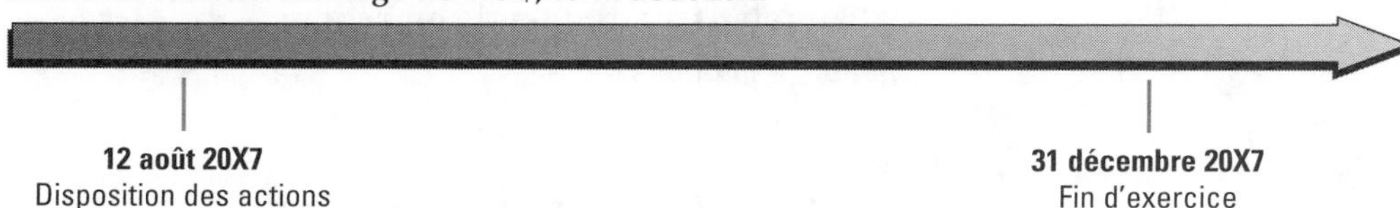

12 août 20X7
Disposition des actions

31 décembre 20X7
Fin d'exercice

Travail à faire

a) Passez au journal général l'écriture relative à la vente du placement.
b) Mettez à jour le grand livre auxiliaire des placements temporaires.

a) **Journal général**

Date	Nom des comptes et explications	Réf.	Débit	Crédit
20X7				
08-12	Banque		2 420,00	
	Perte sur la vente de placements temporaires		30,00	
	Placements temporaires – actions			2 450,00
	(Disposition de 525 actions de Norlac)			

Calculs

1. *Produit de la disposition*

2 100 actions[4] × 25 % × 4,80 $	2 520 $
Moins : frais de courtage	100
	2 420 $

2. *Coût d'acquisition des actions vendues*[5]

9 800 $ × 25 %	2 450 $

3. *Gain ou perte sur la vente de placements temporaires*

Produit de la disposition	2 420 $
Moins : coût d'acquisition	2 450
Perte sur la vente	30 $

4. Voir la démonstration 3.7.
5. Le coût d'acquisition des actions est calculé selon la méthode du coût moyen.

À la vente de placements temporaires en actions, il faut créditer le compte de placements temporaires du coût d'acquisition des actions vendues. De plus, toute différence entre le produit net tiré de la vente des actions et leur coût d'acquisition doit être inscrite à titre de gain ou de perte sur la vente de placements temporaires.

b)

Dulac
Grand livre auxiliaire des placements temporaires

Date	Description	Quantité	Coût
20X7			
	Dépôt à terme, 6 %, échéant le 31 août 20X7		
03-01	Acquisition du dépôt à terme	1	10 000,00
08-31	Échéance du dépôt à terme	(1)	(10 000,00)
		0	0
	Obligations de la Ville de Québec, 6 %		
	1er avril et 1er octobre, échéant le 1er avril 20Y2		
04-01	Acquisition de 5 obligations à 98,5	5	4 925,00
	Obligations d'Hydro-Québec, 8 %		
	1er mars et 1er septembre, échéant le 1er septembre 20X9		
05-01	Acquisition de 10 obligations à 101,5	10	10 150,00
10-01	Disposition de 4 obligations à 102,2	(4)	(4 060,00)
		6	6 090,00
	Actions ordinaires de Montclair		
01-15	Acquisition de 1 500 actions au coût unitaire de 4,00 $,		
	plus les frais de courtage de 3 %	1 500	6 180,00
07-01	Fractionnement d'actions selon le ratio 4/1	4 500	0
		6 000	6 180,00
	Actions ordinaires de Norlac		
03-15	Acquisition de 2 000 actions avec dividende au coût de 10 800 $,		
	y compris les frais de courtage	2 000	9 800,00
06-01	Dividende en actions de 5 %	100	0
08-12	Disposition de 25 % des actions au prix unitaire de 4,80 $,		
	moins les frais de courtage de 100 $	(525)	(2 450,00)
		1 575	7 350,00

Fin de la démonstration 3.8

Mise en situation 3.4

Les opérations portant sur les placements temporaires en actions

Voici les opérations relatives aux placements temporaires en actions de la société Tremblay et Fils pour l'année 20X7.

Date	Opération
20X7	
10-01	Achat de 1 000 actions ordinaires de Construction Nord au coût de 3 250 $, y compris les frais de courtage de 2 %.
11-18	Achat de 3 000 actions ordinaires de Sports extrêmes au coût unitaire de 13,75 $, plus les frais de courtage de 825 $. Le 1er novembre, Sports extrêmes a déclaré un dividende de 1,25 $ l'action aux actionnaires inscrits à la clôture des registres le 21 courant, payable le 30 courant.
12-15	Fractionnement d'actions effectué par Construction Nord selon le ratio 1,5/1.
12-22	Vente de la moitié des actions ordinaires de Construction Nord au prix unitaire de 2,50 $, moins les frais de courtage de 125 $.

Travail à faire

a) Complétez l'illustration relative à l'acquisition des placements temporaires en actions du 18 novembre 20X7.

b) Passez au journal général les écritures relatives aux opérations sur les placements temporaires en actions.

c) Mettez à jour le grand livre auxiliaire des placements temporaires.

a) et b)

1er octobre 20X7

Actions ordinaires de Construction Nord
Acquisition de 1 000 actions ordinaires au coût de 3 250 $, y compris les frais de courtage de 2 %, le 1er octobre 20X7

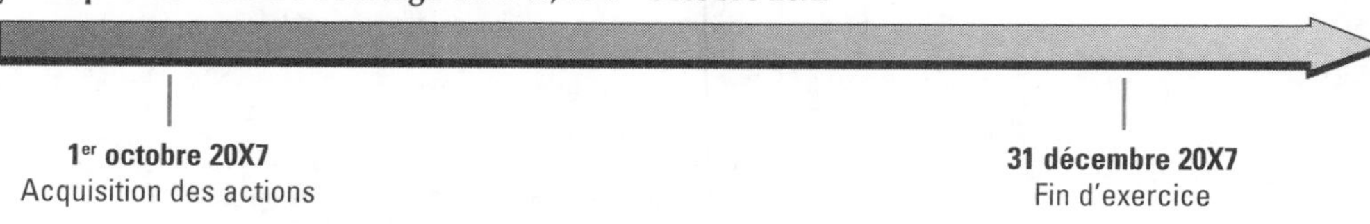

1er octobre 20X7
Acquisition des actions

31 décembre 20X7
Fin d'exercice

Journal général

Date	Nom des comptes et explications	Réf.	Débit	Crédit
20X7				
10-01				

18 novembre 20X7

Actions ordinaires de Sports extrêmes
Acquisition de 3 000 actions ordinaires avec dividende au coût unitaire de 13,75 $, plus les frais de courtage de 825,00 $, le 18 novembre 20X7

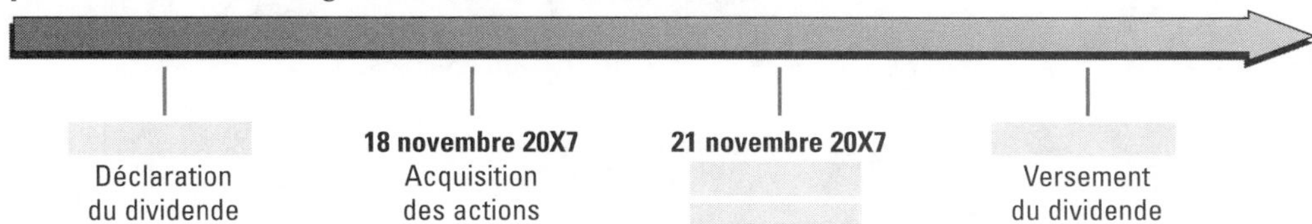

Déclaration du dividende | **18 novembre 20X7** Acquisition des actions | **21 novembre 20X7** | Versement du dividende

Journal général

Date	Nom des comptes et explications	Réf.	Débit	Crédit
20X7				
11-18				

Calculs

Dividende attaché

$

Coût d'acquisition des actions

$

Plus : frais de courtage

Moins :

$

30 novembre 20X7

Journal général

Date	Nom des comptes et explications	Réf.	Débit	Crédit
20X7				
11-30				

15 décembre 20X7

Aucune comptabilisation n'est nécessaire, mais il faut mettre à jour le grand livre auxiliaire des placements temporaires.

Calcul

Nouvelles actions reçues

Nombre d'actions après le fractionnement $
Moins : actions détenues

$

22 décembre 20X7

Actions ordinaires de Construction Nord
Disposition de 750 actions ordinaires au prix unitaire de 2,50 $, moins les frais de courtage de 125 $, le 22 décembre 20X7

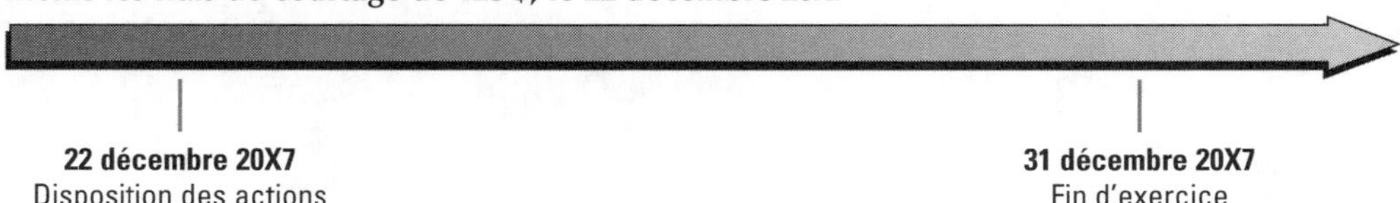

22 décembre 20X7
Disposition des actions

31 décembre 20X7
Fin d'exercice

Journal général

Date	Nom des comptes et explications	Réf.	Débit	Crédit
20X7				
12-22				

Calculs

1. *Produit de la disposition*

$
Moins : frais de courtage
$

2. *Coût d'acquisition des actions vendues*

$

3. *Gain ou perte sur la vente de placements temporaires*

Produit de la disposition $
Moins : coût d'acquisition
sur la vente $

c) **Tremblay et Fils**
Grand livre auxiliaire des placements temporaires

Date	Description	Quantité	Coût
20X7			
	Obligations d'Hydro-Ontario, 9 %		
	1er juillet et 1er janvier, échéant le 1er janvier 20X9		
02-01	Acquisition de 80 obligations à 102,5	80	82 000,00
09-01	Disposition de 30 obligations à 101,5	(30)	(30 750,00)
		50	51 250,00
	Actions ordinaires de Construction Nord		
10-01	Acquisition de 1 000 actions au coût de 3 250 $,		
	y compris les frais de courtage de 2 %		
12-15	Fractionnement d'actions selon le ratio 1,5/1		
12-22	Disposition de 50 % des actions au prix unitaire de 2,50 $,		
	moins les frais de courtage de 125 $		
	Actions ordinaires de Sports extrêmes		
11-18	Acquisition de 3 000 actions avec dividende au coût unitaire de 13,75 $,		
	plus les frais de courtage de 825 $		

Fin de la mise en situation 3.4

Problèmes suggérés : 3.3 et 3.4.

3.2.4 Les régularisations à la fin de l'exercice

À la fin de l'exercice, les titres de placements temporaires nécessitent deux types d'écritures de régularisation :

- la comptabilisation des intérêts à recevoir ;
- l'évaluation des placements temporaires selon la méthode de la moindre valeur.

Les intérêts à recevoir sur les placements temporaires en obligations

Au moment de dresser les états financiers, annuels ou intermédiaires, l'entreprise doit comptabiliser les intérêts à recevoir ainsi que le produit d'intérêts lié aux placements temporaires en obligations.

Démonstration 3.9

La comptabilisation des intérêts à recevoir sur les placements temporaires en obligations

Cette démonstration renvoie aux données de la démonstration 3.8 (p. 120).

En examinant le grand livre auxiliaire des placements temporaires de Dulac au 31 décembre 20X7, on constate que la société détient des obligations de la Ville de Québec et d'Hydro-Québec. Il faut donc régulariser les intérêts à recevoir sur ces placements temporaires.

Travail à faire

Passez au journal général les écritures de régularisation requises.

Journal général

Date	Nom des comptes et explications	Réf.	Débit	Crédit
20X7				
12-31	Intérêts à recevoir		235,00	
	Produit d'intérêts			235,00
	(Pour régulariser les intérêts courus sur les obligations :			
	Ville de Québec : 5 × 1 000 $ × 6 % × 3/12 = 75 $;			
	Hydro-Québec : 6 × 1 000 $ × 8 % × 4/12 = 160 $)			

Il n'y a aucune écriture de régularisation pour les placements temporaires en actions. En effet, le produit de dividende est constaté uniquement au moment de la déclaration (principe de réalisation) par la société émettrice.

Fin de la démonstration 3.9

L'évaluation des placements temporaires

Les placements en obligations et en actions sont sujets aux fluctuations du marché. Le coût d'acquisition de ces placements correspond donc rarement à leur valeur de marché. Lorsque vient le temps de préparer les états financiers de fin d'exercice, il faut déterminer la valeur à présenter au bilan pour ces placements. Doit-on les présenter au coût d'acquisition ou à la valeur de marché ? En vertu du principe du coût d'acquisition, l'entreprise devrait présenter ses placements temporaires selon ce coût. Toutefois, le principe de prudence oblige l'application de la méthode de la moindre valeur (ou méthode de la valeur minimale). Tout comme les stocks, les placements temporaires doivent être comptabilisés au moindre du coût d'acquisition ou de la valeur de marché.

MOINS-VALUE
Perte résultant du fait que la juste valeur d'un actif devient inférieure à sa valeur comptable nette.

En vertu du principe de prudence, il faut comptabiliser à la fin de l'exercice une **moins-value** lorsque la valeur de marché des placements temporaires est inférieure

PLUS-VALUE
Profit résultant de l'accroissement de la juste valeur d'un actif par rapport à sa valeur comptable nette.

au coût d'acquisition. Cette moins-value correspond à une perte non matérialisée puisque les placements n'ont pas été vendus. D'un autre côté, le principe de réalisation des produits ne permet pas de constater une **plus-value** si cette dernière n'est pas matérialisée. On ne reconnaît donc aucune plus-value quand la valeur de marché d'un placement temporaire à la fin de l'exercice est supérieure à son coût d'acquisition.

Démonstration 3.10

L'évaluation des placements temporaires selon la méthode de la moindre valeur appliquée à l'ensemble du portefeuille

L'analyse des placements temporaires de Dulac au 31 décembre 20X7 fournit les informations suivantes.

Dulac
Grand livre auxiliaire des placements temporaires

Date	Description	Quantité	Coût	Valeur de marché	Plus-value (moins-value)
20X7				**20X7-12-31**	
	Dépôt à terme, 6 %, échéant le 31 août 20X7				
03-01	Acquisition du dépôt à terme	1	10 000,00		
08-31	Échéance du dépôt à terme	(1)	(10 000,00)		
		0	0	**0**	
	Obligations de la Ville de Québec, 6 %				
	1er avril et 1er octobre, échéant le 1er avril 20Y2			**99,5 %**	
04-01	Acquisition de 5 obligations à 98,5	5	4 925,00	4 975,00	50,00
	Obligations d'Hydro-Québec, 8 %				
	1er mars et 1er septembre, échéant le 1er septembre 20X9			**103,2 %**	
05-01	Acquisition de 10 obligations à 101,5	10	10 150,00		
10-01	Disposition de 4 obligations à 102,2	(4)	(4 060,00)		
		6	6 090,00	6 192,00	102,00
	Actions ordinaires de Montclair			**0,58 $**	
01-15	Acquisition de 1 500 actions au coût unitaire de 4,00 $,				
	plus les frais de courtage de 3 %	1 500	6 180,00		
07-01	Fractionnement d'actions selon le ratio 4/1	4 500	0		
		6 000	6 180,00	3 480,00	(2 700,00)

▶

Dulac
Grand livre auxiliaire des placements temporaires

Date	Description	Quantité	Coût	Valeur de marché	Plus-value (moins-value)
20X7				**20X7-12-31**	
	Actions ordinaires de Norlac			**4,60 $**	
03-15	Acquisition de 2 000 actions avec dividende au coût de 10 800 $,				
	y compris les frais de courtage	2 000	9 800,00		
06-01	Dividende en actions de 5 %	100	0		
08-12	Disposition de 25 % des actions au prix unitaire de 4,80 $,				
	moins les frais de courtage de 100 $	(525)	(2 450,00)		
		1 575	7 350,00	7 245,00	(105,00)
	Total		**24 545,00**	**21 892,00**	**(2 653,00)**

Travail à faire

Passez au journal général l'écriture de régularisation requise.

Journal général

Date	Nom des comptes et explications	Réf.	Débit	Crédit
20X7				
12-31	Moins-value sur placements temporaires		2 653,00	
	Provision pour moins-value sur placements temporaires			2 653,00
	(Pour comptabiliser la moins-value sur placements temporaires)			

Fin de la démonstration 3.10

Le compte **moins-value sur placements temporaires** est un compte de charges présenté à l'état des résultats dans la section autres produits et autres charges. Le compte **provision pour moins-value sur placements temporaires** est un compte de bilan présenté en contrepartie du compte placements temporaires dans la section actif à court terme.

Démonstration 3.11

L'évaluation des placements temporaires selon la méthode de la moindre valeur appliquée sur une base individuelle

Cette démonstration renvoie aux données de la démonstration 3.10.

Travail à faire

Passez au journal général l'écriture de régularisation requise.

Journal général

Date	Nom des comptes et explications	Réf.	Débit	Crédit
20X7				
12-31	Moins-value sur placements temporaires		2 805,00	
	Provision pour moins-value sur placements temporaires			2 805,00
	(Pour comptabiliser la moins-value sur placements temporaires:			
	2 700 $ + 105 $)			

Le montant de la provision calculée sur une base individuelle tient compte des moins-values mais non des plus-values, puisque ces dernières ne sont pas encore réalisées.

Cette seconde approche est plus prudente: la moins-value constatée par l'évaluation appliquée sur une base individuelle est supérieure à celle constatée par l'évaluation sur l'ensemble du portefeuille.

Fin de la démonstration 3.11

L'entreprise doit choisir d'appliquer la méthode de la moindre valeur sur l'ensemble du portefeuille ou sur une base individuelle. Elle doit par la suite conserver la même méthode d'un exercice à l'autre. La première est la plus couramment utilisée parce que la seconde donne des résultats trop prudents.

Comme le compte provision pour moins-value sur placements temporaires est un compte de bilan, le solde de fermeture d'un exercice devient le solde d'ouverture de l'exercice suivant. Durant ce second exercice, aucune écriture n'est effectuée, sauf une écriture de régularisation à la fin de l'exercice pour tenir compte, à cette date, de la différence entre la nouvelle valeur de marché et le coût d'acquisition des placements temporaires.

À la disposition d'un placement temporaire, on calcule le coût d'acquisition du titre sans tenir compte du solde du compte provision pour moins-value sur placements temporaires. Comme nous l'avons déjà précisé, celui-ci ne doit être régularisé qu'à la fin de l'exercice.

Démonstration 3.12

L'évaluation des placements temporaires selon la méthode de la moindre valeur appliquée à l'ensemble du portefeuille à la fin de l'exercice suivant

Cette démonstration renvoie aux données de la démonstration 3.11.

Supposons que Dulac ait choisi d'appliquer la méthode de la moindre valeur à l'ensemble du portefeuille. Supposons également qu'au 31 décembre 20X8, soit à la fin de l'exercice suivant, l'analyse permette de constater les soldes suivants.

Placements temporaires	
16 800,00	

Provision pour moins-value sur placements temporaires	
	2 653,00

La valeur de marché des placements temporaires à cette date est de 15 400 $.

Travail à faire

Passez au journal général l'écriture de régularisation requise au 31 décembre 20X8.

Journal général

Date	Nom des comptes et explications	Réf.	Débit	Crédit
20X8				
12-31	Provision pour moins-value sur placements temporaires		1 253,00	
	Récupération de la moins-value sur placements temporaires			1 253,00
	(Pour régulariser le compte provision pour moins-value sur			
	placements temporaires)			

Calculs

Provision pour moins-value sur placements temporaires au 31 décembre 20X8

Coût d'acquisition du portefeuille	16 800 $
Moins : valeur de marché du portefeuille	15 400
	1 400 $

Récupération de la moins-value sur placements temporaires

Solde actuel de la provision pour moins-value	2 653 $
Moins : solde à obtenir de la provision pour moins-value	1 400
	1 253 $

Fin de la démonstration 3.12

Le compte **récupération de la moins-value sur placements temporaires** est un compte de produits présenté à l'état des résultats dans la section autres produits et autres charges.

Le compte **provision pour moins-value sur placements temporaires** est un compte dont le solde est créditeur. Pour qu'il soit débiteur, il faudrait avoir constaté une plus-value résultant d'une valeur de marché des placements temporaires supérieure à leur coût d'acquisition. Or, nous avons auparavant indiqué que le principe de réalisation empêche la comptabilisation d'une plus-value avant sa matérialisation.

Mise en situation 3.5

Les régularisations de fin d'exercice

La société Tremblay et Fils applique la méthode de la moindre valeur à l'ensemble de son portefeuille. Au 31 décembre 20X6, il n'y a aucun solde au compte provision pour moins-value sur placements temporaires.

Travail à faire

a) Complétez le grand livre auxiliaire des placements temporaires.

b) Effectuez les écritures de régularisation requises au 31 décembre 20X7.

c) Régularisez le compte provision pour moins-value sur placements temporaires au 31 décembre 20X8 en supposant que le coût d'acquisition et la valeur de marché des placements temporaires de la société Tremblay et Fils sont respectivement de 87 800 $ et de 90 100 $.

a)

Tremblay et Fils
Grand livre auxiliaire des placements temporaires

Date	Description	Quantité	Coût	Valeur de marché	Plus-value (moins-value)
20X7				**20X7-12-31**	
	Obligations d'Hydro-Ontario, 9 %				
	1er juillet et 1er janvier, échéant le 1er janvier 20X9			**97 %**	
02-01	Acquisition de 80 obligations à 102,5	80	82 000,00		
09-01	Disposition de 30 obligations à 101,5	(30)	(30 750,00)		
		50	51 250,00		
	Actions ordinaires de Construction Nord			**3,60 $**	
10-01	Acquisition de 1 000 actions au coût de 3 250 $,				
	y compris les frais de courtage de 2 %	1 000	3 250,00		
12-15	Fractionnement d'actions selon le ratio 1,5/1	500	0		
12-22	Disposition de 50 % des actions au prix unitaire de 2,50 $,				
	moins les frais de courtage de 125 $	(750)	(1 625,00)		
		750	1 625,00		
	Actions ordinaires de Sports extrêmes			**12,80 $**	
11-18	Acquisition de 3 000 actions avec dividende au coût unitaire de 13,75 $,				
	plus les frais de courtage de 825 $	3 000	38 325,00		
	Total		**91 200,00**		

b) **Journal général**

Date	Nom des comptes et explications	Réf.	Débit	Crédit
20X7				
12-31				
12-31				

c) **Journal général**

Date	Nom des comptes et explications	Réf.	Débit	Crédit
20X8				
12-31				

Calculs

Provision pour moins-value sur placements temporaires au 31 décembre 20X8

	$
Moins :	
	$

Récupération de la moins-value sur placements temporaires

	$
Moins :	
	$

Fin de la mise en situation 3.5

Problèmes suggérés : 3.5, 3.6, 3.7 et 3.8.

Section 3.3

La comptabilisation des placements à long terme en obligations

Comme nous l'avons mentionné dans la sous-section 3.1.2, les placements à long terme peuvent être divisés en quatre catégories: les placements de portefeuille, les participations dans des sociétés satellites, les participations dans des filiales et les participations dans des coentreprises. La méthode de comptabilisation diffère selon la nature du placement.

PLACEMENT DE PORTEFEUILLE
Placement à long terme ne visant pas à créer de liens d'association avec l'entité émettrice des titres en cause.

Les placements à long terme en obligations constituent des **placements de portefeuille** puisqu'ils ne permettent pas d'exercer une influence notable sur la société émettrice. Nous reviendrons sur la notion d'influence notable dans la section 3.4.

La comptabilisation des placements à long terme en obligations est pratiquement identique à celle des placements temporaires en obligations. En effet, on les enregistre au coût d'acquisition, c'est-à-dire au prix exigé par le courtier en valeurs mobilières, qui comprend les frais de courtage, le cas échéant. Aussi, les détenteurs d'obligations réalisent un produit d'intérêts constaté selon le principe de réalisation et ils peuvent réaliser un gain ou subir une perte sur la vente des titres concernés. Finalement, tout comme pour les placements temporaires en obligations, lorsque les obligations à long terme sont acquises entre deux dates de versement des intérêts, le montant déboursé comprend le coût d'acquisition et les intérêts courus.

Cependant, le traitement comptable des placements à long terme en obligations diffère de celui des placements temporaires lorsque l'acquisition est effectuée à une valeur différente de la valeur nominale. L'acquisition se comptabilise au coût d'acquisition au compte placements de portefeuille en obligations, et la prime ou l'escompte est amorti au même rythme que les intérêts gagnés sur le reste de la durée des obligations.

3.3.1 L'acquisition de placements à long terme en obligations

Le but de l'acquéreur d'un placement à long terme en obligations est d'obtenir un rendement à long terme; le titre peut donc être détenu jusqu'à son échéance. À ce moment, le détenteur encaisse, de la société émettrice, la valeur nominale des obligations. Or, qu'en est-il de l'écart entre cette valeur nominale et le coût comptabilisé à l'acquisition des obligations? Cet écart, correspondant à la prime ou à l'escompte, est amorti sur le reste de la durée des obligations, de telle sorte que la valeur comptable des obligations est égale à leur valeur nominale à l'échéance.

Comme nous l'avons fait dans le cas des placements temporaires, nous examinerons, au fil des démonstrations, les placements à long terme de l'entreprise Dulac, et nous verrons comment utiliser le grand livre auxiliaire des placements à long terme selon chacune des méthodes d'amortissement de la prime ou de l'escompte d'acquisition des obligations.

Démonstration 3.13

L'acquisition de placements à long terme en obligations

Le 1er mai 20X7, Dulac acquiert 100 obligations de Cogévidéo d'une valeur de 1 000 $ chacune, échéant le 1er mai 20X9. Les obligations portent intérêt au taux de 7 %, payable semestriellement le 1er mai et le 1er novembre. Le taux d'intérêt du marché est de 8 %.

Illustrons cette acquisition.

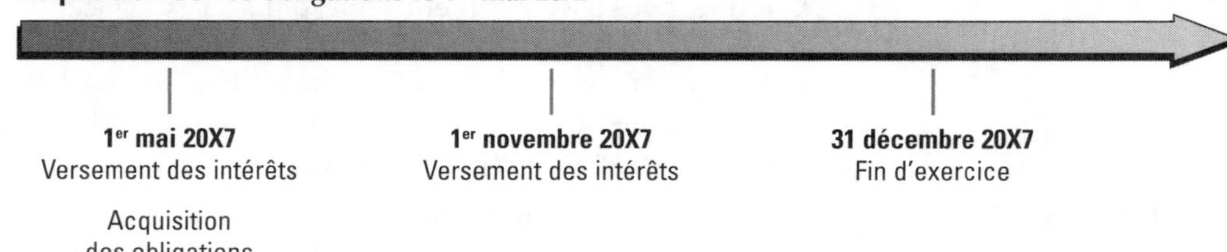

Le taux d'intérêt nominal des obligations (7 %) est inférieur au taux d'intérêt du marché (8 %), ce qui veut dire que les obligations se négocient à escompte et que leur indice boursier est inférieur à 100.

Travail à faire

a) Calculez le coût d'acquisition de ces obligations.

b) Passez au journal général l'écriture relative à l'acquisition du placement.

VALEUR ACTUALISÉE
Valeur au moment présent (ou à un autre moment donné) d'une ou de plusieurs valeurs disponibles plus tard ; on calcule la valeur actualisée au moyen d'un taux d'actualisation approprié.

a) Le coût d'acquisition des obligations correspond à la somme de la **valeur actualisée** du principal et de la valeur actualisée des intérêts.

Calcul de la valeur actualisée du principal

Le principal correspond à la valeur nominale de l'obligation. Puisque le montant de 100 000 $ (100 obligations × 1 000 $) sera encaissé à l'échéance, dans 2 ans, il faut l'actualiser en dollars d'aujourd'hui. Les intérêts étant versés semestriellement, l'obligation est capitalisée deux fois par année, ce qui donne 4 périodes de capitalisation (2 ans × 2 versements). Le taux d'intérêt utilisé pour actualiser le montant est le taux du marché, soit 8 %, et on doit le diviser par 2 pour tenir compte du nombre de périodes de capitalisation par année.

FACTEUR D'ACTUALISATION
Facteur servant au calcul de la valeur actualisée d'un ou de plusieurs versements à encaisser ou à décaisser ultérieurement.

La table de l'annexe 3.1 (p. 190) permet de déterminer le **facteur d'actualisation** nécessaire : dans la colonne du taux d'intérêt de 4 % (8 %/2), sur la ligne correspondant à 4 périodes, on trouve le facteur 0,85480. En multipliant le principal par ce facteur, on obtient sa valeur actualisée.

100 000,00 $ × 0,85480 = 85 480,00 $

Calcul de la valeur actualisée des versements d'intérêts

Des intérêts de 3 500 $ (100 000 $ × 7 % × 6/12) seront encaissés 2 fois par année pendant 2 ans. Ces intérêts doivent être actualisés à l'aide du taux du marché.

La table de l'annexe 3.2 (p. 192) permet de déterminer le facteur d'actualisation nécessaire : dans la colonne du taux d'intérêt de 4 % (8 %/2), sur la ligne correspondant à 4 périodes, on trouve le facteur 3,62990. En multipliant le montant des intérêts par ce facteur, on obtient sa valeur actualisée.

3 500,00 $ × 3,62990 = 12 704,65 $

b) **Journal général**

Date	Nom des comptes et explications	Réf.	Débit	Crédit
20X7				
05-01	Placements de portefeuille – obligations		98 184,65	
	Banque			98 184,65
	(Acquisition à escompte de 100 obligations de Cogévidéo)			

Calculs

Coût d'acquisition des obligations

Valeur actualisée du principal	85 480,00 $
Plus : valeur actualisée des versements d'intérêts	12 704,65
	98 184,65 $

Escompte d'acquisition des obligations

Valeur nominale des obligations (100 × 1 000 $)	100 000,00 $
Moins : coût d'acquisition des obligations	98 184,65
	1 815,35 $

L'acquisition de placements à long terme en obligations se comptabilise au coût d'acquisition.

Fin de la démonstration 3.13

3.3.2 L'amortissement de la prime ou de l'escompte

La prime ou l'escompte d'acquisition d'obligations résulte de l'écart entre le taux d'intérêt du marché et le taux nominal des obligations. **La prime ou l'escompte est amorti périodiquement** entre la date d'acquisition et la date d'échéance par virement au compte produit d'intérêts.

L'amortissement de la prime réduit la valeur du placement à long terme, et le produit d'intérêts comptabilisé sera inférieur à l'intérêt encaissé ; par ailleurs, l'amortissement de l'escompte augmente la valeur du placement à long terme, et le produit d'intérêts comptabilisé sera supérieur à l'intérêt encaissé. À mesure que l'échéance approche, le placement à long terme en obligations tend vers sa valeur nominale. C'est ce qu'on appelle la **méthode du coût non amorti** (**méthode de l'amortissement du coût** ou **méthode de la fraction non amortie du coût**).

MÉTHODE DU COÛT NON AMORTI (MÉTHODE DE L'AMORTISSEMENT DU COÛT ou MÉTHODE DE LA FRACTION NON AMORTIE DU COÛT)
Méthode selon laquelle on présente dans le bilan les placements à long terme en obligations déterminés au coût d'acquisition, pour ensuite ajuster ce montant systématiquement tout au long de la période de détention en amortissant la prime ou l'escompte d'acquisition, de façon à ramener le coût d'acquisition au montant qu'on prévoit réaliser à l'échéance.

Comme nous l'avons mentionné précédemment, les placements de portefeuille en obligations sont inscrits au coût d'acquisition et ils augmentent ou diminuent périodiquement avec l'amortissement de l'escompte ou de la prime, de telle sorte que la valeur comptable du poste placements de portefeuille en obligations correspond, à l'échéance, à la valeur nominale des obligations.

Pour amortir la prime ou l'escompte, on peut recourir à l'une ou l'autre des méthodes suivantes :

- la méthode de l'amortissement linéaire ;
- la méthode de l'intérêt réel.

La méthode de l'amortissement linéaire de la prime ou de l'escompte

La **méthode de l'amortissement linéaire de la prime ou de l'escompte** consiste à répartir uniformément la prime ou l'escompte sur la durée restante de l'obligation, c'est-à-dire sur la période comprise entre la date d'acquisition et la date d'échéance de l'obligation. On calcule d'abord l'amortissement de l'escompte ou de la prime et, ensuite, le montant du produit d'intérêts.

Démonstration 3.14

L'amortissement de l'escompte d'acquisition selon la méthode de l'amortissement linéaire

Cette démonstration renvoie aux données de la démonstration 3.13.

Le 1er novembre 20X7, Dulac encaisse des intérêts de 3 500 $ sur les obligations de Cogévidéo. La société Dulac utilise la méthode de l'amortissement linéaire pour amortir la prime ou l'escompte d'acquisition d'obligations.

Travail à faire

MÉTHODE DE L'AMORTISSEMENT LINÉAIRE DE LA PRIME OU DE L'ESCOMPTE
Méthode systématique d'amortissement de la différence entre le coût d'acquisition d'obligations et leur valeur nominale, qui consiste, pour chaque période, à ajouter aux intérêts reçus (s'il s'agit d'un escompte) ou à déduire de ces derniers (s'il s'agit d'une prime) un montant constant égal à cette différence divisée par le nombre de périodes au cours desquelles les obligations demeureront la propriété de l'investisseur.

Passez au journal général l'écriture relative à l'encaissement des intérêts.

Journal général

Date	Nom des comptes et explications	Réf.	Débit	Crédit
20X7				
11-01	Banque		3 500,00	
	Placements de portefeuille – obligations		453,84	
	Produit d'intérêts			3 953,84
	(Encaissement des intérêts et amortissement de l'escompte)			

Calculs

Date d'acquisition des obligations	1er mai 20X7
Date d'échéance des obligations	1er mai 20X9
Durée restante des obligations	24 mois
Amortissement de l'escompte du 2 mai au 1er novembre 20X7	
(1 815,35 $/24) × 6	453,84 $
Produit d'intérêts	
Intérêts encaissés (100 000 $ × 7 % × 6/12)	3 500,00 $
Plus : amortissement de l'escompte	453,84
	3 953,84 $

L'amortissement de l'escompte d'acquisition augmente la valeur du placement à long terme. En utilisant la méthode de l'amortissement linéaire, on calcule d'abord l'amortissement de l'escompte, puis on l'ajoute aux intérêts encaissés afin d'obtenir le produit d'intérêts. On tend ainsi à ramener le coût d'acquisition du placement à la valeur qu'on prévoit réaliser à l'échéance (méthode du coût non amorti).

Fin de la démonstration 3.14

TABLEAU D'AMORTISSEMENT
Tableau dans lequel figurent, pour une acquisition d'obligations, à chaque date d'intérêt, les intérêts encaissés, le produit d'intérêts, la dotation à l'amortissement de la prime ou de l'escompte d'acquisition (la différence entre les intérêts encaissés et le produit d'intérêts) et la valeur comptable des obligations.

Le tableau d'amortissement de la prime ou de l'escompte selon la méthode de l'amortissement linéaire

Afin de bien saisir l'effet de l'amortissement de la prime ou de l'escompte sur le compte placements de portefeuille en obligations, examinons le **tableau d'amortissement** de l'escompte d'acquisition selon la méthode de l'amortissement linéaire pour les obligations de Cogévidéo que possède la société Dulac.

Tableau d'amortissement de l'escompte d'acquisition des obligations de Cogévidéo selon la méthode de l'amortissement linéaire

Date	(1) Intérêts reçus	(2) Amortissement de l'escompte 1 815,35 $/24 × 6	(3) Produit d'intérêts (1) + (2)	(4) Escompte non amorti (4) – (2)	(5) Valeur comptable des obligations (5) + (2)	(6) Taux de rendement (3)/(5) × 12/6
20X7-05-01				1 815,35 $	98 184,65 $	
20X7-11-01	3 500,00 $	453,84 $	3 953,84 $	1 361,51 $	98 638,49 $	8,05 %
20X8-05-01	3 500,00 $	453,84 $	3 953,84 $	907,67 $	99 092,33 $	8,02 %
20X8-11-01	3 500,00 $	453,84 $	3 953,84 $	453,83 $	99 546,17 $	7,98 %
20X9-05-01	3 500,00 $	453,84 $[a]	3 953,83 $	0 $	100 000,00 $	7,94 %
Total	14 000,00 $	1 815,35 $	15 815,35 $	0 $	100 000,00 $	8,00 %

a. 1 815,35 $ – (453,84 $ + 453,84 $ + 453,84 $).

Ce tableau montre que les obligations de Cogévidéo ont une valeur comptable de 98 184,65 $ au moment de leur acquisition par Dulac. Au premier encaissement des intérêts, la valeur comptable du placement augmente de 453,84 $, pour se chiffrer à 98 638,49 $. Il en est de même pour chaque encaissement subséquent. À la date d'échéance du titre, soit le 1er mai 20X9, la valeur comptable du placement correspond à sa valeur nominale, soit 100 000 $. Cet ajustement de la valeur comptable du poste placements de portefeuille en obligations s'effectue non seulement à chaque date d'encaissement des intérêts, mais également à l'établissement des états financiers de fin d'exercice. Nous reviendrons sur cette dernière situation un peu plus loin.

Selon la méthode de l'amortissement linéaire, l'amortissement de l'escompte (ou de la prime) ainsi que le produit d'intérêts sont les mêmes pour chaque période de 6 mois : il est donc très simple de passer les écritures requises. C'est ce qui explique la grande popularité de cette méthode.

Toutefois, on constate que le taux de rendement varie d'une période à l'autre, ce qui peut paraître anormal à première vue. Rappelons d'abord que le taux de rendement devrait se rapprocher du taux de rendement du marché, soit 8 %. En effet, le montant d'intérêts au taux nominal de 3 500 $ est ajusté du montant de l'amortissement de l'escompte d'acquisition pour refléter le montant du produit d'intérêts à comptabiliser. Ce produit d'intérêts doit donc correspondre à l'offre du marché. Pourquoi le taux de rendement varie-t-il donc quand on utilise la méthode de l'amortissement linéaire ? Examinons la question de plus près.

Au premier encaissement des intérêts, un produit d'intérêts de 3 953,84 $ est réalisé sur un placement de 98 184,65 $ pour une période de 6 mois. Le taux de rendement de ce placement est donc de 8,05 %, calculé de la façon suivante: 3 953,84 $/98 184,65 $ × 12/6. Au deuxième encaissement des intérêts, le même produit d'intérêts de 3 953,84 $ est réalisé, cette fois-ci sur un placement de 98 638,49 $, encore pour une période de 6 mois. Le taux de rendement de ce placement est donc de 8,02 %, calculé de la façon suivante: 3 953,84 $/98 638,49 $ × 12/6. Et ainsi de suite pour les périodes suivantes.

Cette variation du taux de rendement s'explique par les différentes valeurs du placement utilisées dans le calcul du taux de rendement. Toutefois, on constate qu'à l'échéance le placement procure un taux de rendement moyen de 8 %, ce qui correspond bien au taux de rendement du marché à la date d'acquisition.

MÉTHODE DE L'INTÉRÊT RÉEL
Méthode systématique d'amortissement de la différence entre le coût d'acquisition d'obligations et leur valeur nominale, qui consiste à ajouter aux intérêts reçus (s'il s'agit d'un escompte) ou à déduire de ces derniers (s'il s'agit d'une prime) pour la période considérée un montant égal à la différence entre les intérêts reçus et les intérêts effectifs que rapportent ces obligations pour la période par rapport à leur coût d'acquisition.

La méthode de l'intérêt réel

La **méthode de l'intérêt réel** consiste à imputer à chaque période une partie de l'escompte ou de la prime, calculée en fonction de la valeur réelle du placement. Selon cette méthode, on calcule d'abord le montant du produit d'intérêts à l'aide du taux de rendement du marché, puis on calcule l'amortissement de l'escompte ou de la prime en soustrayant du montant du produit d'intérêts ou en y additionnant les intérêts calculés selon le taux nominal.

Démonstration 3.15

L'amortissement de l'escompte d'acquisition selon la méthode de l'intérêt réel

Cette démonstration renvoie aux données de la démonstration 3.13.

Le 1er novembre 20X7, Dulac encaisse des intérêts de 3 500 $ sur les obligations de Cogévidéo. La société Dulac utilise la méthode de l'intérêt réel pour amortir la prime ou l'escompte d'acquisition d'obligations.

Travail à faire

Passez au journal général l'écriture relative à l'encaissement des intérêts.

Journal général

Date	Nom des comptes et explications	Réf.	Débit	Crédit
20X7				
11-01	Banque		3 500,00	
	Placements de portefeuille – obligations		427,39	
	Produit d'intérêts			3 927,39
	(Encaissement des intérêts et amortissement de l'escompte)			

Calculs

Produit d'intérêts

98 184,65 \$ × 8 % × 6/12	3 927,39 \$

Amortissement de l'escompte du 2 mai au 1er novembre 20X7

Produit d'intérêts	3 927,39 \$
Moins : intérêts encaissés (100 000 \$ × 7 % × 6/12)	3 500,00
	427,39 \$

L'amortissement de l'escompte d'acquisition augmente la valeur du placement à long terme. En utilisant la méthode de l'intérêt réel, on calcule d'abord le produit d'intérêts et on soustrait de ce montant les intérêts encaissés afin d'obtenir l'amortissement de l'escompte. On tend ainsi à ramener le coût d'acquisition du placement à la valeur qu'on prévoit réaliser à l'échéance (méthode du coût non amorti).

Fin de la démonstration 3.15

Le tableau d'amortissement de la prime ou de l'escompte selon la méthode de l'intérêt réel

Examinons maintenant le tableau d'amortissement de l'escompte d'acquisition selon la méthode de l'intérêt réel pour les obligations de Cogévidéo que possède la société Dulac.

Tableau d'amortissement de l'escompte d'acquisition des obligations de Cogévidéo selon la méthode de l'intérêt réel

Date	(1) Intérêts reçus	(2) Produit d'intérêts (5) × 8 % × 6/12	(3) Amortissement de l'escompte (2) – (1)	(4) Escompte non amorti (4) – (3)	(5) Valeur comptable des obligations (5) + (3)	(6) Taux de rendement
20X7-05-01				1 815,35 \$	98 184,65 \$	
20X7-11-01	3 500,00 \$	3 927,39 \$	427,39 \$	1 387,96 \$	98 612,04 \$	8,00 %
20X8-05-01	3 500,00 \$	3 944,48 \$	444,48 \$	943,48 \$	99 056,52 \$	8,00 %
20X8-11-01	3 500,00 \$	3 962,26 \$	462,26 \$	481,22 \$	99 518,78 \$	8,00 %
20X9-05-01	3 500,00 \$	3 981,22 \$[a]	481,22 \$[b]	0 \$	100 000,00 \$	8,00 %
Total	14 000,00 \$	15 815,35 \$	1 815,35 \$	0 \$	100 000,00 \$	8,00 %

a. (14 000,00 \$ + 1 815,35 \$) – (3 927,39 \$ + 3 944, 48 \$ + 3 962,26 \$).
b. 1 815,35 \$ – (427,39 \$ + 444,48 \$ + 462,26 \$).

Tout comme pour la méthode de l'amortissement linéaire, la valeur comptable à l'échéance est de 100 000 \$. Toutefois, le produit d'intérêts varie d'une période de 6 mois à l'autre puisqu'il est calculé à l'aide du taux du marché, qui ne varie pas.

Cette méthode est légèrement plus complexe que la méthode de l'amortissement linéaire puisqu'elle demande davantage de calculs. Toutefois, elle rend compte plus fidèlement de la réalité en permettant un calcul plus précis du produit d'intérêts basé sur le taux du marché à l'acquisition du placement.

Pourquoi ne tient-on pas compte de la prime ou de l'escompte d'acquisition des placements temporaires en obligations, comme on le fait pour les placements à long terme en obligations ?

Contrairement aux placements à long terme en obligations, les placements temporaires en obligations n'impliquent pas l'amortissement de la prime ou de l'escompte d'acquisition. En effet, comme les placements temporaires sont détenus sur une courte période et qu'on en dispose normalement avant la fin de l'exercice suivant, il serait inapproprié d'en amortir la prime ou l'escompte.

3.3.3 La vente de placements à long terme en obligations

Il arrive que les placements à long terme en obligations soient vendus avant leur échéance. Pour comptabiliser cette transaction, on doit calculer les montants suivants, selon la méthode d'amortissement utilisée.

Méthode de l'amortissement linéaire	Méthode de l'intérêt réel
1. Le produit de la disposition.	1. Le produit de la disposition.
2. Le montant de l'amortissement de l'escompte ou de la prime d'acquisition.	2. Le produit d'intérêts des obligations vendues jusqu'à la date de la disposition.
3. Le produit d'intérêts des obligations vendues jusqu'à la date de la disposition.	3. Le montant de l'amortissement de l'escompte ou de la prime d'acquisition.
4. La valeur comptable des obligations vendues.	4. La valeur comptable des obligations vendues.
5. Le gain ou la perte sur la vente de placements à long terme.	5. Le gain ou la perte sur la vente de placements à long terme.

Démonstration 3.16

La vente de placements à long terme en obligations et la méthode de l'amortissement linéaire

Cette démonstration renvoie aux données des démonstrations 3.13 et 3.14.

Le 1er décembre 20X7, Dulac cède ses obligations de Cogévidéo à 99,2 plus les intérêts courus. La société Dulac utilise la méthode de l'amortissement linéaire pour amortir la prime ou l'escompte d'acquisition d'obligations.

Illustrons cette disposition.

Obligations de Cogévidéo, 7 %, 1er mai et 1er novembre, échéant le 1er mai 20X9
Vente de 100 obligations à 99,2 le 1er décembre 20X7

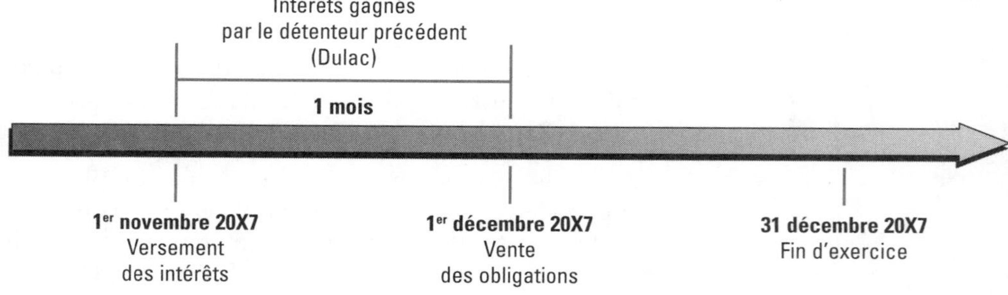

C'est le nouvel acquéreur des obligations qui paiera à Dulac les intérêts courus du 2 novembre au 1er décembre 20X7.

Travail à faire

Passez au journal général les écritures relatives à la vente du placement.

Journal général

Date	Nom des comptes et explications	Réf.	Débit	Crédit
20X7				
12-01	Intérêts à recevoir		583,33	
	Placements de portefeuille – obligations		75,64	
	Produit d'intérêts			658,97
	(Comptabilisation des intérêts à recevoir et amortissement			
	de l'escompte)			
12-01	Banque		99 783,33	
	Placements de portefeuille – obligations			98 714,13
	Intérêts à recevoir			583,33
	Gain sur la vente de placements à long terme			485,87
	(Vente des obligations de Cogévidéo à 99,2 plus les intérêts			
	à recevoir : 99 200 $ + 583,33 $ = 99 783,33 $)			

Calculs

1. *Produit de la disposition*

   100 obligations × 1 000 $ × 99,2 % — 99 200,00 $

2. *Amortissement de l'escompte du 2 novembre au 1er décembre 20X7*

   1 815,35 $/24 × 1 — 75,64 $

3. *Produit d'intérêts des obligations vendues jusqu'à la date de la disposition*

   Intérêts à recevoir (100 000 $ × 7 % × 1/12) — 583,33 $
   Plus : amortissement de l'escompte — 75,64
   — 658,97 $

4. *Valeur comptable des obligations vendues*

   Valeur comptable avant la disposition[6] — 98 638,49 $
   Plus : amortissement de l'escompte — 75,64
   — 98 714,13 $

6. Voir le tableau d'amortissement de l'escompte d'acquisition des obligations de Cogévidéo selon la méthode de l'amortissement linéaire, p. 137.

5. *Gain ou perte sur la vente de placements à long terme*

Produit de la disposition	99 200,00 $
Moins : valeur comptable	98 714,13
Gain sur la vente	485,87 $

À la vente de placements à long terme en obligations, il faut, dans un premier temps, comptabiliser le produit d'intérêts des obligations vendues et amortir l'escompte ou la prime d'acquisition de ces obligations à la date de la disposition. Dans un second temps, il faut créditer le compte de placements du coût d'acquisition des obligations vendues et inscrire la différence entre le produit net tiré de la vente et le coût d'acquisition à titre de gain ou de perte sur la vente de placements à long terme.

Fin de la démonstration 3.16

Démonstration 3.17

La vente de placements à long terme en obligations et la méthode de l'intérêt réel

Cette démonstration renvoie aux données des démonstrations 3.13 et 3.15.

Le 1er décembre 20X7, Dulac cède ses obligations de Cogévidéo à 99,2 plus les intérêts courus. La société Dulac utilise la méthode de l'intérêt réel pour amortir la prime ou l'escompte d'acquisition d'obligations.

Travail à faire

Passez au journal général les écritures relatives à la vente du placement.

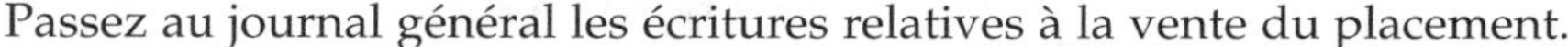

Journal général

Date	Nom des comptes et explications	Réf.	Débit	Crédit
20X7				
12-01	Intérêts à recevoir		583,33	
	Placements de portefeuille – obligations		74,08	
	Produit d'intérêts			657,41
	(Comptabilisation des intérêts à recevoir et amortissement			
	de l'escompte)			
12-01	Banque		99 783,33	
	Placements de portefeuille – obligations			98 686,12
	Intérêts à recevoir			583,33
	Gain sur la vente de placements à long terme			513,88
	(Vente des obligations de Cogévidéo à 99,2 plus les intérêts			
	à recevoir : 99 200 $ + 583,33 $ = 99 783,33 $)			

Calculs

1. *Produit de la disposition*

100 obligations × 1 000 $ × 99,2 %	99 200,00 $

2. *Produit d'intérêts des obligations vendues jusqu'à la date de la disposition*

98 612,04 $[7] × 8 % × 1/12	657,41 $

3. *Amortissement de l'escompte du 2 novembre au 1er décembre 20X7*

Produit d'intérêts	657,41 $
Moins : intérêts à recevoir (100 000 $ × 7 % × 1/12)	583,33
	74,08 $

4. *Valeur comptable des obligations vendues*

Valeur comptable avant la disposition	98 612,04 $
Plus : amortissement de l'escompte	74,08
	98 686,12 $

5. *Gain ou perte sur la vente de placements à long terme*

Produit de la disposition	99 200,00 $
Moins : valeur comptable	98 686,12
Gain sur la vente	513,88 $

Fin de la démonstration 3.17

3.3.4 Les régularisations à la fin de l'exercice

À la fin de l'exercice, une écriture de régularisation s'impose pour les titres de placements à long terme en obligations. Au moment de dresser les états financiers, l'entreprise doit comptabiliser les éléments suivants : les intérêts à recevoir, le produit d'intérêts et l'amortissement de la prime ou de l'escompte d'acquisition.

Démonstration 3.18

La comptabilisation des intérêts courus sur les placements à long terme en obligations selon la méthode de l'amortissement linéaire

Cette démonstration renvoie aux données des démonstrations 3.13, 3.14 et 3.16.

Le 1er décembre 20X7, immédiatement après avoir vendu les obligations de Cogévidéo, Dulac acquiert 50 obligations de Vidéotrop d'une valeur de 1 000 $ chacune, échéant le 1er juin 20Y0. Les obligations portent intérêt à 9 %, payable semestriellement le 1er juin et le 1er décembre. Le taux d'intérêt du marché est de 8 % et Dulac utilise la méthode de l'amortissement linéaire.

7. Il s'agit de la valeur comptable avant la disposition (voir le tableau d'amortissement de l'escompte d'acquisition des obligations de Cogévidéo selon la méthode de l'intérêt réel, p. 139).

Illustrons cette acquisition.

Le taux d'intérêt nominal des obligations est supérieur à celui du marché, ce qui veut dire que les obligations se négocient à prime et que l'indice boursier est supérieur à 100.

Travail à faire

a) Passez au journal général l'écriture relative à l'acquisition du placement et l'écriture de régularisation.

b) Mettez à jour le grand livre auxiliaire des placements à long terme.

a) **Journal général**

Date	Nom des comptes et explications	Réf.	Débit	Crédit
20X7				
12-01	Placements de portefeuille – obligations		51 113,10	
	Banque			51 113,10
	(Acquisition à prime de 50 obligations de Vidéotrop)			
12-31	Intérêts à recevoir		375,00	
	Placements de portefeuille – obligations			37,10
	Produit d'intérêts			337,90
	(Intérêts à recevoir et amortissement de la prime d'acquisition)			

Calculs

Coût d'acquisition des obligations

Valeur actualisée du principal (50 000 $ × 0,82193[8])	41 096,50 $
Plus : valeur actualisée des versements des intérêts (2 250 $[9] × 4,45182[10])	10 016,60
	51 113,10 $

8. On détermine le facteur d'actualisation à l'aide de la table de l'annexe 3.1 : 4 %, 5 périodes.
9. 50 000 $ × 9 % × 6/12.
10. On détermine le facteur d'actualisation à l'aide de la table de l'annexe 3.2 : 4 %, 5 périodes.

Prime d'acquisition des obligations

Coût d'acquisition des obligations	51 113,10 $
Moins : valeur nominale des obligations (50 × 1 000 $)	50 000,00
	1 113,10 $

Amortissement de la prime du 2 décembre au 31 décembre 20X7

Date d'acquisition des obligations	1er décembre 20X7
Date d'échéance des obligations	1er juin 20X0
Durée restante des obligations	30 mois
1 113,10 $/30 × 1	37,10 $

Produit d'intérêts

Intérêts à recevoir (50 000 $ × 9 % × 1/12)	375,00 $
Moins : amortissement de la prime	37,10
	337,90 $

b)

Dulac
Grand livre auxiliaire des placements à long terme selon la méthode de l'amortissement linéaire

Date	Description	Quantité	Coût
20X7			
	PLACEMENTS DE PORTEFEUILLE		
	Obligations de Cogévidéo, 7 %		
	1er mai et 1er novembre, échéant le 1er mai 20X9		
05-01	Acquisition de 100 obligations	100	98 184,65
11-01	Amortissement de l'escompte		453,84
12-01	Amortissement de l'escompte		75,64
12-01	Disposition de 100 obligations	(100)	(98 714,13)
		0	0
	Obligations de Vidéotrop, 9 %		
	1er juin et 1er décembre, échéant le 1er juin 20Y0		
12-01	Acquisition de 50 obligations	50	51 113,10
12-31	Amortissement de la prime		(37,10)
		50	51 076,00

Fin de la démonstration 3.18

Démonstration 3.19

La comptabilisation des intérêts à recevoir sur les placements à long terme en obligations selon la méthode de l'intérêt réel

Cette démonstration renvoie aux données des démonstrations 3.13, 3.15 et 3.17.

Le 1er décembre 20X7, immédiatement après avoir vendu les obligations de Cogévidéo, Dulac acquiert 50 obligations de Vidéotrop d'une valeur de 1 000 $ chacune, échéant le 1er juin 20Y0. Les obligations portent intérêt à 9 %, payable semestriellement le 1er juin et le 1er décembre. Le taux d'intérêt du marché est de 8 % et Dulac utilise la méthode de l'intérêt réel.

Travail à faire

a) Passez au journal général l'écriture relative à l'acquisition du placement et l'écriture de régularisation.

b) Mettez à jour le grand livre auxiliaire des placements à long terme.

a) **Journal général**

Date	Nom des comptes et explications	Réf.	Débit	Crédit
20X7				
12-01	Placements de portefeuille – obligations		51 113,10	
	Banque			51 113,10
	(Acquisition à prime de 50 obligations de Vidéotrop)			
12-31	Intérêts à recevoir		375,00	
	Placements de portefeuille – obligations			34,25
	Produit d'intérêts			340,75
	(Intérêts à recevoir et amortissement de la prime d'acquisition)			

Calculs

Produit d'intérêts

51 113,10 $ × 8 % × 1/12	340,75 $

Amortissement de la prime du 2 décembre au 31 décembre 20X7

Intérêts à recevoir (50 000 $ × 9 % × 1/12)	375,00 $
Moins : produit d'intérêts	340,75
	34,25 $

b)

Dulac
Grand livre auxiliaire des placements à long terme selon la méthode de l'intérêt réel

Date	Description	Quantité	Coût
20X7			
	PLACEMENTS DE PORTEFEUILLE		
	Obligations de Cogévidéo, 7 %		
	1er mai et 1er novembre, échéant le 1er mai 20X9		
05-01	Acquisition de 100 obligations	100	98 184,65
11-01	Amortissement de l'escompte		427,39
12-01	Amortissement de l'escompte		74,08
12-01	Disposition de 100 obligations	(100)	(98 686,12)
		0	0
	Obligations de Vidéotrop, 9 %		
	1er juin et 1er décembre, échéant le 1er juin 20Y0		
12-01	Acquisition de 50 obligations	50	51 113,10
12-31	Amortissement de la prime		(34,25)
		50	51 078,85

Fin de la démonstration 3.19

Mise en situation 3.6

Les opérations portant sur les placements à long terme en obligations et la méthode de l'amortissement linéaire

Voici les opérations relatives aux placements à long terme en obligations de la société Tremblay et Fils pour l'année 20X7. La société utilise la méthode de l'amortissement linéaire.

Date	Opération
20X7	
02-01	Achat de 40 obligations de 1 000 $, à un taux d'intérêt de 5 %, de la société Hydro-Montagnaise. Les obligations viennent à échéance le 1er février 20Y0 et les intérêts sont payables semestriellement le 1er août et le 1er février. Le taux du marché est de 6 %.
08-01	Encaissement des intérêts semestriels sur les obligations de la société Hydro-Montagnaise.
10-01	Vente des obligations de la société Hydro-Montagnaise à 97,25 plus les intérêts courus.
11-01	Achat de 50 obligations de 1 000 $, à un taux d'intérêt de 7 %, de la société Hydro-Péribonka. Les obligations viennent à échéance le 1er mai 20Y0 et les intérêts sont payables semestriellement le 1er novembre et le 1er mai. Le taux du marché est de 6 %.

Travail à faire

a) Passez au journal général les écritures relatives aux opérations sur les placements à long terme en obligations.

b) Complétez le tableau d'amortissement de la prime ou de l'escompte de l'acquisition du 1er février 20X7.

c) Effectuez les écritures de régularisation au 31 décembre 20X7.

d) Mettez à jour le grand livre auxiliaire des placements à long terme.

a) et b)

1er février 20X7

Obligations d'Hydro-Montagnaise, 5 %, 1er août et 1er février
Acquisition de 40 obligations le 1er février 20X7

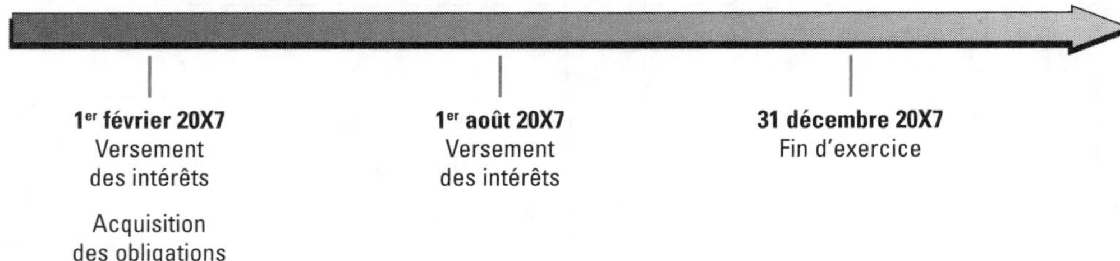

Journal général

Date	Nom des comptes et explications	Réf.	Débit	Crédit
20X7				
02-01				

Calculs

Coût d'acquisition des obligations

Valeur actualisée du principal $

Plus : valeur actualisée des versements des intérêts

$

Escompte d'acquisition des obligations

Valeur nominale des obligations $

Moins : coût d'acquisition des obligations

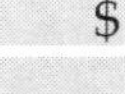
$

Tableau d'amortissement de l'escompte d'acquisition selon la méthode de l'amortissement linéaire

Date	(1) Intérêts reçus	(2) Amortissement de l'escompte	(3) Produit d'intérêts (1) + (2)	(4) Escompte non amorti (4) – (2)	(5) Valeur comptable des obligations (5) + (2)	(6) Taux de rendement (3)/(5) × 12/6
20X7-02-01				1 083,61 $	38 916,39 $	
20X7-08-01	1 000,00 $	180,60 $	1 180,60 $	903,01 $	39 096,99 $	6,07 %
20X8-02-01	1 000,00 $	$	$	$	$	%
20X8-08-01	1 000,00 $	$	$	$	$	%
20X9-02-01	1 000,00 $	$	$	$	$	%
20X9-08-01	1 000,00 $	$	$	$	$	%
20X0-02-01	1 000,00 $	$[a]	$	$	$	%
Total	6 000,00 $	$	$	$	$	%

a. .

1er août 20X7

Journal général

Date	Nom des comptes et explications	Réf.	Débit	Crédit
20X7				
08-01				

Calculs

Date d'acquisition des obligations 1er février 20X7

Date d'échéance des obligations 1er février 20Y0

Durée restante des obligations mois

Amortissement de l'escompte du *au*

$

Produit d'intérêts

$

Plus :

$

1er octobre 20X7

Obligations d'Hydro-Montagnaise, 5 %, 1er août et 1er février
Vente de 40 obligations à 97,25 le 1er octobre 20X7

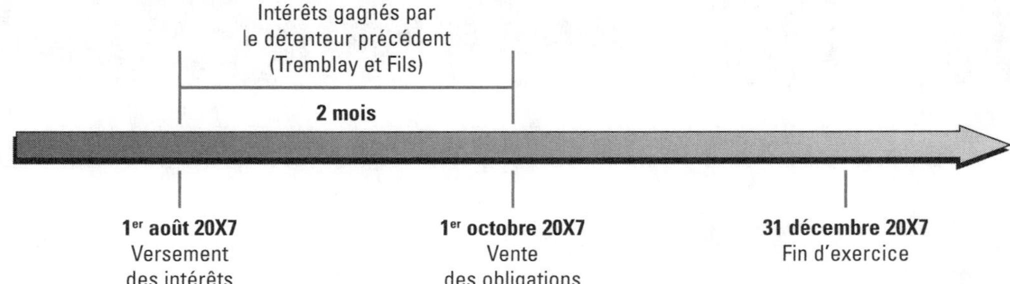

Journal général

Date	Nom des comptes et explications	Réf.	Débit	Crédit
20X7				
10-01				
10-01				

Calculs

1. *Produit de la disposition*

   ______ $

2. *Amortissement de l'escompte du* ______ *au* ______

   ______ $

3. *Produit d'intérêts des obligations vendues jusqu'à la date de la disposition*

   ______ $
   Plus : ______
   ______ $

4. *Valeur comptable des obligations vendues*

   ______ $
   Plus : ______
   ______ $

5. *Gain ou perte sur la vente de placements à long terme*

   Produit de la disposition ______ $
   Moins : ______
   ______ sur la vente ______ $

1er novembre 20X7

Obligations d'Hydro-Péribonka, 7 %, 1er novembre et 1er mai
Acquisition de 50 obligations le 1er novembre 20X7

Journal général

Date	Nom des comptes et explications	Réf.	Débit	Crédit
20X7				
11-01				

Calculs

Coût d'acquisition des obligations

Valeur actualisée du principal (50 000 $ × 0,86261[11])	43 130,50 $
Plus : valeur actualisée des versements des intérêts (1 750 $[12] × 4,57971[13])	8 014,49
	51 144,99 $

Prime d'acquisition des obligations

Coût d'acquisition des obligations	51 144,99 $
Moins : valeur nominale des obligations (50 × 1 000 $)	50 000,00
	1 144,99 $

Tableau d'amortissement de la prime d'acquisition selon la méthode de l'amortissement linéaire

Date	(1) Intérêts reçus	(2) Amortissement de la prime 1 144,99 $/30 × 6	(3) Produit d'intérêts (1) – (2)	(4) Prime non amortie (4) – (2)	(5) Valeur comptable des obligations (5) – (2)	(6) Taux de rendement (3)/(5) × 12/6
20X7-11-01				1 144,99 $	51 144,99 $	
20X8-05-01	1 750,00 $	229,00 $	1 521,00 $	915,99 $	50 915,99 $	5,99 %
20X8-11-01	1 750,00 $	229,00 $	1 521,00 $	686,99 $	50 686,99 $	5,97 %
20X9-05-01	1 750,00 $	229,00 $	1 521,00 $	457,99 $	50 457,99 $	6,00 %
20X9-11-01	1 750,00 $	229,00 $	1 521,00 $	228,99 $	50 228,99 $	6,03 %
20Y0-05-01	1 750,00 $	228,99 $[a]	1 521,01 $	0,00 $	50 000,00 $	6,06 %
Total	8 750,00 $	1 144,99 $	7 605,01 $	0,00 $	50 000,00 $	6,00 %

a. 1 144,99 $ – (229,00 $ × 4).

11. On détermine le facteur d'actualisation à l'aide de la table de l'annexe 3.1 : 3 %, 5 périodes.
12. 50 000 $ × 7 % × 6/12.
13. On détermine le facteur d'actualisation à l'aide de la table de l'annexe 3.2 : 3 %, 5 périodes.

c) **Journal général**

Date	Nom des comptes et explications	Réf.	Débit	Crédit
20X7				
12-31				

Calculs

Date d'acquisition des obligations 1er novembre 20X7

Date d'échéance des obligations 1er mai 20Y0

Durée restante des obligations 30 mois

Amortissement de la prime du 2 novembre au 31 décembre 20X7

$

Produit d'intérêts

Intérêts à recevoir $

Moins :

$

d) **Tremblay et Fils**
Grand livre auxiliaire des placements à long terme selon la méthode de l'amortissement linéaire

Date	Description	Quantité	Coût
20X7			
	Obligations d'Hydro-Montagnaise, 5 %		
	1er août et 1er février, échéant le 1er février 20Y0		
02-01	Acquisition de 40 obligations		
08-01	Amortissement de l'escompte		
10-01	Amortissement de l'escompte		
10-01	Disposition de 40 obligations		
	Obligations d'Hydro-Péribonka, 7 %		
	1er novembre et 1er mai, échéant le 1er mai 20Y0		
11-01	Acquisition de 50 obligations		
12-31	Amortissement de la prime		

Fin de la mise en situation 3.6

Mise en situation 3.7

Les opérations portant sur les placements à long terme en obligations et la méthode de l'intérêt réel

Voici les opérations relatives aux placements à long terme en obligations de la société Tremblay et Fils pour l'année 20X7. La société utilise la méthode de l'intérêt réel.

Date	Opération
20X7	
02-01	Achat de 40 obligations de 1 000 $, à un taux d'intérêt de 5 %, de la société Hydro-Montagnaise. Les obligations viennent à échéance le 1er février 20Y0 et les intérêts sont payables semestriellement le 1er août et le 1er février. Le taux du marché est de 6 %.
08-01	Encaissement des intérêts semestriels sur les obligations de la société Hydro-Montagnaise.
10-01	Vente des obligations de la société Hydro-Montagnaise à 97,25 plus les intérêts courus.
11-01	Achat de 50 obligations de 1 000 $, à un taux d'intérêt de 7 %, de la société Hydro-Péribonka. Les obligations viennent à échéance le 1er mai 20Y0 et les intérêts sont payables semestriellement le 1er novembre et le 1er mai. Le taux du marché est de 6 %.

Travail à faire

a) Passez au journal général les écritures relatives aux opérations sur les placements à long terme en obligations.

b) Complétez le tableau d'amortissement de la prime ou de l'escompte de l'acquisition du 1er novembre 20X7.

c) Effectuez les écritures de régularisation au 31 décembre 20X7.

d) Mettez à jour le grand livre auxiliaire des placements à long terme.

a) et b)

1er février 20X7

Journal général

Date	Nom des comptes et explications	Réf.	Débit	Crédit
20X7				
02-01	Placements de portefeuille – obligations		38 916,39	
	Banque			38 916,39
	(Acquisition à escompte de 40 obligations d'Hydro-Québec)			

Tableau d'amortissement de l'escompte d'acquisition selon la méthode de l'intérêt réel

Date	(1) Intérêts reçus	(2) Produit d'intérêts (5) × 6 % × 6/12	(3) Amortissement de l'escompte (2) – (1)	(4) Escompte non amorti (4) – (3)	(5) Valeur comptable des obligations (5) + (3)	(6) Taux de rendement
20X7-02-01				1 083,61 $	38 916,39 $	
20X7-08-01	1 000,00 $	1 167,49 $	167,49 $	916,12 $	39 083,88 $	6,00 %
20X8-02-01	1 000,00 $	1 172,52 $	172,52 $	743,60 $	39 256,40 $	6,00 %
20X8-08-01	1 000,00 $	1 177,69 $	177,69 $	565,91 $	39 434,09 $	6,00 %
20X9-02-01	1 000,00 $	1 183,02 $	183,02 $	382,89 $	39 617,11 $	6,00 %
20X9-08-01	1 000,00 $	1 188,51 $	188,51 $	194,38 $	39 805,62 $	6,00 %
20Y0-02-01	1 000,00 $	1 194,38 $[a]	194,38 $[b]	0 $	40 000,00 $	6,00 %
Total	6 000,00 $	7 083,61 $	1 083,61 $	0 $	40 000,00 $	6,00 %

a. (6 000,00 $ + 1 083,61 $) – (1 167,49 $ + 1 172,52 $ + 1 177,69 $ + 1 183,02 $ + 1 188,51 $).
b. 1 083,61 $ – (167,49 $ + 172,52 $ + 177,69 $ + 183,02 $ + 188,51 $).

1er août 20X7

Journal général

Date	Nom des comptes et explications	Réf.	Débit	Crédit
20X7				
08-01				

Calculs

Produit d'intérêts

$

Amortissement de l'escompte du 2 février au 1er août 20X7

$

Moins :

$

1er octobre 20X7

Journal général

Date	Nom des comptes et explications	Réf.	Débit	Crédit
20X7				
10-01				

▶

Journal général

Date	Nom des comptes et explications	Réf.	Débit	Crédit
20X7				
10-01				

Calculs

1. *Produit de la disposition*

 $

2. *Produit d'intérêts des obligations vendues jusqu'à la date de la disposition*

 $

3. *Amortissement de l'escompte du 2 août au 1er octobre 20X7*

 Produit d'intérêts $
 Moins : intérêts à recevoir
 $

4. *Valeur comptable des obligations vendues*

 $
 Plus : amortissement de l'escompte
 $

5. *Gain ou perte sur la vente de placements à long terme*

 Produit de la disposition $
 Moins :
 sur la vente $

1er novembre 20X7

Journal général

Date	Nom des comptes et explications	Réf.	Débit	Crédit
20X7				
11-01	Placements de portefeuille – obligations		51 144,99	
	Banque			51 144,99
	(Acquisition à prime de 50 obligations d'Hydro-Péribonka)			

Tableau d'amortissement de la prime d'acquisition selon la méthode de l'intérêt réel

Date	(1) Intérêts reçus	(2) Produit d'intérêts (5) × 6 % × 6/12	(3) Amortissement de la prime (1) – (2)	(4) Prime non amortie (4) – (3)	(5) Valeur comptable des obligations (5) – (3)	(6) Taux de rendement
20X7-11-01				$	51 144,99 $	
20X8-05-01	1 750,00 $	$	215,65 $	$	$	%
20X8-11-01	$	$	$	$	$	%
20X9-05-01	$	$	$	$	$	%
20X9-11-01	$	$	$	242,79 $	$	%
20Y0-05-01	$	$[a]	$[b]	$	$	%
Total	$	$	$	0 $	$	%

a.

b.

c) **Journal général**

Date	Nom des comptes et explications	Réf.	Débit	Crédit
20X7				
12-31				

Calculs

Produit d'intérêts

$

Amortissement de la prime du 2 novembre au 31 décembre 20X7

$

Moins :

$

d) **Tremblay et Fils**
Grand livre auxiliaire des placements à long terme selon la méthode de l'intérêt réel

Date	Description	Quantité	Coût
20X7			
	Obligations d'Hydro-Montagnaise, 5 %		
	1er août et 1er février, échéant le 1er février 20Y0		
02-01	Acquisition de 40 obligations		
08-01	Amortissement de l'escompte		
10-01	Amortissement de l'escompte		
10-01	Disposition de 40 obligations		

Tremblay et Fils
Grand livre auxiliaire des placements à long terme
selon la méthode de l'intérêt réel

Date	Description	Quantité	Coût
20X7			
	Obligations d'Hydro-Péribonka, 7 %		
	1er novembre et 1er mai, échéant le 1er mai 20Y0		
11-01	Acquisition de 50 obligations		
12-31	Amortissement de la prime	______	______

Fin de la mise en situation 3.7

Problèmes suggérés: 3.9 et 3.10.

Section 3.4 La comptabilisation des placements à long terme en actions

La comptabilisation des placements à long terme en actions dépend de l'influence exercée par la société détentrice sur les activités d'exploitation, d'investissement et de financement de la société émettrice. Sur le plan comptable, les placements à long terme en actions se classent en quatre catégories (voir la sous-section 3.1.2), selon le degré de cette influence.

- Les placements de portefeuille: le détenteur n'exerce aucune **influence notable** sur la société émettrice.
- Les **participations** (ou **détentions d'actions**) dans des sociétés satellites: le détenteur exerce une influence notable sur la société émettrice.
- Les participations dans des filiales: le détenteur exerce un contrôle sur la société émettrice.
- Les participations dans des coentreprises: le détenteur exerce un contrôle conjoint sur la société émettrice.

Comme nous l'avons fait jusqu'à présent, nous suivrons, au fil des démonstrations, les placements à long terme en actions de Dulac et nous verrons comment utiliser le grand livre auxiliaire des placements à long terme.

INFLUENCE NOTABLE
Fait, pour une entité, d'être en mesure d'agir sur les politiques stratégiques relatives aux activités d'exploitation, d'investissement et de financement d'une autre entité sans toutefois en avoir le contrôle. Cette influence peut se traduire par une représentation au conseil d'administration, la conclusion d'opérations intersociétés importantes, l'échange de personnel, etc.

PARTICIPATION (ou DÉTENTION D'ACTIONS)
Placement en actions d'une autre société que le détenteur a l'intention de conserver à long terme. Ces actions constituent des titres de participation que l'entreprise acquiert en vue d'exercer une influence sur une autre société, d'en avoir le contrôle ou de créer des liens d'association avec elle.

3.4.1 Les placements de portefeuille

On considère généralement qu'une entreprise ne peut pas exercer d'influence notable sur une société émettrice en détenant moins de 20 % de ses actions ordinaires. Il s'agit alors d'un placement de portefeuille, que le détenteur comptabilise au compte placements de portefeuille – actions, au coût d'acquisition.

L'influence notable se traduit par la capacité du détenteur d'influer sur la gestion de la société émettrice. On évalue cette influence en fonction des facteurs suivants:

- La société détentrice a un ou plusieurs représentants au conseil d'administration de la société émettrice.

- La société détentrice prend part à l'établissement des politiques de la société émettrice.
- Les deux entités concluent d'importantes opérations intersociétés.
- Les deux sociétés procèdent à l'échange de dirigeants ou d'informations techniques.

Il faut donc faire preuve de jugement afin de déterminer une influence notable et ne pas se limiter à la règle du 20 %. Par exemple, la société XYZ, qui possède 22 % des actions avec droit de vote de la société ABC, ne sera probablement pas en mesure d'exercer une influence notable si la société WWW en possède plus de 50 %. Par contre, XYZ peut exercer une influence notable sur ABC si elle en est le seul fournisseur.

L'acquisition de placements de portefeuille en actions

L'acquisition de placements de portefeuille en actions se comptabilise au coût d'acquisition.

Démonstration 3.20

L'acquisition de placements de portefeuille en actions

Durant l'année 20X7, Dulac a effectué des opérations sur des placements à long terme en actions. Le 31 janvier, la société acquiert 8 % des 15 000 actions ordinaires d'Improlac au coût unitaire de 13,50 $, plus les frais de courtage de 700 $.

Travail à faire

Passez au journal général l'écriture relative à l'acquisition du placement.

Journal général

Date	Nom des comptes et explications	Réf.	Débit	Crédit
20X7				
01-31	Placements de portefeuille – actions		16 900,00	
	Banque			16 900,00
	(Acquisition de 8 % des actions ordinaires d'Improlac :			
	(15 000 × 8 % × 13,50 $) + 700 $ = 16 900 $)			

Fin de la démonstration 3.20

SOCIÉTÉ SATELLITE (ou SATELLITE)
Entité dont les politiques stratégiques relatives aux activités d'exploitation, d'investissement et de financement subissent l'influence notable d'une autre entité qui, toutefois, ne la contrôle pas.

3.4.2 Les participations dans des sociétés satellites

On considère généralement qu'une entreprise est en mesure d'exercer une influence notable sur une société émettrice en détenant entre 20 % et 50 % de ses actions ordinaires. La société émettrice est alors une **société satellite** (ou **satellite**), et le détenteur des actions comptabilise son placement au compte participations dans des satellites.

L'acquisition de participations dans une société satellite

L'acquisition de participations dans une société satellite se traite selon la méthode de la **comptabilisation à la valeur de consolidation**. L'entité détentrice de titres de participation qui lui confèrent une influence notable sur l'entité émettrice enregistre sa participation au coût d'acquisition. Par la suite, elle augmente ou diminue ce montant de sa quote-part des résultats enregistrés par l'entité émettrice. Elle doit aussi déduire du montant de la participation sa quote-part du dividende déclaré par l'entité émettrice.

Démonstration 3.21

L'acquisition d'une participation dans une société satellite

Le 1er janvier 20X7, Dulac acquiert 23 % des 25 000 actions ordinaires de Gersag au coût unitaire de 8,50 $, plus les frais de courtage de 2 100 $. Cette acquisition procure à Dulac une influence notable sur la société émettrice.

Travail à faire

COMPTABILISATION À LA VALEUR DE CONSOLIDATION
Méthode de comptabilisation d'une participation selon laquelle l'entité détentrice enregistre sa participation au coût d'acquisition et, par la suite, augmente ou diminue ce montant de sa quote-part des résultats de l'entité émettrice. L'entité détentrice doit également déduire du montant de la participation sa quote-part du dividende déclaré par l'entité émettrice.

Passez au journal général l'écriture relative à l'acquisition du placement.

Journal général

Date	Nom des comptes et explications	Réf.	Débit	Crédit
20X7				
01-01	Participations dans des satellites		50 975,00	
	Banque			50 975,00
	(Acquisition de 23 % des actions ordinaires de Gersag :			
	(25 000 × 23 % × 8,50 $) + 2 100 $ = 50 975 $)			

Fin de la démonstration 3.21

La quote-part des résultats de la société émettrice

QUOTE-PART
Part d'un avantage ou d'un engagement financier affectée à chacune des parties en cause.

Selon la comptabilisation à la valeur de consolidation, la société détentrice doit redresser la valeur comptable du placement pour tenir compte de sa **quote-part** des résultats de la société émettrice. On procède ainsi parce que ces résultats ont sur la société détentrice une incidence proportionnelle à sa participation.

Démonstration 3.22

La comptabilisation de la quote-part du bénéfice net de la société satellite

Dulac enregistre sa quote-part du bénéfice net de 100 000 $ déclaré par Gersag pour l'exercice terminé le 31 décembre 20X7.

Travail à faire

Passez au journal général l'écriture relative à la quote-part des résultats.

Journal général

Date	Nom des comptes et explications	Réf.	Débit	Crédit
20X7				
12-31	Participations dans des satellites		23 000,00	
	Produit de placements			23 000,00
	(Quote-part du bénéfice net de Gersag:			
	100 000 $ × 23 % = 23 000 $)			

Selon la comptabilisation à la valeur de consolidation, la société détentrice débite le compte participations dans des satellites et crédite le compte produit de placements de sa quote-part du bénéfice net de la société émettrice.

Comment aurait-on dû comptabiliser cette quote-part des résultats si Dulac avait acquis la participation dans Gersag le 1er avril 20X7 ?

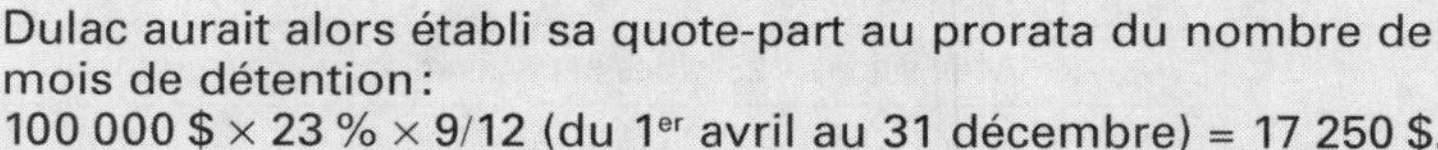

Comment aurait-on dû comptabiliser cette quote-part des résultats si Gersag avait déclaré une perte au lieu d'un bénéfice ?

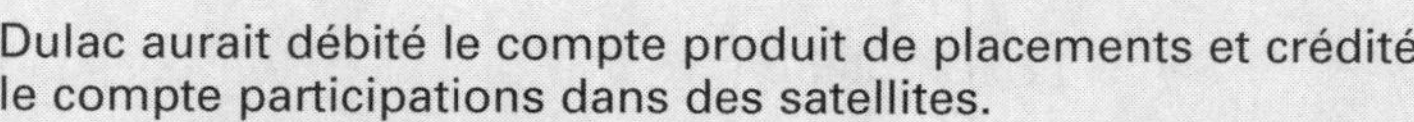

Fin de la démonstration 3.22

La quote-part du dividende déclaré par la société émettrice

Selon la comptabilisation à la valeur de consolidation, la société détentrice ne doit pas traiter la déclaration d'un dividende par la société émettrice comme une opération générant un produit puisqu'elle a déjà constaté sa quote-part des résultats de la société émettrice. La société détentrice doit plutôt redresser la valeur comptable du placement.

Démonstration 3.23

La comptabilisation de la quote-part du dividende déclaré par la société satellite

Le 31 décembre 20X7, Dulac enregistre sa quote-part du dividende en espèces de 30 000 $ déclaré par Gersag.

Travail à faire

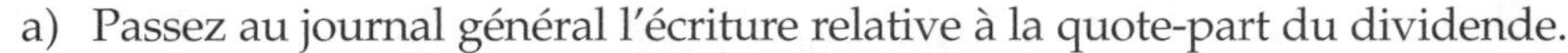

a) Passez au journal général l'écriture relative à la quote-part du dividende.

b) Mettez à jour le grand livre auxiliaire des placements à long terme.

a) **Journal général**

Date	Nom des comptes et explications	Réf.	Débit	Crédit
20X7				
12-31	Dividende à recevoir		6 900,00	
	Participations dans des satellites			6 900,00
	(Quote-part du dividende déclaré par Gersag:			
	30 000 $ × 23 % = 6 900 $)			

Selon la comptabilisation à la valeur de consolidation, la société détentrice crédite le compte participations dans des satellites de la quote-part du dividende déclaré.

Le dividende étant une distribution de bénéfices, il ne peut constituer un produit de placements pour la société détentrice: on tient déjà compte de ce produit de placements lorsqu'on comptabilise la quote-part du bénéfice de la société émettrice.

Comment aurait-on dû comptabiliser cette quote-part du dividende si Dulac avait acquis la participation dans Gersag le 1er avril 20X7?

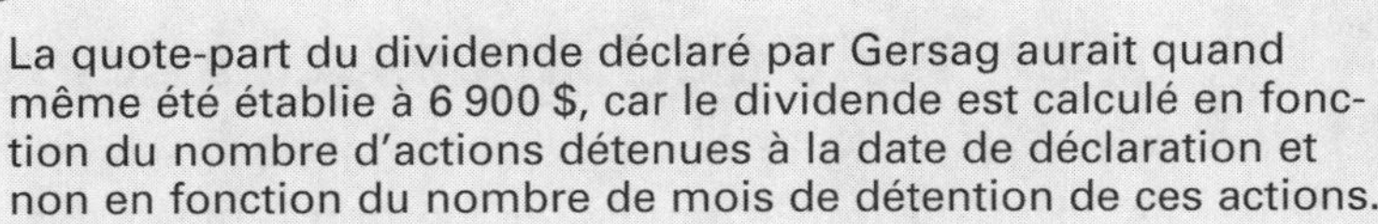

SOCIÉTÉ MÈRE
Se dit d'une entité qui contrôle une ou plusieurs autres entités, appelées filiales, généralement du fait qu'elle détient, directement ou indirectement, une participation lui donnant le droit d'élire la majorité des membres du conseil d'administration de cette ou de ces entités.

FILIALE
Se dit d'une entité juridiquement indépendante mais placée sous le contrôle d'une société mère, généralement du fait que cette dernière détient, directement ou indirectement, une participation lui donnant le droit d'élire la majorité des membres du conseil d'administration de cette entité.

ÉTATS FINANCIERS CONSOLIDÉS
Jeu d'états financiers regroupant les éléments d'actif et de passif, les résultats et autres composantes des états financiers individuels des entités comprises dans le périmètre de consolidation, de façon à faire ressortir la situation financière et les résultats du groupe économique que constitue l'ensemble de ces entités, comme s'il s'agissait d'une seule entité.

COENTREPRISE
Groupement par lequel plusieurs personnes ou entités (les coentrepreneurs) s'associent selon des modalités diverses et s'engagent à mener en coopération une activité industrielle ou commerciale, ou encore décident de mettre en commun leurs ressources et d'exercer un contrôle conjoint sur celles-ci en vue d'atteindre un objectif particulier, tout en prévoyant un partage des frais engagés et des bénéfices.

CONTRÔLE CONJOINT
Contrôle d'une activité économique exercé collégialement en vertu d'un accord contractuel en ce sens, toutes les décisions importantes devant généralement être prises d'un commun accord.

b)

Dulac
Grand livre auxiliaire des placements à long terme

Date	Description	Quantité	Coût
20X7			
	PLACEMENTS DE PORTEFEUILLE		
	Actions ordinaires d'Improlac		
01-31	Acquisition de 8 % des actions	1 200	16 900,00
	PARTICIPATIONS DANS DES SATELLITES		
	Actions ordinaires de Gersag		
01-01	Acquisition de 23 % des actions	5 750	50 975,00
12-31	Quote-part du bénéfice net de 100 000 $		23 000,00
12-31	Quote-part du dividende de 30 000 $		(6 900,00)
		5 750	67 075,00

Fin de la démonstration 3.23

3.4.3 Les participations dans des filiales

On considère généralement qu'une entreprise exerce un contrôle sur une société émettrice lorsqu'elle possède plus de 50 % de ses actions ordinaires. La société détentrice se nomme la **société mère** et la société émettrice se nomme la **filiale**. La règle du plus de 50 % n'est pas le seul critère, car une société peut également avoir une participation lui conférant le contrôle sur une société émettrice même si elle détient moins de 50 % des actions ordinaires. Le poids de cette participation dépend de la dispersion des actions de la société émettrice ainsi que des autres facteurs mentionnés au début de la sous-section 3.4.1.

En fait, le contrôle se traduit par la capacité pour la société détentrice de définir à elle seule les stratégies à long terme et les politiques de gestion de la société émettrice. On considère alors que les deux entreprises constituent une seule entité économique. Les comptes de la filiale et ceux de la société mère sont regroupés dans ce qu'on appelle des **états financiers consolidés**, comme s'il s'agissait d'une seule entité. L'acquisition d'une participation dans une filiale exige la préparation de tels états financiers. Ce sujet est complexe et déborde le cadre du présent manuel.

3.4.4 Les participations dans des coentreprises

Une **coentreprise** est une société qu'ont constituée quelques sociétés dans le but de réaliser un projet particulier. Le pourcentage des actions ordinaires détenues par chacune des sociétés dépend des conditions de l'accord. Les sociétés détentrices exercent alors un **contrôle conjoint** sur la société émettrice.

L'acquisition d'une participation dans une coentreprise exige la préparation d'états financiers selon la méthode de la consolidation proportionnelle. Ici encore, il s'agit d'un sujet complexe qui déborde le cadre du présent manuel.

Section 3.5

L'évaluation des placements à long terme

La **méthode de la moindre valeur** utilisée dans la comptabilisation des placements temporaires ne s'applique pas comme telle aux placements à long terme. Puisque ces derniers ont une échéance plus lointaine, la variation à court terme de leur valeur de marché n'est pas une bonne indication de leur valeur de réalisation à échéance. Par conséquent, on ne constate que les baisses de valeur qui semblent durables.

Mise en situation 3.8

Les opérations portant sur les placements à long terme en actions

Voici les opérations relatives aux placements à long terme en actions de la société Tremblay et Fils pour l'année 20X7.

Date	Opération
20X7	
03-01	Achat de 1 080 actions ordinaires de la société Les Bleuets du lac au coût de 5 300 $, y compris les frais de courtage de 1 %. La société a 6 000 actions ordinaires en circulation.
04-01	Achat de 11 550 des 55 000 actions ordinaires d'Aquasports au coût unitaire de 9,75 $, plus les frais de courtage de 1 %.
05-01	Déclaration par Aquasports d'un dividende de 8 000 $ aux actionnaires inscrits aux registres le 15 mai, payable le 31 mai.
12-31	Enregistrement par Aquasports d'une perte de 12 000 $ pour l'exercice financier terminé à cette date.

Travail à faire

a) Passez au journal général les écritures relatives aux placements à long terme en actions.

b) Mettez à jour le grand livre auxiliaire des placements à long terme.

a) **Journal général**

Date	Nom des comptes et explications	Réf.	Débit	Crédit
20X7				
03-01				

Journal général

Date	Nom des comptes et explications	Réf.	Débit	Crédit
20X7				
04-01				
05-01				
05-31				
12-31				

b)

Tremblay et Fils
Grand livre auxiliaire des placements à long terme

Date	Description	Quantité	Coût
20X7			
	PLACEMENTS DE PORTEFEUILLE		
	Actions ordinaires de Les Bleuets du lac		
03-01	Acquisition de 18 % des actions		
	PARTICIPATIONS DANS DES SATELLITES		
	Actions ordinaires d'Aquasports		
04-01	Acquisition de 21 % des actions		
05-01	Quote-part du dividende de 8 000 $		
12-31	Quote-part de la perte nette de 12 000 $		

Fin de la mise en situation 3.8

Problèmes suggérés: 3.11, 3.12, 3.13 et 3.14.

Section 3.6 La présentation des placements dans les états financiers

3.6.1 Les placements temporaires

Les placements temporaires sont présentés dans l'actif à court terme, immédiatement après l'encaisse, selon la règle de la moindre valeur, en mentionnant les deux valeurs. On doit indiquer, dans une note complémentaire, la base d'évaluation de ces placements.

3.6.2 Les placements à long terme

Les placements à long terme sont présentés dans une section distincte du bilan, immédiatement après l'actif à court terme. On doit présenter séparément les placements de portefeuille et les participations dans des sociétés satellites. On doit indiquer la base d'évaluation de chaque placement (par exemple coût d'acquisition, valeur de consolidation). On doit également préciser la valeur boursière et la valeur comptable des titres négociables qui font partie des placements de portefeuille. Enfin, il faut distinguer le produit de placements de portefeuille et celui de participations dans des sociétés satellites.

Un titre négociable est un titre de créance ou de participation qui peut être facilement vendu ou réalisé (première caractéristique des placements temporaires). Les placements temporaires sont nécessairement des titres négociables puisqu'ils possèdent cette caractéristique, mais les titres négociables ne sont pas nécessairement des placements temporaires puisque les placements de portefeuille peuvent en contenir. Par exemple, un placement de portefeuille en obligations de la Ville de Québec est considéré comme négociable. Il est possible de le vendre sans trop de difficulté, car il représente un placement très peu risqué et il existe un marché pour le négocier.

Démonstration 3.24

La présentation des placements dans les états financiers

Dulac évalue ses placements temporaires selon la méthode de la moindre valeur appliquée sur l'ensemble du portefeuille et utilise la méthode de l'amortissement linéaire pour amortir la prime ou l'escompte d'acquisition d'obligations.

Travail à faire

À l'aide de la balance de vérification partielle après régularisations et du grand livre auxiliaire des placements de la société Dulac au 31 décembre 20X7, dressez l'état des résultats partiel pour l'exercice terminé le 31 décembre 20X7 et le bilan partiel à la date de fin d'exercice.

Dulac
Balance de vérification partielle après régularisations
au 31 décembre 20X7

	Débit	Crédit
[...]		
Placements temporaires en obligations	11 015 $	
Placements temporaires en actions	13 530	
Provision pour moins-value sur placements temporaires		2 653 $
Intérêts à recevoir	610	
Placements de portefeuille en obligations	51 076	
Placements de portefeuille en actions	16 900	
Participations dans des sociétés satellites	67 075	
[...]		
Produit d'intérêts sur les placements temporaires		979
Gains et pertes sur la vente de placements temporaires	2	
Moins-value sur placements temporaires	2 653	
Produit d'intérêts sur les placements de portefeuille		4 951
Gains et pertes sur la vente de placements de portefeuille		486
Produit de placements – quote-part des bénéfices et des pertes de sociétés satellites		23 000
[...]		

Dulac
Grand livre auxiliaire des placements

Date	Description	Quantité	Coût	Valeur de marché	Plus-value (moins-value)
20X7				**20X7-12-31**	
	PLACEMENTS TEMPORAIRES				
	Dépôt à terme, 6 %, échéant le 31 août 20X7				
03-01	Acquisition du dépôt à terme	1	10 000,00		
08-31	Échéance du dépôt à terme	(1)	(10 000,00)		
		0	0	**0**	
	Obligations de la Ville de Québec, 6 %				
	1er avril et 1er octobre, échéant le 1er avril 20Y2			**99,5 %**	
04-01	Acquisition de 5 obligations à 98,5	5	4 925,00	4 975,00	50,00
	Obligations d'Hydro-Québec, 8 %				
	1er mars et 1er septembre, échéant le 1er septembre 20X9			**103,2 %**	
05-01	Acquisition de 10 obligations à 101,5	10	10 150,00		
10-01	Disposition de 4 obligations à 102,2	(4)	(4 060,00)		
		6	6 090,00	6 192,00	102,00
	Actions ordinaires de Montclair			**0,58 $**	
01-15	Acquisition de 1 500 actions au coût unitaire de 4,00 $,				
	plus les frais de courtage de 3 %	1 500	6 180,00		
07-01	Fractionnement d'actions selon le ratio 4/1	4 500	0		
		6 000	6 180,00	3 480,00	(2 700,00)

▶

Dulac
Grand livre auxiliaire des placements

Date	Description	Quantité	Coût	Valeur de marché	Plus-value (moins-value)
20X7				**20X7-12-31**	
	Actions ordinaires de Norlac			**4,60 $**	
03-15	Acquisition de 2 000 actions avec dividende au coût de 10 800 $,				
	y compris les frais de courtage	2 000	9 800,00		
06-01	Dividende en actions de 5 %	100	0		
08-12	Disposition de 25 % des actions au prix unitaire de 4,80 $,				
	moins les frais de courtage de 100 $	(525)	(2 450,00)		
		1 575	7 350,00	7 245,00	(105,00)
	Total des placements temporaires		**24 545,00**	**21 892,00**	**(2 653,00)**
	PLACEMENTS DE PORTEFEUILLE				
	Obligations de Cogévidéo, 7 %				
	1er mai et 1er novembre, échéant le 1er mai 20X9				
05-01	Acquisition de 100 obligations	100	98 184,65		
11-01	Amortissement de l'escompte		453,84		
12-01	Amortissement de l'escompte		75,64		
12-01	Disposition de 100 obligations	(100)	(98 714,13)		
		0	0	0	
	Obligations de Vidéotrop, 9 %				
	1er juin et 1er décembre, échéant le 1er juin 20Y0				
12-01	Acquisition de 50 obligations	50	51 113,10		
12-31	Amortissement de la prime		(37,10)		
		50	51 076,00	50 495,00	
	Actions ordinaires d'Improlac				
01-31	Acquisition de 8 % des actions	1 200	16 900,00	16 700,00	
	Total des placements de portefeuille		**67 976,00**	**67 195,00**	
	PARTICIPATIONS DANS DES SATELLITES				
	Actions ordinaires de Gersag				
01-01	Acquisition de 23 % des actions	5 750	50 975,00		
12-31	Quote-part du bénéfice net de 100 000 $		23 000,00		
12-31	Quote-part du dividende de 30 000 $		(6 900,00)		
		5 750	67 075,00		
	Total des participations dans des satellites		**67 075,00**		

Dulac
État des résultats partiel
pour l'exercice terminé le 31 décembre 20X7

[...]		
Autres produits et autres charges		
Produit tiré de placements temporaires		
Produit d'intérêts et produit de dividende	979 $	
Gains et pertes sur la vente	(2)	
Moins-value	(2 653)	(1 676) $
Produit tiré de placements de portefeuille		
Produit d'intérêts et produit de dividende	4 951	
Gains et pertes sur la vente	486	5 437
Produit tiré des participations dans des satellites		
Quote-part des bénéfices et des pertes	23 000	23 000
Total des autres produits et autres charges		**26 761 $**
[...]		

Dulac
Bilan partiel
au 31 décembre 20X7

ACTIF		
Actif à court terme		
[...]		
Placements temporaires, au moindre du coût ou de la valeur de marché (coût d'acquisition : 24 545 $)		21 892 $
Intérêts à recevoir		610
[...]		
Placements à long terme		
Placements de portefeuille, au coût d'acquisition (valeur de marché : 67 195 $)	67 976 $	
Participations dans des satellites, à la valeur de consolidation	67 075	
Total des placements à long terme		135 051 $
[...]		

Fin de la démonstration 3.24

Mise en situation 3.9

La présentation des placements dans les états financiers

Tremblay et Fils évalue ses placements temporaires selon la méthode de la moindre valeur appliquée sur l'ensemble du portefeuille et utilise la méthode de l'amortissement linéaire pour amortir la prime ou l'escompte d'acquisition d'obligations.

Travail à faire

À l'aide de la balance de vérification partielle après régularisations et du grand livre auxiliaire des placements de la société Tremblay et Fils au 31 décembre 20X7, complétez l'état des résultats partiel et le bilan partiel à la date de fin d'exercice.

Tremblay et Fils
Balance de vérification partielle après régularisations
au 31 décembre 20X7

[...]	Débit	Crédit
Placements temporaires en obligations	51 250 $	
Placements temporaires en actions	39 950	
Provision pour moins-value sur placements temporaires		1 600 $
Intérêts à recevoir	2 833	
Placements de portefeuille en obligations	51 069	
Placements de portefeuille en actions	5 300	
Participations dans des sociétés satellites	110 169	
[...]		
Produit d'intérêts sur les placements temporaires		5 700
Gains et pertes sur la vente de placements temporaires	175	
Moins-value sur placements temporaires	1 600	
Produit d'intérêts sur les placements de portefeuille		2 081
Gains et pertes sur la vente de placements de portefeuille	257	
Produit de placements – quote-part des bénéfices et des pertes de sociétés satellites	1 890	
[...]		

Tremblay et Fils
Grand livre auxiliaire des placements

Date	Description	Quantité	Coût	Valeur de marché	Plus-value (moins-value)
20X7				**20X7-12-31**	
	PLACEMENTS TEMPORAIRES				
	Obligations d'Hydro-Ontario, 9 %				
	1er juillet et 1er janvier, échéant le 1er janvier 20X9			**97 %**	
02-01	Acquisition de 80 obligations à 102,5	80	82 000,00		
09-01	Disposition de 30 obligations à 101,5	(30)	(30 750,00)		
		50	51 250,00	48 500,00	(2 750,00)

Tremblay et Fils
Grand livre auxiliaire des placements

Date	Description	Quantité	Coût	Valeur de marché	Plus-value (moins-value)
20X7				**20X7-12-31**	
	Actions ordinaires de Construction Nord			**3,60 $**	
10-01	Acquisition de 1 000 actions au coût de 3 250 $, y compris les frais de courtage de 2 %	1 000	3 250,00		
12-15	Fractionnement d'actions selon le ratio 1,5/1	500	0		
12-22	Disposition de 50 % des actions au prix unitaire de 2,50 $,				
	moins les frais de courtage de 125 $	(750)	(1 625,00)		
		750	1 625,00	2 700,00	1 075,00
	Actions ordinaires de Sports extrêmes			**12,80 $**	
11-18	Acquisition de 3 000 actions avec dividende au coût unitaire de 13,75 $,				
	plus les frais de courtage de 825 $	3 000	38 325,00	38 400,00	75,00
	Total des placements temporaires		**91 200,00**	**89 600,00**	**(1 600,00)**
	PLACEMENTS DE PORTEFEUILLE				
	Obligations d'Hydro-Montagnaise, 5 %				
	1er août et 1er février, échéant le 1er février 20Y0				
02-01	Acquisition de 40 obligations	40	38 916,39		
08-01	Amortissement de l'escompte		180,60		
10-01	Amortissement de l'escompte		60,20		
10-01	Disposition de 40 obligations	(40)	(39 157,19)		
		0	0		
	Obligations d'Hydro-Péribonka, 7 %				
	1er novembre et 1er mai, échéant le 1er mai 20Y0				
11-01	Acquisition de 50 obligations	50	51 144,99		
12-31	Amortissement de la prime		(76,33)		
		50	51 068,66	**50 985,00**	
	Actions ordinaires de Les Bleuets du lac				
03-01	Acquisition de 18 % des actions	1 080	5 300,00	**4 800,00**	
	Total des placements de portefeuille		**56 368,66**	**55 785,00**	
	PARTICIPATIONS DANS DES SATELLITES				
	Actions ordinaires d'Aquasports				
04-01	Acquisition de 21 % des actions	11 550	113 738,63		
05-01	Quote-part du dividende de 8 000 $		(1 680,00)		
12-31	Quote-part de la perte nette de 12 000 $		(1 890,00)		
		11 550	110 168,63		
	Total des participations dans des satellites		**110 168,63**		

Tremblay et Fils
État des résultats partiel
pour l'exercice terminé le 31 décembre 20X7

[...]		
Autres produits et autres charges		
Produit tiré de placements temporaires		
	$	
		$
Produit tiré de placements de portefeuille		
Produit tiré des participations dans des satellites		
Total des autres produits et autres charges		$
[...]		

Tremblay et Fils
Bilan partiel
au 31 décembre 20X7

ACTIF		
Actif à court terme		
[...]		
		$
[...]		
Placements à long terme		
	$	
Total des placements à long terme		$
[...]		

Fin de la mise en situation 3.9

Problèmes suggérés: 3.15 et 3.16.

Section 3.7 La comparaison des différents placements

Comment s'y retrouver avec tous ces placements ? Le tableau 3.3 en présente la comptabilisation selon leur type et la nature du titre.

Tableau 3.3 La comptabilisation des placements

Type	Placement	Nature du titre	Comptabilisation
Placements temporaires	Titres de créance : ■ obligations ■ certificats de placement garanti ■ dépôts à terme ■ bons du Trésor	Placements temporaires : ■ en obligations ■ en certificats de placement garanti ■ en dépôts à terme ■ en bons du Trésor	Coût d'acquisition et évaluation selon la méthode de la moindre valeur
	Titres de participation : ■ actions ordinaires ■ actions privilégiées	Placements temporaires en actions	Coût d'acquisition et évaluation selon la méthode de la moindre valeur
Placements à long terme[a]	Titres de créance : ■ obligations	Placements de portefeuille en obligations	Coût d'acquisition et méthode du coût non amorti
	Actions privilégiées (quel que soit le pourcentage de détention)	Placements de portefeuille en actions	Coût d'acquisition
	Actions ordinaires (détention de moins de 20 %)	Placements de portefeuille en actions	Coût d'acquisition
	Actions ordinaires (détention entre 20 % et 50 %)	Participations dans des sociétés satellites	Valeur de consolidation
	Actions ordinaires (détention de plus de 50 %)	Participations dans des filiales	Établissement d'états financiers consolidés
	Actions ordinaires détenues dans une coentreprise	Participations dans des coentreprises	Consolidation proportionnelle

a. Les placements en actions de sociétés fermées (sociétés non inscrites à la Bourse) sont généralement considérés comme des placements à long terme parce qu'ils ne respectent pas le critère de réalisation relativement rapide des placements à court terme.

Résumé

On distingue deux types de placements : les placements temporaires et les placements à long terme. On utilise un grand livre auxiliaire pour en faire le suivi.

Pour être considérés comme temporaires, les placements doivent présenter deux caractéristiques : ils peuvent être réalisés rapidement et l'entreprise qui les détient a l'intention de les convertir en espèces au cours du prochain exercice. Les placements temporaires regroupent des titres de créance et des titres de participation. Peu importe leur forme, les placements temporaires sont comptabilisés à leur coût d'acquisition et évalués selon la méthode de la moindre valeur. En fin d'exercice, on doit procéder à des écritures de régularisation relatives aux intérêts à recevoir et à l'évaluation de ces placements.

Pour comptabiliser les placements à long terme en obligations, il faut tenir compte de l'amortissement de la prime ou de l'escompte d'acquisition, selon la méthode de l'amortissement linéaire ou selon la méthode de l'intérêt réel. La comptabilisation des participations dans des sociétés satellites exige de tenir compte de la quote-part des résultats et du dividende déclaré par la société émettrice. On n'évalue pas les placements à long terme selon la règle de la moindre valeur puisqu'ils ont une échéance lointaine.

Dans les états financiers, on présente les placements temporaires dans l'actif à court terme selon la règle de la moindre valeur, soit au moindre du coût d'acquisition ou de la valeur de marché. Il faut indiquer, dans une note complémentaire, la base d'évaluation de ces placements et mentionner les deux valeurs. Quant aux placements à long terme, on les présente dans une section distincte du bilan, en séparant les placements de portefeuille des participations dans des sociétés satellites. Il faut préciser la base d'évaluation de chaque placement. Dans le cas des titres négociables, on doit indiquer la valeur boursière et la valeur comptable.

Problèmes

Problème 3.1 La comptabilisation des opérations relatives aux placements temporaires en obligations et la préparation du grand livre auxiliaire des placements temporaires

Voici les opérations relatives aux placements temporaires en obligations de la société Cimec pour l'exercice financier terminé le 31 décembre 20X7.

Date	Opération
20X7	
01-31	Acquisition de 10 obligations de 1 000 $ chacune à 8 % de la société Transcan au coût de 10 500 $. Les intérêts sont payables le 31 janvier et le 31 juillet de chaque année. L'échéance de ces obligations est le 31 janvier 20Y0.
03-01	Acquisition de 60 obligations de 1 000 $ chacune de la société Proquéb à 102 plus les intérêts courus. Chaque obligation offre un taux d'intérêt nominal de 8,5 %, payable semestriellement le 1er janvier et le 1er juillet. L'échéance de ces obligations est le 1er janvier 20X9.
07-01	Encaissement des intérêts semestriels sur les obligations de la société Proquéb.
07-31	Encaissement des intérêts semestriels sur les obligations de la société Transcan.
09-01	Vente du tiers des obligations de la société Proquéb à 101,5 plus les intérêts courus.

Travail à faire

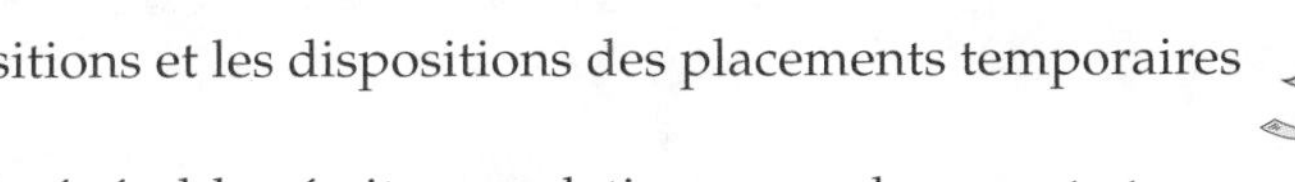

a) Illustrez les acquisitions et les dispositions des placements temporaires en obligations.

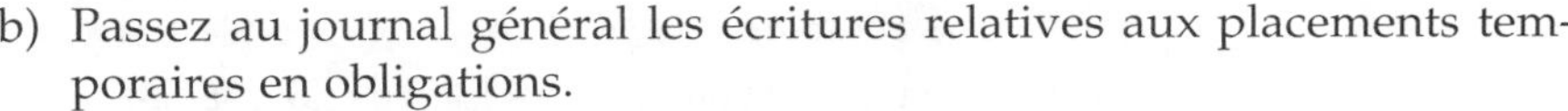

b) Passez au journal général les écritures relatives aux placements temporaires en obligations.

c) Effectuez le suivi au grand livre auxiliaire des placements temporaires.

Problème 3.2 La comptabilisation des opérations relatives aux placements temporaires en obligations et la préparation du grand livre auxiliaire des placements temporaires

Voici les opérations relatives aux placements temporaires en obligations de la société Exploratech pour l'exercice terminé le 31 décembre 20X7.

Date	Opération
20X7	
02-01	Acquisition de 50 obligations de 1 000 $ de la société Comtech à 99,5 plus les intérêts courus. Chaque obligation offre un taux d'intérêt nominal de 7,5 %, payable semestriellement le 1er septembre et le 1er mars de chaque année. L'échéance est le 1er septembre 20X8.
03-01	Encaissement des intérêts semestriels sur les obligations de la société Comtech.
06-30	Acquisition de 40 obligations de 1 000 $ à 7 % de la société Gercom au coût de 39 200 $, y compris les intérêts courus. Les intérêts sont payables le 31 août et le 28 février de chaque année. L'échéance de ces obligations est le 31 août 20Y1.
08-01	Vente de 10 obligations de la société Comtech à 102,5 plus les intérêts courus.
08-31	Encaissement des intérêts semestriels sur les obligations de la société Gercom.
09-01	Encaissement des intérêts semestriels sur les obligations de la société Comtech.
10-01	Vente de la moitié des obligations de la société Gercom à 104,2 plus les intérêts courus.

Travail à faire

a) Illustrez les acquisitions et les dispositions des placements temporaires en obligations.

b) Passez au journal général les écritures relatives aux placements temporaires en obligations.

c) Effectuez le suivi au grand livre auxiliaire des placements temporaires.

Problème 3.3 La comptabilisation des opérations relatives aux placements temporaires en actions et la préparation du grand livre auxiliaire des placements temporaires

Voici les opérations relatives aux placements temporaires en actions de la société Cimec pour l'exercice terminé le 31 décembre 20X7.

Date	Opération
20X7	
08-01	Achat de 3 000 actions ordinaires d'Informacom au coût de 5 400 $, plus les frais de courtage de 1 %.
09-15	Achat de 4 500 actions ordinaires de Saint-Félicien Sports au coût unitaire de 11,90 $, plus les frais de courtage de 481 $. Le 1er septembre, Saint-Félicien Sports a déclaré un dividende de 1 $ l'action payable le 30 courant aux actionnaires inscrits aux registres le 18 courant.

▶

Date	Opération
09-30	Déclaration de dividende par Informacom : dividende en actions de 10 % aux détenteurs d'actions ordinaires inscrits aux registres le 10 octobre.
10-15	Vente de la moitié des actions ordinaires d'Informacom au prix unitaire de 1,70 $, moins les frais de courtage de 1 %.
12-15	Fractionnement d'actions par Saint-Félicien Sports selon le ratio 2/1.

Travail à faire

a) Illustrez les acquisitions et les dispositions des placements temporaires en actions.

b) Passez au journal général les écritures relatives aux placements temporaires en actions.

c) Effectuez le suivi au grand livre auxiliaire des placements temporaires.

Problème 3.4 La comptabilisation des opérations relatives aux placements temporaires en actions et la préparation du grand livre auxiliaire des placements temporaires

Voici les opérations relatives aux placements temporaires en actions de la société Exploratech pour l'exercice terminé le 31 décembre 20X7.

Date	Opération
20X7	
08-10	Achat de 1 800 actions ordinaires de Navcab au coût unitaire de 4,50 $, plus les frais de courtage de 1 %. Le 25 juillet, Navcab a déclaré un dividende de 0,50 $ l'action aux actionnaires inscrits aux registres le 5 août, payable le 15 août.
09-01	Achat de 5 000 actions ordinaires de Maisondécor au coût de 11 000 $, y compris les frais de courtage de 150 $. Le 15 août, Maisondécor a déclaré un dividende de 0,25 $ l'action aux actionnaires inscrits aux registres le 5 septembre, payable le 15 septembre.
11-30	Fractionnement d'actions par Navcab selon le ratio 1,5/1.
12-15	Vente de 60 % des actions ordinaires de Navcab au prix unitaire de 2,90 $, moins les frais de courtage de 1 %.

Travail à faire

a) Illustrez les acquisitions et les dispositions des placements temporaires en actions.

b) Passez au journal général les écritures relatives aux placements temporaires en actions.

c) Effectuez le suivi au grand livre auxiliaire des placements temporaires.

Problème 3.5 Les régularisations de fin d'exercice

La société Cimec applique la méthode de la moindre valeur à l'ensemble de son portefeuille. Au 31 décembre 20X6, le compte provision pour moins-value sur placements temporaires avait un solde de 225 $. Voici le grand livre auxiliaire des placements temporaires de la société au 31 décembre 20X7.

Cimec
Grand livre auxiliaire des placements temporaires

Date	Description	Quantité	Coût	Valeur de marché	Plus-value (moins-value)
20X7				**20X7-12-31**	
	Obligations de Transcan, 8 %				
	31 janvier et 31 juillet, échéant le 31 janvier 20Y0			**102,95 %**	
01-31	Acquisition de 10 obligations à 105	10	10 500,00		
	Obligations de Proquéb, 8,5 %				
	1er janvier et 1er juillet, échéant le 1er janvier 20X9			**99,5 %**	
03-01	Acquisition de 60 obligations à 102	60	61 200,00		
09-01	Disposition de 20 obligations à 101,5	(20)	(20 400,00)		
		40	40 800,00		
	Actions ordinaires d'Informacom			**1,85 $**	
08-01	Acquisition de 3 000 actions	3 000	5 454,00		
09-30	Dividende en actions de 10 %	300	0		
10-15	Disposition de 50 % des actions	(1 650)	(2 727,00)		
		1 650	2 727,00		
	Actions ordinaires de Saint-Félicien Sports			**5,55 $**	
09-15	Acquisition de 4 500 actions avec dividende	4 500	49 531,00		
12-15	Fractionnement d'actions selon le ratio 2/1	4 500	0		
		9 000	49 531,00		
	Total		**103 558,00**		

Travail à faire

a) Complétez le grand livre auxiliaire des placements temporaires.

b) Effectuez les écritures de régularisation requises au 31 décembre 20X7.

c) Effectuez l'écriture de régularisation du compte provision pour moins-value sur placements temporaires au 31 décembre 20X8.

Remarque : Le coût d'acquisition et la valeur de marché des placements temporaires détenus par Cimec sont respectivement de 98 500 $ et de 98 325 $.

d) Refaites les écritures relatives à la provision pour moins-value sur placements temporaires au 31 décembre 20X7 et au 31 décembre 20X8 en supposant qu'on applique la règle de la moindre valeur sur une base individuelle.

Remarque : Sur cette base, les pertes totalisent 840 $ au 31 décembre 20X8.

Problème 3.6 Les régularisations de fin d'exercice

La société Exploratech applique la méthode de la moindre valeur à l'ensemble de son portefeuille. Au 31 décembre 20X6, le compte provision pour moins-value sur placements temporaires avait un solde de 480 $. Voici le grand livre auxiliaire des placements temporaires de la société au 31 décembre 20X7.

Exploratech
Grand livre auxiliaire des placements temporaires

Date	Description	Quantité	Coût	Valeur de marché	Plus-value (moins-value)
20X7				**20X7-12-31**	
	Obligations de Comtech, 7,5 %				
	1er septembre et 1er mars, échéant le 1er septembre 20X8			**100,8 %**	
02-01	Acquisition de 50 obligations à 99,5	50	49 750,00		
08-01	Disposition de 10 obligations à 102,5	(10)	(9 950,00)		
		40	39 800,00		
	Obligations de Gercom, 7 %				
	31 août et 28 février, échéant le 31 août 20Y1			**95 %**	
06-30	Acquisition de 40 obligations à 95,7	40	38 266,67		
10-01	Disposition de 20 obligations à 104,2	(20)	(19 133,34)		
		20	19 133,33		
	Actions ordinaires de Navcab			**2,40 $**	
08-10	Acquisition de 1 800 actions	1 800	8 181,00		
11-30	Fractionnement d'actions selon le ratio 1,5/1	900	0		
12-15	Disposition de 60 % des actions	(1 620)	(4 908,60)		
		1 080	3 272,40		
	Actions ordinaires de Maisondécor			**2,05 $**	
09-01	Acquisition de 5 000 actions avec dividende	5 000	9 750,00		
	Total		**71 955,73**		

Travail à faire

a) Complétez le grand livre auxiliaire des placements temporaires.

b) Effectuez les écritures de régularisation requises au 31 décembre 20X7.

c) Effectuez l'écriture de régularisation du compte provision pour moins-value sur placements temporaires au 31 décembre 20X8.

Remarque : Le coût d'acquisition et la valeur de marché des placements temporaires détenus par Exploratech sont respectivement de 65 600 $ et de 64 800 $.

d) Refaites les écritures relatives à la provision pour moins-value sur placements temporaires au 31 décembre 20X7 et au 31 décembre 20X8 en supposant qu'on applique la règle de la moindre valeur sur une base individuelle.

Remarque : Sur cette base, les pertes totalisent 1 225 $ au 31 décembre 20X8.

Problème 3.7

Synthèse : la comptabilisation et les régularisations des placements temporaires ainsi que la préparation du grand livre auxiliaire des placements temporaires

La société Tellcom a l'habitude d'investir ses excédents de liquidités dans des placements temporaires. Voici son portefeuille au 31 décembre 20X6.

Placement temporaire	Indice du coût d'achat	Indice de la valeur de marché
80 obligations de 1 000 $ du gouvernement du Canada, portant un intérêt de 9,5 % payable le 1er juillet et le 1er janvier, et échéant le 1er juillet 20X7.	97,250 %	96,750 %
100 obligations de 1 000 $ de Beaucas, portant un intérêt de 15 % payable le 1er février et le 1er août.	100,255 %	99,550 %
160 obligations de 1 000 $ de Rigole, portant un intérêt de 12 % payable le 1er mars et le 1er septembre.	93,600 %	84,500 %

Voici les opérations relatives aux placements temporaires de l'entreprise pour l'exercice terminé le 31 décembre 20X7.

Date	Opération
20X7	
01-01	Encaissement des intérêts semestriels sur les obligations du gouvernement du Canada.
02-01	Encaissement des intérêts semestriels sur les obligations de Beaucas.
02-10	Acquisition de 600 actions ordinaires de Bell Québec au coût unitaire de 26 $, plus les frais de courtage de 180 $.
03-01	Encaissement des intérêts semestriels sur les obligations de Rigole.
03-01	Déclaration d'un dividende de 4,60 $ l'action de Bell Québec aux actionnaires inscrits le 15 mars, payable le 31 mars.
03-15	Vente des obligations de Beaucas à 102,5 plus les intérêts courus.
04-24	Acquisition de 1 500 actions privilégiées d'Hydro-Ontario au coût unitaire de 52 $ (valeur nominale : 50 $), plus les frais de courtage de 220 $.
06-01	Déclaration par Hydro-Ontario d'un dividende semestriel de 5 % de la valeur nominale aux actionnaires inscrits le 15 juin, payable le 30 juin.
07-01	Encaissement des intérêts semestriels et du capital des obligations du gouvernement du Canada.
07-15	Acquisition de 500 obligations de 1 000 $ à 12 % de la Ville de Saguenay, à 96,5 plus les intérêts courus. Les intérêts sont payables le 15 mai et le 15 novembre. L'échéance est le 15 mai 20X8.
07-25	Acquisition de 400 actions ordinaires de Technologic au coût unitaire de 67 $, plus les frais de courtage de 248 $.
09-01	Encaissement des intérêts semestriels sur les obligations de Rigole.
09-07	Vente de 200 actions de Bell Québec au prix unitaire de 25 $, moins les frais de courtage de 80 $.
11-15	Encaissement des intérêts semestriels sur les obligations de la Ville de Saguenay.

Travail à faire

a) Pour chaque titre de placement, déterminez les éléments suivants: description, coût, valeur de marché et intérêts à recevoir au 31 décembre 20X6.

b) Précisez le solde du compte provision pour moins-value sur placements temporaires au 31 décembre 20X6, établi selon la méthode de la moindre valeur sur l'ensemble du portefeuille.

c) Inscrivez au journal général les opérations relatives aux placements temporaires de l'exercice.

d) Préparez le grand livre auxiliaire des placements temporaires.

e) Effectuez les écritures de régularisation nécessaires au 31 décembre 20X7.

f) Présentez tous les postes de la balance de vérification relatifs aux placements temporaires pour l'exercice terminé le 31 décembre 20X7.

g) En quoi vos réponses en b) et en e) seraient-elles différentes si Tellcom appliquait la règle de la moindre valeur sur une base individuelle?

h) Donnez les caractéristiques qu'un placement doit avoir pour être considéré comme temporaire.

Renseignements complémentaires

1. Au 31 décembre 20X7, les cours du marché s'établissent comme suit.

Titre	Cours
Obligations de Beaucas	101,000 %
Obligations de Rigole	82,500 %
Obligations de la Ville de Saguenay	97,125 %
Actions privilégiées d'Hydro-Ontario	50,00 $
Actions ordinaires de Bell Québec	24,25 $
Actions ordinaires de Technologic	69,00 $

2. Tellcom applique la règle de la moindre valeur sur l'ensemble de son portefeuille.

Problème 3.8

Synthèse: la comptabilisation et les régularisations des placements temporaires ainsi que la préparation du grand livre auxiliaire des placements temporaires

La société Samcom investit ses surplus de liquidités dans différents placements temporaires. Voici les opérations relatives aux placements temporaires de la société pour les exercices terminés le 30 novembre 20X6 et le 30 novembre 20X7.

Date	Opération
20X6	
02-01	Acquisition de 10 obligations de 1 000 $ à 13 % (y compris les intérêts courus) de la Ville de Montréal au coût unitaire de 1 030 $. Les intérêts sont payables le 30 juin et le 31 décembre. L'échéance est le 30 juin 20X9.
05-15	Acquisition de 100 actions ordinaires de Techmat au coût unitaire de 110 $.

Date	Opération
09-30	Acquisition de 10 obligations de 1 000 $ à 120 (y compris les intérêts courus) de la Ville de Québec et de 60 actions ordinaires de Motosports au coût de 3 100 $. Les obligations portent intérêt à 12 % ; les intérêts sont payables le 1er mars et le 1er septembre ; l'échéance est le 1er mars 20X8.
11-01	Samcom accepte 50 actions de Techmat en règlement du compte de 5 000 $ d'un de ses clients.
11-15	Motosports procède à un fractionnement d'actions selon le ratio 2/1.
11-30	Fin de l'exercice de l'exercice financier.
12-01	Vente de 5 obligations de la Ville de Montréal à un prix de 5 800 $, y compris les intérêts courus.
12-31	Techmat déclare un dividende en actions de 10 % aux détenteurs d'actions ordinaires inscrits aux registres le 15 décembre.
20X7	
02-28	Vente de 40 actions de Techmat au prix total de 4 000 $.
06-20	Acquisition de 20 actions de Motosports au coût de 1 100 $.
08-31	Vente de 10 actions de Motosports au prix total de 540 $.

Travail à faire

a) Inscrivez au journal général les opérations relatives aux placements temporaires, passez les écritures de régularisation et effectuez le suivi au grand livre auxiliaire des placements temporaires pour l'exercice terminé le 30 novembre 20X6.

b) Présentez tous les postes de la balance de vérification relatifs aux placements temporaires au 30 novembre 20X6.

c) Inscrivez au journal général les opérations relatives aux placements temporaires, passez les écritures de régularisation et effectuez le suivi au grand livre auxiliaire des placements temporaires pour l'exercice terminé le 30 novembre 20X7.

d) Présentez tous les postes de la balance de vérification relatifs aux placements temporaires au 30 novembre 20X7.

e) En quoi vos réponses en a) et en c) seraient-elles différentes si Samcom appliquait la règle de la moindre valeur sur l'ensemble du portefeuille ?

Renseignements complémentaires

1. Des frais de courtage de 2 % doivent être ajoutés au coût d'acquisition des actions. À la vente d'actions ou d'obligations, on établit le prix de vente en incluant les frais de courtage.
2. Voici les cours du marché à la fin de chaque exercice.

Titre	Cours	
	Au 30 novembre 20X6	Au 30 novembre 20X7
Obligations de la Ville de Montréal	99 %	100 %
Obligations de la Ville de Québec	124 %	115 %
Actions ordinaires de Techmat	105 $	98 $
Actions ordinaires de Motosports	28 $	32 $

3. Samcom applique la règle de la moindre valeur sur une base individuelle.

Problème 3.9 La comptabilisation des placements à long terme en obligations et l'amortissement de la prime d'acquisition

Le 1er avril 20X7, selon sa stratégie de placements à long terme, la société Cimec acquiert 100 obligations de la Ville de Sherbrooke, d'une valeur nominale de 1 000 $ chacune. Les obligations offrent un taux d'intérêt nominal de 9 %. Les intérêts sont payables semestriellement le 1er octobre et le 1er avril, et les obligations viennent à échéance le 1er octobre 20X9. Le taux d'intérêt du marché est de 8 %.

Travail à faire

a) Calculez le coût d'acquisition des obligations acquises par Cimec. Arrondissez au dollar près.

b) Sur le modèle du tableau ci-dessous, préparez le tableau d'amortissement de la prime d'acquisition déterminée en a) selon la méthode de l'amortissement linéaire.

Date	(1) Intérêts reçus	(2) Amortissement de la prime	(3) Produit d'intérêts	(4) Prime non amortie	(5) Valeur comptable des obligations	(6) Taux de rendement

c) Inscrivez au journal général les opérations relatives au placement en obligations de Cimec pour l'exercice se terminant le 31 décembre 20X7 et passez l'écriture de réouverture le 1er janvier 20X8 selon la méthode de l'amortissement linéaire.

d) Sur le modèle du tableau ci-dessous, préparez le tableau d'amortissement de la prime d'acquisition déterminée en a) selon la méthode de l'intérêt réel.

Date	(1) Intérêts reçus	(2) Produit d'intérêts	(3) Amortissement de la prime	(4) Prime non amortie	(5) Valeur comptable des obligations	(6) Taux de rendement

e) Inscrivez au journal général les opérations relatives au placement en obligations de Cimec pour l'exercice se terminant le 31 décembre 20X7 et passez l'écriture de réouverture le 1er janvier 20X8 selon la méthode de l'intérêt réel.

f) Déterminez le montant du placement de portefeuille en obligations ainsi que le produit d'intérêts aux états financiers de Cimec pour l'exercice se terminant le 31 décembre 20X7 selon chacune des méthodes d'amortissement.

g) Enregistrez la vente de 25 obligations à 101,5 effectuée le 1er août 20X8 selon la méthode de l'amortissement linéaire.

h) Enregistrez la vente de 25 obligations à 101,5 effectuée le 1er août 20X8 selon la méthode de l'intérêt réel.

Problème 3.10 La comptabilisation des placements à long terme en obligations et l'amortissement de l'escompte d'acquisition

Le 1er mars 20X7, selon sa stratégie de placements à long terme, la société Exploratech acquiert 200 obligations de la société Pétro-Québec, d'une valeur nominale de 1 000 $ chacune. Les obligations offrent un taux d'intérêt nominal de 7 %. Les intérêts sont payables semestriellement le 1er mars et le 1er septembre, et les obligations viennent à échéance le 1er mars 20Y0. Le taux d'intérêt du marché est de 8 %.

Travail à faire

a) Calculez le coût d'acquisition des obligations acquises par Exploratech. Arrondissez au dollar près.

b) Sur le modèle du tableau ci-dessous, préparez le tableau d'amortissement de l'escompte d'acquisition déterminé en a) selon la méthode de l'amortissement linéaire.

Date	(1) Intérêts reçus	(2) Amortissement de l'escompte	(3) Produit d'intérêts	(4) Escompte non amorti	(5) Valeur comptable des obligations	(6) Taux de rendement

c) Inscrivez au journal général les opérations relatives au placement en obligations d'Exploratech pour l'exercice se terminant le 31 décembre 20X7 et passez l'écriture de réouverture le 1er janvier 20X8 selon la méthode de l'amortissement linéaire.

d) Sur le modèle du tableau ci-dessous, préparez le tableau d'amortissement de l'escompte d'acquisition déterminé en a) selon la méthode de l'intérêt réel.

Date	(1) Intérêts reçus	(3) Produit d'intérêts	(2) Amortissement de l'escompte	(4) Escompte non amorti	(5) Valeur comptable des obligations	(6) Taux de rendement

e) Inscrivez au journal général les opérations relatives au placement en obligations d'Exploratech pour l'exercice se terminant le 31 décembre 20X7 et passez l'écriture de réouverture le 1er janvier 20X8 selon la méthode de l'intérêt réel.

f) Déterminez le montant du placement de portefeuille en obligations ainsi que le produit d'intérêts aux états financiers d'Exploratech pour l'exercice se terminant le 31 décembre 20X7 selon chacune des méthodes d'amortissement.

g) Enregistrez la vente de 100 obligations à 97 effectuée le 1er août 20X8 selon la méthode de l'amortissement linéaire.

h) Enregistrez la vente de 100 obligations à 97 effectuée le 1er août 20X8 selon la méthode de l'intérêt réel.

Problème 3.11 La comptabilisation des opérations portant sur les placements à long terme en actions

Voici les opérations relatives aux placements à long terme en actions de la société Cimec pour l'exercice terminé le 31 décembre 20X7.

Date	Opération
20X7	
04-15	Achat de 9 680 actions ordinaires de Remco au coût unitaire de 5,60 $, plus les frais de courtage de 1 %. Remco a 44 000 actions ordinaires en circulation.
06-01	Achat de 10 % des 15 000 actions ordinaires en circulation de Sirex au coût de 6 375 $, plus les frais de courtage de 1 %.
09-30	Déclaration par Remco d'un dividende de 10 000 $ aux détenteurs d'actions ordinaires inscrits aux registres le 10 octobre, payable le 20 octobre.
12-31	Déclaration par Remco d'un bénéfice net de 80 000 $ pour l'exercice financier terminé à cette date.

Travail à faire

Passez au journal général les écritures requises.

Problème 3.12 La comptabilisation des opérations portant sur les placements à long terme en actions

Voici les opérations relatives aux placements à long terme en actions de la société Exploratech pour l'exercice terminé le 31 décembre 20X7.

Date	Opération
20X7	
05-20	Achat de 1 500 actions ordinaires de Corex au coût de 5 500 $, y compris les frais de courtage de 500 $. Corex a 10 000 actions ordinaires en circulation.
06-15	Achat de 11 000 des 50 000 actions ordinaires de Plancto au coût unitaire de 8,70 $, plus les frais de courtage de 950 $.
10-31	Déclaration par Plancto d'un dividende de 15 000 $ aux détenteurs d'actions ordinaires inscrits aux registres le 10 novembre, payable le 20 novembre.
31-12	Déclaration par Plancto d'une perte nette de 42 000 $ pour l'exercice financier terminé à cette date.

Travail à faire

Passez au journal général les écritures requises.

Problème 3.13 Synthèse : la comptabilisation des opérations portant sur les placements à long terme

Voici les opérations relatives aux placements à long terme de la société Ultrason pour l'exercice terminé le 31 décembre 20X7.

Date	Opération
20X7	
02-01	Achat de 500 actions privilégiées de la société Fournicom au coût unitaire de 20 $, ainsi que de 5 000 des 15 000 actions ordinaires de cette même société au coût unitaire de 28 $. Les frais de courtage sont de 1 % du coût de la transaction.
03-15	Achat de 400 actions ordinaires de Telltech au coût unitaire de 20 $, plus les frais de courtage de 200 $.
03-15	Achat de 1 000 actions privilégiées de Cablo au coût unitaire de 5 $, plus les frais de courtage de 75 $.
04-01	Déclaration d'un dividende de 0,15 $ l'action ordinaire de Fournicom aux actionnaires inscrits le 15 avril, payable le 30 avril.
04-30	Achat à 95 de 100 obligations de la Ville de Trois-Rivières d'une valeur nominale de 1 000 $ chacune. Les obligations offrent un taux d'intérêt nominal de 10 %, payable semestriellement le 30 juin et le 31 décembre. L'échéance des obligations est le 30 juin 20Y1. Le taux du marché est de 11,5 %.

Date	Opération
07-15	Achat de 500 actions ordinaires de Telltech au coût unitaire de 24 $, plus les frais de courtage de 250 $.
09-01	Vente de 100 actions ordinaires de Telltech au prix unitaire de 22,50 $, moins les frais de courtage de 200 $.
12-31	Déclaration par Fournicom d'un bénéfice net de 80 000 $ pour l'exercice financier terminé à cette date.

Travail à faire

a) Passez au journal général les écritures requises.

b) Présentez tous les postes de la balance de vérification relatifs aux placements à long terme pour l'exercice terminé le 31 décembre 20X7.

c) En quoi vos réponses en a) seraient-elles différentes si la politique d'Ultrason était d'amortir la prime ou l'escompte sur obligations selon la méthode de l'intérêt réel?

Renseignement complémentaire

Ultrason a pour politique d'amortir la prime ou l'escompte sur obligations selon la méthode de l'amortissement linéaire.

Problème 3.14 Synthèse : la comptabilisation des opérations portant sur les placements à long terme

Voici les opérations relatives aux placements à long terme de la société Pleingaz pour l'exercice 20X7.

Date	Opération
20X7	
01-01	Achat à 108,588 de 200 obligations de Sirex d'une valeur nominale de 1 000 $ chacune. Les obligations offrent un taux d'intérêt nominal de 12 %, payable semestriellement le 1er avril et le 1er octobre. L'échéance des obligations est le 1er octobre 20Y2. Le taux du marché est de 10 %.
04-15	Achat de 25 % des 200 000 actions ordinaires de Bolac au coût total de 350 000 $, plus les frais de courtage de 900 $.
08-01	Déclaration par Bolac d'un dividende de 0,75 $ l'action aux actionnaires inscrits le 10 août, payable le 20 août.
12-31	Déclaration par Bolac d'un bénéfice net de 28 000 $ pour son exercice financier terminé à cette date.

Travail à faire

a) Passez au journal général les écritures requises.

b) Présentez tous les postes de la balance de vérification relatifs aux placements à long terme pour l'exercice terminé le 31 décembre 20X7.

c) Expliquez pourquoi, au 31 décembre 20X7, vous n'avez constaté ni la diminution de la valeur des obligations de Sirex et des actions de Bolac ni l'augmentation de la valeur des actions de Bercail.

Renseignements complémentaires

1. À la fin de l'exercice terminé le 31 décembre 20X7, les cours du marché s'établissent comme suit.

Titre	Cours
Obligations de Sirex	212 000 $
Actions ordinaires de Bolac	315 000 $

2. Pleingaz utilise la méthode de l'intérêt réel pour amortir les primes et les escomptes sur les placements en obligations. Par ailleurs, la société applique la règle de la moindre valeur sur une base individuelle.

Problème 3.15 La présentation des placements dans les états financiers

Travail à faire

À l'aide de la balance de vérification partielle après régularisations et des grands livres auxiliaires des placements de la société Cimec au 31 décembre 20X7, dressez l'état des résultats partiel pour l'exercice terminé le 31 décembre 20X7 et le bilan partiel à la date de fin d'exercice.

Cimec
Balance de vérification partielle après régularisations
au 31 décembre 20X7

	Débit	Crédit
[...]		
Intérêts à recevoir	4 283,33 $	
[...]		
Moins-value sur placements temporaires	235,50	
Produit d'intérêts sur les placements temporaires		4 416,66 $
Gains et pertes sur la vente de placements temporaires	50,05	
Produit d'intérêts sur les placements de portefeuille		6 082,20
Produits de placements – quote-part des bénéfices et des pertes de sociétés satellites		12 466,67
[...]		

Cimec
Grand livre auxiliaire des placements temporaires au 31 décembre 20X7

Date	Description	Quantité	Coût	Valeur de marché	Plus-value (moins-value)
20X7				**20X7-12-31**	
	Obligations de Transcan, 8 %				
	31 janvier et 31 juillet, échéant le 31 janvier 20Y0			**102,95 %**	
01-31	Acquisition de 10 obligations à 105	10	10 500,00	10 295,00	(205,00)
	Obligations de Proquéb, 8,5 %				
	1er janvier et 1er juillet, échéant le 1er janvier 20X9			**99,5 %**	
03-01	Acquisition de 60 obligations à 102	60	61 200,00		
09-01	Disposition de 20 obligations à 101,5	(20)	(20 400,00)		
		40	40 800,00	39 800,00	(1 000,00)
	Actions ordinaires d'Informacom			**1,85 $**	
08-01	Acquisition de 3 000 actions	3 000	5 454,00		
09-30	Dividende en actions de 10 %	300	0		
10-15	Disposition de 50 % des actions	(1 650)	(2 727,00)		
		1 650	2 727,00	3 052,50	325,50
	Actions ordinaires de Saint-Félicien Sports			**5,55 $**	
09-15	Acquisition de 4 500 actions avec dividende	4 500	49 531,00		
12-15	Fractionnement d'actions selon le ratio 2/1	4 500	0		
		9 000	49 531,00	49 950,00	419,00
	Total des placements temporaires		**103 558,00**	**103 097,50**	**(460,50)**

Cimec
Grand livre auxiliaire des placements à long terme au 31 décembre 20X7

Date	Description	Quantité	Coût	Valeur de marché	Plus-value (moins-value)
20X7				**20X7-12-31**	
	PLACEMENTS DE PORTEFEUILLE				
	Obligations de la Ville de Sherbrooke, 9 %				
	1er octobre et 1er avril, échéant le 1er octobre 20X9				
04-01	Acquisition de 100 obligations	100	102 226,00		
10-01	Amortissement de la prime		(445,20)		
12-31	Amortissement de la prime		(222,60)		
		100	101 558,20	100 998,00	

►

Cimec
Grand livre auxiliaire des placements à long terme au 31 décembre 20X7

Date	Description	Quantité	Coût	Valeur de marché	Plus-value (moins-value)
20X7				**20X7-12-31**	
	Actions ordinaires de Sirex				
06-01	Acquisition de 10 % des actions	1 500	6 438,75	6 300,00	
	Total des placements de portefeuille		**107 996,95**	**107 298,00**	
	PARTICIPATIONS DANS DES SATELLITES				
	Actions ordinaires de Remco				
04-15	Acquisition de 22 % des actions	9 680	54 750,08		
09-30	Quote-part du dividende de 10 000 $		(2 200,00)		
12-31	Quote-part du bénéfice net de 80 000 $		12 466,67		
		9 680	65 016,75	68 900,00	
	Total des participations dans des satellites		**65 016,75**	**68 900,00**	

Problème 3.16 La présentation des placements dans les états financiers

Travail à faire

À l'aide de la balance de vérification partielle après régularisations et du grand livre auxiliaire des placements de la société Exploratech au 31 décembre 20X7, dressez l'état des résultats partiel pour l'exercice terminé le 31 décembre 20X7 et le bilan partiel à la date de fin d'exercice.

Exploratech
Balance de vérification partielle après régularisations
au 31 décembre 20X7

[...]	Débit	Crédit
Intérêts à recevoir	6 133,34 $	
[...]		
Produit d'intérêts sur les placements temporaires		4 175,01 $
Gains et pertes sur la vente de placements temporaires		1 749,08
Récupération de la moins-value sur placements temporaires		480,00
Produit d'intérêts sur les placements de portefeuille		13 123,06
Produit de placements – quote-part des bénéfices et des pertes des sociétés satellites	5 005,00	
[...]		

Exploratech
Grand livre auxiliaire des placements au 31 décembre 20X7

Date	Description	Quantité	Coût	Valeur de marché	Plus-value (moins-value)
20X7				20X7-12-31	
	PLACEMENTS TEMPORAIRES				
	Obligations de Comtech, 7,5 %				
	1er septembre et 1er mars, échéant le 1er septembre 20X8			**100,8 %**	
02-01	Acquisition de 50 obligations à 99,5	50	49 750,00		
08-01	Disposition de 10 obligations à 102,5	(10)	(9 950,00)		
		40	39 800,00	40 320,00	520,00
	Obligations de Gercom, 7 %				
	31 août et 28 février, échéant le 31 août 20Y1			**95 %**	
06-30	Acquisition de 40 obligations à 95,7	40	38 266,67		
10-01	Disposition de 20 obligations à 104,2	(20)	(19 133,34)		
		20	19 133,33	19 000,00	(133,33)
	Actions ordinaires de Navcab			**2,40 $**	
08-10	Acquisition de 1 800 actions	1 800	8 181,00		
11-30	Fractionnement d'actions selon le ratio 1,5/1	900	0		
12-15	Disposition de 60 % des actions	(1 620)	(4 908,60)		
		1 080	3 272,40	2 592,00	(680,40)
	Actions ordinaires de Maisondécor			**2,05 $**	
09-01	Acquisition de 5 000 actions avec dividende	5 000	9 750,00	10 250,00	500,00
	Total des placements temporaires		**71 955,73**	**72 162,00**	**206,27**
	PLACEMENTS DE PORTEFEUILLE				
	Obligations de Pétro-Québec, 7 %				
	1er mars et 1er septembre, échéant le 1er mars 20Y0				
03-01	Acquisition de 200 obligations	200	194 757,00		
09-01	Amortissement de l'escompte		873,83		
12-31	Régularisation de l'escompte		582,56		
		200	196 213,39	196 800,00	
	Actions ordinaires de Corex				
05-20	Acquisition de 15 % des actions	1 500	5 500,00	5 750,00	
	Total des placements de portefeuille		**201 713,39**	**202 550,00**	

►

Exploratech
Grand livre auxiliaire des placements au 31 décembre 20X7

Date	Description	Quantité	Coût	Valeur de marché	Plus-value (moins-value)
20X7				**20X7-12-31**	
	PARTICIPATIONS DANS DES SATELLITES				
	Actions ordinaires de Plancto				
06-15	Acquisition de 22 % des actions	11 000	96 650,00		
10-31	Quote-part du dividende de 15 000 $		(3 300,00)		
12-31	Quote-part de la perte nette de 42 000 $		(5 005,00)		
		11 000	88 345,00	85 400,00	
	Total des participations dans des satellites		**88 345,00**	**85 400,00**	

Annexe 3.1 La table des valeurs actualisées de 1 $ reçu à la fin de *n* périodes

Table 1 — Valeurs actualisées de 1 $ reçu à la fin de *n* périodes

$$\frac{1}{(1+i)^n} = (1+i)^{-n}$$

(*n*) périodes	0,50 %	1,00 %	1,50 %	2,00 %	2,50 %	3,00 %	3,50 %	4,00 %	4,50 %
1	0,99502	0,99010	0,98522	0,98039	0,97561	0,97087	0,96618	0,96154	0,95694
2	0,99007	0,98030	0,97066	0,96117	0,95181	0,94260	0,93351	0,92456	0,91573
3	0,98515	0,97059	0,95632	0,94232	0,92860	0,91514	0,90194	0,88900	0,87630
4	0,98025	0,96098	0,94218	0,92385	0,90595	0,88849	0,87144	0,85480	0,83856
5	0,97537	0,95147	0,92826	0,90573	0,88385	0,86261	0,84197	0,82193	0,80245
6	0,97052	0,94205	0,91454	0,88797	0,86230	0,83748	0,81350	0,79031	0,76790
7	0,96569	0,93272	0,90103	0,87056	0,84127	0,81309	0,78599	0,75992	0,73483
8	0,96089	0,92348	0,88771	0,85349	0,82075	0,78941	0,75941	0,73069	0,70319
9	0,95610	0,91434	0,87459	0,83676	0,80073	0,76642	0,73373	0,70259	0,67290
10	0,95135	0,90529	0,86167	0,82035	0,78120	0,74409	0,70892	0,67556	0,64393
11	0,94661	0,89632	0,84893	0,80426	0,76214	0,72242	0,68495	0,64958	0,61620
12	0,94191	0,88745	0,83639	0,78849	0,74356	0,70138	0,66178	0,62460	0,58966
13	0,93722	0,87866	0,82403	0,77303	0,72542	0,68095	0,63940	0,60057	0,56427
14	0,93256	0,86996	0,81185	0,75788	0,70773	0,66112	0,61778	0,57748	0,53997
15	0,92792	0,86135	0,79985	0,74301	0,69047	0,64186	0,59689	0,55526	0,51672
16	0,92330	0,85282	0,78803	0,72845	0,67362	0,62317	0,57671	0,53391	0,49447
17	0,91871	0,84438	0,77639	0,71416	0,65720	0,60502	0,55720	0,51337	0,47318
18	0,91414	0,83602	0,76491	0,70016	0,64117	0,58739	0,53836	0,49363	0,45280
19	0,90959	0,82774	0,75361	0,68643	0,62553	0,57029	0,52016	0,47464	0,43330
20	0,90506	0,81954	0,74247	0,67297	0,61027	0,55368	0,50257	0,45639	0,41464
21	0,90056	0,81143	0,73150	0,65978	0,59539	0,53755	0,48557	0,43883	0,39679
22	0,89608	0,80340	0,72069	0,64684	0,58086	0,52189	0,46915	0,42196	0,37970
23	0,89162	0,79544	0,71004	0,63416	0,56670	0,50669	0,45329	0,40573	0,36335
24	0,88719	0,78757	0,69954	0,62172	0,55288	0,49193	0,43796	0,39012	0,34770
25	0,88277	0,77977	0,68921	0,60953	0,53939	0,47761	0,42315	0,37512	0,33273
26	0,87838	0,77205	0,67902	0,59758	0,52623	0,46369	0,40884	0,36069	0,31840
27	0,87401	0,76440	0,66899	0,58586	0,51340	0,45019	0,39501	0,34682	0,30469
28	0,86966	0,75684	0,65910	0,57437	0,50088	0,43708	0,38165	0,33348	0,29157
29	0,86533	0,74934	0,64936	0,56311	0,48866	0,42435	0,36875	0,32065	0,27902
30	0,86103	0,74192	0,63976	0,55207	0,47674	0,41199	0,35628	0,30832	0,26700
31	0,85675	0,73458	0,63031	0,54125	0,46511	0,39999	0,34423	0,29646	0,25550
32	0,85248	0,72730	0,62099	0,53063	0,45377	0,38834	0,33259	0,28506	0,24450
33	0,84824	0,72010	0,61182	0,52023	0,44270	0,37703	0,32134	0,27409	0,23397
34	0,84402	0,71297	0,60277	0,51003	0,43191	0,36604	0,31048	0,26355	0,22390
35	0,83982	0,70591	0,59387	0,50003	0,42137	0,35538	0,29998	0,25342	0,21425
36	0,83564	0,69892	0,58509	0,49022	0,41109	0,34503	0,28983	0,24367	0,20503
37	0,83149	0,69200	0,57644	0,48061	0,40107	0,33498	0,28003	0,23430	0,19620
38	0,82735	0,68515	0,56792	0,47119	0,39128	0,32523	0,27056	0,22529	0,18775
39	0,82323	0,67837	0,55953	0,46195	0,38174	0,31575	0,26141	0,21662	0,17967
40	0,81914	0,67165	0,55126	0,45289	0,37243	0,30656	0,25257	0,20829	0,17193

Table 1 — Valeurs actualisées de 1 $ reçu à la fin de *n* périodes

$$\frac{1}{(1+i)^n} = (1+i)^{-n}$$

(*n*) périodes	5,00 %	5,50 %	6,00 %	7,00 %	8,00 %	9,00 %	10,00 %	12,00 %	15,00 %
1	0,95238	0,94787	0,94340	0,93458	0,92593	0,91743	0,90909	0,89286	0,86957
2	0,90703	0,89845	0,89000	0,87344	0,85734	0,84168	0,82645	0,79719	0,75614
3	0,86384	0,85161	0,83962	0,81630	0,79383	0,77218	0,75131	0,71178	0,65752
4	0,82270	0,80722	0,79209	0,76290	0,73503	0,70843	0,68301	0,63552	0,57175
5	0,78353	0,76513	0,74726	0,71299	0,68058	0,64993	0,62092	0,56743	0,49718
6	0,74622	0,72525	0,70496	0,66634	0,63017	0,59627	0,56447	0,50663	0,43233
7	0,71068	0,68744	0,66506	0,62275	0,58349	0,54703	0,51316	0,45235	0,37594
8	0,67684	0,65160	0,62741	0,58201	0,54027	0,50187	0,46651	0,40388	0,32690
9	0,64461	0,61763	0,59190	0,54393	0,50025	0,46043	0,42410	0,36061	0,28426
10	0,61391	0,58543	0,55839	0,50835	0,46319	0,42241	0,38554	0,32197	0,24718
11	0,58468	0,55491	0,52679	0,47509	0,42888	0,38753	0,35049	0,28748	0,21494
12	0,55684	0,52598	0,49697	0,44401	0,39711	0,35553	0,31863	0,25668	0,18691
13	0,53032	0,49856	0,46884	0,41496	0,36770	0,32618	0,28966	0,22917	0,16253
14	0,50507	0,47257	0,44230	0,38782	0,34046	0,29925	0,26333	0,20462	0,14133
15	0,48102	0,44793	0,41727	0,36245	0,31524	0,27454	0,23939	0,18270	0,12289
16	0,45811	0,42458	0,39365	0,33873	0,29189	0,25187	0,21763	0,16312	0,10686
17	0,43630	0,40245	0,37136	0,31657	0,27027	0,23107	0,19784	0,14564	0,09293
18	0,41552	0,38147	0,35034	0,29586	0,25025	0,21199	0,17986	0,13004	0,08081
19	0,39573	0,36158	0,33051	0,27651	0,23171	0,19449	0,16351	0,11611	0,07027
20	0,37689	0,34273	0,31180	0,25842	0,21455	0,17843	0,14864	0,10367	0,06110
21	0,35894	0,32486	0,29416	0,24151	0,19866	0,16370	0,13513	0,09256	0,05313
22	0,34185	0,30793	0,27751	0,22571	0,18394	0,15018	0,12285	0,08264	0,04620
23	0,32557	0,29187	0,26180	0,21095	0,17032	0,13778	0,11168	0,07379	0,04017
24	0,31007	0,27666	0,24698	0,19715	0,15770	0,12640	0,10153	0,06588	0,03493
25	0,29530	0,26223	0,23300	0,18425	0,14602	0,11597	0,09230	0,05882	0,03038
26	0,28124	0,24856	0,21981	0,17220	0,13520	0,10639	0,08391	0,05252	0,02642
27	0,26785	0,23560	0,20737	0,16093	0,12519	0,09761	0,07628	0,04689	0,02297
28	0,25509	0,22332	0,19563	0,15040	0,11591	0,08955	0,06934	0,04187	0,01997
29	0,24295	0,21168	0,18456	0,14056	0,10733	0,08215	0,06304	0,03738	0,01737
30	0,23138	0,20064	0,17411	0,13137	0,09938	0,07537	0,05731	0,03338	0,01510
31	0,22036	0,19018	0,16425	0,12277	0,09202	0,06915	0,05210	0,02980	0,01313
32	0,20987	0,18027	0,15496	0,11474	0,08520	0,06344	0,04736	0,02661	0,01142
33	0,19987	0,17087	0,14619	0,10723	0,07889	0,05820	0,04306	0,02376	0,00993
34	0,19035	0,16196	0,13791	0,10022	0,07305	0,05339	0,03914	0,02121	0,00864
35	0,18129	0,15352	0,13011	0,09366	0,06763	0,04899	0,03558	0,01894	0,00751
36	0,17266	0,14552	0,12274	0,08754	0,06262	0,04494	0,03235	0,01691	0,00653
37	0,16444	0,13793	0,11579	0,08181	0,05799	0,04123	0,02941	0,01510	0,00568
38	0,15661	0,13074	0,10924	0,07646	0,05369	0,03783	0,02673	0,01348	0,00494
39	0,14915	0,12392	0,10306	0,07146	0,04971	0,03470	0,02430	0,01204	0,00429
40	0,14205	0,11746	0,09722	0,06678	0,04603	0,03184	0,02209	0,01075	0,00373

Annexe 3.2 La table des valeurs actualisées de *n* versements périodiques de 1 $

Table 2 — Valeurs actualisées de *n* versements périodiques de 1 $

$$\frac{1-\frac{1}{(1+i)^n}}{i}=\frac{1-(1+i)^{-n}}{i}$$

(*n*) périodes	0,50 %	1,00 %	1,50 %	2,00 %	2,50 %	3,00 %	3,50 %	4,00 %	4,50 %
1	0,99502	0,99010	0,98522	0,98039	0,97561	0,97087	0,96618	0,96154	0,95694
2	1,98510	1,97040	1,95588	1,94156	1,92742	1,91347	1,89969	1,88609	1,87267
3	2,97025	2,94099	2,91220	2,88388	2,85602	2,82861	2,80164	2,77509	2,74896
4	3,95050	3,90197	3,85438	3,80773	3,76197	3,71710	3,67308	3,62990	3,58753
5	4,92587	4,85343	4,78264	4,71346	4,64583	4,57971	4,51505	4,45182	4,38998
6	5,89638	5,79548	5,69719	5,60143	5,50813	5,41719	5,32855	5,24214	5,15787
7	6,86207	6,72819	6,59821	6,47199	6,34939	6,23028	6,11454	6,00205	5,89270
8	7,82296	7,65168	7,48593	7,32548	7,17014	7,01969	6,87396	6,73274	6,59589
9	8,77906	8,56602	8,36052	8,16224	7,97087	7,78611	7,60769	7,43533	7,26879
10	9,73041	9,47130	9,22218	8,98259	8,75206	8,53020	8,31661	8,11090	7,91272
11	10,67703	10,36763	10,07112	9,78685	9,51421	9,25262	9,00155	8,76048	8,52892
12	11,61893	11,25508	10,90751	10,57534	10,25776	9,95400	9,66333	9,38507	9,11858
13	12,55615	12,13374	11,73153	11,34837	10,98318	10,63496	10,30274	9,98565	9,68285
14	13,48871	13,00370	12,54338	12,10625	11,69091	11,29607	10,92052	10,56312	10,22283
15	14,41662	13,86505	13,34323	12,84926	12,38138	11,93794	11,51741	11,11839	10,73955
16	15,33993	14,71787	14,13126	13,57771	13,05500	12,56110	12,09412	11,65230	11,23402
17	16,25863	15,56225	14,90765	14,29187	13,71220	13,16612	12,65132	12,16567	11,70719
18	17,17277	16,39827	15,67256	14,99203	14,35336	13,75351	13,18968	12,65930	12,15999
19	18,08236	17,22601	16,42617	15,67846	14,97889	14,32380	13,70984	13,13394	12,59329
20	18,98742	18,04555	17,16864	16,35143	15,58916	14,87747	14,21240	13,59033	13,00794
21	19,88798	18,85698	17,90014	17,01121	16,18455	15,41502	14,69797	14,02916	13,40472
22	20,78406	19,66038	18,62082	17,65805	16,76541	15,93692	15,16712	14,45112	13,78442
23	21,67568	20,45582	19,33086	18,29220	17,33211	16,44361	15,62041	14,85684	14,14777
24	22,56287	21,24339	20,03041	18,91393	17,88499	16,93554	16,05837	15,24696	14,49548
25	23,44564	22,02316	20,71961	19,52346	18,42438	17,41315	16,48151	15,62208	14,82821
26	24,32402	22,79520	21,39863	20,12104	18,95061	17,87684	16,89035	15,98277	15,14661
27	25,19803	23,55961	22,06762	20,70690	19,46401	18,32703	17,28536	16,32959	15,45130
28	26,06769	24,31644	22,72672	21,28127	19,96489	18,76411	17,66702	16,66306	15,74287
29	26,93302	25,06579	23,37608	21,84438	20,45355	19,18845	18,03577	16,98371	16,02189
30	27,79405	25,80771	24,01584	22,39646	20,93029	19,60044	18,39205	17,29203	16,28889
31	28,65080	26,54229	24,64615	22,93770	21,39541	20,00043	18,73628	17,58849	16,54439
32	29,50328	27,26959	25,26714	23,46833	21,84918	20,38877	19,06887	17,87355	16,78889
33	30,35153	27,98969	25,87895	23,98856	22,29188	20,76579	19,39021	18,14765	17,02286
34	31,19555	28,70267	26,48173	24,49859	22,72379	21,13184	19,70068	18,41120	17,24676
35	32,03537	29,40858	27,07559	24,99862	23,14516	21,48722	20,00066	18,66461	17,46101
36	32,87102	30,10751	27,66068	25,48884	23,55625	21,83225	20,29049	18,90828	17,66604
37	33,70250	30,79951	28,23713	25,96945	23,95732	22,16724	20,57053	19,14258	17,86224
38	34,52985	31,48466	28,80505	26,44064	24,34860	22,49246	20,84109	19,36786	18,04999
39	35,35309	32,16303	29,36458	26,90259	24,73034	22,80822	21,10250	19,58448	18,22966
40	36,17223	32,83469	29,91585	27,35548	25,10278	23,11477	21,35507	19,79277	18,40158

Table 2 — Valeurs actualisées de *n* versements périodiques de 1 $

$$\frac{1-\dfrac{1}{(1+i)^n}}{i}=\frac{1-(1+i)^{-n}}{i}$$

(*n*) périodes	5,00 %	5,50 %	6,00 %	7,00 %	8,00 %	9,00 %	10,00 %	12,00 %	15,00 %
1	0,95238	0,94787	0,94340	0,93458	0,92593	0,91743	0,90909	0,89286	0,86957
2	1,85941	1,84632	1,83339	1,80802	1,78326	1,75911	1,73554	1,69005	1,62571
3	2,72325	2,69793	2,67301	2,62432	2,57710	2,53129	2,48685	2,40183	2,28323
4	3,54595	3,50515	3,46511	3,38721	3,31213	3,23972	3,16987	3,03735	2,85498
5	4,32948	4,27028	4,21236	4,10020	3,99271	3,88965	3,79079	3,60478	3,35216
6	5,07569	4,99553	4,91732	4,76654	4,62288	4,48592	4,35526	4,11141	3,78448
7	5,78637	5,68297	5,58238	5,38929	5,20637	5,03295	4,86842	4,56376	4,16042
8	6,46321	6,33457	6,20979	5,97130	5,74664	5,53482	5,33493	4,96764	4,48732
9	7,10782	6,95220	6,80169	6,51523	6,24689	5,99525	5,75902	5,32825	4,77158
10	7,72173	7,53763	7,36009	7,02358	6,71008	6,41766	6,14457	5,65022	5,01877
11	8,30641	8,09254	7,88687	7,49867	7,13896	6,80519	6,49506	5,93770	5,23371
12	8,86325	8,61852	8,38384	7,94269	7,53608	7,16073	6,81369	6,19437	5,42062
13	9,39357	9,11708	8,85268	8,35765	7,90378	7,48690	7,10336	6,42355	5,58315
14	9,89864	9,58965	9,29498	8,74547	8,24424	7,78615	7,36669	6,62817	5,72448
15	10,37966	10,03758	9,71225	9,10791	8,55948	8,06069	7,60608	6,81086	5,84737
16	10,83777	10,46216	10,10590	9,44665	8,85137	8,31256	7,82371	6,97399	5,95423
17	11,27407	10,86461	10,47726	9,76322	9,12164	8,54363	8,02155	7,11963	6,04716
18	11,68959	11,24607	10,82760	10,05909	9,37189	8,75563	8,20141	7,24967	6,12797
19	12,08532	11,60765	11,15812	10,33560	9,60360	8,95011	8,36492	7,36578	6,19823
20	12,46221	11,95038	11,46992	10,59401	9,81815	9,12855	8,51356	7,46944	6,25933
21	12,82115	12,27524	11,76408	10,83553	10,01680	9,29224	8,64869	7,56200	6,31246
22	13,16300	12,58317	12,04158	11,06124	10,20074	9,44243	8,77154	7,64465	6,35866
23	13,48857	12,87504	12,30338	11,27219	10,37106	9,58021	8,88322	7,71843	6,39884
24	13,79864	13,15170	12,55036	11,46933	10,52876	9,70661	8,98474	7,78432	6,43377
25	14,09394	13,41393	12,78336	11,65358	10,67478	9,82258	9,07704	7,84314	6,46415
26	14,37519	13,66250	13,00317	11,82578	10,80998	9,92897	9,16095	7,89566	6,49056
27	14,64303	13,89810	13,21053	11,98671	10,93516	10,02658	9,23722	7,94255	6,51353
28	14,89813	14,12142	13,40616	12,13711	11,05108	10,11613	9,30657	7,98442	6,53351
29	15,14107	14,33310	13,59072	12,27767	11,15841	10,19828	9,36961	8,02181	6,55088
30	15,37245	14,53375	13,76483	12,40904	11,25778	10,27365	9,42691	8,05518	6,56598
31	15,59281	14,72393	13,92909	12,53181	11,34980	10,34280	9,47901	8,08499	6,57911
32	15,80268	14,90420	14,08404	12,64656	11,43500	10,40624	9,52638	8,11159	6,59053
33	16,00255	15,07507	14,23023	12,75379	11,51389	10,46444	9,56943	8,13535	6,60046
34	16,19290	15,23703	14,36814	12,85401	11,58693	10,51784	9,60857	8,15656	6,60910
35	16,37419	15,39055	14,49825	12,94767	11,65457	10,56682	9,64416	8,17550	6,61661
36	16,54685	15,53607	14,62099	13,03521	11,71719	10,61176	9,67651	8,19241	6,62314
37	16,71129	15,67400	14,73678	13,11702	11,77518	10,65299	9,70592	8,20751	6,62881
38	16,86789	15,80474	14,84602	13,19347	11,82887	10,69082	9,73265	8,22099	6,63375
39	17,01704	15,92866	14,94907	13,26493	11,87858	10,72552	9,75696	8,23303	6,63805
40	17,15909	16,04612	15,04630	13,33171	11,92461	10,75736	9,77905	8,24378	6,64178

CHAPITRE

Les immobilisations

4

Compétence :

Analyser et traiter les données du cycle comptable (01H8).

Éléments de compétence	Objectifs d'apprentissage
Recueillir et analyser l'information comptable.	■ Acquérir le vocabulaire en lien avec les immobilisations.
Enregistrer l'ensemble des opérations du cycle comptable.	■ Comptabiliser les transactions d'achat, d'échange et d'amélioration des immobilisations corporelles. ■ Utiliser le grand livre auxiliaire des immobilisations corporelles. ■ Comptabiliser les transactions d'acquisition de ressources naturelles et d'immobilisations incorporelles.
Régulariser les comptes.	■ Utiliser différentes méthodes d'amortissement des immobilisations corporelles. ■ Inscrire l'épuisement des ressources naturelles.
Produire le bilan, l'état des résultats et l'état des capitaux propres.	■ Présenter la section des immobilisations corporelles et les notes complémentaires qui l'accompagnent.

Section 4.1 Les immobilisations corporelles et incorporelles

Les immobilisations sont des actifs à long terme qui serviront à produire ou à vendre des biens ou des services, ou encore à entreprendre d'autres activités. Afin de les distinguer des autres éléments d'actif, le *Manuel de l'ICCA*[1] précise que les immobilisations doivent satisfaire à tous les critères suivants :

- Elles sont destinées à être utilisées dans le cadre de l'exploitation de l'entreprise (vente de produits ou de services, production, administration).
- Elles sont acquises, construites, conçues ou mises en valeur afin d'être utilisées de façon durable (en vertu du postulat de la continuité de l'exploitation).
- Elles ne sont pas destinées à être vendues dans le cours normal des affaires.

On peut classer les immobilisations en deux catégories : les immobilisations corporelles et les immobilisations incorporelles. Essentiellement, les immobilisations corporelles, comme leur nom l'indique, ont une existence tangible, tandis que les immobilisations incorporelles représentent plutôt des droits, comme le droit exclusif de fabriquer un produit donné.

Dans le présent chapitre, nous explorons les notions d'immobilisations corporelles et incorporelles, le calcul du coût d'acquisition, les méthodes d'amortissement, la révision des taux d'amortissement, les coûts engagés après la date d'acquisition et la disposition des immobilisations (vente, mise au rebut, mise hors service ou échange).

Section 4.2 Le coût d'acquisition des immobilisations corporelles

L'immobilisation corporelle est un élément d'actif dont la durée de vie est relativement longue, qui a une existence physique et que l'entreprise acquiert dans le but de la conserver et de l'utiliser dans son exploitation. À l'exception des terrains, qui ont une durée de vie, en principe, illimitée, les immobilisations corporelles ont une durée de vie limitée.

Lorsqu'elle acquiert une immobilisation, l'entreprise doit s'interroger sur la nature de son coût.

S'agit-il d'une charge, c'est-à-dire une **imputation aux résultats de l'exercice**, ou bien d'une **inscription à l'actif** (ou **capitalisation**) ?

IMPUTATION AUX RÉSULTATS DE L'EXERCICE
Action de porter dans les résultats de l'entité un élément à titre de produit ou de profit de l'exercice ou encore à titre de charge ou de perte de l'exercice.

INSCRIPTION À L'ACTIF (ou CAPITALISATION)
Action de porter une dépense au débit d'un compte d'actif plutôt qu'à un compte de résultat.

Pour répondre à cette question, il faut d'abord examiner la valeur du bien en question. Prenons l'exemple d'une entreprise qui acquiert des outils d'une valeur de 1 000 $. Doit-elle inscrire cette acquisition dans un compte d'actif ou la passer en charges immédiatement ? En vertu du **principe de l'importance relative** des postes et des montants, une petite entreprise pourrait fixer son seuil de capitalisation à 500 $ et une multinationale, à 5 000 $. Dans notre exemple, la petite entreprise inscrirait l'acquisition des outils dans un compte d'actif, tandis qu'une multinationale passerait l'acquisition en charges. Pour définir le seuil de capitalisation, il faut faire preuve de jugement.

1. Institut Canadien des Comptables Agréés, mars 2003, 3061.04.

Ensuite, il faut s'interroger sur les avantages futurs de cette dépense. En effet, en vertu du principe du rapprochement des produits et des charges, il faut répartir les coûts sur les exercices où ils procureront effectivement des avantages.

Enfin, le *Manuel de l'ICCA* précise les éléments à considérer dans le coût d'une immobilisation corporelle :

> Le coût d'une immobilisation corporelle comprend le prix d'achat et les autres coûts d'acquisition tels que le prix de levée d'un droit d'option, les frais de courtage, les frais d'installation, y compris les frais de conception et les honoraires des architectes et des ingénieurs, les frais juridiques, les frais d'arpentage, les frais d'assainissement et d'aménagement d'un terrain, les frais de transport, les frais d'assurance transport, les droits de douane et autres droits, ainsi que les frais d'essai et de préparation. [...] Il peut être approprié de regrouper les immobilisations corporelles qui, prises individuellement, seraient négligeables[2].

Au fil des démonstrations, nous comptabiliserons les opérations relatives aux immobilisations de l'entreprise RJ.

4.2.1 L'acquisition de plusieurs actifs à un coût global

VALEUR D'EXPERTISE
Valeur découlant de la réévaluation par un expert d'éléments de l'actif ou du passif.

Lorsqu'une entreprise acquiert des actifs à un coût global, elle doit calculer la valeur à inscrire pour chaque actif. En établissant la proportion en fonction de la **valeur d'expertise**, c'est-à-dire l'évaluation qu'en ferait un expert, on détermine la valeur qu'il faut attribuer à chaque actif.

Démonstration 4.1

L'attribution du coût d'acquisition de plusieurs actifs achetés à un coût global

Le 15 janvier 20X7, l'entreprise RJ acquiert un terrain et un bâtiment au coût global de 500 000 $ plus taxes. Le rapport de l'évaluation municipale indique que le terrain est évalué à 150 000 $ et le bâtiment, à 300 000 $.

Travail à faire

a) Calculez la valeur à attribuer à chaque actif.

b) Passez au journal général l'écriture requise.

a)

	Évaluation	Proportion	Coût à attribuer
Bâtiment	300 000 $	$\frac{300\ 000\ \$}{450\ 000\ \$}$ = 66,67 %	500 000 $ × 66,67 % = 333 350 $
Terrain	150 000 $	$\frac{150\ 000\ \$}{450\ 000\ \$}$ = 33,33 %	500 000 $ × 33,33 % = 166 650 $
Total	**450 000 $**	100 %	

2. Institut Canadien des Comptables Agréés, mars 2003, 3061.17.

b) **Journal général** **Page 10**

Date	Nom des comptes et explications	Réf.	Débit	Crédit
20X7				
01-15	Bâtiment		333 350,00	
	Terrain		166 650,00	
	TPS à recevoir		35 000,00	
	TVQ à recevoir		40 125,00	
	Banque			575 125,00
	(Pour inscrire l'acquisition d'un terrain et d'un bâtiment			
	à la valeur attribuée en fonction de la proportion établie par			
	l'évaluation municipale)			

Fin de la démonstration 4.1

4.2.2 L'acquisition d'un terrain

Afin d'inscrire correctement la valeur à attribuer au terrain, il faut examiner l'ensemble des coûts, y compris les frais liés à sa préparation et à sa mise en valeur. Puisque certains des travaux effectués ont une durée de vie limitée, il peut être préférable d'en inscrire les coûts dans un compte distinct, comme améliorations apportées au terrain ou travaux d'aménagement. Par ailleurs, quand les frais engagés sont peu élevés, il est possible, en vertu de l'importance relative, d'inscrire ces frais à même le compte terrain. Enfin, le produit qui découle de la vente de matériaux et d'autres provenances en lien avec le terrain doit être déduit des frais engagés, ce qui permet de dégager le coût net.

Démonstration 4.2

La comptabilisation de l'acquisition d'un terrain

Le 15 janvier 20X7, l'entreprise RJ acquiert un terrain voisin au coût de 30 000 $ plus taxes. Cette acquisition permettra d'agrandir l'aire de stationnement et l'espace d'entreposage.

Voici les autres frais avant taxes engagés pour la mise en valeur de ce terrain.

Nature des frais	Coût
Arpentage	1 000 $
Frais juridiques	750 $
Déboisement	2 500 $
Préparation du terrain	3 000 $
Achat et installation d'une clôture	5 000 $
Aménagement paysager	3 500 $
Achat et installation de lampadaires	1 750 $

Par ailleurs, l'entreprise obtient 1 000 $ de la vente du bois coupé sur le terrain.

Travail à faire

a) Calculez la valeur à attribuer au terrain et aux travaux d'aménagement.

b) Passez au journal général l'écriture requise.

a)

Terrain			Travaux d'aménagement	
Prix d'achat		30 000 $	Achat et installation d'une clôture	5 000 $
Arpentage		1 000	Aménagement paysager	3 500
Frais juridiques		750	Achat et installation de lampadaires	1 750
Déboisement	2 500 $			
Moins : produit de la vente du bois coupé	1 000	1 500		
Préparation du terrain		3 000		
Coût total du terrain		36 250 $	Coût total des travaux d'aménagement	10 250 $

b) **Journal général** **Page 11**

Date	Nom des comptes et explications	Réf.	Débit	Crédit
20X7				
01-15	Terrain		36 250,00	
	Travaux d'aménagement		10 250,00	
	TPS à recevoir		3 255,00	
	TVQ à recevoir		3 731,63	
	Banque			53 486,63
	(Pour inscrire l'acquisition d'un terrain et			
	l'exécution des travaux d'aménagement)			

Fin de la démonstration 4.2

4.2.3 L'acquisition d'un actif

En acquérant un actif, l'entreprise peut être obligée de prendre en charge des coûts échelonnés dans le temps. Afin d'inscrire et de calculer correctement le coût d'acquisition, il faut se demander si les frais engagés sont capitalisables ou s'ils constituent une charge d'exploitation.

Démonstration 4.3

La comptabilisation de l'acquisition d'un actif dont les coûts s'échelonnent dans le temps

Le 1er mars 20X7, l'entreprise RJ acquiert une plieuse de fer usagée du fournisseur Wajax pour son usine d'assemblage. Le coût d'acquisition de la plieuse est de 12 000 $ plus taxes. Les conditions de paiement sont 2/10, n/30. La condition de livraison est FAB point de départ. Le transporteur livre la plieuse le 3 courant pour 1 500 $ plus taxes. Au moment du déchargement, la plieuse est endommagée. L'entreprise RJ la fait réparer et reçoit une facture au montant de 450 $ plus taxes. Le 11 courant, pour bénéficier de l'escompte, RJ acquitte la facture de Wajax avec le chèque nº 522.

Afin de rendre la plieuse opérationnelle, RJ retient les services de la firme Lajoie, qui effectue les modifications nécessaires. Le 21 mars, ces travaux sont terminés et Lajoie émet une facture de 2 000 $ plus taxes. Le 23 courant, on effectue des essais pour vérifier le bon fonctionnement de la plieuse, ce qui entraîne une charge de 500 $ plus taxes. Le 31 courant, la plieuse est mise en service.

Travail à faire

Passez au journal général les écritures requises.

Journal général

Page 20

Date	Nom des comptes et explications	Réf.	Débit	Crédit
20X7				
03-01	Matériel d'atelier		12 000,00	
	TPS à recevoir		840,00	
	TVQ à recevoir		963,00	
	Fournisseurs			13 803,00
	(Wajax, 2/10, n/30)			
03-03	Matériel d'atelier		1 500,00	
	TPS à recevoir		105,00	
	TVQ à recevoir		120,38	
	Fournisseurs			1 725,38
	(Transport de la plieuse)			
03-03	Réparations		450,00	
	TPS à recevoir		31,50	
	TVQ à recevoir		36,11	
	Fournisseurs			517,61
	(Facture de réparation de la plieuse endommagée)			
03-11	Fournisseurs		13 803,33	
	Matériel d'atelier			240,00
	Banque			13 563,33
	(Wajax, chèque n° 522, escompte de 2 %)			
03-21	Matériel d'atelier		2 000,00	
	TPS à recevoir		140,00	
	TVQ à recevoir		160,50	
	Fournisseurs			2 300,50
	(Frais de modification de la plieuse)			

►

Journal général

Page 20

Date	Nom des comptes et explications	Réf.	Débit	Crédit
20X7				
03-23	Matériel d'atelier		500,00	
	TPS à recevoir		35,00	
	TVQ à recevoir		40,13	
	Fournisseurs			575,13
	(Frais d'essais de la plieuse)			

Explication des écritures

Date	Écriture
20X7	
03-01	Selon le *Manuel de l'ICCA*[3], le coût d'acquisition comprend le coût d'achat.
03-03	Selon le *Manuel de l'ICCA*, le coût d'acquisition comprend les frais de transport pour déplacer l'actif à l'endroit où il sera utilisé.
03-03	Dans le cas présent, la réparation est devenue nécessaire à la suite d'un accident survenu pendant le déchargement. Ce coût ne peut donc pas être ajouté au compte matériel d'atelier puisqu'il ne constitue pas un coût normal de transport ni de mise en service.
03-11	Il faut retrancher du compte matériel d'atelier l'escompte de caisse puisque celui-ci diminue le coût d'achat de l'actif.
03-21	Selon le *Manuel de l'ICCA*, le coût d'acquisition comprend les frais de préparation nécessaires à la mise en service de l'actif.
03-23	Selon le *Manuel de l'ICCA*, le coût d'acquisition comprend les frais d'essais nécessaires à la mise en service de l'actif.

Fin de la démonstration 4.3

4.2.4 L'acquisition de plusieurs actifs de même catégorie

Lorsque l'entreprise doit acquérir plusieurs actifs de même catégorie, par exemple plusieurs camions, elle doit voir si les actifs lui procureront des avantages identiques pendant leur utilisation. Si les avantages seront différents, il est préférable de diviser la catégorie en deux ou plusieurs sous-catégories.

Une entreprise peut acquérir plusieurs camions. Si les camions lui procurent des avantages identiques, on crée une catégorie camions. Si au contraire les camions procurent des avantages différents, on crée des sous-catégories, par exemple camions de livraison et semi-remorques.

3. Voir la citation précédente de l'Institut Canadien des Comptables Agréés, mars 2003, 3061.17.

Comme c'est le cas pour les fournisseurs, les clients, les employés, les stocks et les placements, l'utilisation d'un registre distinct pour les immobilisations facilite grandement leur suivi individuel. À la fin de l'exercice, on vérifie si les soldes des comptes d'immobilisation et d'amortissement cumulé correspondent au total des fiches du **grand livre auxiliaire des immobilisations**.

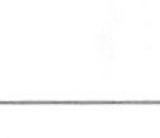

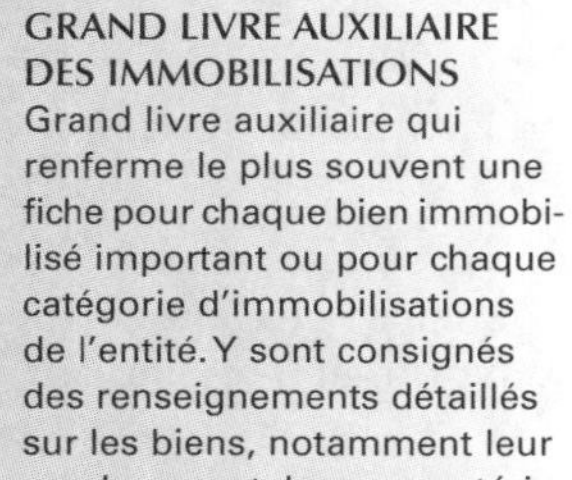

Démonstration 4.4

La comptabilisation de l'acquisition de plusieurs actifs

Cette démonstration renvoie aux données de la démonstration 4.3.

Le 1er avril 20X7, l'entreprise RJ acquiert deux camions : un semi-remorque de marque Peterbilt au coût de 200 000 $ plus taxes et un camion de livraison usagé de marque Kenworth au coût de 78 000 $ plus taxes.

Travail à faire

a) Passez au journal général l'écriture requise.

b) Préparez le grand livre auxiliaire des immobilisations pour toutes les acquisitions effectuées par RJ depuis le 1er janvier 20X7.

Remarque : Arrondissez les montants des taxes au dollar près.

GRAND LIVRE AUXILIAIRE DES IMMOBILISATIONS
Grand livre auxiliaire qui renferme le plus souvent une fiche pour chaque bien immobilisé important ou pour chaque catégorie d'immobilisations de l'entité. Y sont consignés des renseignements détaillés sur les biens, notamment leur emplacement, leurs caractéristiques, leur coût d'acquisition et l'amortissement cumulé.

a) **Journal général** **Page 31**

Date	Nom des comptes et explications	Réf.	Débit	Crédit
20X7				
04-01	Camion semi-remorque	1500	200 000,00	
	Camion de livraison	1550	78 000,00	
	TPS à recevoir		19 460,00	
	TVQ à recevoir		22 310,00	
	Banque			319 770,00
	(Pour inscrire l'acquisition de deux camions :			
	Peterbilt, 200 000 $; Kenworth, 78 000 $)			

b) **Grand livre auxiliaire des immobilisations**

Compte	Camion semi-remorque	Compte nº	1500-01
Description	Peterbilt		
Numéro de série	PTB-15-025487		
Durée de vie			
Durée de vie utile		Valeur de récupération	
Méthode d'amortissement		Valeur résiduelle	

Date	Libellé	Folio	Coût			Amortissement cumulé		
			Débit	Crédit	Solde	Débit	Crédit	Solde
20X7								
04-01	Achat	JG-31	200 000		200 000			

Compte	Camion de livraison	Compte nº	1550-01
Description	Kenworth		
Numéro de série	KNW-24-558879		
Durée de vie			
Durée de vie utile		Valeur de récupération	
Méthode d'amortissement		Valeur résiduelle	

Date	Libellé	Folio	Coût			Amortissement cumulé		
			Débit	Crédit	Solde	Débit	Crédit	Solde
20X7								
04-01	Achat	JG-31	78 000		78 000			

Compte	Matériel d'atelier	Compte nº	1600-01
Description	Plieuse de fer		
Numéro de série	PLS-514848		
Durée de vie			
Durée de vie utile		Valeur de récupération	
Méthode d'amortissement		Valeur résiduelle	

Date	Libellé	Folio	Coût			Amortissement cumulé		
			Débit	Crédit	Solde	Débit	Crédit	Solde
20X7								
03-01	Achat	JG-20	12 000		12 000			
03-03	Transport	JG-20	1 500		13 500			
03-11	Escompte	JG-20		240	13 260			
03-21	Modifications	JG-20	2 000		15 260			
03-23	Essais	JG-20	500		15 760			

Compte	Bâtiment	Compte nº	1700-01
Description	Bâtiment principal		
Numéro de série			
Durée de vie			
Durée de vie utile		Valeur de récupération	
Méthode d'amortissement		Valeur résiduelle	

Date	Libellé	Folio	Coût			Amortissement cumulé		
			Débit	Crédit	Solde	Débit	Crédit	Solde
20X7								
01-15	Achat	JG-10	333 350		333 350			

Compte	Travaux d'aménagement					Compte nº		1800-01	
Description	Travaux d'aménagement								
Numéro de série									
Durée de vie									
Durée de vie utile						Valeur de récupération			
Méthode d'amortissement						Valeur résiduelle			
Date	**Libellé**	**Folio**	**Coût**			**Amortissement cumulé**			
			Débit	**Crédit**	**Solde**	**Débit**	**Crédit**	**Solde**	
20X7									
01-15	Achat	JG-11	10 250		10 250				

Compte	Terrain					Compte nº		1900-01	
Description	Terrain								
Numéro de série									
Durée de vie									
Durée de vie utile						Valeur de récupération			
Méthode d'amortissement						Valeur résiduelle			
Date	**Libellé**	**Folio**	**Coût**			**Amortissement cumulé**			
			Débit	**Crédit**	**Solde**	**Débit**	**Crédit**	**Solde**	
20X7									
01-15	Achat	JG-10	166 650		166 650				
01-15	Achat	JG-11	36 250		202 900				

La numérotation des comptes du grand livre auxiliaire des immobilisations se fait de la manière suivante : on ajoute au numéro de compte du grand livre général concerné un numéro distinct pour chaque actif.

Fin de la démonstration 4.4

Au fil des mises en situation, nous comptabiliserons les opérations relatives aux immobilisations de l'entreprise Transgesco.

Mise en situation 4.1

Le calcul et la comptabilisation au journal général de l'acquisition d'immobilisations corporelles ainsi que l'utilisation du grand livre auxiliaire des immobilisations

Au cours des mois de janvier et février 20X7, Transgesco a effectué les opérations suivantes, relatives aux immobilisations.

Date	Opération
20X7	
01-02	Transgesco acquiert un terrain et un bâtiment au coût global de 800 000 $ plus taxes. Le rapport de l'évaluation municipale indique que le terrain est évalué à 250 000 $ et le bâtiment, à 450 000 $.
01-03	Transgesco acquiert un terrain voisin au coût de 80 000 $ plus taxes. Cette acquisition permettra d'agrandir l'aire de stationnement et l'espace d'entreposage. Voici les autres frais (avant taxes) engagés pour la mise en valeur de ce terrain. Frais juridiques 2 750 $ Démolition d'un bâtiment existant 4 500 $ Préparation du terrain 2 000 $ Achat et installation d'une clôture 7 000 $ Aménagement paysager 3 500 $ Achat et installation de lampadaires 2 750 $ Par ailleurs, Transgesco obtient 2 000 $ de la vente de matériaux de démolition.
01-05	Transgesco acquiert une coupeuse d'acier du fournisseur Traction pour son usine d'assemblage au coût de 72 000 $ plus taxes. Les conditions de paiement sont 2/10, n/30. La condition de transport est FAB point de départ. Le coût du transport se chiffre à 1 500 $ plus taxes. Les frais d'installation sont de 3 000 $ plus taxes et les frais d'essais, de 1 500 $ plus taxes.
01-15	Transgesco règle la facture d'achat de la coupeuse d'acier avec le chèque n° 788.
02-01	Transgesco achète un chariot élévateur et un camion : le chariot est usagé (numéro de série 45-879) et le prix payé est de 20 000 $ plus taxes ; le camion est neuf (numéro de série 75-999) et le prix payé est de 45 000 $ plus taxes. La condition de paiement est n/30.

Travail à faire

a) Calculez le coût des immobilisations.

b) Passez au journal général les écritures requises.

c) Préparez le grand livre auxiliaire des immobilisations pour toutes ces acquisitions.

Remarque : Arrondissez les montants des taxes au dollar près.

a)

Immobilisation	Calcul du coût d'acquisition
Terrain et bâtiment	
Terrain et travaux d'aménagement	

Immobilisation	Calcul du coût d'acquisition
Matériel d'atelier	
Chariot élévateur	
Camion	

b) **Journal général** **Page 20**

Date	Nom des comptes et explications	Réf.	Débit	Crédit
20X7				

Journal général

Page 20

Date	Nom des comptes et explications	Réf.	Débit	Crédit
20X7				

c) **Grand livre auxiliaire des immobilisations**

Compte		Compte nº	1500-01
Description			
Numéro de série			
Durée de vie			
Durée de vie utile		Valeur de récupération	
Méthode d'amortissement		Valeur résiduelle	

Date	Libellé	Folio	Coût			Amortissement cumulé		
			Débit	Crédit	Solde	Débit	Crédit	Solde
20X7								

Compte		Compte nº	1550-01
Description			
Numéro de série			
Durée de vie			
Durée de vie utile		Valeur de récupération	
Méthode d'amortissement		Valeur résiduelle	

Date	Libellé	Folio	Coût			Amortissement cumulé		
			Débit	Crédit	Solde	Débit	Crédit	Solde
20X7								

<table>
<tr><th colspan="2">Compte</th><td colspan="3"></td><th colspan="3">Compte nº</th><td>1600-01</td></tr>
<tr><th colspan="2">Description</th><td colspan="3"></td><th colspan="3"></th><td></td></tr>
<tr><th colspan="2">Numéro de série</th><td colspan="3"></td><th colspan="3"></th><td></td></tr>
<tr><th colspan="2">Durée de vie</th><td colspan="3"></td><th colspan="3"></th><td></td></tr>
<tr><th colspan="2">Durée de vie utile</th><td colspan="3"></td><th colspan="3">Valeur de récupération</th><td></td></tr>
<tr><th colspan="2">Méthode d'amortissement</th><td colspan="3"></td><th colspan="3">Valeur résiduelle</th><td></td></tr>
<tr><th rowspan="2">Date</th><th rowspan="2">Libellé</th><th rowspan="2">Folio</th><th colspan="3">Coût</th><th colspan="3">Amortissement cumulé</th></tr>
<tr><th>Débit</th><th>Crédit</th><th>Solde</th><th>Débit</th><th>Crédit</th><th>Solde</th></tr>
<tr><td>20X7</td><td></td><td></td><td></td><td></td><td></td><td></td><td></td><td></td></tr>
<tr><td></td><td></td><td></td><td></td><td></td><td></td><td></td><td></td><td></td></tr>
<tr><td></td><td></td><td></td><td></td><td></td><td></td><td></td><td></td><td></td></tr>
<tr><td></td><td></td><td></td><td></td><td></td><td></td><td></td><td></td><td></td></tr>
<tr><td></td><td></td><td></td><td></td><td></td><td></td><td></td><td></td><td></td></tr>
</table>

<table>
<tr><th colspan="2">Compte</th><td colspan="3"></td><th colspan="3">Compte nº</th><td>1700-01</td></tr>
<tr><th colspan="2">Description</th><td colspan="3"></td><th colspan="3"></th><td></td></tr>
<tr><th colspan="2">Numéro de série</th><td colspan="3"></td><th colspan="3"></th><td></td></tr>
<tr><th colspan="2">Durée de vie</th><td colspan="3"></td><th colspan="3"></th><td></td></tr>
<tr><th colspan="2">Durée de vie utile</th><td colspan="3"></td><th colspan="3">Valeur de récupération</th><td></td></tr>
<tr><th colspan="2">Méthode d'amortissement</th><td colspan="3"></td><th colspan="3">Valeur résiduelle</th><td></td></tr>
<tr><th rowspan="2">Date</th><th rowspan="2">Libellé</th><th rowspan="2">Folio</th><th colspan="3">Coût</th><th colspan="3">Amortissement cumulé</th></tr>
<tr><th>Débit</th><th>Crédit</th><th>Solde</th><th>Débit</th><th>Crédit</th><th>Solde</th></tr>
<tr><td>20X7</td><td></td><td></td><td></td><td></td><td></td><td></td><td></td><td></td></tr>
<tr><td></td><td></td><td></td><td></td><td></td><td></td><td></td><td></td><td></td></tr>
<tr><td></td><td></td><td></td><td></td><td></td><td></td><td></td><td></td><td></td></tr>
<tr><td></td><td></td><td></td><td></td><td></td><td></td><td></td><td></td><td></td></tr>
<tr><td></td><td></td><td></td><td></td><td></td><td></td><td></td><td></td><td></td></tr>
</table>

<table>
<tr><th colspan="2">Compte</th><td colspan="3"></td><th colspan="3">Compte nº</th><td>1800-01</td></tr>
<tr><th colspan="2">Description</th><td colspan="3"></td><th colspan="3"></th><td></td></tr>
<tr><th colspan="2">Numéro de série</th><td colspan="3"></td><th colspan="3"></th><td></td></tr>
<tr><th colspan="2">Durée de vie</th><td colspan="3"></td><th colspan="3"></th><td></td></tr>
<tr><th colspan="2">Durée de vie utile</th><td colspan="3"></td><th colspan="3">Valeur de récupération</th><td></td></tr>
<tr><th colspan="2">Méthode d'amortissement</th><td colspan="3"></td><th colspan="3">Valeur résiduelle</th><td></td></tr>
<tr><th rowspan="2">Date</th><th rowspan="2">Libellé</th><th rowspan="2">Folio</th><th colspan="3">Coût</th><th colspan="3">Amortissement cumulé</th></tr>
<tr><th>Débit</th><th>Crédit</th><th>Solde</th><th>Débit</th><th>Crédit</th><th>Solde</th></tr>
<tr><td>20X7</td><td></td><td></td><td></td><td></td><td></td><td></td><td></td><td></td></tr>
<tr><td></td><td></td><td></td><td></td><td></td><td></td><td></td><td></td><td></td></tr>
<tr><td></td><td></td><td></td><td></td><td></td><td></td><td></td><td></td><td></td></tr>
<tr><td></td><td></td><td></td><td></td><td></td><td></td><td></td><td></td><td></td></tr>
<tr><td></td><td></td><td></td><td></td><td></td><td></td><td></td><td></td><td></td></tr>
</table>

<table>
<tr><th colspan="2">Compte</th><th colspan="3"></th><th colspan="2">Compte nº</th><th>1900-01</th></tr>
<tr><td colspan="2">Description</td><td colspan="3"></td><td colspan="2"></td><td></td></tr>
<tr><td colspan="2">Numéro de série</td><td colspan="3"></td><td colspan="2"></td><td></td></tr>
<tr><td colspan="2">Durée de vie</td><td colspan="3"></td><td colspan="2"></td><td></td></tr>
<tr><td colspan="2">Durée de vie utile</td><td colspan="3"></td><td colspan="2">Valeur de récupération</td><td></td></tr>
<tr><td colspan="2">Méthode d'amortissement</td><td colspan="3"></td><td colspan="2">Valeur résiduelle</td><td></td></tr>
</table>

<table>
<tr><th rowspan="2">Date</th><th rowspan="2">Libellé</th><th rowspan="2">Folio</th><th colspan="3">Coût</th><th colspan="3">Amortissement cumulé</th></tr>
<tr><th>Débit</th><th>Crédit</th><th>Solde</th><th>Débit</th><th>Crédit</th><th>Solde</th></tr>
<tr><td>20X7</td><td></td><td></td><td></td><td></td><td></td><td></td><td></td><td></td></tr>
<tr><td></td><td></td><td></td><td></td><td></td><td></td><td></td><td></td><td></td></tr>
<tr><td></td><td></td><td></td><td></td><td></td><td></td><td></td><td></td><td></td></tr>
<tr><td></td><td></td><td></td><td></td><td></td><td></td><td></td><td></td><td></td></tr>
</table>

Fin de la mise en situation 4.1

Problèmes suggérés: 4.1, 4.2, 4.3 et 4.4.

VALEUR DE RÉALISATION NETTE
Prix estimatif qu'une entreprise pourrait obtenir à la vente d'un bien dans le cours normal des affaires, diminué des frais d'achèvement et de mise en vente auxquels on peut raisonnablement s'attendre.

ASSIETTE DE L'AMORTISSEMENT (ou COÛT AMORTISSABLE)
Montant amortissable d'une immobilisation comptabilisée au coût d'acquisition, généralement égal à ce coût diminué de la valeur résiduelle du bien; solde d'un compte à amortir sur un certain nombre d'exercices.

Section 4.3 L'amortissement des immobilisations corporelles

Même si les immobilisations sont utilisées dans l'exploitation de l'entreprise de façon durable, elles n'ont évidemment pas une durée de vie illimitée comme c'est le cas des terrains.

Ces actifs permettent à l'entreprise de réaliser des produits d'exploitation. En vertu du principe du rapprochement des produits et des charges, il faut passer en charges la partie de leur coût qui a permis à l'entreprise de gagner ces produits. C'est ce qu'on appelle l'amortissement, c'est-à-dire la répartition du coût d'un actif sur sa durée d'utilisation prévue. Il s'agit d'un processus de répartition et non d'un processus d'évaluation.

VALEUR DE RÉCUPÉRATION
Valeur de réalisation nette estimative d'une immobilisation à la fin de sa durée de vie, correspondant généralement à la valeur des éléments de cet actif qui pourront encore servir après sa mise hors service.

DURÉE DE VIE
Période pendant laquelle on estime qu'une immobilisation peut être utilisable par l'entreprise.

VALEUR RÉSIDUELLE
Valeur de réalisation nette estimative d'une immobilisation à la fin de sa durée de vie utile pour l'entreprise; valeur d'un bien dont la durée est expirée.

DURÉE DE VIE UTILE
Période pendant laquelle on estime qu'une immobilisation peut contribuer directement ou indirectement aux opérations de l'entreprise; période pendant laquelle l'entreprise s'attend à l'utiliser.

4.3.1 L'assiette de l'amortissement

Normalement, l'amortissement se calcule sur le coût d'acquisition. Cependant, il arrive qu'au terme de la période d'amortissement l'entreprise puisse récupérer des sommes: c'est ce qu'on appelle la **valeur de réalisation nette**. Suivant le principe du rapprochement des produits et des charges, il faut tenir compte de cette valeur récupérable à la fin de la période d'utilisation de l'actif. L'**assiette de l'amortissement** (ou **coût amortissable**) correspond donc à la différence entre le coût d'acquisition et la valeur de réalisation nette probable à la fin de la durée de vie utile de l'immobilisation, c'est-à-dire la valeur résiduelle.

Le *Manuel de l'ICCA* précise que l'amortissement à passer en charges est **le plus élevé** des montants suivants:

- le coût, moins la **valeur de récupération**, réparti sur la **durée de vie** de l'immobilisation;
- le coût, moins la **valeur résiduelle**, réparti sur la **durée de vie utile** de l'immobilisation[4].

4. Institut Canadien des Comptables Agréés, décembre 2002, 3061.28.

Quelle est la différence entre la valeur de récupération et la valeur résiduelle ? Entre la durée de vie et la durée de vie utile ?

Le tableau 4.1 permet de mettre clairement en rapport ces notions.

Tableau 4.1 Quelques définitions et distinctions[5]

Terme	Définition
Valeur résiduelle	Valeur de réalisation nette estimative d'une immobilisation corporelle à la fin de sa **durée de vie utile**
Valeur de récupération	Valeur de réalisation nette estimative d'une immobilisation corporelle à la fin de sa **durée de vie**
Durée de vie	Période pendant laquelle l'immobilisation serait utilisable par l'entreprise
Durée de vie utile	Période pendant laquelle l'immobilisation contribue directement ou indirectement aux opérations de l'entreprise

Il peut arriver que la durée de vie d'une immobilisation diffère de sa durée de vie utile. En effet, une immobilisation pourrait avoir une durée de vie prévue de 15 ans, alors qu'elle ne procurerait des avantages à l'entreprise que pendant 10 ans, ce qui correspondrait à sa durée de vie utile.

Section 4.4

Les méthodes d'amortissement

Examinons maintenant quelques méthodes de **dotation aux amortissements** généralement reconnues.

DOTATION AUX AMORTISSEMENTS
Charge comptabilisée pour rendre compte du fait que la durée de vie des immobilisations est limitée et pour répartir d'une manière logique et systématique le coût de ces biens, moins leur valeur de récupération ou leur valeur résiduelle, sur les périodes au cours desquelles on s'attend à consommer leur potentiel de service.

MÉTHODE DE L'AMORTISSEMENT LINÉAIRE
Méthode d'amortissement selon laquelle la dotation annuelle demeure constante d'un exercice à l'autre, reflétant l'amoindrissement du potentiel de service de l'actif en fonction de l'écoulement du temps. Le calcul de la dotation annuelle se fait en divisant le coût amortissable par le nombre d'années correspondant à la durée probable d'utilisation du bien.

4.4.1 La méthode de l'amortissement linéaire

La **méthode de l'amortissement linéaire** permet la répartition égale du coût de l'actif, moins sa valeur résiduelle, sur sa durée de vie utile. Le montant à passer en charges est alors le même d'une période à l'autre (mois ou année). Cette méthode est surtout utilisée lorsque les avantages que procure l'immobilisation à l'entreprise sont constants d'année en année.

Comme nous l'avons souligné plus haut, l'amortissement à passer en charges est **le plus élevé** des montants suivants :

1. $$\frac{\text{Coût} - \text{valeur de récupération}}{\text{durée de vie}}$$

2. $$\frac{\text{Coût} - \text{valeur résiduelle}}{\text{durée de vie utile}}$$

Puisqu'en pratique le montant le plus élevé est généralement le deuxième (le coût, moins la valeur résiduelle, divisé par la durée de vie utile), c'est de cette façon que nous calculerons l'amortissement.

5. Institut Canadien des Comptables Agréés, *Manuel de l'ICCA*, décembre 2002, 3061.12, 3061.13 et 3061.15.

MÉTHODE DE L'AMORTISSEMENT PROPORTIONNEL À L'UTILISATION
Méthode d'amortissement variable qui consiste à exprimer la durée de vie utile en fonction d'un nombre d'unités d'œuvre (nombre de kilomètres pour une automobile, quantité d'articles fabriqués ou d'heures d'utilisation pour une machine) et à calculer l'amortissement périodique en multipliant le coût amortissable par une fraction égale au nombre d'unités produites (ou utilisées) divisé par le nombre total d'unités que le bien en question permettra de produire (ou d'utiliser) au cours de sa durée de vie utile.

MÉTHODE DE L'AMORTISSEMENT DÉGRESSIF
Méthode qui consiste à calculer l'amortissement périodique en multipliant chaque année, par le même taux, le solde du compte où figure le coût du bien à amortir après déduction de l'amortissement cumulé qui s'y rapporte.

MÉTHODE DE L'AMORTISSEMENT DÉGRESSIF À TAUX DOUBLE
Variante de la méthode de l'amortissement dégressif à taux constant, dont le taux est le double de celui qu'on utiliserait si on appliquait la méthode de l'amortissement linéaire.

VALEUR COMPTABLE
Montant attribué à un élément dans les comptes ou les états financiers. Par exemple, pour un élément d'actif, ce peut être le coût d'acquisition moins l'amortissement cumulé.

4.4.2 La méthode de l'amortissement proportionnel à l'utilisation

Selon la **méthode de l'amortissement proportionnel à l'utilisation**, on calcule l'amortissement en fonction de l'utilisation de l'immobilisation pendant la période visée. Ainsi, on peut calculer l'amortissement d'après l'un ou l'autre des éléments suivants :

- le nombre total d'heures d'utilisation de l'immobilisation ;
- la capacité maximale de production de l'immobilisation ;
- la distance maximale à parcourir par l'immobilisation.

Le montant de l'amortissement correspond donc au résultat de l'équation suivante :

$$\frac{\text{Nombre réel d'unités}}{\text{nombre total d'unités prévu}} \times \text{assiette de l'amortissement}$$

Cette méthode est surtout utilisée lorsque le potentiel d'utilisation de l'immobilisation décroît avec le temps.

4.4.3 La méthode de l'amortissement dégressif

Selon la **méthode de l'amortissement dégressif**, l'amortissement à passer en charges décroît avec le temps. On le calcule en multipliant par un taux annuel constant le solde du coût d'acquisition moins l'amortissement cumulé. Cette méthode convient aux immobilisations dont l'efficacité diminue avec le temps.

La **méthode de l'amortissement dégressif à taux double** est une variante de la méthode de l'amortissement dégressif à taux constant. Selon cette variante, le taux d'amortissement qui s'applique correspond au double de celui de l'amortissement linéaire. Ainsi, une entreprise qui amortit une automobile suivant la méthode de l'amortissement linéaire avec une durée de vie utile de cinq ans utilise un taux de 20 %, soit le rapport de 1 an/5 ans. Le taux applicable pour la méthode de l'amortissement dégressif à taux double serait alors de 2 × 20 %, soit 40 %.

L'amortissement dégressif se calcule ainsi :

- Premier exercice : coût d'acquisition × taux d'amortissement.
- Exercices subséquents : valeur comptable × taux d'amortissement.

La **valeur comptable** représente ici le coût d'acquisition moins l'amortissement cumulé. Soulignons que **la valeur comptable ne doit jamais être inférieure à la valeur résiduelle**.

Démonstration 4.5

L'amortissement des immobilisations corporelles

Voici des informations relatives aux immobilisations de l'entreprise RJ.

Immobilisation	Durée de vie	Durée de vie utile	Valeur de récupération	Valeur résiduelle	Méthode d'amortissement	Capacité maximale	Utilisation
Camion semi-remorque Peterbilt	10 ans	5 ans	0 $	20 000 $	Amortissement proportionnel à l'utilisation	500 000 km	20X7 : 50 000 km 20X8 : 55 000 km
Camion de livraison Kenworth	10 ans	6 ans	0 $	6 000 $	Amortissement linéaire		
Plieuse de fer	20 ans	10 ans	0 $	1 760 $	Amortissement dégressif à taux double		
Bâtiment	50 ans	40 ans	0 $	33 350 $	Amortissement linéaire		
Travaux d'aménagement	30 ans	20 ans	0 $	0 $	Amortissement dégressif à taux double		

Travail à faire

a) Complétez la partie descriptive du grand livre auxiliaire des immobilisations.

b) Calculez l'amortissement des immobilisations pour les années 20X7 et 20X8.

c) Enregistrez au journal général l'amortissement des immobilisations pour les exercices financiers se terminant le 31 décembre 20X7 et le 31 décembre 20X8.

d) Reportez au grand livre auxiliaire des immobilisations les montants des amortissements pour les années 20X7 et 20X8.

Remarque : Arrondissez les montants des taxes au dollar près.

a) et d) **Grand livre auxiliaire des immobilisations**

Compte	Camion semi-remorque	**Compte n°**	1500-01
Description	Peterbilt		
Numéro de série	PTB-15-025487		
Durée de vie	**10 ans**		
Durée de vie utile	**5 ans**	**Valeur de récupération**	**0**
Méthode d'amortissement	**Amortissement proportionnel à l'utilisation, 500 000 km**	**Valeur résiduelle**	**20 000**

Date	Libellé	Folio	Coût			Amortissement cumulé		
			Débit	Crédit	Solde	Débit	Crédit	Solde
20X7								
04-01	Achat	JG-31	200 000		200 000			
12-31	**Amortissement**	**JG-40**					**18 000**	**18 000**
20X8								
12-31	**Amortissement**	**JG-60**					**19 800**	**37 800**

Compte	Camion de livraison	Compte nº	1550-01
Description	Kenworth		
Numéro de série	KNW-24-558879		
Durée de vie	**10 ans**		
Durée de vie utile	**6 ans**	Valeur de récupération	**0**
Méthode d'amortissement	**Amortissement linéaire**	Valeur résiduelle	**6 000**

Date	Libellé	Folio	Coût			Amortissement cumulé		
			Débit	Crédit	Solde	Débit	Crédit	Solde
20X7								
04-01	Achat	JG-31	78 000		78 000			
12-31	**Amortissement**	**JG-40**					**9 000**	**9 000**
20X8								
12-31	**Amortissement**	**JG-60**					**12 000**	**21 000**

Compte	Matériel d'atelier	Compte nº	1600-01
Description	Plieuse de fer		
Numéro de série	PLS-514848		
Durée de vie	**20 ans**		
Durée de vie utile	**10 ans**	Valeur de récupération	**0**
Méthode d'amortissement	**Amortissement dégressif à taux double**	Valeur résiduelle	**1 760**

Date	Libellé	Folio	Coût			Amortissement cumulé		
			Débit	Crédit	Solde	Débit	Crédit	Solde
20X7								
03-01	Achat	JG-20	12 000		12 000			
03-03	Transport	JG-20	1 500		13 500			
03-11	Escompte	JG-20		240	13 260			
03-21	Modifications	JG-20	2 000		15 260			
03-23	Essais	JG-20	500		15 760			
12-31	**Amortissement**	**JG-40**					**2 364**	**2 364**
20X8								
12-31	**Amortissement**	**JG-60**					**2 679**	**5 043**

Compte	Bâtiment	**Compte nº**	1700-01
Description	Bâtiment principal		
Numéro de série			
Durée de vie	**50 ans**		
Durée de vie utile	**40 ans**	**Valeur de récupération**	**0**
Méthode d'amortissement	**Amortissement linéaire**	**Valeur résiduelle**	**33 350**

Date	Libellé	Folio	Coût			Amortissement cumulé		
			Débit	Crédit	Solde	Débit	Crédit	Solde
20X7								
01-15	Achat	JG-10	333 350		333 350			
12-31	**Amortissement**	**JG-40**					**7 500**	**7 500**
20X8								
12-31	**Amortissement**	**JG-60**					**7 500**	**15 000**

Compte	Travaux d'aménagement	**Compte nº**	1800-01
Description	Travaux d'aménagement		
Numéro de série			
Durée de vie	**30 ans**		
Durée de vie utile	**20 ans**	**Valeur de récupération**	**0**
Méthode d'amortissement	**Amortissement dégressif à taux double**	**Valeur résiduelle**	**0**

Date	Libellé	Folio	Coût			Amortissement cumulé		
			Débit	Crédit	Solde	Débit	Crédit	Solde
20X7								
01-15	Achat	JG-11	10 250		10 250			
12-31	**Amortissement**	**JG-40**					**1 025**	**1 025**
20X8								
12-31	**Amortissement**	**JG-60**					**923**	**1 948**

Compte	Terrain	**Compte nº**	1900-01
Description	Terrain		
Numéro de série			
Durée de vie			
Durée de vie utile		**Valeur de récupération**	
Méthode d'amortissement		**Valeur résiduelle**	

Date	Libellé	Folio	Coût			Amortissement cumulé		
			Débit	Crédit	Solde	Débit	Crédit	Solde
20X7								
01-15	Achat	JG-10	166 650		166 650			
01-15	Achat	JG-11	36 250		202 900			

b)

Immobilisation	Calcul de l'amortissement
Camion semi-remorque Peterbilt	Assiette de l'amortissement : 200 000 $ – 20 000 $ = **180 000 $** 20X7 : $\frac{50\ 000\ \text{km}}{500\ 000\ \text{km}} \times 180\ 000\ \$ =$ **18 000 $** 20X8 : $\frac{55\ 000\ \text{km}}{500\ 000\ \text{km}} \times 180\ 000\ \$ =$ **19 800 $**
Camion de livraison Kenworth	$\frac{78\ 000\ \$ - 6\ 000\ \$}{6\ \text{ans}} = 12\ 000\ \$/\text{an}$ 20X7 : 12 000 $ × 9/12[6] = **9 000 $** 20X8 : **12 000 $**
Plieuse de fer	Taux applicable : 1/10 = 10 % 10 % × 2 = **20 %** 20X7 : 15 760 $ × 20 % × 9/12[7] = **2 364 $** 20X8 : (15 760 $ – 2 364 $) × 20 % = **2 679 $**
Bâtiment	$\frac{333\ 350\ \$ - 33\ 350\ \$}{40\ \text{ans}} =$ **7 500 $/an**[8] 20X7 : **7 500 $** 20X8 : **7 500 $**
Travaux d'aménagement	Taux applicable : 1/20 = 5 % 5 % × 2 = **10 %** 20X7 : 10 250 $ × 10 % = **1 025 $**[8] 20X8 : (10 250 $ – 1 025 $) × 10 % = **923 $**

c)

Journal général

Page 40

Date	Nom des comptes et explications	Réf.	Débit	Crédit
20X7				
12-31	Amortissement – camion semi-remorque		18 000,00	
	Amortissement – camion de livraison		9 000,00	
	Amortissement – matériel d'atelier		2 364,00	
	Amortissement – bâtiment		7 500,00	
	Amortissement – travaux d'aménagement		1 025,00	
	Amortissement cumulé – camion semi-remorque			18 000,00
	Amortissement cumulé – camion de livraison			9 000,00
	Amortissement cumulé – matériel d'atelier			2 364,00
	Amortissement cumulé – bâtiment			7 500,00
	Amortissement cumulé – travaux d'aménagement			1 025,00
	(Pour inscrire les amortissements de 20X7)			

6. En 20X7, le camion a été utilisé pendant 9 mois.
7. En 20X7, la plieuse de fer a été utilisée pendant 9 mois.
8. En 20X7, on compte 12 mois puisque les biens ont été utilisés plus de la moitié du mois de janvier.

Journal général Page 60

Date	Nom des comptes et explications	Réf.	Débit	Crédit
20X8				
12-31	Amortissement – camion semi-remorque		19 800,00	
	Amortissement – camion de livraison		12 000,00	
	Amortissement – matériel d'atelier		2 679,00	
	Amortissement – bâtiment		7 500,00	
	Amortissement – travaux d'aménagement		923,00	
	Amortissement cumulé – camion semi-remorque			19 800,00
	Amortissement cumulé – camion de livraison			12 000,00
	Amortissement cumulé – matériel d'atelier			2 679,00
	Amortissement cumulé – bâtiment			7 500,00
	Amortissement cumulé – travaux d'aménagement			923,00
	(Pour inscrire les amortissements de 20X8)			

Fin de la démonstration 4.5

Section 4.5 La présentation des immobilisations corporelles dans les états financiers

Selon le *Manuel de l'ICCA*, les informations suivantes doivent apparaître dans les états financiers pour la présentation des catégories d'immobilisations corporelles :

- le coût d'acquisition ;
- l'amortissement cumulé, y compris le montant de toute réduction de valeur ;
- la méthode d'amortissement utilisée ainsi que la période ou le taux d'amortissement[9].

Lorsqu'une immobilisation corporelle ne fait pas l'objet d'un amortissement, sa valeur comptable nette doit être indiquée. C'est le cas, notamment, des immobilisations en cours de construction, de développement ou de mise en valeur et de celles qu'on a mises hors service pour une période prolongée. Par ailleurs, il faut indiquer le montant de l'amortissement d'une immobilisation corporelle qu'on a passé en charges au cours de la période.

Dans les états financiers, on peut traiter les immobilisations de deux façons :

- Présenter au bilan chacune des catégories d'immobilisations en déduisant l'amortissement cumulé et ajouter une note complémentaire aux états financiers pour préciser le reste de l'information.
- Présenter au bilan le montant net des immobilisations et en donner le détail dans une ou des notes complémentaires aux états financiers.

C'est cette seconde façon que nous utiliserons.

9. Institut Canadien des Comptables Agréés, mars 2003, 3061.38.

Démonstration 4.6

La présentation des immobilisations corporelles dans les états financiers

Cette démonstration renvoie aux données de la démonstration 4.5.

Travail à faire

À l'aide du grand livre auxiliaire des immobilisations de l'entreprise RJ, dressez le bilan partiel au 31 décembre 20X8 et présentez les notes complémentaires relatives aux immobilisations.

RJ
Bilan partiel
au 31 décembre 20X8

Immobilisations corporelles (note 8)	759 469 $

Notes complémentaires

2. Conventions comptables

Amortissement

Les immobilisations sont amorties en fonction de leur durée probable d'utilisation ou de leur capacité d'utilisation, selon les méthodes, les taux annuels et les périodes qui suivent.

Immobilisation	Méthode d'amortissement	Taux, utilisation ou période
Camion semi-remorque	Amortissement proportionnel à l'utilisation	500 000 heures
Camion de livraison	Amortissement linéaire	6 ans
Matériel d'atelier	Amortissement dégressif	20 %
Bâtiment	Amortissement linéaire	40 ans
Travaux d'aménagement	Amortissement dégressif	10 %

8. Immobilisations

	20X8			20X7
	Coût	**Amortissement cumulé**	**Valeur nette**	**Valeur nette**
Camion semi-remorque	200 000 $	37 800 $	162 200 $	182 000 $
Camion de livraison	78 000	21 000	57 000	69 000
Matériel d'atelier	15 760	5 043	10 717	13 396
Bâtiment	333 350	15 000	318 350	325 850
Travaux d'aménagement	10 250	1 948	8 302	9 225
Terrain	202 900		202 900	202 900
	840 260 $	80 791 $	759 469 $	802 371 $

Fin de la démonstration 4.6

Mise en situation 4.2

Le calcul et la comptabilisation au journal général de l'amortissement d'immobilisations corporelles, l'utilisation du grand livre auxiliaire des immobilisations et la présentation au bilan

Voici des informations relatives aux immobilisations de Trangesco.

Immobilisation	Durée de vie	Durée de vie utile	Valeur de récupération	Valeur résiduelle	Méthode d'amortissement	Capacité maximale	Utilisation
Chariot élévateur n° 45-879	15 ans	10 ans	0 $	5 000 $	Amortissement linéaire		
Camion n° 75-999	20 ans	15 ans	0 $	6 000 $	Amortissement linéaire		
Coupeuse d'acier	20 ans	15 ans	0 $	3 120 $	Amortissement proportionnel à l'utilisation	800 000 h	20X7 : 75 000 h 20X8 : 70 000 h
Bâtiment	40 ans	35 ans	0 $	64 400 $	Amortissement linéaire		
Travaux d'aménagement	25 ans	20 ans	0 $	3 250 $	Amortissement dégressif à taux double		

Travail à faire

a) Complétez la partie descriptive du grand livre auxiliaire des immobilisations de Transgesco.

b) Calculez l'amortissement des immobilisations pour les années 20X7 et 20X8.

c) Enregistrez au journal général l'amortissement des immobilisations pour les exercices financiers terminés le 31 décembre 20X7 et le 31 décembre 20X8.

d) Reportez dans le grand livre auxiliaire des immobilisations le montant des amortissements pour les années 20X7 et 20X8.

e) Dressez le bilan partiel au 31 décembre 20X8 et présentez les notes complémentaires relatives aux immobilisations.

Remarque : Arrondissez les montants au dollar près.

a) et d) **Grand livre auxiliaire des immobilisations**

Compte	Chariot élévateur	Compte nº	1500-01
Description	Chariot élévateur		
Numéro de série	45-879		
Durée de vie			
Durée de vie utile		Valeur de récupération	
Méthode d'amortissement		Valeur résiduelle	

Date	Libellé	Folio	Coût			Amortissement cumulé		
			Débit	Crédit	Solde	Débit	Crédit	Solde
20X7								
02-01	Achat	JG-20	20 000		20 000			

Compte	Camion	Compte nº	1550-01
Description	Camion		
Numéro de série	75-999		
Durée de vie			
Durée de vie utile		Valeur de récupération	
Méthode d'amortissement		Valeur résiduelle	

Date	Libellé	Folio	Coût			Amortissement cumulé		
			Débit	Crédit	Solde	Débit	Crédit	Solde
20X7								
02-01	Achat	JG-20	45 000		45 000			

Compte	Matériel d'atelier	Compte nº	1600-01
Description	Coupeuse d'acier		
Numéro de série			
Durée de vie			
Durée de vie utile		Valeur de récupération	
Méthode d'amortissement		Valeur résiduelle	

Date	Libellé	Folio	Coût			Amortissement cumulé		
			Débit	Crédit	Solde	Débit	Crédit	Solde
20X7								
01-05	Achat	JG-20	78 000		78 000			
01-15	Escompte	JG-20		1 440	76 560			

Compte	Bâtiment	Compte nº	1700-01
Description	Bâtiment principal		
Numéro de série			
Durée de vie			
Durée de vie utile		Valeur de récupération	
Méthode d'amortissement		Valeur résiduelle	

Date	Libellé	Folio	Coût			Amortissement cumulé		
			Débit	Crédit	Solde	Débit	Crédit	Solde
20X7								
01-02	Achat	JG-20	514 400		514 400			

Compte	Travaux d'aménagement	Compte nº	1800-01
Description	Stationnement et entreposage		
Numéro de série			
Durée de vie			
Durée de vie utile		Valeur de récupération	
Méthode d'amortissement		Valeur résiduelle	

Date	Libellé	Folio	Coût			Amortissement cumulé		
			Débit	Crédit	Solde	Débit	Crédit	Solde
20X7								
01-03	Achat	JG-20	13 250		13 250			

Compte	Terrain	Compte nº	1900-01
Description	Terrain		
Numéro de série			
Durée de vie			
Durée de vie utile		Valeur de récupération	
Méthode d'amortissement		Valeur résiduelle	

Date	Libellé	Folio	Coût			Amortissement cumulé		
			Débit	Crédit	Solde	Débit	Crédit	Solde
20X7								
01-02	Achat	JG-20	285 600		285 600			
01-03	Achat	JG-20	87 250		372 850			

b)

Immobilisation	Calcul de l'amortissement
Chariot élévateur n° 45-879	
Camion n° 75-999	
Coupeuse d'acier	
Bâtiment	
Travaux d'aménagement	

c)

Journal général

Page 40

Date	Nom des comptes et explications	Réf.	Débit	Crédit
20X7				

Journal général

Page 60

Date	Nom des comptes et explications	Réf.	Débit	Crédit
20X8				

e)

Transgesco
Bilan partiel
au 31 décembre 20X8

Immobilisations corporelles (note 8)

Notes complémentaires

2. Conventions comptables

Amortissement

Les immobilisations sont amorties en fonction de leur durée probable d'utilisation ou de leur capacité d'utilisation, selon les méthodes, les taux annuels et les périodes qui suivent.

Immobilisation	Méthode d'amortissement	Taux, utilisation ou période
Chariot élévateur		
Camion		
Matériel d'atelier		
Bâtiment		
Travaux d'aménagement		

8. Immobilisations

	20X8			20X7
	Coût	Amortissement cumulé	Valeur nette	Valeur nette
Chariot élévateur				
Camion				
Matériel d'atelier				
Bâtiment				
Travaux d'aménagement				
Terrain				

Fin de la mise en situation 4.2

Problèmes suggérés: 4.5, 4.6, 4.7 et 4.8.

Section 4.6

L'amortissement fiscal des immobilisations corporelles

AMORTISSEMENT FISCAL (ou DÉDUCTION POUR AMORTISSEMENT)
Déduction tenant lieu d'amortissement dont les lois et les règlements fiscaux permettent aux contribuables de tenir compte dans le calcul du bénéfice imposable.

FRACTION NON AMORTIE DU COÛT EN CAPITAL (FNACC)
Partie du coût d'un bien que le contribuable n'a pas encore déduite par voie d'amortissement fiscal.

En plus de produire ses états financiers à la fin de chaque exercice financier, l'entreprise doit préparer les rapports à des fins fiscales. Les méthodes d'amortissement que nous avons présentées concernent l'**amortissement comptable**, par opposition à l'**amortissement fiscal** (ou **déduction pour amortissement**). L'entreprise doit donc modifier ses états financiers afin de respecter les exigences gouvernementales.

Voici les particularités de l'amortissement fiscal:

- Les immobilisations sont regroupées par catégorie: par exemple, le matériel roulant appartient à la catégorie 10, dont le taux d'amortissement est de 30 %.
- On calcule l'amortissement fiscal en multipliant la **fraction non amortie du coût en capital (FNACC)**, qui correspond au solde fiscal de la catégorie, par le taux d'amortissement propre à cette catégorie – sauf lorsque celle-ci est soumise à l'amortissement linéaire, comme la catégorie 14 (brevets et concessions).
- L'année de l'acquisition d'une immobilisation (peu importe la date), il faut appliquer la règle du demi-taux, c'est-à-dire qu'on multiplie le coût d'acquisition par la moitié du taux de la catégorie – sauf pour les biens de la catégorie 12, comme la porcelaine et la coutellerie de moins de 200 $.
- L'année de la disposition d'une immobilisation, on ne peut déduire aucun amortissement.

À titre d'exemple, comparons l'amortissement comptable et l'amortissement fiscal de la plieuse de fer de l'entreprise RJ (voir la fiche de la plieuse à la démonstration 4.5) en faisant ressortir l'écart entre la valeur comptable de l'actif et la fraction non amortie du coût en capital.

Date	Opération	Valeur comptable	Fraction non amortie du coût en capital	Écart
20X7-03-23	Achat	15 760 $	15 760 $	
20X7-12-31	**Moins: amortissement**	**2 364**	**1 576**[a]	**788 $**
20X7-12-31	Solde	13 396 $	14 184 $	
20X8-12-31	**Moins: amortissement**	**2 679**	**2 837**	**158 $**
20X8-12-31	Solde	10 717 $	11 347 $	

a. Les machines appartiennent à la catégorie 8, dont le taux d'amortissement est de 20 %. Cependant, l'année de l'acquisition, l'entreprise doit appliquer la règle du demi-taux: 15 760 $ × 20 % × ½ = 1 576 $.

Plusieurs entreprises décident de comptabiliser les immobilisations selon l'amortissement fiscal. En effet, les entreprises qui utilisent une méthode d'amortissement comptable différente doivent produire deux jeux d'états financiers: le premier destiné au gouvernement, le second destiné aux autres utilisateurs.

Section 4.7 La révision des méthodes et des taux d'amortissement

Le *Manuel de l'ICCA* précise ceci :

> La méthode d'amortissement ainsi que les estimations de la durée de vie et de la durée de vie utile d'une immobilisation corporelle doivent être révisées périodiquement.
>
> Parmi les faits importants qui peuvent indiquer le besoin de réviser la méthode d'amortissement ou les estimations de la durée de vie et de la durée de vie utile d'une immobilisation corporelle, on trouve les suivants :
>
> a) changement dans le niveau d'utilisation de l'actif ;
>
> b) changement dans le mode d'utilisation de l'actif ;
>
> c) mise hors service de l'actif pendant une période prolongée ;
>
> d) dommage matériel ;
>
> e) progrès technologiques importants ;
>
> f) modification de la législation ou de l'environnement, ou évolution de la mode ou des goûts, ayant une incidence sur la durée d'utilisation de l'actif[10].

La connaissance et l'analyse de ces faits procurent à l'entreprise de nouvelles informations qui lui permettront de réviser les décisions prises au moment de l'acquisition de l'immobilisation, notamment par rapport à la durée de vie utile et à la valeur résiduelle.

Démonstration 4.7

La comptabilisation de l'amortissement des immobilisations corporelles et la mise à jour du grand livre auxiliaire des immobilisations corporelles

Avant d'inscrire les amortissements pour l'exercice financier terminé le 31 décembre 20X9, le comptable de l'entreprise RJ procède à la révision des immobilisations et constate que la durée de vie utile du camion de livraison Kenworth aurait dû être de huit ans plutôt que de six ans ; la valeur résiduelle reste la même.

Travail à faire

Inscrivez au journal général l'amortissement au 31 décembre 20X9 et effectuez le suivi au grand livre auxiliaire des immobilisations. Pour inscrire l'amortissement de 20X9, il faut effectuer les étapes suivantes :

1. Déterminer la durée de vie restante de l'immobilisation.
2. Déterminer la nouvelle assiette de l'amortissement.
3. Calculer l'amortissement.

Calculs

1. *Durée de vie restante de l'immobilisation*

   À l'examen de la fiche de l'immobilisation (page suivante), on constate que 21 mois se sont écoulés depuis l'acquisition du camion (du 1er avril 20X7 au 31 décembre 20X8). La durée de vie utile réévaluée est de 96 mois (8 ans × 12 mois). Comme 21 mois se sont écoulés, la durée de vie restante est donc de **75 mois (96 mois – 21 mois)**.

10. Institut Canadien des Comptables Agréés, mars 2003, 3061.33 et 3061.34.

2. *Nouvelle assiette de l'amortissement*

Assiette de l'amortissement = valeur comptable – valeur résiduelle.

La valeur comptable de l'immobilisation se calcule en soustrayant du coût d'acquisition l'amortissement cumulé.

Coût d'acquisition	78 000 $
Moins : amortissement cumulé	21 000
Valeur comptable	57 000 $
Moins : valeur résiduelle	6 000
Assiette de l'amortissement	**51 000 $**

3. *Amortissement*

$$\frac{\text{Assiette de l'amortissement}}{\text{durée de vie restante}} = \frac{51\,000\ \$}{75 \text{ mois}} = \mathbf{680\ \$/mois}$$

Pour l'année 20X9, l'amortissement est de **8 160 $** (680 $ × 12).

Journal général

Page 70

Date	Nom des comptes et explications	Réf.	Débit	Crédit
20X9				
12-31	Amortissement – camion de livraison		8 160,00	
	Amortissement cumulé – camion de livraison			8 160,00
	(Pour inscrire l'amortissement du camion de livraison Kenworth)			

Grand livre auxiliaire des immobilisations

Compte	Camion de livraison	**Compte nº**	1550-01
Description	Kenworth		
Numéro de série	KNW-24-558879		
Durée de vie	**10 ans**		
Durée de vie utile	~~6 ans~~ **8 ans**	**Valeur de récupération**	**0**
Méthode d'amortissement	**Amortissement linéaire**	**Valeur résiduelle**	**6 000**

Date	Libellé	Folio	Coût			Amortissement cumulé		
			Débit	Crédit	Solde	Débit	Crédit	Solde
20X7								
04-01	Achat	JG-31	78 000		78 000			
12-31	Amortissement	JG-40					9 000	9 000
20X8								
12-31	Amortissement	JG-60					12 000	21 000
20X9								
12-31	**Amortissement**	**JG-70**					**8 160**	**29 160**

Fin de la démonstration 4.7

Section 4.8 Les coûts engagés après la date d'acquisition d'une immobilisation corporelle

Durant ses années d'exploitation, l'entreprise peut être appelée à modifier ses immobilisations, soit par des ajouts ou des agrandissements, soit par des modifications destinées à en augmenter le potentiel de service. Lorsqu'on engage des coûts liés à ses immobilisations, il faut s'interroger sur leur comptabilisation. Doit-on les traiter comme des charges d'exploitation ou comme des coûts en capital ?

Si l'entreprise a engagé les frais uniquement pour maintenir l'actif en état de fonctionnement, elle doit comptabiliser ces coûts dans les charges d'exploitation. Par contre, si les frais avaient pour but d'augmenter le potentiel de l'immobilisation, entraînant des avantages sur plusieurs exercices, il faut, en vertu du principe du rapprochement des produits et des charges, les comptabiliser à l'actif (capitalisation).

Le *Manuel de l'ICCA* précise que le potentiel de service peut être accru lorsque :

- la capacité de production est augmentée ;
- les frais d'exploitation de l'immobilisation sont réduits ;
- la durée de vie ou la durée de vie utile est prolongée ;
- la qualité des extrants est améliorée[11].

4.8.1 La comptabilisation du coût capitalisable directement dans le compte d'actif

Lorsque les frais engagés augmentent la capacité de production, diminuent les frais d'exploitation ou améliorent la qualité des extrants sans pour autant prolonger la durée de vie ou la durée de vie utile de l'immobilisation, on les comptabilise directement dans le compte d'actif. Ainsi, l'amortissement se calculera sur la nouvelle valeur comptable de l'actif, diminuée de sa valeur résiduelle, et sera réparti sur la durée de vie restante de l'immobilisation.

Démonstration 4.8

La comptabilisation du coût capitalisable d'une immobilisation dans le compte d'actif

Le 1er juillet 20X9, l'entreprise RJ termine un agrandissement à son bâtiment. Le coût de la construction est de 75 000 $ avant taxes et sa valeur résiduelle est estimée à 15 000 $. Cet agrandissement n'aura pas pour effet de prolonger la durée de vie utile de l'actif.

Travail à faire

Inscrivez au journal général l'agrandissement de l'immobilisation et son amortissement pour l'année 20X9, et effectuez le suivi au grand livre auxiliaire des immobilisations.

Pour inscrire l'agrandissement et son amortissement, il faut effectuer les étapes suivantes :

1. Comptabiliser l'amortissement de l'actif jusqu'à l'engagement du coût d'agrandissement.
2. Comptabiliser le coût d'agrandissement.

11. Institut Canadien des Comptables Agréés, décembre 2002, 3061.26.

3. Calculer la nouvelle assiette de l'amortissement.
4. Calculer la durée de vie restante.
5. Calculer l'amortissement sur la durée de vie restante.
6. Comptabiliser l'amortissement.

Remarque : Arrondissez les montants au dollar près.

Calculs

1. *Amortissement du 1er janvier au 1er juillet 20X9*

$$\frac{333\,350\ \$ - 33\,350\ \$}{40} = 7\,500\ \$$$

7 500 $ × 6/12 = **3 750 $**

3. *Nouvelle assiette de l'amortissement*

Coût d'acquisition	333 350 $
Moins : amortissement cumulé	18 750
Valeur comptable	314 600 $
Plus : agrandissement	75 000
Moins : valeur résiduelle	48 350[12]
Assiette de l'amortissement	**341 250 $**

4. *Durée de vie restante*

Durée initiale (40 × 12 mois)	480 mois
Moins : durée écoulée (du 15 janvier 20X7 au 1er juillet 20X9)	30
Durée de vie restante	**450 mois**

5. *Amortissement*

$$\frac{\text{Assiette de l'amortissement}}{\text{durée de vie restante}} = \frac{341\,250\ \$}{450\ \text{mois}} = \mathbf{758\ \$/mois}$$

Reste de l'année 20X9 : 758 $ × 6 = 4 548 $

Journal général

Page 65

Date	Nom des comptes et explications	Réf.	Débit	Crédit
20X9				
07-01	Amortissement – bâtiment		3 750,00	
	Amortissement cumulé – bâtiment			3 750,00
	(Pour inscrire l'amortissement du 1er janvier au 1er juillet 20X9)			
07-01	Bâtiment		75 000,00	
	TPS à recevoir		5 250,00	
	TVQ à recevoir		6 019,00	
	Banque			82 269,00
	(Pour inscrire l'agrandissement du bâtiment)			

12. 33 350 $ + 15 000 $ = 48 350 $.

Journal général

Page 70

Date	Nom des comptes et explications	Réf.	Débit	Crédit
20X9				
12-31	Amortissement – bâtiment		4 548,00	
	Amortissement cumulé – bâtiment			4 548,00
	(Pour inscrire l'amortissement du 1er juillet au 31 décembre 20X9)			

Grand livre auxiliaire des immobilisations

Compte	Bâtiment	**Compte n°**	1700-01
Description	Bâtiment principal		
Numéro de série			
Durée de vie	**50 ans**		
Durée de vie utile	**40 ans**	**Valeur de récupération**	**0**
Méthode d'amortissement	**Amortissement linéaire**	**Valeur résiduelle**	**~~33 350~~ 48 350**

Date	Libellé	Folio	Coût			Amortissement cumulé		
			Débit	Crédit	Solde	Débit	Crédit	Solde
20X7								
01-15	Achat	JG-10	333 350		333 350			
12-31	Amortissement	JG-40					7 500	7 500
20X8								
12-31	Amortissement	JG-60					7 500	15 000
20X9								
07-01	**Amortissement**	**JG-65**					**3 750**	**18 750**
07-01	**Agrandissement**	**JG-65**	**75 000**		**408 350**			
12-31	**Amortissement**	**JG-70**					**4 548**	**23 298**

Fin de la démonstration 4.8

4.8.2 La comptabilisation du coût capitalisable directement dans le compte de l'amortissement cumulé

Lorsque les frais engagés prolongent la durée de vie ou la durée de vie utile de l'immobilisation, on les comptabilise directement au débit du compte d'amortissement cumulé de l'actif. Ainsi, l'amortissement se calculera sur la nouvelle assiette de l'amortissement et sera réparti sur la nouvelle durée de l'immobilisation.

Démonstration 4.9

La comptabilisation du coût capitalisable d'une immobilisation corporelle dans le compte d'amortissement cumulé

Le 1er mai 20Y0, l'entreprise RJ doit remplacer le moteur de son camion de livraison Kenworth. Le coût du remplacement est de 15 000 $ plus taxes. Cette amélioration prolongera la durée de vie utile du camion de 4 ans tout en diminuant sa valeur résiduelle à 2 000 $.

Travail à faire

Inscrivez au journal général les améliorations apportées au camion de livraison Kenworth et l'amortissement pour l'année 20Y0, et effectuez le suivi au grand livre auxiliaire des immobilisations.

Pour inscrire les améliorations et leur amortissement, il faut effectuer les étapes suivantes :

1. Comptabiliser l'amortissement de l'actif jusqu'à l'engagement du coût des améliorations.
2. Comptabiliser le coût des améliorations.
3. Calculer la nouvelle assiette de l'amortissement.
4. Calculer la durée de vie restante.
5. Calculer l'amortissement sur la durée de vie restante.
6. Comptabiliser l'amortissement.

Remarque : Arrondissez les montants au dollar près.

Calculs

1. *Amortissement du 1er janvier au 1er mai 20Y0*

   680 $[13] × 4 = **2 720 $**

3. *Nouvelle assiette de l'amortissement*

Coût d'acquisition	78 000 $
Moins : amortissement cumulé	16 880 $[14]
Valeur comptable	61 120 $
Moins : valeur résiduelle	2 000 $
Assiette de l'amortissement	**59 120 $**

4. *Nouvelle durée de vie utile et durée de vie restante*

Durée de vie estimée (12 × 12 mois)	144 mois
Moins : durée écoulée (du 1er avril 20X7 au 1er mai 20Y0)	37
Durée de vie restante	**107 mois**

5. *Amortissement*

$$\frac{\text{Assiette de l'amortissement}}{\text{durée de vie restante}} = \frac{59\,120\ \$}{107\ \text{mois}} = \mathbf{553\ \$/mois}$$

   Reste de l'année 20X0 : 553 $ × 8 = **4 424 $**

13. Selon les calculs d'amortissement effectués à la démonstration 4.7.
14. 29 160 $ + 2 720 $ – 15 000 $.

Journal général

Page 80

Date	Nom des comptes et explications	Réf.	Débit	Crédit
20Y0				
05-01	Amortissement – camion de livraison		2 720,00	
	Amortissement cumulé – camion de livraison			2 720,00
	(Pour inscrire l'amortissement du 1er janvier au 1er mai 20Y0)			
05-01	Amortissement cumulé – camion de livraison		15 000,00	
	TPS à recevoir		1 050,00	
	TVQ à recevoir		1 204,00	
	Banque			17 254,00
	(Pour inscrire les améliorations apportées au camion)			

Journal général

Page 85

Date	Nom des comptes et explications	Réf.	Débit	Crédit
20Y0				
12-31	Amortissement – camion de livraison		4 424,00	
	Amortissement cumulé – camion de livraison			4 424,00
	(Pour inscrire l'amortissement du 1er mai au 31 décembre 20Y0)			

Grand livre auxiliaire des immobilisations

Compte	Camion de livraison	**Compte n°**	1500-01
Description	Kenworth		
Numéro de série	KNW-24-558879		
Durée de vie	**10**		
Durée de vie utile	**~~6 ans~~ ~~8 ans~~ 12 ans**	**Valeur de récupération**	**0**
Méthode d'amortissement	**Amortissement linéaire**	**Valeur résiduelle**	**~~6 000~~ 2 000**

Date	Libellé	Folio	Coût			Amortissement cumulé		
			Débit	Crédit	Solde	Débit	Crédit	Solde
20X7								
04-01	Achat	JG-31	78 000		78 000			
12-31	Amortissement	JG-40					9 000	9 000
20X8								
12-31	Amortissement	JG-60					12 000	21 000
20X9								
12-31	Amortissement	JG-70					8 160	29 160
20Y0								
05-01	**Amortissement**	**JG-80**					**2 720**	**31 880**
05-01	**Améliorations**	**JG-80**				**15 000**		**16 880**
12-31	**Amortissement**	**JG-85**					**4 424**	**21 304**

Fin de la démonstration 4.9

Mise en situation 4.3

La révision du taux d'amortissement ainsi que l'agrandissement d'une immobilisation corporelle et l'amélioration d'une autre

Cette mise en situation renvoie aux données de la mise en situation 4.2 (p. 218).

Le 1er mai 20X9, Transgesco doit remplacer le moteur du camion nº 75-999. Le coût du remplacement est de 5 000 $ plus taxes. Cette amélioration prolongera la durée de vie utile du camion de 4 ans tout en augmentant sa valeur résiduelle à 8 000 $.

Le 1er juillet 20X9, Transgesco termine l'agrandissement du bâtiment acheté le 2 janvier 20X7. Le coût des travaux est de 50 000 $ plus taxes et leur valeur résiduelle est estimée à 10 000 $. Cet agrandissement ne prolongera pas la durée de vie utile de l'actif.

Avant d'inscrire les amortissements pour l'exercice financier terminé le 31 décembre 20X9, le comptable de l'entreprise Transgesco procède à la révision des immobilisations et constate que la durée de vie utile du chariot élévateur nº 45-879 aurait dû être de 12 ans plutôt que de 10 ans et que sa valeur résiduelle aurait dû être de 3 000 $ au lieu de 5 000 $.

Le service des coupeurs d'acier indique que la coupeuse d'acier a été utilisée pendant 80 131 heures en 20X9.

Travail à faire

Inscrivez au journal général les transactions de l'année 20X9 ainsi que les amortissements au 31 décembre 20X9, et effectuez le suivi au grand livre auxiliaire des immobilisations.

Remarque : Arrondissez les montants au dollar près.

Calculs

Données	Camion nº 75-999		Bâtiment	
Amortissement avant changement				
Nouvelle assiette de l'amortissement	Coût d'acquisition Moins : amortissement cumulé Valeur comptable Moins : valeur résiduelle Assiette de l'amortissement		Coût d'acquisition Moins : amortissement cumulé Valeur comptable Plus : agrandissement Moins : valeur résiduelle Assiette de l'amortissement	
Nouvelle durée d'utilisation et durée de vie restante	Durée totale prévue Moins : durée écoulée Durée de vie restante		Durée totale prévue Moins : durée écoulée Durée de vie restante	
Calcul de l'amortissement du restant de l'année	$\frac{\text{Assiette de l'amortissement}}{\text{durée de vie restante}} =$		$\frac{\text{Assiette de l'amortissement}}{\text{durée de vie restante}} =$	

Révision du taux d'amortissement du chariot élévateur nº 45-879

Amortissement de la coupeuse d'acier et des travaux d'aménagement

Grand livre auxiliaire des immobilisations

Compte	Chariot élévateur	Compte nº	1500-01
Description	Chariot élévateur		
Numéro de série	45-879		
Durée de vie	**15 ans**		
Durée de vie utile	**10 ans**	Valeur de récupération	**0**
Méthode d'amortissement	**Amortissement linéaire**	Valeur résiduelle	**5 000**

Date	Libellé	Folio	Coût			Amortissement cumulé		
			Débit	Crédit	Solde	Débit	Crédit	Solde
20X7								
02-01	Achat	JG-20	20 000		20 000			
12-31	Amortissement	JG-40					1 375	1 375
20X8								
12-31	Amortissement	JG-60					1 500	2 875

Compte	Camion	Compte n°	1550-01
Description	Camion		
Numéro de série	75-999		
Durée de vie	**20 ans**		
Durée de vie utile	**15 ans**	Valeur de récupération	**0**
Méthode d'amortissement	**Amortissement linéaire**	Valeur résiduelle	**6 000**

Date	Libellé	Folio	Coût			Amortissement cumulé		
			Débit	Crédit	Solde	Débit	Crédit	Solde
20X7								
02-01	Achat	JG-20	45 000		45 000			
12-31	Amortissement	JG-40					2 383	2 383
20X8								
12-31	Amortissement	JG-60					2 600	4 983

Compte	Matériel d'atelier	Compte n°	1600-01
Description	Coupeuse d'acier		
Numéro de série			
Durée de vie	**20 ans**		
Durée de vie utile	**15 ans**	Valeur de récupération	**0**
Méthode d'amortissement	**Amortissement proportionnel à l'utilisation, 800 000 heures**	Valeur résiduelle	**3 000**

Date	Libellé	Folio	Coût			Amortissement cumulé		
			Débit	Crédit	Solde	Débit	Crédit	Solde
20X7								
01-05	Achat	JG-20	78 000		78 000			
01-15	Escompte	JG-20		1 440	76 560			
12-31	Amortissement	JG-40					6 885	6 885
20X8								
12-31	Amortissement	JG-60					6 426	13 311

Compte	Bâtiment	Compte nº	1700-01
Description	Bâtiment principal		
Numéro de série			
Durée de vie	**40 ans**		
Durée de vie utile	**35 ans**	Valeur de récupération	**0**
Méthode d'amortissement	**Amortissement linéaire**	Valeur résiduelle	**64 400**

Date	Libellé	Folio	Coût			Amortissement cumulé		
			Débit	Crédit	Solde	Débit	Crédit	Solde
20X7								
01-02	Achat	JG-20	514 400		514 400			
12-31	Amortissement	JG-40					12 857	12 857
20X8								
12-31	Amortissement	JG-60					12 857	25 714

Compte	Travaux d'aménagement	Compte nº	1800-01
Description	Stationnement et entreposage		
Numéro de série			
Durée de vie	**25 ans**		
Durée de vie utile	**20 ans**	Valeur de récupération	**0**
Méthode d'amortissement	**Amortissement dégressif à taux double**	Valeur résiduelle	**3 250**

Date	Libellé	Folio	Coût			Amortissement cumulé		
			Débit	Crédit	Solde	Débit	Crédit	Solde
20X7								
01-03	Achat	JG-20	13 250		13 250			
12-31	Amortissement	JG-40					1 325	1 325
20X8								
12-31	Amortissement	JG-60					1 193	2 518

Compte	Terrain	Compte nº	1900-01
Description	Terrain		
Numéro de série			
Durée de vie			
Durée de vie utile		Valeur de récupération	
Méthode d'amortissement		Valeur résiduelle	

Date	Libellé	Folio	Coût			Amortissement cumulé		
			Débit	Crédit	Solde	Débit	Crédit	Solde
20X7								
01-02	Achat	JG-20	285 600		285 600			
01-03	Achat	JG-20	87 250		372 850			

Journal général

Page 80

Date	Nom des comptes et explications	Réf.	Débit	Crédit
20X9				

Journal général **Page 85**

Date	Nom des comptes et explications	Réf.	Débit	Crédit
20X9				

Fin de la mise en situation 4.3

Problèmes suggérés: 4.9, 4.10, 4.11, 4.12, 4.13 et 4.14.

Section 4.9

La disposition d'une immobilisation corporelle

Même quand on acquiert une immobilisation dans l'intention de la conserver pendant plusieurs exercices, il arrive qu'on décide de s'en départir, soit à la suite de sa mise hors service, soit pour la vendre ou l'échanger contre une autre. Il faut alors inscrire l'amortissement de l'actif jusqu'à la date de la disposition, radier les soldes des comptes relatifs à cette disposition et inscrire, s'il y a lieu, le gain ou la perte qui en découle.

4.9.1 La vente d'une immobilisation corporelle

À la vente d'une immobilisation, il serait normal que la somme reçue corresponde à la valeur comptable de l'actif, c'est-à-dire à son coût d'acquisition diminué de son amortissement cumulé. C'est pourquoi la réception d'une somme inférieure ou supérieure à la valeur comptable entraîne une perte ou un gain sur la vente de l'immobilisation.

Démonstration 4.10

La vente d'une immobilisation corporelle

Le 1er août 20Y1, l'entreprise RJ vend son camion de livraison Kenworth acheté le 1er avril 20X7. Le prix de vente est de 53 000 $ plus taxes, payable immédiatement.

Travail à faire

Passez au journal général les écritures requises et mettez à jour le grand livre auxiliaire des immobilisations.

Remarque : Arrondissez les montants au dollar près.

Calcul et inscription de l'amortissement jusqu'à la date de la disposition

À la suite de la réparation du camion de livraison, le nouvel amortissement a été établi à **553 $** par mois (voir la démonstration 4.9, p. 229).

Du 1er janvier au 31 juillet 20Y1, l'amortissement est de **3 871 $** (553 $ × 7).

Journal général

Page 90

Date	Nom des comptes et explications	Réf.	Débit	Crédit
20Y1				
07-31	Amortissement – camion de livraison		3 871,00	
	Amortissement cumulé – camion de livraison			3 871,00
	(Pour inscrire l'amortissement du 1er janvier au 31 juillet 20Y1)			

Calcul et inscription du gain ou de la perte sur la disposition

Coût d'acquisition	78 000 $
Moins : amortissement cumulé	25 175[15]
Valeur comptable	52 825 $
Prix de vente	53 000 $
Moins : valeur comptable	52 825
Gain sur disposition d'actif	**175 $**

Journal général

Page 90

Date	Nom des comptes et explications	Réf.	Débit	Crédit
20Y1				
07-31	Banque		60 963,00	
	Amortissement cumulé – camion de livraison		25 175,00	
	Camion de livraison			78 000,00
	TPS à payer			3 710,00
	TVQ à payer			4 253,00
	Gain sur disposition d'actif			175,00
	(Pour inscrire la disposition de l'actif)			

15. 21 304 $ + 3 871 $.

Grand livre auxiliaire des immobilisations

Compte	Camion de livraison	**Compte n°**	1550-01
Description	Kenworth		
Numéro de série	KNW-24-558879		
Durée de vie	**10**		
Durée de vie utile	~~6 ans~~ ~~8 ans~~ 12 ans	**Valeur de récupération**	**0**
Méthode d'amortissement	**Amortissement linéaire**	**Valeur résiduelle**	~~6 000~~ **2 000**

Date	Libellé	Folio	Coût			Amortissement cumulé		
			Débit	Crédit	Solde	Débit	Crédit	Solde
20X7								
04-01	Achat	JG-31	78 000		78 000			
12-31	Amortissement	JG-40					9 000	9 000
20X8								
12-31	Amortissement	JG-60					12 000	21 000
20X9								
12-31	Amortissement	JG-70					8 160	29 160
20Y0								
05-01	Amortissement	JG-80					2 720	31 880
05-01	Améliorations	JG-80				15 000		16 880
12-31	Amortissement	JG-85					4 424	21 304
20Y1								
07-31	**Amortissement**	**JG-90**					**3 871**	**25 175**
08-01	**Disposition**	**JG-90**		**78 000**	**0**	**25 175**		**0**

Fin de la démonstration 4.10

4.9.2 La mise au rebut ou la mise hors service d'une immobilisation corporelle

À la mise au rebut ou à la mise hors service d'une immobilisation, il faut en inscrire l'amortissement jusqu'à la date de l'événement, radier les soldes relatifs à cet actif et, s'il y a lieu, inscrire la perte correspondante.

Démonstration 4.11

La mise au rebut d'une immobilisation corporelle

Reprenons les données de la démonstration 4.9 (p. 229). Supposons qu'un incendie a entièrement détruit le camion de livraison le 1er août 20Y1 et que celui-ci n'était pas couvert contre ce genre de dommage.

Travail à faire

Passez au journal général les écritures requises.

Journal général **Page 90**

Date	Nom des comptes et explications	Réf.	Débit	Crédit
20Y1				
07-31	Amortissement – camion de livraison		3 871,00	
	Amortissement cumulé – camion de livraison			3 871,00
	(Pour inscrire l'amortissement du 1er janvier au 31 juillet 20Y1 :			
	553 $ × 7 mois)			
07-31	Amortissement cumulé – camion de livraison		25 175,00	
	Perte sur mise au rebut d'actif		52 825,00	
	Camion de livraison			78 000,00
	(Pour inscrire la mise au rebut du camion de livraison)			

Fin de la démonstration 4.11

4.9.3 L'échange d'immobilisations corporelles

JUSTE VALEUR
Montant pour lequel un actif pourrait être échangé ou un passif réglé, entre des parties compétentes et consentantes dans des conditions de pleine concurrence.

OPÉRATION NON MONÉTAIRE
Échange d'actifs, de passifs ou de services non monétaires contre d'autres, impliquant tout au plus une contrepartie monétaire négligeable.

Généralement, lorsqu'une entreprise échange une immobilisation corporelle contre une autre de même nature (par exemple, une automobile contre une autre) ou de nature différente (par exemple, une automobile contre du matériel de fabrication), elle verse ou reçoit une contrepartie monétaire.

Le *Manuel de l'ICCA* précise ce qui suit : « lorsque la **juste valeur** de la contrepartie monétaire représente moins de 10 % de la juste valeur estimative de la contrepartie totale **donnée** ou **reçue**, l'opération est considérée comme étant **non monétaire**[16] ».

Au moment d'un échange, l'entreprise doit donc se poser les questions suivantes :

- S'agit-il d'un échange de biens de même nature ou de nature différente ?
- S'agit-il d'une opération monétaire ou d'une **opération non monétaire** (voir le tableau 4.2) ?

Tableau 4.2 La détermination du caractère monétaire ou non monétaire d'un échange d'immobilisations

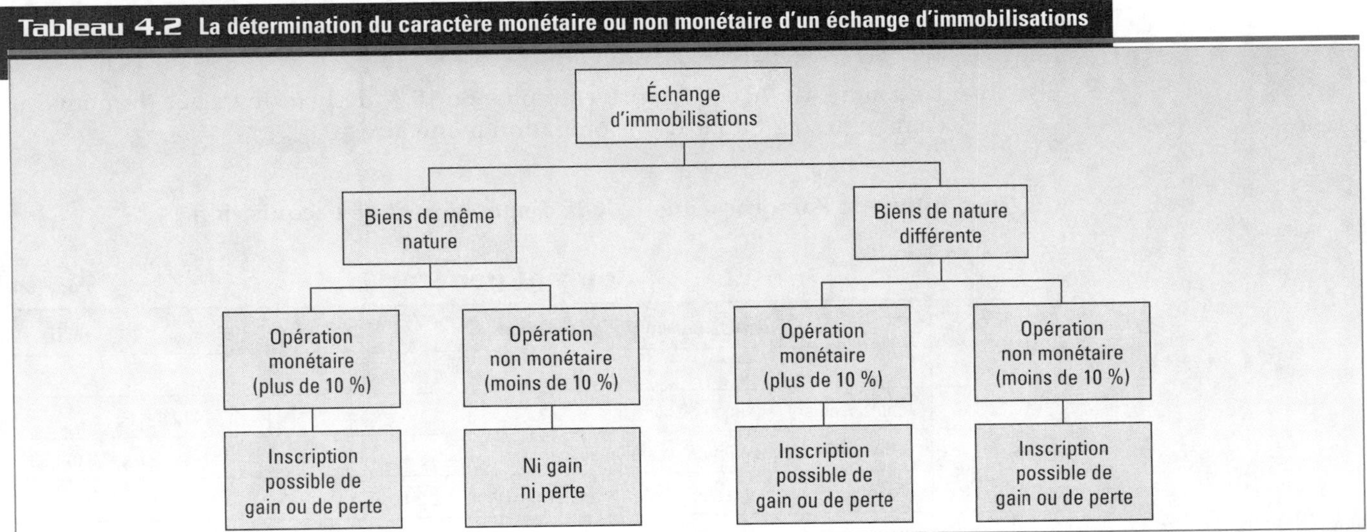

Voyons comment répondre à ces questions.

16. Institut Canadien des Comptables Agréés, mars 1999, 3830.04 e). C'est nous qui soulignons.

L'échange de biens constituant une opération monétaire

Le traitement comptable d'un échange de biens constituant un opération monétaire consiste à **inscrire d'abord l'amortissement jusqu'à la date de l'échange et ensuite la vente de l'actif échangé ainsi que l'acquisition de celui reçu en contrepartie**, qu'il s'agisse d'un bien de même nature ou non.

Démonstration 4.12

L'échange de biens constituant une opération monétaire

Reprenons les données de la démonstration 4.9 (p. 229). Supposons que l'entreprise échange son camion de livraison le 1er août 20Y1 contre un camion neuf de même marque. Le nouveau camion est évalué à 90 000 $ plus taxes et porte le numéro de série KNW-20-558877. Le concessionnaire accepte de reprendre le vieux camion à une juste valeur de 50 000 $ plus taxes. L'entreprise RJ devra donc payer 40 000 $ avant taxes (90 000 $ – 50 000 $).

Travail à faire

Passez au journal général les écritures requises et mettez à jour le grand livre auxiliaire des immobilisations.

Remarque : Arrondissez les montants au dollar près.

Calcul et inscription de l'amortissement jusqu'à la date de l'échange

Du 1er janvier au 31 juillet 20Y1, l'amortissement est de 3 871 $ (553 $ × 7).

Détermination du caractère monétaire ou non monétaire de l'échange

Somme déboursée par RJ (avant taxes)	40 000 $
Juste valeur du nouveau camion	90 000 $
Contrepartie monétaire maximale (90 000 $ × 10 %)	9 000 $

La somme de 40 000 $ représente plus de 10 % de la juste valeur du nouveau camion. Il s'agit donc d'une **opération monétaire**.

Inscription de l'amortissement, de la disposition et de l'acquisition

Journal général

Page 90

Date	Nom des comptes et explications	Réf.	Débit	Crédit
20Y1				
08-01	Amortissement – camion de livraison		3 871,00	
	Amortissement cumulé – camion de livraison			3 871,00
	(Pour inscrire l'amortissement du 1er janvier au 31 juillet 20Y1)			

►

Journal général

Page 90

Date	Nom des comptes et explications	Réf.	Débit	Crédit
20Y1				
08-01	Banque[17]		57 513,00	
	Amortissement cumulé – camion de livraison		25 175,00	
	Perte sur disposition d'actif		2 825,00	
	Camion de livraison			78 000,00
	TPS à payer			3 500,00
	TVQ à payer			4 013,00
08-01	Camion de livraison		90 000,00	
	TPS à recevoir		6 300,00	
	TVQ à recevoir		7 223,00	
	Banque			103 523,00
	(Pour inscrire les opérations relatives à l'échange de l'actif)			

Grand livre auxiliaire des immobilisations

Compte	Camion de livraison	**Compte n°**	1550-01
Description	Kenworth		
Numéro de série	KNW-24-558879		
Durée de vie	**10**		
Durée de vie utile	**~~6 ans~~ ~~8 ans~~ 12 ans**	**Valeur de récupération**	**0**
Méthode d'amortissement	**Amortissement linéaire**	**Valeur résiduelle**	**~~6 000~~ 2 000**

Date	Libellé	Folio	Coût			Amortissement cumulé		
			Débit	Crédit	Solde	Débit	Crédit	Solde
20X7								
04-01	Achat	JG-31	78 000		78 000			
12-31	Amortissement	JG-40					9 000	9 000
20X8								
12-31	Amortissement	JG-60					12 000	21 000
20X9								
12-31	Amortissement	JG-70					8 160	29 160
20Y0								
05-01	Amortissement	JG-80					2 720	31 880
05-01	Améliorations	JG-80				15 000		16 880
12-31	Amortissement	JG-85					4 424	21 304
20Y1								
08-01	**Amortissement**	**JG-90**					**3 871**	**25 175**
08-01	**Disposition**	**JG-90**		**78 000**	**0**	**25 175**		**0**

17. En pratique, cette opération devrait se faire en une seule écriture puisqu'il n'y a qu'une sortie d'argent. Toutefois, pour faciliter la compréhension, il est préférable de passer deux écritures.

Compte	Camion de livraison	Compte n°	1550-03
Description	Kenworth		
Numéro de série	KNW-20-558877		
Durée de vie			
Durée de vie utile		Valeur de récupération	
Méthode d'amortissement		Valeur résiduelle	

Date	Libellé	Folio	Coût			Amortissement cumulé		
			Débit	Crédit	Solde	Débit	Crédit	Solde
20Y1								
08-01	Achat	JG-90	90 000		90 000			

Je remarque que la fiche du Kenworth n° KNW-24-558879 est mise à zéro et qu'on a créé une fiche pour le Kenworth n° KNW-20-558877.

Fin de la démonstration 4.12

L'échange de biens de même nature constituant une opération non monétaire qui comporte une somme d'argent

Dans un échange de biens de même nature, les entreprises jouiront de l'utilisation d'un actif semblable et porteur des mêmes avantages : **l'actif reçu est comptabilisé à la valeur comptable de l'actif cédé**, plus ou moins la contrepartie monétaire donnée ou reçue.

Démonstration 4.13

L'échange de biens de même nature constituant une opération non monétaire avec versement d'une somme d'argent

Reprenons les données de la démonstration 4.9 (p. 229). Supposons que l'entreprise RJ échange son camion de livraison le 1er août 20Y1 contre un camion GMC. La juste valeur du camion GMC est de 60 000 $ plus taxes, alors que la juste valeur du camion Kenworth est de 55 000 $ plus taxes. L'entreprise RJ verse 5 000 $ avant taxes à l'autre entreprise.

Travail à faire

Passez au journal général les écritures requises.

Remarque : Arrondissez les montants au dollar près.

Calcul et inscription de l'amortissement jusqu'à la date de l'échange

Du 1er janvier au 31 juillet 20Y1, l'amortissement est de **3 871 $** (553 $ × 7).

Détermination du caractère monétaire ou non monétaire de l'échange

Somme déboursée par RJ (avant taxes)	5 000 $
Juste valeur du nouveau camion	60 000 $
Contrepartie monétaire maximale (60 000 $ × 10 %)	6 000 $

La somme de 5 000 $ représente moins de 10 % de la juste valeur du nouveau camion. Il s'agit donc d'une **opération non monétaire**.

Calcul du coût d'acquisition du camion GMC

Valeur comptable du camion Kenworth (78 000 $ – 25 175 $)	52 825 $
Plus : somme versée (avant taxes)	5 000
Coût d'acquisition du camion GMC	**57 825 $**

Inscription de l'amortissement et de l'échange du camion

Journal général Page 90

Date	Nom des comptes et explications	Réf.	Débit	Crédit
20Y1				
08-01	Amortissement – camion de livraison		3 871,00	
	Amortissement cumulé – camion de livraison			3 871,00
	(Pour inscrire l'amortissement du 1er janvier au 31 juillet 20Y1)			
08-01	Camion de livraison		57 825,00	
	Amortissement cumulé – camion de livraison		25 175,00	
	TPS à recevoir[18]		4 200,00	
	TVQ à recevoir		4 815,00	
	Camion de livraison			78 000,00
	TPS à payer[18]			3 850,00
	TVQ à payer			4 414,00
	Banque			5 751,00
	(Pour inscrire l'échange de l'actif)			

Il faut mettre à zéro la fiche du camion Kenworth et créer une fiche pour le camion GMC.

Fin de la démonstration 4.13

18. Les taxes à recevoir sont calculées sur 60 000 $, tandis que les taxes à payer sont calculées sur 55 000 $. L'entreprise RJ pourra donc réclamer au gouvernement 751 $ en taxes nettes dans sa prochaine déclaration de TPS et de TVQ.

Démonstration 4.14

L'échange de biens de même nature constituant une opération non monétaire avec réception d'une somme d'argent

Reprenons les données de la démonstration 4.9 (p. 229). Supposons que l'entreprise RJ échange son camion de livraison le 1er août 20Y1 contre un camion GMC. La juste valeur du camion GMC est de 55 000 $ plus taxes, alors que la juste valeur du camion Kenworth est de 60 000 $ plus taxes. L'entreprise RJ reçoit 5 000 $ avant taxes de l'autre entreprise.

Travail à faire

Passez au journal général les écritures requises.

Remarque : Arrondissez les montants au dollar près.

Calcul et inscription de l'amortissement jusqu'à la date de l'échange

Du 1er janvier au 31 juillet 20Y1, l'amortissement est de **3 871 $** (553 $ × 7).

Détermination du caractère monétaire ou non monétaire de l'échange

Somme reçue (avant taxes)	5 000 $
Juste valeur du nouveau camion	55 000 $
Contrepartie monétaire maximale (55 000 $ × 10 %)	5 500 $

La somme de 5 000 $ représente moins de 10 % de la juste valeur du nouveau camion. Il s'agit donc d'une **opération non monétaire**.

Calcul du coût d'acquisition du camion GMC

Valeur comptable du camion Kenworth (78 000 $ – 25 175 $)	52 825 $
Moins : somme reçue (avant taxes)	5 000
Coût d'acquisition du camion GMC	**47 825 $**

Inscription de l'amortissement et de l'échange du camion

Journal général — Page 90

Date	Nom des comptes et explications	Réf.	Débit	Crédit
20Y1				
08-01	Amortissement – camion de livraison		3 871,00	
	Amortissement cumulé – camion de livraison			3 871,00
	(Pour inscrire l'amortissement du 1er janvier au 31 juillet 20Y1)			

▶ **Journal général** **Page 90**

Date	Nom des comptes et explications	Réf.	Débit	Crédit
20Y1				
08-01	Camion de livraison		47 825,00	
	Amortissement cumulé – camion de livraison		25 175,00	
	TPS à recevoir[19]		3 850,00	
	TVQ à recevoir		4 414,00	
	Banque		5 751,00	
	Camion de livraison			78 000,00
	TPS à payer			4 200,00
	TVQ à payer			4 815,00
	(Pour inscrire l'échange de l'actif)			

Encore une fois, il faut mettre à zéro la fiche du camion Kenworth et créer une fiche pour le camion GMC.

Fin de la démonstration 4.14

L'échange de biens de nature différente constituant une opération non monétaire qui comporte une somme d'argent

On considère que des biens sont de nature différente s'ils ne remplissent pas les mêmes fonctions ou s'ils sont utilisés à des fins différentes. Dans le cas d'un échange de biens de nature différente, **l'actif reçu est comptabilisé à la juste valeur de l'actif cédé**, plus ou moins la contrepartie monétaire donnée ou reçue.

Démonstration 4.15

L'échange de biens de nature différente constituant une opération non monétaire avec versement d'une somme d'argent

Reprenons les données de la démonstration 4.9 (p. 229). Supposons que l'entreprise RJ échange son camion de livraison le 1er août 20Y1 contre une plieuse pour son usine d'assemblage. La juste valeur de la plieuse est de 55 000 $ plus taxes, alors que la juste valeur du camion de livraison Kenworth est de 50 000 $ plus taxes. L'entreprise RJ verse 5 000 $ avant taxes à l'autre entreprise.

Travail à faire

Passez au journal général les écritures requises.

Remarque : Arrondissez les montants au dollar près.

19. Les taxes à recevoir sont calculées sur 55 000 $, tandis que les taxes à payer sont calculées sur 60 000 $. L'entreprise RJ devra donc payer au gouvernement 751 $ en taxes nettes à sa prochaine déclaration de TPS et de TVQ.

Calcul et inscription de l'amortissement jusqu'à la date de l'échange

Du 1er janvier au 31 juillet 20Y1, l'amortissement est de **3 871 $** (553 $ × 7).

Détermination du caractère monétaire ou non monétaire de l'échange

Somme versée (avant taxes)	5 000 $
Juste valeur de la plieuse	55 000 $
Contrepartie monétaire maximale (55 000 $ × 10 %)	5 500 $

La somme de 5 000 $ représente moins de 10 % de la juste valeur de la plieuse. Il s'agit donc d'une **opération non monétaire**.

Calcul du coût d'acquisition de la plieuse

Juste valeur du camion Kenworth	50 000 $
Plus : somme versée (avant taxes)	5 000 $
Coût d'acquisition de la plieuse	**55 000 $**

Inscription de l'amortissement et de l'échange du camion

Journal général — **Page 90**

Date	Nom des comptes et explications	Réf.	Débit	Crédit
20Y1				
08-01	Amortissement – camion de livraison		3 871,00	
	Amortissement cumulé – camion de livraison			3 871,00
	(Pour inscrire l'amortissement du 1er janvier au 31 juillet 20Y1)			
08-01	Matériel d'atelier		55 000,00	
	TPS à recevoir[20]		3 850,00	
	TVQ à recevoir		4 414,00	
	Amortissement cumulé – camion de livraison		25 175,00	
	Perte sur échange d'immobilisations		2 825,00	
	Camion de livraison			78 000,00
	TPS à payer[20]			3 500,00
	TVQ à payer			4 013,00
	Banque			5 751,00
	(Pour inscrire l'échange de l'actif)			

Il faut mettre à zéro la fiche du camion Kenworth et créer une fiche pour la plieuse.

Fin de la démonstration 4.15

20. Les taxes à recevoir sont calculées sur 55 000 $, tandis que les taxes à payer sont calculées sur 50 000 $. L'entreprise RJ pourra donc réclamer au gouvernement 751 $ en taxes nettes dans sa prochaine déclaration de TPS et de TVQ.

Démonstration 4.16

L'échange de biens de nature différente constituant une opération non monétaire avec réception d'une somme d'argent

Reprenons les données de la démonstration 4.9 (p. 229). Supposons que l'entreprise RJ échange son camion de livraison le 1er août 20Y1 contre une plieuse pour son usine d'assemblage. La juste valeur de la plieuse est de 50 000 $ plus taxes, alors que la juste valeur du camion de livraison Kenworth est de 55 000 $ plus taxes. L'entreprise RJ reçoit 5 000 $ avant taxes de l'autre entreprise.

Travail à faire

Passez au journal général les écritures requises.

Remarque : Arrondissez les montants au dollar près.

Calcul et inscription de l'amortissement jusqu'à la date de l'échange

Du 1er janvier au 31 juillet 20Y1, l'amortissement est de **3 871 $** (553 $ × 7).

Détermination du caractère monétaire ou non monétaire de l'échange

Somme reçue (avant taxes)	5 000 $
Juste valeur de la plieuse	50 000 $
Contrepartie monétaire maximale (50 000 $ × 10 %)	5 000 $

La somme de 5 000 $ représente 10 % de la juste valeur de la plieuse. Il s'agit donc d'une **opération non monétaire**.

Calcul du coût d'acquisition de la plieuse

Juste valeur du camion Kenworth	55 000 $
Moins : somme reçue (avant taxes)	5 000
Coût d'acquisition de la plieuse	**50 000 $**

Inscription de l'amortissement et de l'échange du camion

Journal général **Page 90**

Date	Nom des comptes et explications	Réf.	Débit	Crédit
20Y1				
08-01	Amortissement – camion de livraison		3 871,00	
	Amortissement cumulé – camion de livraison			3 871,00
	(Pour inscrire l'amortissement du 1er janvier au 31 juillet 20Y1)			

Journal général

Page 90

Date	Nom des comptes et explications	Réf.	Débit	Crédit
20Y1				
08-01	Matériel d'atelier		50 000,00	
	TPS à recevoir[21]		3 500,00	
	TVQ à recevoir		4 013,00	
	Amortissement cumulé – camion de livraison		25 175,00	
	Banque		5 751,00	
	Camion de livraison			78 000,00
	TPS à payer			3 850,00
	TVQ à payer			4 414,00
	Gain sur échange d'immobilisations			2 175,00
	(Pour inscrire l'échange de l'actif)			

Encore une fois, il faut mettre à zéro la fiche du camion Kenworth et créer une fiche pour la plieuse.

Fin de la démonstration 4.16

Mise en situation 4.4

L'échange d'une immobilisation corporelle selon trois scénarios

Le 1er janvier 20Y0, Transgesco échange son chariot élévateur nº 45-879. Voici la fiche de l'actif.

Grand livre auxiliaire des immobilisations

Compte	Chariot élévateur	**Compte nº**	1500-01
Description	Chariot élévateur		
Numéro de série	45-879		
Durée de vie	**15 ans**		
Durée de vie utile	**~~10 ans~~ 12 ans**	**Valeur de récupération**	**0**
Méthode d'amortissement	**Amortissement linéaire**	**Valeur résiduelle**	**~~5 000~~ 3 000**

Date	Libellé	Folio	Coût			Amortissement cumulé		
			Débit	Crédit	Solde	Débit	Crédit	Solde
20X7								
02-01	Achat	JG-20	20 000		20 000			
12-31	Amortissement	JG-40					1 375	1 375
20X8								
12-31	Amortissement	JG-60					1 500	2 875
20X9								
12-31	Amortissement	JG-85					1 404	4 279

21. Les taxes à recevoir sont calculées sur 50 000 $, tandis que les taxes à payer sont calculées sur 55 000 $. L'entreprise RJ devra donc payer au gouvernement 751 $ en taxes nettes à sa prochaine déclaration de TPS et de TVQ.

Travail à faire

Passez au journal général les écritures requises selon chacun des trois scénarios suivants et mettez à jour la fiche du chariot élévateur.

Remarque : Arrondissez les montants des taxes au dollar près.

Scénario 1
Le 1er janvier 20Y0, le chariot élévateur est échangé contre un neuf, évalué à 45 000 $ plus taxes. Le vendeur accepte le vieux chariot à une juste valeur de 15 000 $ plus taxes et Transgesco lui verse 30 000 $ (45 000 $ – 15 000 $) avant taxes.

Scénario 2
Le 1er janvier 20Y0, le chariot élévateur est échangé contre un autre. La juste valeur du nouveau chariot est de 17 000 $ plus taxes, alors que celle du chariot élévateur nº 45-879 est de 16 000 $ plus taxes. Transgesco verse 1 000 $ avant taxes à l'autre entreprise.

Scénario 3
Le 1er janvier 20Y0, le chariot élévateur est échangé contre une coupeuse d'acier. La juste valeur de cette dernière est de 16 000 $ plus taxes, alors que celle du chariot élévateur est de 17 500 $ plus taxes. Transgesco reçoit 1 500 $ avant taxes de l'autre entreprise.

Calcul et inscription de l'amortissement jusqu'à la date de l'échange

Puisque les actifs ont été amortis en date du 31 décembre 20X9, aucun amortissement ne sera comptabilisé en date du 1er janvier 20Y0.

Détermination du caractère monétaire ou non monétaire de l'échange et calcul du coût d'acquisition

Scénario 1

Scénario 2

Scénario 3

Inscription de l'échange du chariot élévateur

Scénario 1 **Journal général** Page 90

Date	Nom des comptes et explications	Réf.	Débit	Crédit
20Y0				
01-01				

Scénario 2 **Journal général** Page 90

Date	Nom des comptes et explications	Réf.	Débit	Crédit
20Y0				
01-01				

Scénario 3 **Journal général** **Page 90**

Date	Nom des comptes et explications	Réf.	Débit	Crédit
20Y0				
01-01				

Fin de la mise en situation 4.4

RESSOURCES NATURELLES
Forêts, gisements de pétrole, de gaz naturel ou de minerai, ressources hydroélectriques et autres biens de même nature qui ont une valeur économique certaine.

RESSOURCES NATURELLES RENOUVELABLES
Ressources naturelles qui peuvent, avec le temps, être remplacées par d'autres de même espèce et dont l'utilisation ou la consommation ne mène pas, par conséquent, à une perte irrémédiable, par exemple la forêt.

RESSOURCES NATURELLES NON RENOUVELABLES
Ressources naturelles qu'on ne peut utiliser qu'une seule fois et qui ne peuvent pas se régénérer, par exemple les gisements miniers, pétroliers ou gaziers.

Problèmes suggérés: 4.15 et 4.16.

Section 4.10 Les ressources naturelles

Le secteur des **ressources naturelles** regroupe les entreprises qui exploitent les mines, les forêts, le gaz naturel, le pétrole, les ressources hydroélectriques et les autres biens de même nature. Contrairement aux autres immobilisations corporelles, ces ressources diminuent au fur et à mesure de leur utilisation, jusqu'à leur épuisement dans plusieurs cas. On distingue ainsi entre les **ressources naturelles renouvelables** et les **ressources naturelles non renouvelables**.

Pour les entreprises de ce secteur, il faut, à la fin de l'exercice financier, inscrire l'épuisement de la ressource comme charge d'exploitation et faire paraître dans un compte d'épuisement cumulé le montant correspondant. Le calcul de l'épuisement de la ressource s'apparente à la méthode d'amortissement proportionnel à l'utilisation utilisée pour les autres immobilisations corporelles.

Démonstration 4.17

L'acquisition et l'épuisement d'une ressource naturelle

Le 31 mars 20X7, l'entreprise Excavation RHG acquiert une carrière de pierre au coût de 850 000 $ plus taxes. On prévoit pouvoir extraire 1 200 000 tonnes de pierre à concasser. Au 31 décembre 20X7, date de fin d'exercice, l'entreprise constate qu'elle en a extrait 300 000 tonnes.

Travail à faire

Inscrivez au journal général l'acquisition et l'épuisement de la ressource pour l'exercice financier 20X7.

Remarque: Arrondissez les montants au dollar près.

BREVET D'INVENTION
Titre délivré par l'État et donnant à l'inventeur d'un produit ou d'un procédé susceptible d'applications industrielles, ou à son cessionnaire, le droit exclusif d'exploitation d'une invention durant un certain temps selon les conditions fixées par la loi.

Journal général Page 90

Date	Nom des comptes et explications	Réf.	Débit	Crédit
20X7				
03-31	Réserve de pierre		850 000,00	
	TPS à recevoir		59 500,00	
	TVQ à recevoir		68 213,00	
	Banque			977 713,00
	(Pour inscrire l'acquisition)			
12-31	Épuisement – réserve de pierre		212 500,00	
	Épuisement cumulé – réserve de pierre			212 500,00
	(Pour inscrire l'épuisement:			
	(300 000 t/1 200 000 t) × 850 000 $ = 212 500 $)			

Fin de la démonstration 4.17

Problèmes suggérés: 4.17 et 4.18.

Section 4.11

Les immobilisations incorporelles

Rappelons d'abord que l'immobilisation incorporelle n'a pas d'existence physique; elle représente, par exemple, des droits permettant à l'entreprise de fabriquer, d'utiliser ou de vendre un élément d'actif. Les principales immobilisations incorporelles sont le **brevet d'invention**, le **droit d'auteur**, la **franchise** et la **marque de commerce**.

Rappelons également les caractéristiques des immobilisations, corporelles ou incorporelles, telles qu'elles sont précisées dans le *Manuel de l'ICCA*:

- Elles sont destinées à être utilisées dans le cadre de l'exploitation de l'entreprise (vente de produits ou de services, production, administration).
- Elles sont acquises, construites, conçues ou mises en valeur afin d'être utilisées de façon durable (en vertu du postulat de la continuité de l'exploitation).
- Elles ne sont pas destinées à être vendues dans le cours normal des affaires[22].

Tout comme les immobilisations corporelles, les immobilisations incorporelles doivent être inscrites à leur coût d'acquisition et, si leur durée de vie est limitée (c'est le cas des brevets et des droits d'auteur), faire l'objet d'un amortissement. On ne comptabilise aucun amortissement pour celles dont la durée de vie semble indéfinie (comme les franchises, les marques de commerce), à moins qu'on puisse leur attribuer une durée de vie limitée. On calcule cet amortissement sur la durée de vie utile de l'immobilisation, sans toutefois excéder la durée de vie légale. La charge d'amortissement réduit directement le compte de l'immobilisation incorporelle jusqu'à ce que celle-ci soit entièrement amortie. Le tableau 4.3 présente quelques immobilisations incorporelles et précise leur durée de vie maximale.

DROIT D'AUTEUR
Droit exclusif que détient un auteur ou son mandataire d'exploiter à son profit, pendant une durée déterminée, une œuvre littéraire, artistique ou musicale.

FRANCHISE
Droit de fabriquer ou de commercialiser un produit, d'utiliser un brevet ou une marque de commerce, ou de rendre un service conformément aux prescriptions du franchiseur, sous réserve du versement par le franchisé des redevances et des droits convenus.

MARQUE DE COMMERCE
Actif incorporel constitué du signe distinctif (nom, sigle, dessin, emblème, etc.) attribué par l'entreprise aux produits ou aux services qu'elle commercialise pour les individualiser par rapport à ceux de ses concurrents et pour en revendiquer la responsabilité.

22. Institut Canadien des Comptables Agréés, mars 2003, 3061.04.

Tableau 4.3 Les immobilisations incorporelles

Immobilisation	Description	Période d'amortissement maximale
Brevet d'invention	Le brevet procure le droit exclusif de fabriquer, de vendre ou d'utiliser un produit ou un procédé.	20 ans
Droit d'auteur	Le droit d'auteur procure le droit d'exploiter une œuvre littéraire, artistique ou musicale.	■ À partir de la création de l'œuvre jusqu'à 50 ans après la mort de l'auteur ■ Pour les disques compacts, bandes magnétiques et photographies: 50 ans à partir de la création de l'œuvre
Franchise	La franchise procure le droit d'utiliser une raison sociale, une marque de commerce, etc.	Immobilisation non amortie
Marque de commerce	La marque de commerce distingue une entreprise de ses concurrents à l'aide de mots, de symboles ou d'emblèmes.	Immobilisation non amortie

Démonstration 4.18

L'acquisition et l'amortissement d'une immobilisation incorporelle

Le 1er janvier 20X7, l'entreprise Laboratoire de recherche PPS inscrit un montant de 45 000 $ dans le compte brevets d'invention. Le brevet couvre la fabrication d'un médicament révolutionnaire dans le traitement du cancer. L'entreprise estime qu'elle pourra tirer avantage de ce brevet pendant 10 ans, après quoi de nouveaux médicaments seront mis au point.

Travail à faire

Inscrivez au journal général l'acquisition du brevet et l'amortissement au 31 décembre 20X7, date de fin d'exercice.

Journal général **Page 95**

Date	Nom des comptes et explications	Réf.	Débit	Crédit
20X7				
01-01	Brevets d'invention		45 000,00	
	Banque			45 000,00
	(Pour inscrire le brevet)			
12-31	Amortissement – brevets d'invention		4 500,00	
	Brevets d'invention			4 500,00
	(Pour inscrire l'amortissement du brevet)			

Fin de la démonstration 4.18

Problèmes suggérés: 4.19 et 4.20.

Résumé

Les immobilisations sont des actifs à long terme que l'entreprise utilise dans le cadre de son exploitation. Elles peuvent être corporelles ou incorporelles.

Les immobilisations corporelles ont une existence physique. Leur coût d'acquisition peut être imputé aux résultats de l'exercice ou capitalisé, selon la valeur de l'actif et la taille de l'entreprise. Ce coût comprend le coût d'achat et d'autres charges engagées pour rendre l'actif opérationnel.

On doit amortir une immobilisation corporelle, c'est-à-dire en répartir le coût sur sa durée d'utilisation prévue. Les principales méthodes sont les suivantes : l'amortissement linéaire, l'amortissement proportionnel à l'utilisation et l'amortissement dégressif. Pour tenir compte des changements survenus au cours d'une période, comme la modification de l'utilisation ou de la durée de vie utile, il faut réviser régulièrement les méthodes et les taux d'amortissement utilisés.

La présentation des immobilisations corporelles dans les états financiers doit comprendre, pour chacune, le coût d'acquisition, l'amortissement cumulé et la méthode d'amortissement utilisée.

Les coûts engagés après la date d'acquisition d'une immobilisation corporelle peuvent être traités comme des charges d'exploitation ou comme des coûts en capital, selon leur nature.

La disposition d'une immobilisation corporelle exige un traitement comptable particulier, qu'il s'agisse d'une vente, d'un échange ou d'une mise au rebut. Dans le cas d'un échange d'immobilisations, il faut déterminer s'il s'agit de biens de même nature ou de nature différente et s'il s'agit d'une opération monétaire ou non monétaire ; s'il y a lieu, on doit comptabiliser le gain ou la perte en relation avec l'échange.

Pour comptabiliser les ressources naturelles, il faut tenir compte de leur épuisement, s'il y a lieu ; ce traitement se rapproche de l'amortissement dégressif, utilisé pour les autres immobilisations corporelles.

Les immobilisations incorporelles n'ont pas d'existence physique. Les principales sont le brevet d'invention, le droit d'auteur, la franchise, la marque de commerce et le fonds commercial. On inscrit ces immobilisations à leur coût d'acquisition et on les amortit selon une durée de vie utile maximale de 40 ans.

Problèmes

Problème 4.1 La détermination du coût d'acquisition des immobilisations corporelles

Le 3 janvier 20X7, Gemofor acquiert un terrain et un bâtiment au coût global de 800 000 $ plus taxes. Le rapport de l'évaluation municipale indique que le terrain est évalué à 200 000 $ et le bâtiment, à 450 000 $. Le 15 courant, Gemofor acquiert un terrain voisin au coût de 70 000 $ plus taxes, ce qui lui permettra d'agrandir l'aire de stationnement et l'espace d'entreposage.

Voici les autres frais engagés pour la mise en valeur de ce terrain.

Nature des frais	Coût
Arpentage	1 500 $
Frais juridiques	950 $
Déboisement	3 500 $
Préparation du terrain	3 800 $
Achat et installation d'une clôture	5 600 $
Aménagement paysager	3 000 $
Achat et installation de lampadaires	2 750 $

L'entreprise obtient 1 200 $ de la vente du bois coupé sur le terrain.

Travail à faire

a) Calculez la valeur à attribuer à chacun des actifs.

b) Passez au journal général les écritures requises.

Remarque : Arrondissez les montants au dollar près.

Problème 4.2 La détermination du coût d'acquisition des immobilisations corporelles

Au cours du mois de juillet 20X7, l'entreprise Gilbertech a effectué les opérations suivantes, relatives aux immobilisations.

Date	Opération
20X7	
07-01	Gilbertech acquiert un terrain et un bâtiment au coût global de 1 300 000 $ plus taxes. Le rapport de l'évaluation municipale indique que le terrain est évalué à 300 000 $ et le bâtiment, à 750 000 $.
07-03	Gilbertech acquiert un terrain voisin au coût de 90 000 $ plus taxes, ce qui lui permettra d'agrandir l'aire de stationnement et l'espace d'entreposage.
07-04	Gilbertech doit payer les frais suivants pour la préparation du nouveau terrain. Arpentage 2 000 $ plus taxes Frais juridiques 950 $ plus taxes
07-05	Le déboisement du terrain coûte 6 000 $.
07-07	Gilbertech encaisse un montant de 2 500 $ grâce à la vente du bois coupé.
07-09	Gilbertech procède à la démolition d'un bâtiment existant sur le nouveau terrain au coût de 4 500 $.
07-11	Gilbertech reçoit 1 100 $ en vendant les matériaux de démolition.
07-20	Voici les autres frais engagés pour l'aménagement du nouveau terrain. Préparation du terrain 6 000 $ Achat et installation d'une clôture 7 000 $ Aménagement paysager 2 800 $ Achat et installation de lampadaires 3 175 $

Travail à faire

a) Passez au journal général les écritures requises.
b) Présentez les comptes en T des actifs terrain, bâtiment et travaux d'aménagement.

Remarque : Arrondissez les montants au dollar près.

Problème 4.3 La détermination du coût d'acquisition des immobilisations corporelles

Le 2 juin 20X7, l'entreprise Bois aisé acquiert une trieuse de planches pour son usine de rabotage. Le coût d'acquisition est de 470 000 $ plus taxes. Les conditions de paiement sont 2/10, n/30. L'appareil est livré le 7 courant selon la condition FAB point de départ. Le coût du transport est de 40 500 $ plus taxes. Le 10 courant, Bois aisé termine la mise en place de la trieuse ; les frais d'installation sont de 53 000 $ plus taxes. Les essais sont terminés le lendemain, au coût de 20 500 $ plus taxes. Le 12 courant, Bois aisé acquitte la facture d'achat de la trieuse.

Travail à faire

a) Passez au journal général les écritures requises.
b) Présentez le compte en T de la trieuse de planches.

Remarque : Arrondissez les montants au dollar près.

Problème 4.4 La détermination du coût d'acquisition des immobilisations corporelles

Le 1er mars 20X7, Arbrofer acquiert un tour numérique usagé pour son usine d'assemblage. Le coût d'acquisition est de 18 000 $ plus taxes. Les conditions de paiement sont 2/10, n/30. La condition de transport est FAB point de départ. Le transporteur livre le tour numérique le 3 courant pour 2 500 $ plus taxes. Au moment du déchargement, le tour numérique est endommagé. Arbrofer le fait réparer et reçoit une facture au montant de 650 $ plus taxes. Le 11 courant, pour bénéficier de l'escompte, Arbrofer acquitte la facture du fournisseur avec le chèque n° 600.

Afin de rendre le tour numérique opérationnel, Arbrofer retient les services de la firme CNC, qui exécute les modifications nécessaires. Le 21 mars, ces travaux sont terminés et CNC émet une facture de 4 000 $ plus taxes. Le 23 courant, on effectue des essais pour vérifier le fonctionnement du tour numérique, ce qui entraîne une charge supplémentaire de 1 500 $ plus taxes. Le 31 courant, le tour numérique est mis en service.

Travail à faire

a) Passez au journal général les écritures requises.
b) Présentez le compte en T du tour numérique.

Remarque : Arrondissez les montants au dollar près.

Problème 4.5 L'application des méthodes d'amortissement

Le 1er septembre 20X7, l'entreprise Vézina acquiert une photocopieuse et un ordinateur pour son bureau. Voici les renseignements pertinents sur ces immobilisations.

Immobilisation	Coût d'acquisition	Valeur résiduelle	Durée de vie utile
Photocopieuse	12 000 $	2 000 $	5 ans
Ordinateur	5 000 $	500 $	4 ans

Travail à faire

a) Calculez et inscrivez au journal général en date du 31 décembre l'amortissement des actifs pour les années 20X7, 20X8 et 20X9 selon la méthode de l'amortissement linéaire.

b) Effectuez le même travail selon la méthode de l'amortissement dégressif à taux double.

Remarque : Arrondissez les montants au dollar près.

Problème 4.6 L'application des méthodes d'amortissement

Pour l'ouverture de son centre de conditionnement physique le 1er août 20X7, Actiforme acquiert cinq vélos stationnaires, trois grimpeurs et deux tapis roulants. Voici les renseignements pertinents au 31 décembre 20X7 sur ces immobilisations.

Nature de l'information	Vélo stationnaire	Grimpeur	Tapis roulant
Coût unitaire	1 000 $	2 000 $	2 500 $
Durée de vie	6 ans	10 ans	10 ans
Durée de vie utile	4 ans	8 ans	6 ans
Valeur de récupération	0 $	100 $	100 $
Valeur résiduelle	50 $	150 $	200 $
Méthode d'amortissement	Amortissement linéaire	Amortissement dégressif à taux double	Amortissement dégressif à taux double

Travail à faire

Calculez et inscrivez au journal général en date du 31 décembre l'amortissement des actifs pour les années 20X7 à 20X9.

Remarque : Arrondissez les montants au dollar près.

Problème 4.7 L'application des méthodes d'amortissement et la présentation des immobilisations dans les états financiers

L'exercice financier de l'entreprise Les équipements M. Bachand se termine le 31 décembre. Voici des renseignements relatifs aux immobilisations de l'entreprise.

Nature de l'information	Chariot élévateur	Chargeur à benne	Grue hydraulique
Date d'acquisition	1er juillet 20X7	1er juillet 20X7	1er octobre 20X7
Coût d'acquisition	95 000 $	125 000 $	180 000 $
Durée de vie	20 ans	20 ans	100 000 h
Durée de vie utile	15 ans	20 ans	100 000 h
Valeur de récupération	3 000 $	0 $	5 000 $
Valeur résiduelle	5 000 $	2 000 $	10 000 $
Méthode d'amortissement	Amortissement linéaire	Amortissement dégressif à taux double	Amortissement proportionnel à l'utilisation

Travail à faire

a) Préparez le grand livre auxiliaire des immobilisations.
b) Calculez et inscrivez au journal général l'amortissement des immobilisations pour les années 20X7 à 20X9.
c) Reportez dans le grand livre auxiliaire des immobilisations le montant des amortissements pour chacune de ces années.
d) Dressez le bilan partiel au 31 décembre 20X9 et présentez les notes complémentaires.

Renseignements complémentaires

1. La grue hydraulique a fonctionné 2 000 heures en 20X7, 6 000 heures en 20X8 et 5 500 heures en 20X9.
2. L'entreprise utilise des comptes différents pour ses immobilisations.

Remarque: Arrondissez les montants au dollar près.

Problème 4.8 L'application des méthodes d'amortissement et la présentation des immobilisations dans les états financiers

L'exercice financier de la Scierie Lemay se termine le 31 décembre. Voici des renseignements relatifs aux immobilisations de l'entreprise.

Nature de l'information	Séchoir à bois	Trieuse de planches	Raboteuse	Écorceuse
Date d'acquisition	1er juillet 20X7	1er janvier 20X7	1er août 20X7	1er octobre 20X7
Coût d'acquisition	420 000 $	174 000 $	225 000 $	180 000 $
Durée de vie	20 ans	20 ans	20 ans	50 000 h
Durée de vie utile	15 ans	15 ans	15 ans	50 000 h
Valeur de récupération	30 000 $	0 $	0 $	5 000 $
Valeur résiduelle	50 000 $	12 000 $	25 000 $	20 000 $
Méthode d'amortissement	Amortissement linéaire	Amortissement linéaire	Amortissement dégressif à taux double	Amortissement proportionnel à l'utilisation

Travail à faire

a) Préparez le grand livre auxiliaire des immobilisations.
b) Calculez et inscrivez l'amortissement des immobilisations pour les années 20X7 à 20X9.
c) Reportez dans le grand livre auxiliaire des immobilisations le montant des amortissements pour chacune des années.
d) Dressez le bilan partiel au 31 décembre 20X9 et présentez les notes complémentaires.

Renseignements complémentaires

1. L'écorceuse a fonctionné 1 000 heures en 20X7, 5 000 heures en 20X8 et 6 500 heures en 20X9.
2. L'entreprise utilise des comptes différents pour ses immobilisations.

Remarque : Arrondissez les montants au dollar près.

Problème 4.9 La révision des taux d'amortissement

Avant d'inscrire les amortissements pour l'exercice financier terminé le 31 décembre 20Y0, le comptable de l'entreprise Les équipements M. Bachand procède à la révision des immobilisations et constate que la durée de vie utile du chariot élévateur aurait dû être de 12 ans plutôt que de 15 ans et que sa valeur résiduelle aurait dû être de 6 000 $ plutôt que de 5 000 $.

Voici la fiche du chariot élévateur.

Grand livre auxiliaire des immobilisations

Compte	Chariot élévateur	**Compte n°**	1500-01
Description	Chariot élévateur		
Numéro de série			
Durée de vie	**20 ans**		
Durée de vie utile	**15 ans**	**Valeur de récupération**	**3 000**
Méthode d'amortissement	**Amortissement linéaire**	**Valeur résiduelle**	**5 000**

Date	Libellé	Folio	Coût			Amortissement cumulé		
			Débit	Crédit	Solde	Débit	Crédit	Solde
20X7								
07-01	Achat	JG-38	95 000		95 000			
12-31	Amortissement	JG-40					3 000	3 000
20X8								
12-31	Amortissement	JG-50					6 000	9 000
20X9								
12-31	Amortissement	JG-70					6 000	15 000

Travail à faire

Passez au journal général l'écriture de régularisation de l'amortissement du chariot élévateur au 31 décembre 20Y0 et mettez à jour le grand livre auxiliaire des immobilisations.

Remarque : Présentez vos calculs et arrondissez les montants au dollar près.

Problème 4.10 La révision des taux d'amortissement

Avant d'inscrire les amortissements pour l'exercice financier terminé le 31 décembre 20Y0, le comptable de l'entreprise Scierie Lemay procède à la révision des immobilisations et constate que la durée de vie utile du séchoir à bois et de la trieuse de planches aurait dû être de 12 ans plutôt que de 15 ans. Il constate également que la valeur résiduelle du séchoir à bois aurait dû être de 40 000 $ plutôt que de 50 000 $, alors que celle de la trieuse de planches ne doit pas changer.

Voici les fiches du séchoir à bois et de la trieuse de planches.

Grand livre auxiliaire des immobilisations

Compte	Séchoir à bois	**Compte nº**	1500-01
Description	Séchoir à bois		
Numéro de série			
Durée de vie	**20 ans**		
Durée de vie utile	**15 ans**	**Valeur de récupération**	**30 000**
Méthode d'amortissement	**Amortissement linéaire**	**Valeur résiduelle**	**50 000**

Date	Libellé	Folio	Coût			Amortissement cumulé		
			Débit	Crédit	Solde	Débit	Crédit	Solde
20X7								
07-01	Achat	JG-38	420 000		420 000			
12-31	Amortissement	JG-40					12 333	12 333
20X8								
12-31	Amortissement	JG-50					24 666	36 999
20X9								
12-31	Amortissement	JG-70					24 666	61 665

Compte	Trieuse de planches	Compte nº	1510-01
Description	Trieuse de planches		
Numéro de série			
Durée de vie	**20 ans**		
Durée de vie utile	**15 ans**	Valeur de récupération	**0**
Méthode d'amortissement	**Amortissement linéaire**	Valeur résiduelle	**12 000**

Date	Libellé	Folio	Coût			Amortissement cumulé		
			Débit	Crédit	Solde	Débit	Crédit	Solde
20X7								
01-01	Achat	JG-31	174 000		174 000			
12-31	Amortissement	JG-40					10 800	10 800
20X8								
12-31	Amortissement	JG-50					10 800	21 600
20X9								
12-31	Amortissement	JG-70					10 800	32 400

Travail à faire

Passez au journal général l'écriture de régularisation de l'amortissement des deux immobilisations au 31 décembre 20Y0 et mettez à jour le grand livre auxiliaire des immobilisations.

Remarque : Présentez vos calculs et arrondissez les montants au dollar près.

Problème 4.11 Les coûts engagés après la date d'acquisition

Le 1er février 20Y0, l'entreprise Scierie Lemay acquiert une nouvelle technologie pour son séchoir à bois. Le coût en est de 75 000 $ avant taxes et la valeur résiduelle estimée est de 15 000 $. Cette amélioration ne prolongera pas la durée de vie utile de l'actif.

Voici la fiche du séchoir à bois.

Grand livre auxiliaire des immobilisations

Compte	Séchoir à bois	**Compte nº**	1500-01
Description	Séchoir à bois		
Numéro de série			
Durée de vie	**20 ans**		
Durée de vie utile	**15 ans**	**Valeur de récupération**	**30 000**
Méthode d'amortissement	**Amortissement linéaire**	**Valeur résiduelle**	**50 000**

Date	Libellé	Folio	Coût			Amortissement cumulé		
			Débit	Crédit	Solde	Débit	Crédit	Solde
20X7								
07-01	Achat	JG-38	420 000		420 000			
12-31	Amortissement	JG-40					12 333	12 333
20X8								
12-31	Amortissement	JG-50					24 666	36 999
20X9								
12-31	Amortissement	JG-70					24 666	61 665

Travail à faire

Inscrivez au journal général l'amélioration et l'amortissement du séchoir à bois de l'année 20Y0, et mettez à jour le grand livre auxiliaire des immobilisations.

Remarque : Présentez vos calculs et arrondissez les montants au dollar près.

Problème 4.12 Les coûts engagés après la date d'acquisition

Le 1er juillet 20X7, Quadco acquiert un bâtiment pour son service de fabrication au coût de 900 000 $ plus taxes. La durée de vie prévue du bâtiment est de 40 ans, alors que la durée de vie utile est de 30 ans. La valeur résiduelle est de 10 000 $ et la valeur de récupération est nulle.

Le 1er septembre 20X9, Quadco achève l'agrandissement de son bâtiment au coût de 125 000 $ plus taxes, avec une valeur résiduelle de 5 000 $. Cet agrandissement ne prolongera toutefois pas la durée de vie du bâtiment.

Travail à faire

a) Inscrivez au journal général l'acquisition du bâtiment et son amortissement pour l'année 20X7.

b) Inscrivez au journal général l'amortissement pour les années 20X8 et 20X9.

c) Préparez la fiche du bâtiment et reportez-y les écritures précédentes.

d) Inscrivez au journal général l'agrandissement et son amortissement pour l'année 20X9, et effectuez le suivi au grand livre auxiliaire des immobilisations.

Remarque : Présentez vos calculs et arrondissez les montants au dollar près.

Problème 4.13 Les coûts engagés après la date d'acquisition

Le 1er mars 20Y2, la Ferme des 3 J remplace le moteur de son tracteur au coût de 20 000 $ avant taxes. Cette amélioration prolongera la durée de vie utile du véhicule de 4 ans, tout en diminuant sa valeur résiduelle à 3 000 $.

Voici la fiche incomplète du tracteur.

Grand livre auxiliaire des immobilisations

Compte	Tracteur	**Compte n°**	1500-01
Description	Tracteur		
Numéro de série			
Durée de vie	**20 ans**		
Durée de vie utile	**15 ans**	**Valeur de récupération**	**3 000**
Méthode d'amortissement	**Amortissement linéaire**	**Valeur résiduelle**	**5 000**

Date	Libellé	Folio	Coût			Amortissement cumulé		
			Débit	Crédit	Solde	Débit	Crédit	Solde
20X7								
07-01	Achat	JG-38	95 000		95 000			
12-31	Amortissement	JG-40					3 000	3 000
20X8								
12-31	Amortissement	JG-50					6 000	9 000
20X9								
12-31	Amortissement	JG-70					6 000	15 000

Travail à faire

Passez au journal général les écritures requises jusqu'au 31 décembre 20Y2 et mettez à jour la fiche du tracteur.

Remarque : Présentez vos calculs et arrondissez les montants au dollar près.

Problème 4.14 Les coûts engagés après la date d'acquisition

Le 1er mai 20X7, Métal pro acquiert un centre de contrôle numérique au coût de 850 000 $ avant taxes. Cet appareil permet la perforation de pièces métalliques de grande taille. La durée de vie utile prévue est de 10 ans et la valeur résiduelle, de 40 000 $.

Le 1er juin 20Y2, Métal pro remplace le système informatique du centre de contrôle numérique au coût de 25 000 $ avant taxes. Cette amélioration prolongera la durée de vie utile du centre numérique de 5 ans, tout en diminuant sa valeur résiduelle à 35 000 $.

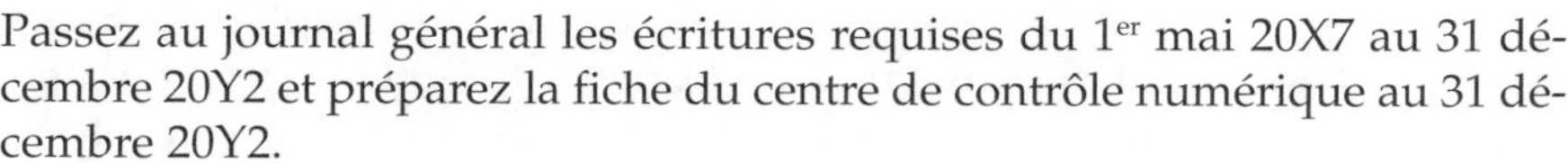

Travail à faire

Passez au journal général les écritures requises du 1er mai 20X7 au 31 décembre 20Y2 et préparez la fiche du centre de contrôle numérique au 31 décembre 20Y2.

Remarque : Présentez vos calculs et arrondissez les montants au dollar près.

Problème 4.15 La disposition ou l'échange d'une immobilisation corporelle

Le 1er mai 20Y2, dans un contexte de rationalisation des opérations, le conseil d'administration de l'entreprise Les équipements M. Bachand décide de se départir de son chargeur à benne.

Voici la fiche de l'actif.

Grand livre auxiliaire des immobilisations

Compte	Chargeur à benne	**Compte nº**	1550-01
Description	Chargeur à benne		
Numéro de série			
Durée de vie	**20 ans**		
Durée de vie utile	**20 ans**	**Valeur de récupération**	**0**
Méthode d'amortissement	**Amortissement dégressif à taux double, 10 %**	**Valeur résiduelle**	**2 000**

Date	**Libellé**	**Folio**	**Coût**			**Amortissement cumulé**		
			Débit	**Crédit**	**Solde**	**Débit**	**Crédit**	**Solde**
20X7								
01-01	Achat	JG-31	125 000		125 000			
12-31	Amortissement	JG-40					6 250	6 250
20X8								
12-31	Amortissement	JG-50					11 875	18 125
20X9								
12-31	Amortissement	JG-70					10 688	28 813

Travail à faire

a) Passez au journal général les écritures de régularisation pour l'amortissement du chargeur à benne des exercices financiers terminés le 31 décembre 20Y0 et le 31 décembre 20Y1, et mettez à jour la fiche de l'actif.

b) Passez au journal général les écritures relatives à la disposition du chargeur à benne selon chacun des scénarios suivants.

Scénario 1

Le chargeur à benne est vendu 77 000 $ comptant plus taxes.

Scénario 2

Le chargeur à benne est vendu 74 000 $ sur effet à recevoir plus taxes.

Scénario 3

Le chargeur à benne est mis au rebut après avoir été entièrement détruit dans un incendie alors qu'il n'était pas assuré.

Scénario 4

Le chargeur à benne est mis au rebut après avoir été entièrement détruit dans un accident alors qu'il était assuré. L'indemnité d'assurance s'élève à 68 000 $.

c) Passez au journal général les écritures relatives à l'échange du chargeur à benne selon chacun des scénarios suivants.

Scénario 1

Le chargeur à benne est échangé contre un autre d'une valeur de 150 000 $ plus taxes. Le concessionnaire accepte le vieil appareil de chargement à une juste valeur de 58 000 $ plus taxes.

Scénario 2

Le chargeur à benne est échangé contre un autre d'une juste valeur de 80 000 $ plus taxes. Le concessionnaire accepte le vieil appareil de chargement à une juste valeur de 75 000 $ plus taxes.

Scénario 3

Le chargeur à benne est échangé contre un terrain d'une juste valeur de 75 000 $ plus taxes. L'entreprise qui échange le terrain accepte le vieil appareil de chargement à une juste valeur de 80 000 $ plus taxes.

Remarque : Présentez vos calculs et arrondissez les montants au dollar près.

Problème 4.16 La disposition ou l'échange d'une immobilisation corporelle

Le 1er avril 20X7, l'entreprise Expert-Copies acquiert un camion de livraison au coût de 30 000 $ avant taxes. La durée de vie prévue est de 10 ans et la durée de vie utile, de 6 ans. La valeur résiduelle et la valeur de récupération sont nulles. Expert-Copies applique la méthode de l'amortissement dégressif à taux double. Le 1er octobre 20Y1, l'entreprise désire vendre son camion.

Travail à faire

a) Passez au journal général les écritures d'acquisition et de régularisation de l'amortissement des années 20X7 à 20Y0.

b) Établissez la fiche de l'actif.

c) Passez au journal général les écritures relatives à la disposition du camion de livraison selon chacun des scénarios suivants et faites le suivi au grand livre auxiliaire des immobilisations.

Scénario 1

Le camion est vendu 6 000 $ comptant plus taxes.

Scénario 2

Le camion est vendu 4 000 $ sur effet à recevoir plus taxes.

Scénario 3

Le camion est mis au rebut après avoir été entièrement détruit dans un accident alors qu'il n'était pas assuré.

Scénario 4

Le camion est mis au rebut après avoir été entièrement détruit dans un accident alors qu'il était assuré. L'indemnité d'assurance s'élève à 5 500 $.

d) Passez au journal général les écritures relatives à l'échange du camion selon chacun des scénarios suivants.

Scénario 1

Le camion est échangé contre un autre camion d'une valeur de 60 000 $ plus taxes. Le concessionnaire accepte le vieux camion à une juste valeur de 6 000 $ plus taxes.

Scénario 2

Le camion est échangé contre un autre camion d'une juste valeur de 15 000 $ plus taxes. Le concessionnaire accepte le vieux camion à une juste valeur de 14 000 $ plus taxes.

Scénario 3

Le camion est échangé contre un photocopieur d'une juste valeur de 13 000 $ plus taxes. L'autre entreprise accepte le vieux camion à une juste valeur de 14 000 $ plus taxes.

Remarque : Présentez vos calculs et arrondissez les montants au dollar près.

Problème 4.17 L'acquisition et l'épuisement d'une ressource naturelle

Le 31 juillet 20X7, l'entreprise Exploitation forestière Larouche acquiert plusieurs lots boisés pour y faire de la coupe de bois. Le coût d'acquisition global est de 150 000 $ avant taxes. On prévoit tirer des lots 800 000 m^3 de bois. Au 31 décembre 20X7, date de fin d'exercice, l'entreprise constate qu'elle en a coupé 100 000 m^3.

Travail à faire

Inscrivez au journal général l'acquisition et l'épuisement de la ressource pour l'exercice financier 20X7.

Remarque : Présentez vos calculs et arrondissez les montants au dollar près.

Problème 4.18 L'acquisition et l'épuisement d'une ressource naturelle

Le 5 septembre 20X7, l'entreprise Mines TTR acquiert un gisement de minerai au coût de 1 200 000 $ avant taxes. On prévoit pouvoir extraire 2 500 000 t de minerai. L'exercice financier de l'entreprise se termine le 31 décembre.

Voici des renseignements relatifs à l'extraction du minerai.

Exercice financier	Quantité de minerai extrait
20X7	50 000 t
20X8	250 000 t
20X9	310 000 t

Travail à faire

Inscrivez au journal général l'acquisition et l'épuisement de la ressource pour les années 20X7 à 20X9.

Remarque : Présentez vos calculs et arrondissez les montants au dollar près.

Problème 4.19 L'acquisition et l'amortissement d'une immobilisation incorporelle

Le 1er mai 20X7, le Laboratoire de recherche PPS acquiert un brevet d'invention au coût de 700 000 $ des Industries Pharma. Ce brevet permettra la commercialisation d'un nouveau produit antirides. L'entreprise estime à 10 ans la durée de vie utile du brevet.

Travail à faire

Inscrivez au journal général l'acquisition et l'amortissement du brevet pour les années 20X7 à 20Y0.

Remarque : Présentez vos calculs et arrondissez les montants au dollar près.

Problème 4.20 L'acquisition et l'amortissement d'une immobilisation incorporelle

Le 1er août 20X7, RestoPro acquiert, au coût de 200 000 $, une franchise permettant l'exploitation d'un établissement faisant partie d'une chaîne de cuisine santé. RestoPro estime que la franchise aura une durée de vie utile de 12 ans.

Travail à faire

Inscrivez au journal général l'acquisition et l'amortissement de la franchise pour les années 20X7 et 20X8.

Remarque : Présentez vos calculs et arrondissez les montants au dollar près.

CHAPITRE

5 Le passif

Compétence :

Analyser et traiter les données du cycle comptable (01H8).

Éléments de compétence	Objectifs d'apprentissage
Recueillir et analyser l'information comptable.	■ Différencier les catégories de passif. ■ Utiliser la terminologie en lien avec les passifs à court et à long terme.
Enregistrer l'ensemble des opérations du cycle comptable.	■ Enregistrer les transactions portant sur le passif à court terme. ■ Enregistrer les transactions portant sur les emprunts hypothécaires et sur les emprunts obligataires.
Régulariser les comptes.	■ Comptabiliser les intérêts à payer sur les passifs à court terme. ■ Régulariser les intérêts à payer sur les emprunts hypothécaires et obligataires. ■ Appliquer la méthode de l'amortissement linéaire et la méthode de l'intérêt réel sur les emprunts obligataires.
Produire le bilan, l'état des résultats et l'état des capitaux propres.	■ Présenter les passifs à court et à long terme selon les normes comptables.

Il y a plusieurs façons de considérer et de définir le passif. Voyons en quoi il consiste sur le plan comptable et sur le plan financier.

Section 5.1

Le passif sur le plan comptable

Sur le plan comptable, le passif correspond aux sommes que l'entreprise doit. C'est plutôt simple ! Rappelons par ailleurs que le passif est l'une des trois composantes de l'équation comptable.

Actif = passif + capitaux propres

Au-delà de cette simplicité, il faut être en mesure de déterminer le **moment** de l'apparition d'un passif de même que son **montant**. En effet, ces deux composantes sont cruciales dans la définition et le classement des différents éléments de passif selon les normes comptables. C'est pourquoi nous traitons d'abord de l'**existence** et de l'**estimation comptable** du passif.

5.1.1 L'existence du passif

Sur le plan comptable, on peut dire qu'un passif existe lorsque :

- l'entreprise contracte une obligation envers un tiers ;
- cette obligation découle d'un événement passé ;
- cette obligation entraînera un règlement futur auquel l'entreprise ne peut se soustraire.

En fait, un passif peut être remboursé de plusieurs façons, notamment par la prestation de services ou la contraction d'une nouvelle dette.

La prestation de services

Un passif est créé par la prestation de services lorsque, par exemple, on reçoit une facture d'honoraires professionnels.

Journal général

Date	Nom des comptes et explications	Réf.	Débit	Crédit
20X7				
04-01	Honoraires professionnels		750,00	
	TPS à recevoir		53,00	
	TVQ à recevoir		60,00	
	Fournisseurs			863,00
	(Honoraires pour services comptables)			

La contraction d'une nouvelle dette

REFINANCEMENT
Remplacement d'une dette par une autre qui échoit habituellement à une date ultérieure.

La contraction d'une nouvelle dette correspond au **refinancement** d'une ou de plusieurs dettes ou bien au changement de la nature d'une dette. Ce serait le cas, par exemple, d'une entreprise en difficulté financière à laquelle son fournisseur principal accorde un délai de paiement important et lui demande en contrepartie de signer un effet à payer[1]. Le compte du fournisseur est alors remplacé par une dette de nature différente.

1. Voir la sous-section 5.4.4.

Journal général

Date	Nom des comptes et explications	Réf.	Débit	Crédit
20X7				
05-05	Fournisseurs		2 000,00	
	Effets à payer			2 000,00
	(Compte fournisseur transformé en effet à payer)			

L'utilisation ou le virement d'un actif

Le règlement d'un passif peut nécessiter l'utilisation ou le virement d'un actif. Une entreprise utilise un actif quand, par exemple, elle paie des salaires.

Journal général

Date	Nom des comptes et explications	Réf.	Débit	Crédit
20X7				
03-03	Salaires à payer		1 500,00	
	Banque			1 500,00
	(Règlement des salaires de la semaine terminée le 3 mars)			

On peut aussi convenir de régler une opération compte à compte, c'est-à-dire d'effacer le solde dû par un client jusqu'à concurrence du montant que l'entreprise lui doit.

Journal général

Date	Nom des comptes et explications	Réf.	Débit	Crédit
20X7				
03-03	Fournisseurs		1 500,00	
	Clients			1 500,00
	(Compte à compte pour effacer le solde d'un client)			

Le remboursement par la prestation de services

Reprenons l'exemple du salon de bronzage. Supposons que le fournisseur de services comptables convienne avec son client, un salon de bronzage, d'un échange de services. Il recevra des séances de bronzage pour une valeur équivalente au montant de sa facture.

Journal général

Date	Nom des comptes et explications	Réf.	Débit	Crédit
20X7				
04-01	Clients		863,00	
	Produits de séances de bronzage			750,00
	TPS à payer			53,00
	TVQ à payer			60,00
	(Facturation de séances de bronzage)			

Journal général

Date	Nom des comptes et explications	Réf.	Débit	Crédit
20X7				
04-01	Fournisseurs		863,00	
	Clients			863,00
	(Échange de services)			

Bien sûr, selon le postulat de la personnalité de l'entité, il faut considérer seulement les obligations contractées au nom de l'entreprise : on ne tient pas compte des obligations relevant personnellement de ses propriétaires.

Démonstration 5.1

La détermination de l'existence d'un passif

L'entreprise Le paradis sauvage est une auberge offrant un lieu de repos et une table champêtre hors du commun. C'est un couple de nouveaux entrepreneurs dans la trentaine qui a fondé cette entreprise dont les activités ont commencé en 20X7. À la fin de leur premier exercice financier, les propriétaires ont confié leurs documents à un comptable pour la production de leurs états financiers annuels. Vous trouverez plus bas quelques détails sur certaines de ces pièces justificatives.

Travail à faire

En vous référant au postulat de la personnalité de l'entité et aux conditions d'existence d'un passif, déterminez, dans chaque cas, s'il s'agit ou non d'un passif pour Le paradis sauvage et expliquez pourquoi.

a) Le contrat d'achat de l'auberge pour une somme de 365 000 $. La transaction est financée en partie par un emprunt hypothécaire d'un montant de 275 000 $ contracté le 1er février 20X7.

b) Une facture au montant de 1 000 $ de l'Association des gîtes et auberges du Québec, relative au classement et à la certification de l'établissement.

c) Une facture d'honoraires professionnels de Me Jacques Therrien, notaire. Ces honoraires concernent l'acquisition de l'auberge (1 250 $) et la vente récente de l'ancienne résidence des propriétaires (750 $).

d) Une soumission au montant de 1 500 $ en réponse à une demande de formation d'appoint sur la gestion d'auberge. Il s'agit d'une offre de service pour une formation qui pourrait avoir lieu dans trois mois. Aucune entente n'a encore été conclue.

e) Un document définissant les conditions d'une servitude de passage sur un terrain adjacent à celui de l'auberge. Le propriétaire du terrain consent à ce que les clients de l'auberge puissent traverser son domaine à condition de ne faire subir aucun dommage à ce dernier. Tout dommage mettrait fin à la servitude.

---

a) La transaction comporte un passif pour Le paradis sauvage, puisque l'entreprise (le postulat de la personnalité de l'entité est respecté) a contracté (il s'agit d'un événement passé) une obligation envers une institution financière. Dans un contrat d'emprunt hypothécaire (la transaction entraîne un règlement futur), elle s'engage à rembourser la somme de 275 000 $ selon l'entente établie.

b) Encore ici, les trois éléments nécessaires à l'existence d'un passif sont réunis: d'abord, l'obligation a été contractée par Le paradis sauvage; ensuite, l'événement fait partie du passé, puisque l'évaluation a effectivement eu lieu; enfin, il en découle pour l'entreprise la nécessité d'un règlement futur (un décaissement de 1 000 $).

c) Il s'agit d'un passif de 1 250 $ pour Le paradis sauvage. L'entreprise a bien contracté une obligation relative à un événement passé (l'acquisition de l'auberge), ce qui entraîne un règlement futur. Par contre, en vertu du postulat de la personnalité de l'entité, la somme de 750 $ ne concerne pas Le paradis sauvage mais ses propriétaires, et il ne saurait être question de l'inclure dans le passif de l'entreprise.

d) Cet événement concerne l'exploitation de l'auberge, mais la première condition n'est pas respectée. En effet, puisqu'il s'agit d'une simple offre de service, Le paradis sauvage n'a encore contracté aucune obligation. Il ne s'agit donc pas d'un passif.

e) Cette situation ne crée aucun passif pour Le paradis sauvage, puisqu'elle n'amène aucune obligation de règlement futur, la seule conséquence possible étant la fin de la servitude. Les deux autres conditions sont toutefois respectées.

Fin de la démonstration 5.1

Mise en situation 5.1

La détermination de l'existence d'un passif

Vous êtes technicien en comptabilité chez Veilleux, Tremblay et Gagnon, c.a. On vous a confié le dossier d'un nouveau client: Service Plein air.

Cette entreprise offre des forfaits plein air et exploite une boutique de matériel de sport haut de gamme pour laquelle elle utilise la méthode de l'inventaire périodique. Les forfaits consistent dans des excursions dans le parc national de la Gaspésie, moyennant une redevance à Parcs Québec.

Le propriétaire de Service Plein air, Jean Paré, vous a apporté un grand nombre de documents qui serviront, selon lui, à dresser les états financiers de son entreprise pour l'exercice terminé le 31 décembre 20X7. Vous trouverez ci-dessous quelques détails sur certains de ces documents.

Travail à faire

Dans chaque cas, déterminez s'il s'agit ou non d'un passif au 31 décembre 20X7 pour Service Plein air et expliquez pourquoi.

a) Vous avez en main un bon de livraison daté du 14 décembre 20X7 et faisant état de la livraison de trois canots artisanaux au prix de vente unitaire de 1 399 $. M. Paré a joint au bon de livraison une copie de l'entente signée avec l'artisan. Cette entente stipule que Service Plein air permet à l'artisan de placer jusqu'à trois canots dans sa boutique de matériel de sport. M. Paré lui offre en quelque sorte un droit d'étalage, puisque Service Plein air n'achète pas ces canots à la livraison. Il s'engage plutôt à payer à l'artisan 1 399 $ pour chaque canot vendu en boutique.

b) Vous trouvez une facture de Parcs Québec au montant de 3 000 $, soit la redevance pour le dernier trimestre de 20X7, selon l'entente signée entre Service Plein air et Parcs Québec.

c) Le troisième document qui vous tombe sous la main est la facture d'un achat effectué auprès d'un fournisseur de matériel d'escalade. Le montant s'élève à 2 500 $ et la marchandise a été livrée le 4 décembre 20X7. Les conditions de règlement sont 2/10, n/30. La marchandise livrée comprend un ensemble junior (500 $) que M. Paré a mis de côté pour offrir à son neveu à Noël.

d) Vous trouvez également une entente signée par Service Plein air et liant l'entreprise à M. Drapeau, guide expert de niveaux 4 et 5 en descente de rapides en canot. L'entente stipule que Service Plein air s'engage à retenir les services de M. Drapeau chaque fois qu'il a besoin d'un spécialiste pour des « descentes extrêmes », à raison de 300 $ par jour plus les dépenses. Si l'entreprise contrevient à cette entente, M. Drapeau est en droit d'exiger une compensation de 150 $ par jour.

e) Enfin, vous tombez sur la facture de la guide accompagnatrice Josée Roberge, concernant une excursion de camping d'hiver dans les monts Chic-Chocs du 18 au 25 janvier 20X8. Le montant total est de 1 500 $.

Fin de la mise en situation 5.1

5.1.2 L'estimation du passif

Le deuxième élément permettant de bien cerner la nature d'un passif est l'estimation du montant en cause. En fait, deux situations sont possibles : soit on peut déterminer le montant avec certitude, soit on ne le peut pas.

On peut estimer la plupart des passifs avec certitude, puisqu'il existe des pièces justificatives qui en permettent la comptabilisation. Qu'il s'agisse d'une facture d'achat, d'un billet à ordre, d'un contrat d'emprunt, d'un avis de cotisation ou autres, ces documents permettent d'évaluer la dette facilement et sans ambiguïté.

Quand un passif existe réellement mais qu'on ne peut en établir le montant avec certitude, il faut l'estimer à une date donnée, au meilleur de sa connaissance, de façon à pouvoir inscrire la dette. Si le passif est impossible à déterminer, même approximativement, il faut, en vertu des normes comptables, mentionner le fait au moyen d'une note complémentaire dans les états financiers. On évite ainsi de fausser ces derniers et d'induire le lecteur en erreur.

Section 5.2 Le passif sur le plan financier

Sur le plan financier, on peut dire que le passif représente la **partie de l'actif financée par les créanciers**, le reste étant financé par les propriétaires (associés ou actionnaires, selon la forme juridique de l'entreprise). Cette définition repose sur l'équation comptable.

Actif = passif + capitaux propres

Rappelons l'essentiel sur les termes de cette équation:

- L'**actif** représente tout ce que possède l'entreprise.
- Le **passif** représente la partie de ces avoirs financée par les créanciers.
- Les **capitaux propres** représentent la partie financée par l'entreprise elle-même.

PROVISION
Obligation potentielle, par exemple la provision pour garanties, évaluée à la date de clôture de la période, que des faits survenus ou en cours rendent probable.

PASSIF ÉVENTUEL
Obligation potentielle résultant d'événements passés et dont l'existence ne sera confirmée que par la survenance ou la non-survenance d'un ou de plusieurs événements futurs incertains qui échappent en partie au contrôle de l'entité; obligation actuelle résultant d'événements passés mais non comptabilisée, du fait qu'elle peut être annulée ou du fait que le montant ne peut être évalué avec une fiabilité suffisante.

Il doit évidemment y avoir un équilibre entre la partie financée par l'entreprise et celle financée par des tiers. En finance, on mesure cet équilibre à l'aide de ratios, par exemple le ratio du passif divisé par les capitaux propres.

Problèmes suggérés: 5.1 et 5.2.

Section 5.3 Les catégories de passif

En vertu des normes comptables, on classe le passif en plusieurs catégories selon les caractéristiques propres à chaque dette et selon les deux axes suivants:

- L'**échéance de la dette**, soit la règle de base. En effet, une dette exigible à l'intérieur d'une période de 12 mois, c'est-à-dire avant la fin de l'exercice financier suivant, est classée dans le passif à court terme, alors qu'une dette venant à échéance après la fin de l'exercice suivant appartient au passif à long terme.
- L'**existence** et l'**estimation** de la dette, soit les deux critères de base pour comptabiliser les passifs. Le degré de certitude de ces critères permet de déterminer si les éléments appartiennent au passif certain, aux **provisions** ou au **passif éventuel** (voir le tableau 5.1).

Tableau 5.1 Les catégories de passif

	Existence L'obligation existe-t-elle hors de tout doute?	Estimation Est-il possible de faire une estimation juste de l'obligation en cause?	Exemple
Passif certain	Oui	Oui	Achat de marchandises à crédit
Provision	Oui	Non	Provision pour garanties
Passif éventuel	Non	Non	Poursuite engagée contre l'entreprise et non encore réglée

Mise en situation 5.2

La détermination de la catégorie d'un passif

Vous trouverez ci-dessous la description de certains événements survenus chez Service Plein air durant l'exercice 20X7.

Travail à faire

Analysez chaque cas et déterminez la catégorie de passif en cause au 31 décembre 20X7 : passif certain, provision ou passif éventuel ; dette à court terme ou dette à long terme.

a) À l'été 20X7, M. Drapeau, le guide expert en descente de rapides, intente une poursuite de 6 500 $ contre Service Plein air en alléguant que l'entreprise aurait dû retenir ses services en vertu de l'entente signée pour une excursion majeure en juillet. Le propriétaire, M. Paré, justifie sa décision en disant que l'excursion ne présentait pas, selon lui, un niveau de difficulté suffisant pour faire appel aux services d'un spécialiste, ce que M. Drapeau contredit, évidemment ! L'avocat de Service Plein air avoue que l'avis d'un expert est plutôt difficile à contester. Il considère toutefois que la somme réclamée est trop élevée et il est certain de pouvoir négocier un règlement pour 4 000 $ avant la prochaine saison estivale.

b) Service Plein air procède à un investissement majeur en juillet 20X7. L'entreprise construit plusieurs refuges en montagne afin de développer le secteur du camping d'hiver. Le coût de 75 000 $ est réparti entre un emprunt bancaire de 57 500 $ et une subvention du gouvernement fédéral. L'emprunt est remboursable mensuellement et il s'étale sur 15 ans.

c) En février 20X7, après quelques trimestres de ralentissement des affaires, M. Paré décide de mettre sur pied un plan promotionnel afin de fidéliser sa clientèle. À cet effet, il prévoit la publication d'une annonce dans le numéro d'avril de la revue *Plein air*.

Voici l'offre : toute personne qui achète un forfait chez Service Plein air en 20X7 obtiendra un rabais de 25 % sur le coût avant taxes de l'excursion suivante (maximum de trois jours), à condition que cette dernière soit achetée avant le 31 décembre 20X8. M. Paré espère que cette offre, combinée à son investissement dans de nouveaux refuges, stimulera la demande.

d) Autre conséquence du ralentissement des affaires, Service Plein air signe un effet à payer à son principal fournisseur pour un montant de 3 620 $. Ce billet, daté du 15 février 20X7, porte intérêt à 7 % et reporte le paiement complet (capital et intérêts) de la dette au 15 février 20X8.

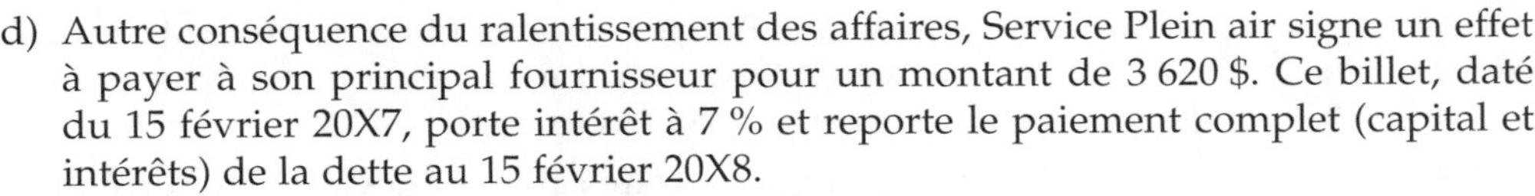

Fin de la mise en situation 5.2

Dans le reste du chapitre, nous ne traiterons que du passif certain.

Problèmes suggérés: 5.3 et 5.4.

Section 5.4

Le passif à court terme

Les dettes constituant le passif à court terme possèdent des caractéristiques générales communes qui leur donnent un certain «air de famille».

- Elles viennent à échéance avant la fin de l'exercice financier suivant. Si la date de référence coïncide avec celle de la rédaction des états financiers, on peut dire que **l'échéance est inférieure à 12 mois**.
- **Elles servent généralement à financer l'exploitation courante** de l'entreprise par des transactions répétitives, comme l'achat de marchandises, les salaires des employés, les remises aux gouvernements, les assurances, l'électricité, etc.
- **Elles reposent généralement sur des pièces justificatives**, comme des factures. Certaines pièces justificatives sont plus complexes, comme les effets à payer ou les fiches de salaire découlant d'un contrat de travail (collectif ou individuel).
- **Elles sont remboursées en un seul versement.** Exceptionnellement, il peut y avoir plus d'un versement. C'est le cas d'une entreprise en difficulté financière qui conclut une entente avec le gouvernement pour payer un solde dû d'impôts.
- **Elles ne portent habituellement pas intérêt**, sauf si elles ne sont pas remboursées selon l'entente prévue. Un compte fournisseur dont les conditions sont 2/10, n/30 ne porte intérêt que si le paiement est fait dans un délai excédant 30 jours: dans un tel cas, on parle même plutôt de «frais d'administration». L'exception par excellence est la marge de crédit, qui porte intérêt à partir du moment où l'entreprise y puise des fonds.
- **Elles ne sont pas garanties par un bien en particulier**, en ce sens que le droit de propriété de l'entreprise sur ses actifs n'est pas touché. Bien sûr, il est fréquent de garantir un emprunt bancaire par les comptes clients ou par le stock de marchandises, mais il ne s'agit pas là d'une garantie sur un ou des comptes en particulier ni d'une garantie de nature aussi restrictive qu'une **hypothèque** immobilière, qui limite le droit de propriété.
- **Leur montant est généralement très facile à déterminer, mais elles doivent faire l'objet d'une démarcation** en fin d'exercice. En effet, en vertu du postulat de l'indépendance des exercices et du principe du rapprochement des produits

HYPOTHÈQUE
Droit réel sur un bien, constitué au profit d'un créancier pour garantir le paiement d'une dette ou l'exécution d'une obligation.

et des charges, il convient d'inscrire la dette dans l'exercice où elle est contractée, non dans celui où la facture est reçue et encore moins dans celui où le paiement est fait.

- En finance, **cette catégorie de passif sert fréquemment à évaluer les liquidités de l'entreprise**. Avec des mesures telles que les ratios de liquidité (générale et immédiate), il est possible de mesurer la capacité de l'entreprise à s'acquitter de ses dettes à court terme. En effet, ces mesures mettent en relation les actifs à court terme de l'entreprise avec ses passifs à court terme.

Les principaux éléments du passif à court terme sont le découvert bancaire, l'emprunt bancaire (ou la marge de crédit), les fournisseurs et les frais courus, les effets à payer, les salaires et les charges sociales, les produits reçus d'avance, les dettes envers les gouvernements (les retenues à la source, les taxes à la consommation et les impôts), les dividendes à payer et la portion échéant à court terme de la dette à long terme. Examinons de plus près certains de ces éléments.

5.4.1 Le découvert bancaire

DÉCOUVERT BANCAIRE
Situation d'un compte bancaire dont le solde est débiteur.

Un **découvert bancaire** est une situation ponctuelle, c'est-à-dire de courte durée, qui survient lorsqu'une entreprise engage plus de fonds qu'elle en a à sa disposition dans son compte de banque. Il s'ensuit un déficit temporaire, mis à jour soit par l'information reçue de l'établissement bancaire (par exemple un appel du responsable de dossier), soit à la rédaction du rapprochement bancaire. L'établissement bancaire peut traiter cette situation de différentes façons, selon les relations et les ententes avec l'entreprise.

L'établissement bancaire peut **retourner le ou les chèques pour lesquels il n'y a pas de fonds**. Dans ce cas, le fournisseur que l'entreprise a payé avec ce chèque se voit refuser le paiement de son compte. Sa créance est donc toujours en vigueur, sans compter que la réputation de bon payeur de l'entreprise risque d'être entachée. Ensuite, l'établissement bancaire retourne le chèque à l'émetteur avec la mention *NSF*[2] ou, en français, CSP (pour chèque sans provision), ce qui signifie que l'entreprise n'a pas les fonds suffisants pour l'honorer. Enfin, il prélèvera des frais directement dans le compte de l'entreprise et en imposera probablement au fournisseur! Bref, cette situation n'est ni enviable ni souhaitable. D'autres solutions s'offrent pourtant à l'entreprise.

Il se peut que l'établissement bancaire appelle l'entreprise pour **l'informer qu'elle a en main un chèque sans provision avant de le retourner**. Dans ce cas, l'entreprise peut déposer la somme nécessaire pour couvrir l'effet. Évidemment, il faut que l'entreprise entretienne de bonnes relations avec son établissement bancaire et qu'elle n'émette pas souvent de chèques sans provision.

L'émission répétée de chèques sans provision nuit à la bonne réputation de l'entreprise, tant auprès de ses fournisseurs que de son établissement bancaire.

Enfin, rien ne vaut la planification. Comme l'instabilité financière est chose courante en affaires et que les rentrées de fonds ne sont pas toujours régulières, l'entreprise peut négocier un emprunt bancaire ou une marge de crédit pour se protéger des découverts dans son compte. C'est ce que nous verrons plus loin.

2. Cette abréviation de l'expression anglaise *not sufficient funds* est d'usage courant en français.

Le traitement comptable du découvert bancaire

Le découvert bancaire constaté à la réception d'un CSP oblige l'entreprise à passer une écriture inverse de l'écriture faite au moment du paiement du fournisseur. En effet, la dette qu'on croyait avoir réglée ne l'est pas! Il faut alors passer l'écriture suivante, en plus d'inscrire les frais afférents dans le compte frais bancaires.

Journal général

Date	Nom des comptes et explications	Réf.	Débit	Crédit
20X7				
01-02	Fournisseurs		2 500,00	
	Banque			2 500,00
	(Paiement du compte fournisseurs)			
01-07	Banque		2 500,00	
	Fournisseurs			2 500,00
	(Chèque sans provision)			
01-07	Frais bancaires		10,00	
	Banque			10,00
	(Frais bancaires pour chèque sans provision)			

Le découvert bancaire qu'un rapprochement bancaire fait ressortir est-il bien réel?

Le découvert bancaire constaté au moment du rapprochement bancaire est souvent théorique, en ce sens qu'il n'y a pas réellement un manque de fonds ou un solde créditeur au compte bancaire. En effet, tous les chèques en circulation ne sont pas nécessairement encaissés en même temps, ce qui fait que des entrées d'argent prochaines peuvent rectifier la situation avant qu'un chèque s'avère sans provision.

Toutefois, si le rapprochement bancaire révèle un solde négatif, l'entreprise doit le reconnaître et le présenter au passif à court terme. Il est courant que ce solde soit combiné à celui des emprunts bancaires.

Démonstration 5.2

La présentation d'un découvert bancaire

Reprenons l'exemple de l'auberge Le paradis sauvage. Le solde du compte banque au 31 mars 20X7 se présente comme suit.

Grand livre général partiel

Banque

Débit	Crédit
	669,68 20X7-03-31

Travail à faire

Dressez le bilan partiel de l'entreprise au 31 mars 20X7.

Le paradis sauvage **Bilan partiel** au 31 mars 20X7	
PASSIF	
Passif à court terme	
Découvert bancaire	669,68 $

Fin de la démonstration 5.2

5.4.2 L'emprunt bancaire et la marge de crédit

MARGE DE CRÉDIT (ou LIGNE DE CRÉDIT)
Montant du crédit autorisé par une banque ou un autre établissement de crédit à une entreprise, un organisme ou un particulier (ou par une entreprise à son client), sur lequel sont imputés les paiements effectués, tant qu'ils ne dépassent pas la limite prévue.

L'emprunt bancaire sur **marge de crédit** (ou **ligne de crédit**) est lié au passif précédent: il constitue la version « officielle » et « correcte » du découvert bancaire. En effet, une entreprise ayant des entrées d'argent irrégulières (par exemple les entreprises saisonnières) ou encore une entreprise connaissant un creux de vague peut quand même gérer sainement son fonds de roulement et éviter de payer ses fournisseurs avec des chèques sans provision.

La meilleure approche est certes d'en discuter avec le responsable de son compte à l'établissement bancaire. À partir de la situation financière et des antécédents de crédit de l'entreprise, le responsable de compte pourra évaluer ses besoins en financement d'appoint et déterminer les conditions accordées: la limite de crédit, le taux d'intérêt, le mode de remboursement, etc. On peut aussi établir la limite de l'emprunt bancaire sur marge de crédit selon un pourcentage de la liste de comptes clients ou de la valeur totale des stocks.

Autrement dit, la marge de crédit correspond à un emprunt bancaire sur demande et préautorisé !

Il arrive que l'établissement financier exige un de ces éléments d'actif à court terme (les comptes clients ou les stocks) en garantie du remboursement de la marge de crédit. En pareil cas, les normes comptables obligent l'entreprise à communiquer cette information par voie de note complémentaire aux états financiers. Les lecteurs savent ainsi que la réalisation de ces actifs est en quelque sorte affectée au remboursement de la marge de crédit s'il y a défaut de paiement.

Grâce à la marge de crédit, les chèques et les versements préautorisés sont honorés par l'établissement bancaire, même lorsque le compte bancaire de l'entreprise est créditeur. Il ne faut évidemment pas dépasser la limite accordée. De plus, les intérêts commencent à courir dès l'utilisation de ce prêt préautorisé, selon le taux convenu. En général, les établissements bancaires prélèvent le montant cumulé des intérêts le dernier jour du mois.

Tous les détails sur les mouvements liés à la marge de crédit apparaissent dans le relevé bancaire mensuel: les sommes déposées par l'établissement bancaire pour honorer les engagements, les remboursements effectués par l'entreprise et les intérêts prélevés. Si le remboursement est automatique, il se fait au fur et à mesure des dépôts dans le compte. Autrement, c'est l'entreprise qui décide des montants et des moments de remboursement, toujours dans le respect de l'entente.

Enfin, soulignons que l'entreprise qui dépasse la limite de marge autorisée s'expose à payer ses fournisseurs avec… des chèques sans provision !

Le traitement comptable de la marge de crédit

Les transactions relatives à la marge de crédit sont détaillées sur le relevé bancaire mensuel. À la réception de ce document, il faut effectuer le rapprochement bancaire et comptabiliser ces transactions.

Démonstration 5.3

La comptabilisation des opérations liées à la marge de crédit

Le paradis sauvage n'est pas une entreprise saisonnière au sens propre du terme, mais les propriétaires savent bien que la haute saison s'étend de mai à septembre, avec un petit regain pendant les vacances de Noël. Ils ont donc négocié une marge de crédit avec leur banque afin de pallier les imprévus des mois plus tranquilles. Voici les conditions de l'entente :

- La limite de découvert est de 25 000 $.
- Les versements sont effectués dans le compte bancaire par tranches de 1 000 $.
- Après avoir déterminé la **cote de crédit** (ou **cote de solvabilité**) de l'auberge Le paradis sauvage et évalué le degré de risque global qu'elle présente, la banque lui a accordé un taux d'intérêt de 8,5 %, calculé quotidiennement sur les sommes empruntées. Les intérêts courus seront prélevés automatiquement dans le compte le dernier jour de chaque mois.
- Les remboursements de la marge seront effectués automatiquement par tranches de 1 000 $ au fur et à mesure de la disponibilité des fonds dans le compte.

COTE DE CRÉDIT (ou COTE DE SOLVABILITÉ)
Résultat de l'évaluation effectuée au sujet de la solvabilité d'un emprunteur ou d'un client, exprimée par une note ou une autre marque d'appréciation.

Le relevé bancaire de l'entreprise pour le mois de mars 20X7 comporte les quatre transactions suivantes, relatives à la marge de crédit.

Date	Opération	Commentaires
20X7		
03-03	Emprunt de 4 000 $	Selon l'entente, les sommes sont déposées par tranches de 1 000 $. Comme le compte était à découvert de 3 400,03 $, la banque y a donc viré 4 000 $.
03-10	Remboursement de 2 000 $	Selon l'entente, la banque se rembourse par tranches de 1 000 $ dès la disponibilité des fonds dans le compte. Comme le solde était de 2 632,43 $, la banque a prélevé 2 000 $.
03-17	Remboursement de 2 000 $	Ici aussi, l'entreprise a présenté un solde supérieur à 2 000 $, ce qui a permis à la banque de prélever de nouveau 2 000 $, ramenant ainsi le solde de la marge de crédit à zéro.
03-31	Paiement de 9,75 $ en intérêts courus	Rappelons que la marge de crédit est un des rares passifs à court terme qui engendre des intérêts. Le paradis sauvage a bénéficié d'un prêt de 4 000 $ du 3 au 10 mars, date du premier remboursement. Ensuite, du 10 au 17 mars, les intérêts sur 2 000 $ ont couru. Voici le calcul détaillé : (4 000 $ × 0,085 × 7/365) + (2 000 $ × 0,085 × 7/365) = 9,78 $.

Travail à faire

Passez au journal général les écritures requises pour présenter le compte banque à son solde réel.

Journal général

Date	Nom des comptes et explications	Réf.	Débit	Crédit
20X7				
03-03	Banque		4 000,00	
	Emprunt bancaire			4 000,00
	(Avance sur marge)			
03-10	Emprunt bancaire		2 000,00	
	Banque			2 000,00
	(Remboursement automatique de marge)			
03-17	Emprunt bancaire		2 000,00	
	Banque			2 000,00
	(Remboursement automatique de marge)			
03-31	Charge d'intérêts		9,78	
	Banque			9,78
	(Intérêts sur marge pour le mois de mars)			

Fin de la démonstration 5.3

Problèmes suggérés: 5.5 et 5.6.

5.4.3 Les fournisseurs et les frais courus

Les fournisseurs et les frais courus (ou charges à payer) découlent de la réception de biens ou de services. Ces dettes sont liées aux activités courantes de l'entreprise, puisqu'elles portent sur des biens ou des services nécessaires à l'exploitation: achat de marchandises, de fournitures ou de matières premières, électricité, taxes foncières, honoraires professionnels d'un comptable ou d'un avocat, assurances, etc.

À titre de charges courantes, elles nécessitent un acquittement rapide, allant du paiement comptant jusqu'à un règlement effectué dans un délai maximal de 30 jours, selon la situation financière de l'entreprise et les conditions de paiement accordées par le fournisseur. On peut toujours déterminer sans ambiguïté ces dettes à court terme grâce aux pièces justificatives (factures).

Le traitement comptable des fournisseurs et des frais courus

Les fournisseurs et les frais courus nécessitent plusieurs écritures et reports au cours du processus comptable. Le traitement comprend les étapes suivantes:

- l'inscription du compte à payer au journal des achats;
- la démarcation;

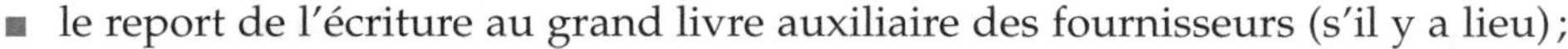

- le report de l'écriture au grand livre auxiliaire des fournisseurs (s'il y a lieu);
- le report de l'écriture au grand livre auxiliaire des stocks (s'il y a lieu);
- l'inscription du paiement au journal des décaissements et l'émission du chèque;
- le report du décaissement au grand livre auxiliaire des fournisseurs (s'il y a lieu).

Revoyons certaines de ces étapes.

DEMANDE D'ACHAT (ou DEMANDE D'APPROVISIONNEMENT)
Document interne adressé par une section d'une entité au service des achats de cette entité pour obtenir des matières et des fournitures, ce qui donnera généralement lieu par la suite à la passation d'une commande.

BON DE COMMANDE
Document qui matérialise une commande, en définit les conditions (quantité achetée, prix convenu et délai de paiement) et engage l'acheteur à l'égard du fournisseur.

BORDEREAU D'EXPÉDITION
Document indiquant le nombre, la nature et les marques distinctives des divers colis d'un lot faisant l'objet d'un même envoi.

L'inscription du compte à payer

En plus de la facture établie par le fournisseur, diverses pièces justificatives sont liées à l'acquisition de marchandises: la **demande d'achat** (ou **demande d'approvisionnement**) (rédigée par le demandeur et transmise à l'acheteur), le **bon de commande** (rédigé par l'acheteur et envoyé au fournisseur), de même que le **bordereau d'expédition** (rédigé par le fournisseur à l'intention de l'entreprise acheteuse) et le **bordereau de réception** (rédigé par la personne qui reçoit les livraisons).

Le traitement de ces documents implique qu'on effectue une **contre-vérification** pour s'assurer du respect des conditions de paiement accordées ainsi que de la concordance entre les quantités commandées, facturées et reçues. On utilise la facture pour comptabiliser la transaction. Il s'agit d'une inscription plutôt courante, puisque d'une part l'entreprise contracte une dette au crédit et que d'autre part elle achète des marchandises et inscrit une charge au débit ou augmente les stocks, selon la méthode d'inventaire utilisée.

Démonstration 5.4

La comptabilisation d'un achat

Dans la mise en situation 5.1 (p. 273), Service Plein air vous a soumis la facture d'un achat effectué auprès d'un fournisseur de matériel d'escalade, au montant de 2 500 $ et selon les conditions de paiement 2/10, n/30. La marchandise livrée comprenait un ensemble junior (500 $) que M. Paré avait mis de côté pour offrir à son neveu à l'occasion de Noël.

Travail à faire

a) Comptabilisez cet achat en supposant que l'entreprise est inscrite au régime de la TPS et de la TVQ.

b) Comptabilisez cet achat en supposant cette fois que l'entreprise n'est pas inscrite à ce régime.

BORDEREAU DE RÉCEPTION
Document émanant du service de la réception sur lequel figure la description des marchandises, des matières ou des fournitures reçues.

CONTRE-VÉRIFICATION
Action de vérifier l'exactitude d'un montant ou d'un calcul par un recoupement de données, de pièces justificatives, etc.

a) **Journal général**

Date	Nom des comptes et explications	Réf.	Débit	Crédit
20X7				
12-04	Achats		2 000,00	
	TPS à recevoir		140,00	
	TVQ à recevoir		160,50	
	Fournisseurs			2 300,50
	(Achat de matériel d'escalade)			

b) **Journal général**

Date	Nom des comptes et explications	Réf.	Débit	Crédit
20X7				
12-04	Achats		2 300,50	
	Fournisseurs			2 300,50
	(Achat de matériel d'escalade)			

Dans un contexte d'inventaire permanent, l'écriture se ferait au débit du compte stock de marchandises plutôt qu'au débit du compte achats.

Fin de la démonstration 5.4

La démarcation

Toute la comptabilisation des fournisseurs et des frais courus repose sur deux principes : le **principe du rapprochement des produits et des charges** et le **postulat de l'indépendance des exercices**. En vertu de ces principes, on doit constater une charge dans l'exercice où le service concerné a été reçu (ou le bien livré). Ce découpage de l'exploitation de l'entreprise facilite l'évaluation de l'entreprise et sa comparaison avec les autres. C'est pourquoi le travail de démarcation est très important.

Dans la sous-section 2.2.2, nous avons défini la démarcation comme un arrêt théorique de l'enregistrement des opérations ou de l'écoulement des stocks. À la fin d'un exercice, on doit analyser les transactions afin de déceler celles qui ne seraient pas classées dans le bon exercice. Il arrive en effet que les passifs relatifs aux derniers achats de marchandises ou aux services reçus dans les derniers jours de l'exercice ne soient pas inscrits. Or, en vertu du principe du rapprochement des produits et des charges, on doit les inscrire. Il s'agit de procéder à une régularisation en date de fin d'exercice.

En pratique, pour le travail de démarcation des achats de marchandises, on fait un examen des derniers bons de réception de l'exercice et des premiers de l'exercice suivant, en prêtant attention à la **date de réception**.

Pour effectuer la démarcation des services reçus, on analyse d'abord les postes de charges les plus susceptibles de présenter des erreurs. On examine les dernières transactions de l'exercice et les premières de l'exercice suivant, en gardant à l'esprit qu'il faut inscrire une charge dans l'exercice correspondant à la réception du service concerné et non dans l'exercice de la réception de la facture.

L'inscription du paiement au journal des décaissements et l'émission du chèque

Tout comme elle accorde un escompte sur ventes à ses clients, l'entreprise peut obtenir de ses fournisseurs un escompte sur achats. Les conditions de paiement influent sur le règlement des comptes. Il existe diverses politiques en la matière, mais on paie habituellement une facture à la date limite du délai d'escompte, pour les deux raisons suivantes :

- Réduire le plus possible le coût d'emprunt (si le paiement est fait sur marge de crédit) ou maximiser les revenus de placements (si les fonds sont disponibles).
- Diminuer le coût des achats en bénéficiant de l'escompte.

Évidemment, si l'entreprise paie en utilisant sa marge de crédit, il faut s'assurer que l'économie réalisée grâce à l'escompte de caisse est supérieure au coût du crédit nécessaire.

Le responsable des comptes fournisseurs doit donc faire le suivi quotidien des factures à payer en fonction des conditions accordées par chaque fournisseur. Il doit aussi rassembler et vérifier les pièces justificatives nécessaires pour établir le moment opportun du paiement et procéder au décaissement.

Problèmes suggérés : 5.7 et 5.8.

5.4.4 Les effets à payer

EFFET À PAYER
Dette qui fait l'objet d'un billet à ordre.

INTÉRÊTS IMPLICITES
(ou INTÉRÊTS THÉORIQUES)
Intérêts attribués à des créances, dettes et billets à long ou moyen terme qui ne comportent aucune mention quant à l'intérêt.

Un **effet à payer** est un élément de passif comportant des caractéristiques bien précises, auquel correspond un **billet à ordre**. Dans le chapitre 1, nous avons vu que le billet à ordre est un document qui comporte les renseignements suivants : le nom du souscripteur, le nom du bénéficiaire, le montant dû, la date du prêt, la date d'échéance ainsi que le taux d'intérêt et certaines modalités de paiement, s'il y a lieu. Mentionnons que les intérêts peuvent être des **intérêts implicites** (ou **intérêts théoriques**)[3].

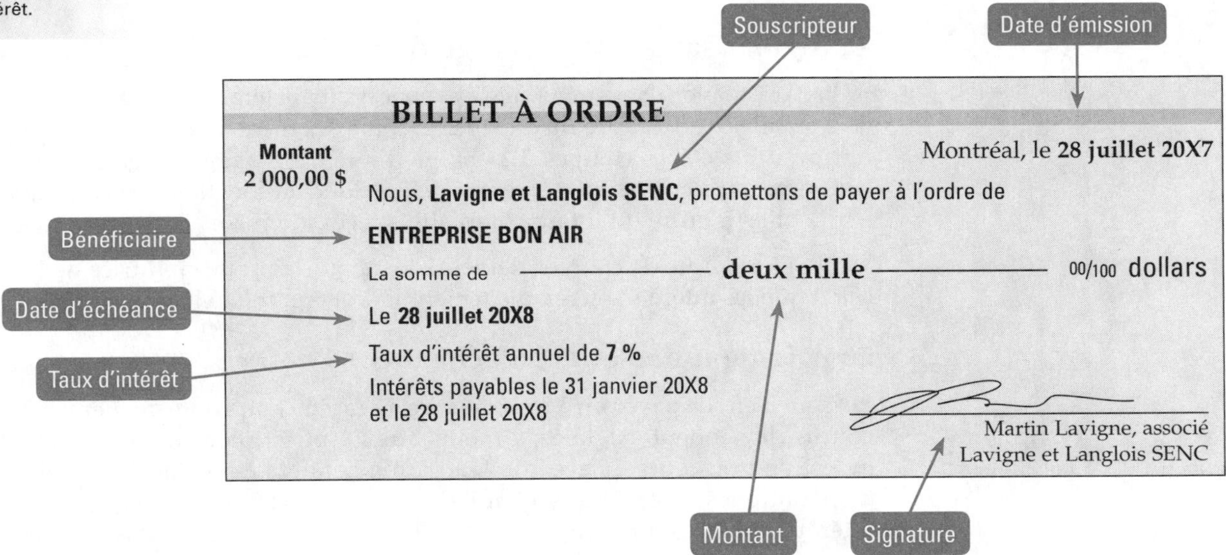
BILLET À ORDRE

Montant
2 000,00 $

Montréal, le **28 juillet 20X7**

Nous, **Lavigne et Langlois SENC**, promettons de payer à l'ordre de
ENTREPRISE BON AIR
La somme de ——— **deux mille** ——— 00/100 dollars
Le **28 juillet 20X8**
Taux d'intérêt annuel de **7 %**
Intérêts payables le 31 janvier 20X8
et le 28 juillet 20X8

Martin Lavigne, associé
Lavigne et Langlois SENC

Si l'échéance du billet se situe avant la fin de l'exercice suivant, il s'agit d'un passif à court terme ; dans le cas contraire, l'effet est classé dans le passif à long terme.

Quand une entreprise n'arrive plus à payer les fournisseurs dans des délais normaux, les effets à payer peuvent servir au refinancement de ce compte. Les deux

3. Nous ne verrons pas cette possibilité dans le présent manuel.

parties conviennent alors des modalités d'un billet à ordre. L'entreprise en difficulté (le souscripteur) s'engage envers son fournisseur (le bénéficiaire) à rembourser sa dette selon les conditions précisées sur le document. Le souscripteur bénéficie d'un répit, alors que le bénéficiaire retire des intérêts sur le compte en retard.

La valeur nominale d'un billet à ordre peut différer du coût d'acquisition des marchandises qui font l'objet du refinancement.

Le traitement comptable des effets à payer

Le traitement comptable d'un effet à payer comporte trois étapes :

1. L'inscription à la date de signature de l'effet.
2. La régularisation de la charge d'intérêts à la fin de l'exercice.
3. Le paiement de l'effet à l'échéance.

L'inscription à la date de signature de l'effet à payer

La signature de l'effet à payer donne lieu à un passif qu'on doit inscrire dans les livres selon les circonstances et les conditions négociées. Par exemple, si l'effet sert à refinancer un compte fournisseur, l'écriture doit inclure le débit à cet ancien passif (fournisseurs) et le crédit au nouveau passif (effets à payer). Par ailleurs, si l'effet à payer résulte de l'achat d'un actif, il faut débiter le compte d'actif correspondant.

Enfin, on ne comptabilise pas l'effet à payer de la même façon selon que le taux d'intérêt est expressément mentionné ou qu'il est implicite.

La régularisation de la charge d'intérêts à la fin de l'exercice

Si l'effet à payer chevauche deux exercices financiers, la charge d'intérêts doit être comptabilisée en date de fin d'exercice, conformément au principe du rapprochement des produits et des charges. La charge d'intérêts est une obligation que l'entreprise contracte avec le passage du temps. C'est donc en fonction des conditions précisées sur le billet à ordre qu'il faut comptabiliser ces intérêts.

Si le compte de charges demeure le même, la partie créditrice de l'écriture varie selon que les intérêts sont explicitement indiqués sur le billet ou qu'ils sont implicites.

Le paiement de l'effet à l'échéance

Lorsque l'effet à payer arrive à échéance, le capital emprunté de même que les intérêts courus deviennent exigibles, à moins que le souscripteur ne se prévale du **délai de grâce**[4] de trois jours qu'accorde la loi canadienne. Le paiement du billet à ordre fait disparaître les passifs qui y sont liés : l'effet à payer et les intérêts à payer. Pour les intérêts, il faut tenir compte de l'écriture de régularisation de fin d'exercice et de l'éventuelle écriture de réouverture de l'exercice suivant.

Si le souscripteur ne peut remplir ses obligations à la date d'échéance, un nouveau refinancement est toujours possible, pour autant que le bénéficiaire soit d'accord. Dans ce cas, le montant du second billet à ordre comprend le capital initial du premier et les intérêts courus sur ce dernier. Bien sûr, le taux d'intérêt peut alors être plus élevé, compte tenu du risque accru pour le bénéficiaire.

4. Voir la section 1.7.

Démonstration 5.5

Le refinancement d'un compte fournisseur au moyen d'un billet à ordre

Le propriétaire de Service Plein air, M. Paré, a signé un billet à ordre le 15 février 20X7 au bénéfice de son principal fournisseur, Équipements extrêmes. Ce billet reporte le paiement complet de la dette (capital et intérêts) au 15 février 20X8.

BILLET À ORDRE

Montant
3 620,00 $

Sainte-Anne-des-Monts, le 15 février 20X7

Nous, Service Plein air, promettons de payer à l'ordre de

ÉQUIPEMENTS EXTRÊMES

La somme de ——— **trois mille six cent vingt** ——— 00/100 dollars

Le 15 février 20X8

Taux d'intérêt annuel de 7 %
Intérêts payables à l'échéance

Jean Paré
Jean Paré, propriétaire
Service Plein air

L'effet à payer a donc une valeur nominale de 3 620 $ et porte intérêt au taux de 7 % jusqu'à son remboursement. Si Service Plein air décidait de se prévaloir du délai de grâce, le paiement pourrait être effectué au plus tard le 18 février 20X8. Passé cette date, il y aurait défaut de paiement.

Travail à faire

a) Enregistrez le billet à ordre au journal général.

b) Passez au journal général l'écriture de régularisation des intérêts au 31 décembre 20X7.

c) Enregistrez le paiement total du billet à ordre en date du 15 février 20X8 en supposant que Service Plein air n'ait pas passé d'écriture de réouverture.

d) Enregistrez-le à la même date en supposant que l'entreprise ait passé une écriture de réouverture.

a) **Journal général**

Date	Nom des comptes et explications	Réf.	Débit	Crédit
20X7				
02-15	Fournisseurs		3 620,00	
	Effets à payer			3 620,00
	(Billet à ordre, Équipements extrêmes, échéant le 15 février 20X8)			

Le solde du billet fait référence au solde dû par Service Plein air à son fournisseur. Cette écriture fait donc disparaître le solde qui figurait au grand livre auxiliaire des fournisseurs. En effet, même si l'entreprise est toujours aussi endettée, la nature de la dette est différente; c'est pourquoi il faut modifier le compte utilisé afin d'en informer le lecteur des états financiers.

b) Le créancier a accepté de retarder l'encaissement de son dû en échange d'un rendement de 7 % sur le solde de son compte à recevoir. Le montant des intérêts n'apparaît pas dans l'écriture du 15 février 20X7, puisqu'il n'existe ni charge ni dette d'intérêts à cette date. Ces éléments apparaîtront avec le passage du temps.

Au 31 décembre 20X7, Service Plein air doit 320 jours d'intérêts à son fournisseur. Ces intérêts ne seront payés que le 15 février 20X8, en même temps que le capital, ce qui explique le crédit au compte intérêts à payer.

Journal général

Date	Nom des comptes et explications	Réf.	Débit	Crédit
20X7				
12-31	Charge d'intérêts		222,16	
	Intérêts à payer			222,16
	(Pour régulariser les intérêts sur l'effet à payer, Équipements			
	extrêmes : 3 620 $ × 7 % × 320/365)			

Au 31 décembre 20X7, la dette de Service Plein air envers Équipements extrêmes s'élève donc à 3 842,16 $, soit le capital initial de 3 620,00 $ augmenté des intérêts dus de 222,16 $.

c) **Journal général**

Date	Nom des comptes et explications	Réf.	Débit	Crédit
20X8				
02-15	Effets à payer		3 620,00	
	Intérêts à payer		222,16	
	Charge d'intérêts		31,24	
	Banque			3 873,40
	(Paiement du billet à ordre, Équipements extrêmes)			

Soulignons que cette écriture est juste, pour autant qu'aucune écriture de réouverture n'ait été passée au début de l'exercice 20X8. C'est pourquoi on trouve un montant au débit du compte intérêts à payer. On calcule le coût total du financement comme suit.

Intérêts à l'état des résultats de 20X7 (3 620 $ × 7 % × 320/365)	222,16 $
Intérêts à l'état des résultats de 20X8 (3 620 $ × 7 % × 45/365)	31,24
Total des intérêts	253,40 $

d) Avec une écriture de réouverture, les intérêts à payer auraient été versés au crédit du compte charge d'intérêts en date du 1er janvier 20X8. Il faudrait donc enregistrer le paiement total comme suit.

Journal général

Date	Nom des comptes et explications	Réf.	Débit	Crédit
20X8				
02-15	Effets à payer		3 620,00	
	Charge d'intérêts		253,40	
	Banque			3 873,40
	(Paiement du billet à ordre, Équipements extrêmes)			

Comme le compte charge d'intérêts est déjà créditeur de 222,16 $ (en raison de l'écriture de réouverture), le débit de 253,40 $ ne laisse qu'une charge de 31,24 $, soit les intérêts cumulés du 1er janvier au 15 février 20X8.

On respecte ainsi le principe du rapprochement des produits et des charges, puisque la charge d'intérêts apparaît dans l'exercice où elle a été effectivement dépensée.

Fin de la démonstration 5.5

Mise en situation 5.3

La comptabilisation des billets à ordre

Les propriétaires de l'auberge Le paradis sauvage ont apporté des améliorations au terrain. D'une part, ils ont engagé un entrepreneur général pour effectuer des travaux de terrassement, de drainage et d'irrigation souterraine. D'autre part, ils ont fait appel à un architecte paysager afin de créer une atmosphère intime aux abords de l'auberge.

Tous ces travaux exécutés à l'automne 20X7 font suite aux améliorations apportées à l'intérieur du bâtiment. Afin de s'assurer un fonds de roulement suffisant pour la saison tranquille, les propriétaires ont négocié des conditions de paiement adaptées à leur situation :

- Le 15 octobre 20X7, ils ont signé un billet à ordre au montant de 6 500 $ taxes comprises avec l'architecte paysager. Le billet porte intérêt au taux du marché (8 %) jusqu'à l'échéance, fixée au 15 avril 20X8.
- Le 30 octobre 20X7, ils ont signé un second billet à ordre avec l'entrepreneur. Le coût des travaux était de 10 150 $ taxes comprises. Le billet porte intérêt au taux de 7,75 % et l'échéance a été fixée au 30 avril 20X8.

Travail à faire

a) Comptabilisez au journal général l'émission des deux billets à ordre.

b) Régularisez les intérêts au 31 décembre 20X7.

c) Comptabilisez au journal général le paiement des billets à ordre (le premier est remboursé à l'échéance et le second, à la fin du délai de grâce) en supposant que l'entreprise utilise les écritures de réouverture.

d) Comptabilisez au journal général le paiement des billets à ordre en supposant cette fois que l'entreprise ne passe pas d'écritures de réouverture.

a)

Journal général

Date	Nom des comptes et explications	Réf.	Débit	Crédit
20X7				

b)

Journal général

Date	Nom des comptes et explications	Réf.	Débit	Crédit
20X7				

c)

Journal général

Date	Nom des comptes et explications	Réf.	Débit	Crédit
20X8				

d)

Journal général

Date	Nom des comptes et explications	Réf.	Débit	Crédit
20X8				

Fin de la mise en situation 5.3

5.4.5 Les produits reçus d'avance

La notion de produit reçu d'avance découle directement de l'application du principe de réalisation. En vertu de ce principe, un produit doit être comptabilisé lorsque le service est rendu ou le bien livré et non au moment de l'encaissement. Ainsi, lorsqu'un client paie avant d'avoir reçu sa contrepartie (le bien ou le service), le produit n'est pas encore gagné. La somme reçue représente plutôt un passif, puisque l'entreprise est alors redevable envers son client: elle doit lui livrer ce pour quoi il a payé.

Le traitement comptable des produits reçus d'avance

Le traitement comptable des produits reçus d'avance se fonde sur **deux moments cruciaux: l'encaissement et la prestation du service ou la livraison du bien**. Si l'encaissement survient en premier, le montant correspond à un produit reçu d'avance. On comptabilise la somme reçue en avance dans le compte de passif et, une fois que le service est rendu ou le bien livré, on vire le montant dans le compte de produits.

En fin de période, au moment de la production des états financiers, il faut examiner les encaissements pour repérer ceux qui correspondent à des services non rendus ou à des biens non livrés. Certaines catégories d'entreprises ou de professions sont plus susceptibles de générer des produits reçus d'avance, par exemple les agences de publicité et les professionnels qui répartissent les services rendus dans le temps. Dès qu'un client paie pour plusieurs séances d'un service, il y a présence éventuelle de produits reçus d'avance. Il faut régulariser toute erreur détectée au cours de l'analyse.

Démonstration 5.6

La détermination des produits reçus d'avance

L'agence Publi-Art en est à ses débuts. Elle conçoit et réalise des campagnes de publicité. Voici les honoraires facturés à l'un de ses clients, Meubles Royer, au 31 décembre 20X7.

Conception d'un logo	850 $
Mise sur pied d'une campagne publicitaire	2 000
Placement publicitaire	3 000
Total	5 850 $

À cette date, le client a payé le total des honoraires et l'agence a réalisé le logo de même que la campagne publicitaire, mais le placement publicitaire est prévu pour 20X8. L'agence a comptabilisé 5 850 $ en honoraires reçus d'avance.

Travail à faire

S'il y a lieu, déterminez le produit reçu d'avance et passez au journal général l'écriture de régularisation requise au 31 décembre 20X7.

À cette date, Publi-Art a encaissé 5 850 $ de Meubles Royer. Or, toujours à cette date, seuls des services d'une valeur de 2 850 $ ont été rendus, soit la création du logo et la réalisation de la campagne publicitaire.

Travail	Le produit a-t-il été encaissé?	Le service a-t-il été rendu?	S'agit-il d'un produit reçu d'avance?
Conception du logo	Oui	Oui	**Non**
Campagne de publicité	Oui	Oui	**Non**
Placement publicitaire	Oui	Non	**Oui**

Sur les 5 850 $ encaissés en date du 31 décembre 20X7, la somme de 2 850 $ constitue des honoraires gagnés.

Journal général

Date	Nom des comptes et explications	Réf.	Débit	Crédit
20X7				
12-31	Honoraires reçus d'avance		2 850,00	
	Honoraires gagnés			2 850,00
	(Pour régulariser les produits)			

Fin de la démonstration 5.6

Démonstration 5.7

La détermination des produits reçus d'avance

L'agence Publi-Art a signé un contrat au montant de 3 500 $ avec la Station touristique du Moulin. L'entente vise la mise sur pied d'une campagne publicitaire destinée à promouvoir les activités estivales en 20X8. Au début du mois de décembre 20X7, le client verse la moitié de la somme en acompte. L'agence prévoit commencer à remplir son mandat en janvier.

Travail à faire

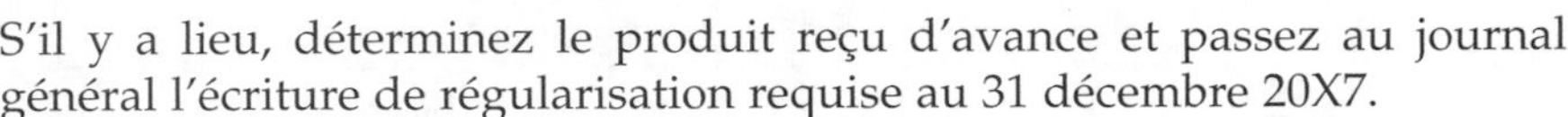

S'il y a lieu, déterminez le produit reçu d'avance et passez au journal général l'écriture de régularisation requise au 31 décembre 20X7.

Au 31 décembre 20X7, le client a payé 1 750 $ sur un total dû de 3 500 $. Toutefois, en date de fin d'exercice, l'agence n'a encore effectué aucun travail. La somme encaissée a été comptabilisée en honoraires gagnés.

Travail	Le produit a-t-il été encaissé?	Le service a-t-il été rendu?	S'agit-il d'un produit reçu d'avance?
Campagne de publicité	1 750 $ Oui 1 750 $ Non	Non Non	**1 750 $ Oui** **1 750 $ Non**

L'encaissement de 1 750 $ en décembre constitue donc un produit reçu d'avance.

Journal général

Date	Nom des comptes et explications	Réf.	Débit	Crédit
20X7				
12-31	Honoraires gagnés		1 750,00	
	Honoraires reçus d'avance			1 750,00
	(Pour régulariser les produits)			

Fin de la démonstration 5.7

Démonstration 5.8

La régularisation des produits reçus d'avance

Le salon de coiffure Chez Manon communique avec l'agence Publi-Art. La propriétaire du salon désire passer un message publicitaire sur les ondes de la station radio locale. Comme le message est déjà réalisé, l'agence n'a aucun travail créatif ou stratégique à faire. Il s'agit d'un contrat de placement publicitaire. Au début du mois de décembre 20X7, les deux parties concluent une entente au montant de 1 250 $. Le contrat prévoit une mise en ondes au cours des deux dernières semaines de janvier 20X8. Au 31 décembre 20X7, Publi-Art n'a reçu aucune somme du client.

Travail à faire

S'il y a lieu, déterminez le produit reçu d'avance et passez au journal général l'écriture de régularisation requise au 31 décembre 20X7.

Au 31 décembre 20X7, Publi-Art n'a rien encaissé du salon Chez Manon, mais le service ne sera pas rendu avant les deux dernières semaines du mois de janvier 20X8.

Travail	Le produit a-t-il été encaissé ?	Le service a-t-il été rendu ?	S'agit-il d'un produit reçu d'avance ?
Placement publicitaire à la radio	Non	Non	**Non**

Comme il n'y a pas d'encaissement antérieur à la prestation de services, il n'y a aucun produit reçu d'avance. Aucune écriture de régularisation n'est donc nécessaire.

Fin de la démonstration 5.8

5.4.6 Les sommes à payer aux gouvernements

Un passif relève du fait que l'entreprise doit quelque chose à un créancier. Les gouvernements font partie des créanciers courants de l'entreprise et les dettes à leur égard peuvent correspondre aux éléments suivants :

- les sommes que l'entreprise a perçues pour eux ;
- les charges sociales ;
- l'impôt sur le revenu des sociétés.

Revoyons brièvement ces notions de base étudiées dans *Comptabilité 1 – Le cycle comptable.*

Les sommes perçues au nom des gouvernements

Quand l'entreprise perçoit des taxes sur une vente ou qu'elle effectue les retenues à la source sur le salaire de ses employés, elle le fait à titre de mandataire des gouvernements.

Les **taxes à la consommation** comprennent la TPS et la TVQ, calculée sur le montant de la vente majoré de la TPS. Les **retenues à la source (RAS)** correspondent au prélèvement sur le salaire brut des employés pour la participation aux programmes gouvernementaux.

Les charges sociales

Les charges sociales correspondent aux cotisations obligatoires de l'employeur à divers programmes sociaux.

L'impôt sur le revenu des sociétés

L'impôt sur le revenu des sociétés s'applique sur les bénéfices des sociétés de capitaux. On le détermine dans la déclaration de revenus annuelle, à partir des états financiers annuels.

La loi fiscale oblige la société à verser au gouvernement en cours d'exercice des acomptes provisionnels. La dette réelle en fin d'exercice correspond donc à la différence entre la charge d'impôt calculée dans la déclaration fiscale et le total des versements anticipés effectués au cours de l'exercice.

Seules les sociétés par actions et les coopératives paient des impôts. En effet, les profits réalisés par les entreprises individuelles sont imposés au propriétaire, alors que ceux réalisés par les sociétés de personnes sont imposés aux associés.

5.4.7 Les dividendes à payer

Pour l'actionnaire, un dividende est un revenu de placement. Pour la société par actions[5], un dividende est une répartition des bénéfices et non pas une charge. C'est pourquoi le compte dividendes apparaît dans l'état des bénéfices non répartis plutôt que dans l'état des résultats.

Le dividende peut être versé en espèces ou en actions ; il peut être cumulatif ou non. Le taux de dividende sur les actions privilégiées est spécifié sur le certificat d'actions, alors que celui sur les actions ordinaires est souvent fixé d'après les liquidités de l'entreprise.

5. Pour plus de détails sur les sociétés par actions et les dividendes, voir la sous-section 3.2.3 et le chapitre 7.

Le traitement comptable des dividendes à payer

Dans le chapitre 3, nous avons vu que trois dates relatives aux dividendes sont importantes dans la comptabilisation des placements en actions:

- La date de déclaration de dividende, date où le conseil d'administration de la société émettrice s'engage à verser un dividende.
- La date de clôture des registres, habituellement deux semaines après la date de déclaration. C'est à ce moment qu'on indique le bénéficiaire du dividende.
- La date de versement de dividende, date où la société émettrice paie le dividende en espèces ou remet des certificats d'action dans le cas de dividende en actions.

Ces dates sont, bien sûr, tout aussi importantes dans la comptabilisation des dividendes à payer. On se rappelle qu'un passif est une obligation contractée par une entreprise à la suite d'un événement passé. On peut conclure que le dividende devient un passif au moment de sa déclaration, puisque c'est le moment où l'entreprise prend un engagement ferme en indiquant les conditions globales, comme le dividende total, le taux, la date d'inscription et la date de versement.

Il est alors possible de quantifier l'engagement de l'entreprise, d'estimer la dette et, donc, de procéder à l'inscription du passif. Il s'agit habituellement d'un passif à court terme, puisque la date de paiement se situe à l'intérieur de l'exercice suivant.

5.4.8 Les sommes dues à des personnes liées à l'entreprise ou à des sociétés affiliées

Selon les normes comptables, certaines sommes à payer doivent être présentées distinctement dans les états financiers. C'est le cas des dettes contractées par l'entreprise envers des personnes liées à l'entreprise ou envers des sociétés affiliées. On peut présenter ces dettes soit séparément des autres, soit par voie de note complémentaire. La transparence ainsi visée a pour but de faciliter l'évaluation de la gestion de l'entreprise. Entrent dans cette catégorie les dettes suivantes:

- les avances faites à la société par un actionnaire;
- les avances faites à la société par un administrateur;
- les dettes contractées entre sociétés affiliées.

5.4.9 La portion à court terme de la dette à long terme

La portion à court terme de la dette à long terme correspond à la partie qui doit être remboursée au cours de l'exercice suivant. Comme la dette à long terme s'étale sur plus d'un exercice, il faut reclasser cette portion dans le passif à court terme. Le lecteur des états financiers peut ainsi évaluer plus précisément les liquidités de l'entreprise et sa capacité de remplir ses obligations à même ses actifs à court terme.

La portion à court terme de la dette à long terme comprend la partie de tous les versements du prochain exercice **consacrée au remboursement du capital, mais non au paiement des intérêts**. Comme nous l'avons déjà précisé, les intérêts courent avec le passage du temps. Par exemple, au 31 décembre 20X7, les intérêts du mois de janvier 20X8 sur une dette ne sont pas encore dus. C'est pourquoi il ne faut pas les inclure dans le passif, contrairement au capital, dû à compter du débours du prêt.

TABLEAU DE REMBOURSEMENT (ou ÉCHÉANCIER)
Plan de remboursement d'une dette qui indique, pour chaque période, le capital non encore remboursé au début de la période, le montant du versement décomposé en intérêts et capital, et le capital restant dû après le versement.

Pour évaluer la portion à court terme de la dette à long terme, on utilise le **tableau de remboursement** (ou **échéancier**). Ce tableau permet d'évaluer ce passif soit en comparant le solde de la dette au début du prochain exercice avec celui à la fin, soit en additionnant simplement la portion capital des 12 versements dus dans cet exercice.

L'institution financière qui accorde le prêt peut remettre un tableau de remboursement à l'entreprise ; sinon, il est relativement facile d'en préparer un.

Démonstration 5.9

La détermination de la portion à court terme de la dette à long terme

Le 15 février 20X7, les propriétaires de l'auberge Le paradis sauvage contractent un emprunt hypothécaire sur les biens meubles afin de changer l'ameublement et l'équipement. Selon eux, cette remise à neuf est nécessaire pour satisfaire la nouvelle clientèle cible. Le montant de l'emprunt est de 70 000 $ et le taux d'intérêt est de 10 %. Le remboursement se fera par versements mensuels de 1 487,29 $ sur une période de 5 ans.

Voici le tableau de remboursement remis à l'entreprise par l'institution financière.

Tableau de remboursement de l'emprunt hypothécaire sur les biens meubles

Capital emprunté : 70 000,00 $
Taux d'intérêt : 10 %[a]
Durée : 60 mois
Versement mensuel : 1 487,29 $

Période	Versement		Capital remboursé	Intérêts remboursés	Solde
	Numéro	Montant			
20X7-02					**70 000,00**
20X7-03	1	1 487,29	903,96	583,33	69 096,04
20X7-04	2	1 487,29	911,49	575,80	68 184,55
20X7-05	3	1 487,29	919,09	568,20	67 265,46
20X7-06	4	1 487,29	926,74	560,55	66 338,72
20X7-07	5	1 487,29	934,47	552,82	65 404,25
20X7-08	6	1 487,29	942,25	545,04	64 462,00
20X7-09	7	1 487,29	950,11	537,18	63 511,89
20X7-10	8	1 487,29	958,02	529,27	62 553,87
20X7-11	9	1 487,29	966,01	521,28	61 587,86
20X7-12	10	1 487,29	974,06	513,23	**60 613,80**
20X8-01	11	1 487,29	982,17	505,12	59 631,63
20X8-02	12	1 487,29	990,36	496,93	58 641,27
20X8-03	13	1 487,29	998,61	488,68	57 642,66
20X8-04	14	1 487,29	1 006,93	480,36	56 635,73
20X8-05	15	1 487,29	1 015,33	471,96	55 620,40
20X8-06	16	1 487,29	1 023,79	463,50	54 596,61
20X8-07	17	1 487,29	1 032,32	454,97	53 564,29
20X8-08	18	1 487,29	1 040,92	446,37	52 523,37
20X8-09	19	1 487,29	1 049,60	437,69	51 473,77
20X8-10	20	1 487,29	1 058,34	428,95	50 415,43
20X8-11	21	1 487,29	1 067,16	420,13	49 348,27
20X8-12	22	1 487,29	1 076,05	411,24	**48 272,22**
[...]					
20X9-12	34	1 487,29	1 188,73	298,56	**34 638,31**
[...]					
20Y0-12	46	1 487,29	1 313,21	174,08	**19 576,75**
[...]					
20Y1-12	58	1 487,29	1 450,72	36,57	**2 938,04**
	59	1 487,29	1 462,81	24,48	1 475,24
	60	1 487,29	1 475,24	12,05	**0**

a. Pour simplifier l'exemple, nous avons utilisé un taux d'intérêt de 10 % capitalisé 12 fois par an, ce qui correspond à un taux de 10,2107 % capitalisé 2 fois par an.

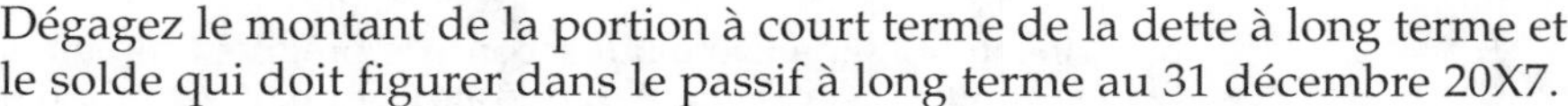

Travail à faire

Dégagez le montant de la portion à court terme de la dette à long terme et le solde qui doit figurer dans le passif à long terme au 31 décembre 20X7.

À l'aide du tableau de remboursement, on peut facilement déterminer la portion à court terme de la dette à long terme et le solde qui doit apparaître dans le passif à long terme.

Calculs

Portion à court terme de la dette à long terme

Il faut additionner les parties des versements qui serviront à rembourser le capital en 20X8.

Janvier	982,17 $
Février	990,36
Mars	998,61
Avril	1 006,93
Mai	1 015,33
Juin	1 023,79
Juillet	1 032,32
Août	1 040,92
Septembre	1 049,60
Octobre	1 058,34
Novembre	1 067,16
Décembre	1 076,05
	12 341,58 $

Solde de la dette devant figurer au passif à long terme

Solde de l'emprunt au 31 décembre 20X7	60 613,80 $
Moins : portion à court terme de la dette à long terme	12 341,58
Solde de la dette devant figurer au passif à long terme	48 272,22 $

Au 31 décembre 20X7, Le paradis sauvage doit donc rembourser à court terme 12 341,58 $ sur le total dû de 60 613, 80 $. Cette portion de la dette doit apparaître au passif à court terme, alors que le solde doit être présenté au passif à long terme, puisqu'il n'exige aucune sortie de fonds au cours de l'exercice suivant. Soulignons que le montant de 12 341,58 $ correspond **seulement au remboursement du capital** prévu en 20X8, les intérêts n'étant pas encore passés en charge. Nous approfondirons ce sujet dans les prochaines sections.

Fin de la démonstration 5.9

Mise en situation 5.4

La détermination de la portion à court terme de la dette à long terme

Voici le tableau de remboursement d'un emprunt hypothécaire sur les biens immeubles contracté le 7 juin 20X7. L'emprunt s'étale sur 25 ans et le taux d'intérêt est de 10 %. Les versements mensuels sont de 2 726,10 $.

Tableau de remboursement de l'emprunt hypothécaire sur les biens immeubles					
Capital emprunté : 300 000,00 $ **Taux d'intérêt : 10 %[a]** **Durée : 300 mois** **Versement mensuel : 2 726,10 $**					
Période	**Versement**		**Capital remboursé**	**Intérêts remboursés**	**Solde**
	Numéro	**Montant**			
20X7-06					**300 000,00**
20X7-07	1	2 726,10	226,10	2 500,00	299 773,90
20X7-08	2	2 726,10	227,98	2 498,12	299 545,92
20X7-09	3	2 726,10	229,88	2 496,22	299 316,04
20X7-10	4	2 726,10	231,80	2 494,30	299 084,24
20X7-11	5	2 726,10	233,73	2 492,37	298 850,51
20X7-12	6	2 726,10	235,68	2 490,42	**298 614,83**
20X8-01	7	2 726,10	237,64	2 488,46	298 377,19
20X8-02	8	2 726,10	239,62	2 486,48	298 137,57
20X8-03	9	2 726,10	241,62	2 484,48	297 895,95
20X8-04	10	2 726,10	243,63	2 482,47	297 652,32
20X8-05	11	2 726,10	245,66	2 480,44	297 406,66
20X8-06	12	2 726,10	247,71	2 478,39	297 158,95
20X8-07	13	2 726,10	249,78	2 476,32	296 909,17
20X8-08	14	2 726,10	251,86	2 474,24	296 657,31
20X8-09	15	2 726,10	253,96	2 472,14	296 403,35
20X8-10	16	2 726,10	256,07	2 470,03	296 147,28
20X8-11	17	2 726,10	258,21	2 467,89	295 889,07
20X8-12	18	2 726,10	260,36	2 465,74	**295 628,71**
[...]					
20X9-12	30	2 726,10	287,62	2 438,48	**292 329,89**
[...]					
20Y0-12	42	2 726,10	317,74	2 408,36	**288 685,66**
[...]					
20Y1-12	54	2 726,10	351,01	2 375,09	**284 659,82**
[...]					
20Y2-12	66	2 726,10	387,77	2 338,33	**280 212,43**
20Y3-01	67	2 726,10	391,00	2 335,10	279 821,43
20Y3-02	68	2 726,10	394,25	2 331,85	279 427,18
20Y3-03	69	2 726,10	397,54	2 328,56	279 029,64
20Y3-04	70	2 726,10	400,85	2 325,25	278 628,79
[...]					

a. Pour simplifier l'exemple, nous avons utilisé un taux d'intérêt de 10 % capitalisé 12 fois par an, ce qui correspond à un taux de 10,2107 % capitalisé 2 fois par an.

Travail à faire

a) Déterminez le solde de l'emprunt hypothécaire au 31 décembre 20X7.

b) Déterminez les montants du passif à court terme et du passif à long terme qu'il faut présenter dans le bilan au 31 décembre 20X7.

c) Déterminez le capital remboursé au cours de l'exercice se terminant le 31 décembre 20X8.

a)

b) **Calculs**

Portion à court terme de la dette à long terme

Solde de la dette devant figurer au passif à long terme

c)

Fin de la mise en situation 5.4

Problèmes suggérés: 5.9 et 5.10.

Section 5.5

Le passif à long terme

Nous avons précisé que le passif à court terme comprend les dettes qui viennent à échéance avant la fin de l'exercice financier suivant. Les dettes dont le remboursement dépasse cette date constituent le passif à long terme. Elles sont généralement liées à l'acquisition de biens qui seront utilisés pendant plusieurs exercices; les montants en sont donc plus élevés que ceux des dettes à court terme. Voici les caractéristiques générales des dettes du passif à long terme.

- Ces dettes viennent à échéance après la fin de l'exercice suivant. Si la date de référence est le moment de la rédaction des états financiers, on peut donc dire que **l'échéance excède 12 mois**.
- **Elles servent généralement à financer les transactions d'investissement**, moins régulières et répétitives que les activités d'exploitation.
- **Elles font l'objet d'un contrat écrit** (contrat notarié pour un emprunt hypothécaire, acte de fiducie pour un emprunt obligataire, billet à ordre, etc.) liant les deux parties et définissant les conditions de l'emprunt, comme le taux d'intérêt, le mode de remboursement, les échéances, les clauses particulières, etc.
- **Elles sont habituellement remboursées en plusieurs versements**, généralement selon un tableau de remboursement. Comme nous l'avons vu dans la section précédente, cet échéancier précise le montant des remboursements périodiques égaux, le solde du capital à rembourser, ainsi que la portion de capital et la portion d'intérêts comprises dans le remboursement.

HYPOTHÈQUE MOBILIÈRE
Hypothèque grevant un bien meuble.

HYPOTHÈQUE IMMOBILIÈRE
Hypothèque grevant un immeuble.

- **Elles sont habituellement garanties par un bien en particulier.** Le bien qui fait l'objet de la garantie peut être un bien meuble (**hypothèque mobilière**) ou un bien immeuble (**hypothèque immobilière**). Cette garantie touche le droit de propriété, en ce sens que la disposition du bien est conditionnelle à l'autorisation du créancier. L'emprunteur accorde au créancier un droit sur un de ses biens pour garantir le paiement de l'emprunt.
- **Leur montant est généralement très facile à déterminer**, puisqu'elles font l'objet d'un contrat écrit. Toutefois, comme elles portent intérêt, ces dettes donnent habituellement lieu à une régularisation visant à inscrire la charge d'intérêts due en fin d'exercice.
- **En finance, cette catégorie de passif sert à évaluer la structure financière de l'entreprise**, par exemple au moyen du ratio d'endettement (le passif total par rapport à l'actif total) ou du ratio du passif divisé par les capitaux propres.

Les principaux éléments du passif à long terme sont les emprunts hypothécaires, les emprunts obligataires, les obligations découlant de contrats de location-acquisition et des régimes de retraite, les effets à payer et les provisions dont le dénouement excède 12 mois. Examinons de plus près certains de ces éléments.

5.5.1 L'emprunt hypothécaire

EMPRUNT HYPOTHÉCAIRE
Prêt garanti par une hypothèque.

Un **emprunt hypothécaire** est un emprunt garanti par un ou des éléments d'actif à long terme. Cet élément peut être un bien meuble ou un bien immeuble. Les passifs de cette catégorie servent à financer l'acquisition d'immobilisations.

Le créancier hypothécaire est donc un créancier privilégié, puisqu'il a le droit de faire saisir et de vendre le bien donné en garantie si le débiteur ne respecte pas ses engagements. Comme le risque lié à un tel prêt est moindre, le taux d'intérêt exigé est plus bas que pour des prêts d'autres catégories.

Le montant d'un prêt hypothécaire consenti à une entreprise ne correspond pas au coût total d'acquisition du bien donné en garantie, mais plutôt à environ 75 % de ce coût. Exceptionnellement, cette proportion peut être plus élevée, si l'entreprise a une excellente réputation et des antécédents de crédit irréprochables ou si elle offre des garanties supplémentaires. Cependant, pour un bâtiment de 100 000 $, l'entreprise se verra généralement accorder un prêt hypothécaire maximal de 75 000 $ et elle devra assumer le reste du coût d'acquisition de même que tous les frais relatifs à l'acquisition. Cette proportion procure une garantie suffisante contre le défaut de paiement de l'entreprise ; de plus, celle-ci partage ainsi avec l'institution financière le risque lié à l'acquisition d'un élément d'actif majeur.

Les institutions financières ont déjà fait preuve de plus de largesse quant à la part financée et aux frais inclus dans le montant de l'emprunt hypothécaire. Toutefois, comme la vente rapide d'un élément d'actif saisi rapporte souvent moins que sa valeur de marché, sans compter les frais engendrés par l'opération, le montant correspondant à 25 % de l'actif sert de marge de manœuvre pour prévenir les pertes.

L'institution financière détermine le taux d'intérêt selon le risque lié à chaque prêt hypothécaire. Ce taux fixe est garanti seulement pour une durée allant de 6 mois à 5 ans, même si l'échéance de la dette est de 25 ans, voire de 30 ans. Après quoi, il faut renégocier le taux pour une autre période. Il est évident que plus la durée est longue, plus le taux sera élevé, puisque le risque de variation des taux d'intérêt est accru. Par contre, du point de vue de l'entreprise, le montant des versements est à l'abri de ce risque.

Les versements sont habituellement mensuels, quoique la fréquence hebdomadaire gagne en popularité. Ils sont égaux et affectés aux intérêts courus depuis le dernier versement ainsi qu'au remboursement du capital. Le tableau de remboursement donne les détails de cette ventilation.

Le traitement comptable de l'emprunt hypothécaire

La comptabilisation de l'emprunt hypothécaire est relativement simple et reste la même, qu'il s'agisse de biens immeubles ou meubles. Le traitement comptable comporte trois étapes:

1. L'inscription du prêt.
2. L'inscription des versements mensuels.
3. La régularisation des intérêts en fin d'exercice.

L'inscription du prêt

Démonstration 5.10

La comptabilisation d'un emprunt hypothécaire sur les biens immeubles

On se rappellera que l'auberge Le paradis sauvage a contracté, le 1er février 20X7, un emprunt hypothécaire sur les biens immeubles au montant de 275 000 $. Le taux d'intérêt accordé par l'institution financière est de 8 % pour une durée de 5 ans. L'emprunt vient à échéance dans 20 ans et les versements mensuels sont de 2 300,21 $. L'auberge, acquise au coût de 365 000 $, a été affectée à la garantie de l'emprunt. Voici le tableau de remboursement pour les 5 ans.

Tableau de remboursement de l'emprunt hypothécaire sur les biens immeubles

Capital emprunté: 275 000,00 $
Taux d'intérêt: 8 %[a]
Durée: 240 mois
Versement mensuel: 2 300,21 $

Période	Versement		Capital remboursé	Intérêts remboursés	Solde
	Numéro	Montant			
20X7-02					**275 000,00**
20X7-03	1	2 300,21	466,88	1 833,33	274 533,12
20X7-04	2	2 300,21	469,99	1 830,22	274 063,13
20X7-05	3	2 300,21	473,12	1 827,09	273 590,01
20X7-06	4	2 300,21	476,28	1 823,93	273 113,73
20X7-07	5	2 300,21	479,45	1 820,76	272 634,28
20X7-08	6	2 300,21	482,65	1 817,56	272 151,63
20X7-09	7	2 300,21	485,87	1 814,34	271 665,76
20X7-10	8	2 300,21	489,10	1 811,11	271 176,66
20X7-11	9	2 300,21	492,37	1 807,84	270 684,29
20X7-12	10	2 300,21	495,65	1 804,56	**270 188,64**
20X8-01	11	2 300,21	498,95	1 801,26	269 689,69
20X8-02	12	2 300,21	502,28	1 797,93	269 187,41
20X8-03	13	2 300,21	505,63	1 794,58	268 681,78
20X8-04	14	2 300,21	509,00	1 791,21	268 172,78
20X8-05	15	2 300,21	512,39	1 787,82	267 660,39
20X8-06	16	2 300,21	515,81	1 784,40	267 144,58
20X8-07	17	2 300,21	519,25	1 780,96	266 625,33
20X8-08	18	2 300,21	522,71	1 777,50	266 102,62
20X8-09	19	2 300,21	526,19	1 774,02	265 576,43
20X8-10	20	2 300,21	529,70	1 770,51	265 046,73
20X8-11	21	2 300,21	533,23	1 766,98	264 513,50
20X8-12	22	2 300,21	536,79	1 763,42	**263 976,71**
[...]					
20X9-12	34	2 300,21	581,34	1 718,87	**257 249,23**
[...]					
20Y0-12	46	2 300,21	629,59	1 670,62	**249 963,34**
[...]					
20Y1-12	58	2 300,21	681,85	1 618,36	**242 072,73**

a. Pour simplifier l'exemple, nous avons utilisé un taux d'intérêt de 8 % capitalisé 12 fois par an, ce qui correspond à un taux de 8,1345 % capitalisé 2 fois par an.

Travail à faire

Comptabilisez au journal général l'acquisition du bâtiment.
Remarque : Arrondissez les montants des taxes au dollar près.

Journal général

Date	Nom des comptes et explications	Réf.	Débit	Crédit
20X7				
02-01	Bâtiment		365 000,00	
	TPS à recevoir		25 550,00	
	TVQ à recevoir		29 291,00	
	Banque			144 841,00
	Emprunt hypothécaire sur les biens immeubles			275 000,00
	(Inscription de l'acquisition du bâtiment)			

Fin de la démonstration 5.10

Il faut se rappeler que l'entreprise peut récupérer les taxes payées à l'achat d'un actif qui produit des revenus taxables. Il faut donc comptabiliser ces taxes dans l'actif à court terme en utilisant les comptes de taxes à recevoir.

Mise en situation 5.5

La comptabilisation d'un emprunt hypothécaire sur les biens meubles

Comme nous l'avons vu, l'auberge Le paradis sauvage a contracté, le 15 février 20X7, un emprunt hypothécaire sur les biens meubles au montant de 70 000 $. Les propriétaires de l'entreprise ont décidé de rembourser ce prêt sur cinq ans, puisqu'ils comptent refaire l'aménagement dès la sixième année d'exploitation. Le taux d'intérêt accordé par l'institution financière est de 10 % et les versements mensuels sont de 1 487,29 $. L'emprunt est garanti par le mobilier (coût d'acquisition : 65 500 $) et l'équipement (coût d'acquisition : 34 500 $) achetés.

Travail à faire

À l'aide du tableau de remboursement (voir la démonstration 5.9, p. 297), comptabilisez au journal général l'acquisition des biens meubles.

Journal général

Date	Nom des comptes et explications	Réf.	Débit	Crédit
20X7				

Fin de la mise en situation 5.5

En comparant les données de la démonstration 5.10 avec celles de la mise en situation 5.5 (sans tenir compte des taxes, puisqu'elles seront remboursées), on constate que l'auberge est financée à 75 % par l'emprunt hypothécaire sur les biens immeubles (275 000 $/365 000 $), alors que le mobilier et l'équipement sont financés à 70 % par l'emprunt hypothécaire sur les biens meubles (70 000 $/100 000 $). En effet, les garanties mobilières présentent un plus grand risque que les garanties immobilières à cause justement de la mobilité des biens en jeu. C'est pourquoi la proportion de financement est moins importante et le taux d'intérêt, plus élevé.

L'inscription des versements mensuels

Si la fréquence de remboursement est mensuelle, l'institution financière prélève le premier versement un mois après avoir versé le montant du prêt ; si la fréquence est hebdomadaire, le premier versement est échu la semaine suivante. La comptabilisation que nous présentons porte sur les versements mensuels, mais la stratégie serait semblable pour des versements hebdomadaires.

Chaque versement comprend les intérêts dus depuis le dernier versement (ou depuis l'encaissement du prêt, s'il s'agit du premier versement) et une partie affectée au remboursement de la dette. On peut comptabiliser les versements de deux façons. Il faut cependant garder à l'esprit que le choix aura des répercussions sur la régularisation de l'emprunt à la fin de l'exercice financier.

Une très petite entreprise pourra choisir la simplicité, sachant que le comptable régularisera le tout en fin d'année. Il s'agit de débiter le total de chaque versement mensuel soit au compte de charges intérêts sur emprunt hypothécaire, soit au compte de passif à long terme emprunt hypothécaire à payer. Dans les deux cas, on ne respecte pas à la lettre les normes comptables. En effet, aussi longtemps que l'écriture de régularisation n'est pas passée, la charge et la dette sont surévaluées dans le premier cas et sous-évaluées dans le deuxième. L'entreprise qui choisit cette solution ne produit généralement pas d'états financiers mensuels. Comme l'information n'est pas présentée, il n'y a pas de véritable problème, et le tout sera rectifié à la production des états financiers annuels.

La façon la plus courante et la plus appropriée consiste à comptabiliser les versements à l'aide du tableau de remboursement de l'emprunt, qui précise la portion de capital et la portion des intérêts comprises dans chaque versement. L'information comptable est donc juste à tout moment de l'exercice financier : la ventilation des versements entre l'état des résultats (intérêts sur emprunt hypothécaire) et le bilan (emprunt hypothécaire à payer) est à jour. Par conséquent, aucune régularisation n'est nécessaire à la fin de l'exercice.

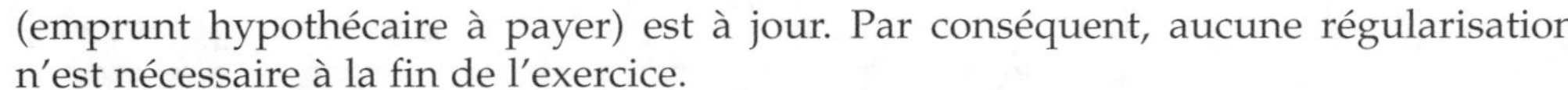

Démonstration 5.11

La comptabilisation des versements sur un emprunt hypothécaire

Cette démonstration renvoie aux données de la démonstration 5.10.

Travail à faire

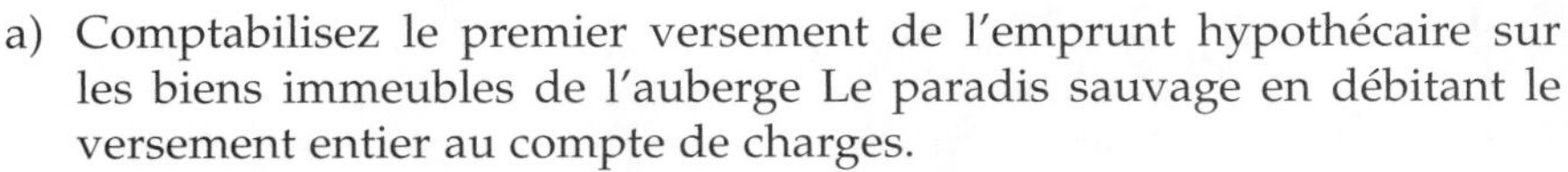

a) Comptabilisez le premier versement de l'emprunt hypothécaire sur les biens immeubles de l'auberge Le paradis sauvage en débitant le versement entier au compte de charges.

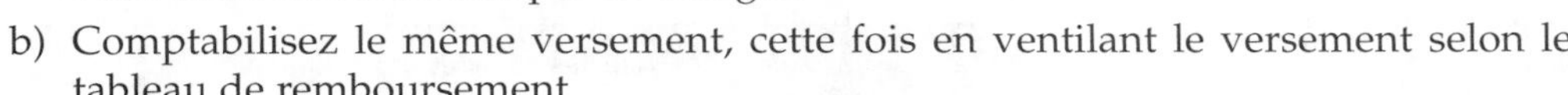

b) Comptabilisez le même versement, cette fois en ventilant le versement selon le tableau de remboursement.

a) **Journal général**

Date	Nom des comptes et explications	Réf.	Débit	Crédit
20X7				
03-01	Intérêts sur emprunt hypothécaire		2 300,21	
	Banque			2 300,21
	(Versement sur emprunt du mois de mars)			

b) **Journal général**

Date	Nom des comptes et explications	Réf.	Débit	Crédit
20X7				
03-01	Intérêts sur emprunt hypothécaire		1 833,33	
	Emprunt hypothécaire sur les biens immeubles		466,88	
	Banque			2 300,21
	(Versement sur emprunt du mois de mars)			

Fin de la démonstration 5.11

Mise en situation 5.6

La comptabilisation des versements sur un emprunt hypothécaire

Cette mise en situation renvoie aux données de la démonstration 5.9 (p. 297).

Travail à faire

a) Comptabilisez le premier versement de l'emprunt hypothécaire sur les biens meubles de l'auberge Le paradis sauvage en débitant le versement complet au compte de passif.

b) Comptabilisez le même versement, cette fois en ventilant le versement selon le tableau de remboursement.

a) **Journal général**

Date	Nom des comptes et explications	Réf.	Débit	Crédit
20X7				

b) **Journal général**

Date	Nom des comptes et explications	Réf.	Débit	Crédit
20X7				

Fin de la mise en situation 5.6

La régularisation de l'emprunt hypothécaire

En fin d'exercice, il faut s'assurer que les emprunts hypothécaires sont comptabilisés dans le respect des normes comptables. Il faut donc vérifier la ventilation des versements et la présence d'intérêts courus non comptabilisés. Commençons par la ventilation des versements, pour laquelle il faut se poser les questions suivantes :

- La portion des versements de l'exercice affectée au remboursement de la dette a-t-elle été débitée au compte emprunt hypothécaire ?
- La portion des versements de l'exercice affectée au paiement des intérêts a-t-elle été débitée au compte intérêts sur emprunt hypothécaire ?

Si on ne peut répondre « oui » à ces deux questions, une écriture de régularisation sera nécessaire en date de fin d'exercice.

Démonstration 5.12

La ventilation des versements sur un emprunt hypothécaire et l'écriture de régularisation de fin d'exercice

Cette démonstration renvoie aux données de la démonstration 5.10 (p. 302).

Travail à faire

a) Ventilez les versements effectués en 20X7 par l'auberge Le paradis sauvage pour rembourser l'emprunt hypothécaire sur les biens immeubles : la portion affectée au remboursement du capital et la portion affectée au paiement des intérêts.

b) Passez au journal général l'écriture de régularisation, s'il y a lieu.

c) Reportez les montants dans les comptes en T touchés.

Effectuez ces tâches selon chacun des scénarios suivants.

Scénario 1

Le versement est entièrement débité au compte de charges.

Scénario 2

Le versement est ventilé selon le tableau de remboursement.

a)

Scénario 1

Pour déterminer la portion affectée au remboursement du capital en 20X7 et la portion affectée au paiement des intérêts, il faut simplement additionner les 10 montants de chaque colonne. On obtient les résultats suivants.

Capital remboursé	4 811,36 $
Intérêts remboursés	18 190,74 $

On arrive aux mêmes résultats en procédant comme suit.

Capital remboursé = solde de la dette au début – solde de la dette à la fin
= 275 000,00 $ – 270 188,64 $
= **4 811,36 $**

Intérêts remboursés = total des versements de l'exercice – capital remboursé
= (10 × 2 300,21 $) – 4 811,36 $
= **18 190,74 $**

Scénario 2

Comme les versements ont été répartis au fur et à mesure en remboursement de capital et d'intérêts, aucune ventilation n'est nécessaire.

b)

Scénario 1

Tous les versements de l'exercice (2 300,21 $ × 10) ont été inscrits au débit du compte intérêts sur emprunt hypothécaire, dont le solde est donc de 23 002,10 $. Cependant, selon le tableau de remboursement, ce solde devrait être de 18 190,74 $. Par ailleurs, le solde du compte emprunt hypothécaire indique encore une dette de 275 000 $, ce qui n'est pourtant plus le cas ! En effet, selon le tableau de remboursement, le solde de la dette devrait être de 270 188,64 $ au 31 décembre 20X7. Il faut donc virer la différence (23 002,10 $ – 18 190,74 $ = 4 811,36 $) du compte intérêts sur emprunt hypothécaire dans le compte emprunt hypothécaire sur les biens immeubles.

Journal général

Date	Nom des comptes et explications	Réf.	Débit	Crédit
20X7				
12-31	Emprunt hypothécaire sur les biens immeubles		4 811,36	
	Intérêts sur emprunt hypothécaire			4 811,36
	(Pour régulariser le remboursement de l'emprunt hypothécaire)			

Grâce à cette écriture, les deux comptes présentent un solde conforme aux données du tableau de remboursement.

Emprunt hypothécaire sur les biens immeubles
275 000 $ – 0 $ – 4 811, 36 $ = **270 188,64 $**

Intérêts sur emprunt hypothécaire
23 002,10 $ – 4 811,36 $ = **18 190,74 $**

Scénario 2

Chaque versement a été correctement ventilé à partir du tableau de remboursement. Aucune écriture de régularisation n'est donc nécessaire.

c)

Scénario 1

Grand livre général partiel

Emprunt hypothécaire sur les biens immeubles

	Débit	Crédit
Solde au 1er janvier 20X7		0
Emprunt du 1er février 20X7		275 000,00
Solde au 31 décembre 20X7 (avant régularisation)		275 000,00
Régularisation	4 811,36	
Solde au 31 décembre 20X7 (après régularisation)		**270 188,64**

Intérêts sur emprunt hypothécaire

	Débit	Crédit
Solde au 1er janvier 20X7	0	
Versements de 20X7	23 002,10	
Solde au 31 décembre 20X7 (avant régularisation)	23 002,10	
Régularisation		4 811,36
Solde au 31 décembre 20X7 (après régularisation)	**18 190,74**	

Scénario 2

Grand livre général partiel

Emprunt hypothécaire sur les biens immeubles

	Débit	Crédit
Solde au 1er janvier 20X7		0
Emprunt du 1er février 20X7		275 000,00
Portion des versements de 20X7 affectée au capital	4 811,36	
Solde au 31 décembre 20X7 (avant régularisation)		270 188,64
Régularisation		0
Solde au 31 décembre 20X7 (après régularisation)		**270 188,64**

Intérêts sur emprunt hypothécaire

	Débit	Crédit
Solde au 1er janvier 20X7	0	
Portion des versements de 20X7 affectée aux intérêts	18 190,74	
Solde au 31 décembre 20X7 (avant régularisation)	18 190,74	
Régularisation	0	
Solde au 31 décembre 20X7 (après régularisation)	**18 190,74**	

Fin de la démonstration 5.12

Mise en situation 5.7

La ventilation des versements sur un emprunt hypothécaire et l'écriture de régularisation de fin d'exercice

Cette mise en situation renvoie aux données de la démonstration 5.9 (p. 297).

Travail à faire

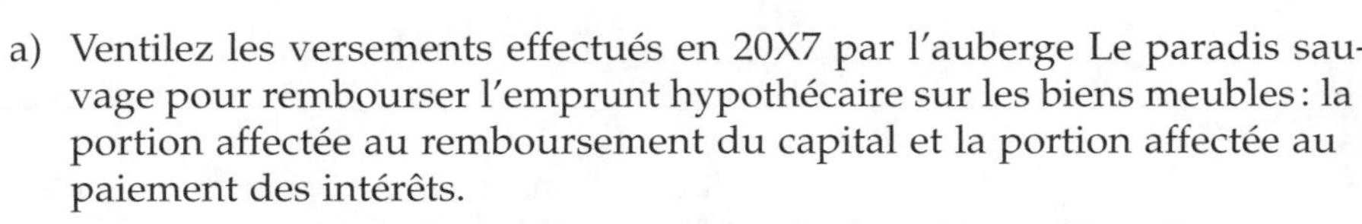

a) Ventilez les versements effectués en 20X7 par l'auberge Le paradis sauvage pour rembourser l'emprunt hypothécaire sur les biens meubles : la portion affectée au remboursement du capital et la portion affectée au paiement des intérêts.

b) Passez au journal général l'écriture de régularisation, s'il y a lieu.

c) Passez les écritures requises dans les comptes en T touchés.

Effectuez ces tâches selon chacun des scénarios suivants.

Scénario 1

Le versement est entièrement débité au compte de passif.

Scénario 2

Le versement est ventilé selon le tableau de remboursement.

---

a)

Scénario 1

Pour déterminer la portion affectée au remboursement du capital en 20X7 et la portion affectée au paiement des intérêts, il faut ______________________.
On obtient les résultats suivants.

Capital remboursé __________ $ Intérêts remboursés __________ $

Présentez une autre façon d'obtenir les mêmes résultats.

Capital remboursé = ______________________
= ______________ = __________

Intérêts remboursés = ______________________
= __________

Scénario 2

Comme dans le cas de l'emprunt hypothécaire sur les biens immeubles, ____.

b)

Scénario 1

Le total des versements de l'exercice (__________ $) a été passé au débit du compte emprunt hypothécaire sur les biens meubles. Le solde du compte a donc diminué de __________ $. Selon le tableau de remboursement, il n'aurait dû être débité que de __________ $.

Par ailleurs, le compte intérêts sur emprunt hypothécaire présente un solde de __________ $. Selon le tableau de remboursement, ce solde devrait plutôt être de __________ $. On a débité en trop la somme de __________ $ au compte emprunt hypothécaire sur les biens meubles. Il faut donc créditer ce compte pour virer le montant dans le compte de charges.

Journal général

Date	Nom des comptes et explications	Réf.	Débit	Crédit
20X7				

Grâce à cette écriture, les deux comptes présentent un solde conforme ______________ .

Calculs

Emprunt hypothécaire sur les biens meubles

Intérêts sur emprunt hypothécaire

Scénario 2

c)

Scénario 1

Grand livre général partiel

Emprunt hypothécaire sur les biens meubles

Solde au 1er janvier 20X7		
Emprunt du 15 février 20X7		
Versements de 20X7		
Solde au 31 décembre 20X7 (avant régularisation)		
Régularisation		
Solde au 31 décembre 20X7 (après régularisation)		

Intérêts sur emprunt hypothécaire

Solde au 1er janvier 20X7		
Solde au 31 décembre 20X7 (avant régularisation)		
Régularisation		
Solde au 31 décembre 20X7 (après régularisation)		

Scénario 2

Grand livre général partiel

Emprunt hypothécaire sur les biens meubles

Solde au 1er janvier 20X7		
Emprunt du 15 février 20X7		
Portion des versements de 20X7 affectée au capital		
Solde au 31 décembre 20X7 (avant régularisation)		
Régularisation		
Solde au 31 décembre 20X7 (après régularisation)		

Intérêts sur emprunt hypothécaire

Solde au 1er janvier 20X7		
Portion des versements de 20X7 affectée aux intérêts		
Solde au 31 décembre 20X7 (avant régularisation)		
Régularisation		
Solde au 31 décembre 20X7 (après régularisation)		

Fin de la mise en situation 5.7

La régularisation des intérêts en fin d'exercice

Après avoir vérifié la ventilation des versements et effectué les écritures de régularisation requises, il faut s'assurer que la charge d'intérêts est bien inscrite jusqu'à la date de fin d'exercice. Bien sûr, à moins que les versements ne tombent le dernier jour du mois, il y a toujours une charge d'intérêts courus à inscrire. Elle correspond à la portion comprise entre le dernier versement et la date de fin d'exercice.

Démonstration 5.13

La régularisation des intérêts courus sur un emprunt hypothécaire

Reprenons l'exemple de l'emprunt hypothécaire sur les biens immeubles contracté par l'auberge Le paradis sauvage le 1er février 20X7 (voir la démonstration 5.10, p. 302). Comme le dernier versement de l'exercice 20X7 a eu lieu le 1er décembre, les intérêts de ce mois sont donc déjà dus au 31, mais ils ne seront payés que le lendemain, soit le 1er janvier 20X8. En vertu du principe du rapprochement des produits et des charges, on doit les inscrire en date du 31 décembre 20X7.

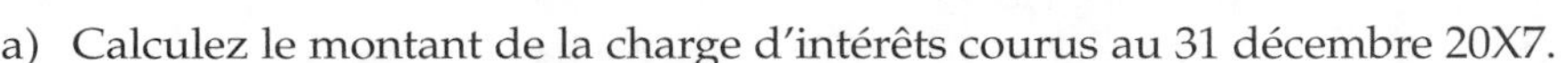

Travail à faire

a) Calculez le montant de la charge d'intérêts courus au 31 décembre 20X7.
b) Passez au journal général l'écriture de régularisation requise.

a) On peut calculer le montant comme suit.

$$\begin{aligned}\text{Charge d'intérêts courus} &= \text{solde de la dette} \times 8\ \% \times 1/12 \\ &= 270\ 188{,}64\ \$ \times 8\ \% \times 1/12 \\ &= \mathbf{1\ 801{,}26\ \$}\end{aligned}$$

Comme le versement tombe le premier de chaque mois, on peut aussi consulter simplement le tableau de remboursement pour connaître la ventilation du versement de janvier 20X8.

b) **Journal général**

Date	Nom des comptes et explications	Réf.	Débit	Crédit
20X7				
12-31	Intérêts sur emprunt hypothécaire		1 801,26	
	Intérêts à payer			1 801,26
	(Pour régulariser les intérêts courus, emprunt hypothécaire			
	sur les biens immeubles)			

Fin de la démonstration 5.13

Mise en situation 5.8

La régularisation des intérêts courus sur un emprunt hypothécaire

Reprenons l'exemple de l'emprunt hypothécaire sur les biens meubles contracté par l'auberge Le paradis sauvage le 15 février 20X7 (voir la démonstration 5.9, p. 297).

Travail à faire

a) Calculez le montant de la charge d'intérêts courus au 31 décembre 20X7. Présentez deux méthodes de calcul différentes.

b) Passez au journal général l'écriture de régularisation requise.

---

a) Le dernier versement de l'exercice 20X7 a eu lieu le ______. Les intérêts courus du ______ au ______ sont dus en date du ______, mais ils ne seront payés que le ______. En date de fin d'exercice, on doit donc inscrire le montant de ____ jours d'intérêts.

Calculs

Méthode 1

Méthode 2

b) **Journal général**

Date	Nom des comptes et explications	Réf.	Débit	Crédit
20X7				

Fin de la mise en situation 5.8

La présentation des emprunts hypothécaires dans les états financiers

En vertu des normes comptables, il faut présenter chaque emprunt hypothécaire comme suit :

- On inscrit dans un compte distinct à l'état des résultats les intérêts se rapportant aux dettes à long terme.
- La partie d'une dette à long terme échéant au cours de l'exercice suivant doit être placée dans le passif à court terme et le solde, dans le passif à long terme.
- On doit présenter dans les notes complémentaires aux états financiers les renseignements suivants :
  - le titre de créance ;
  - le taux d'intérêt ;
  - le montant et la fréquence des versements ;
  - la date d'échéance ;
  - les garanties offertes ;
  - les versements en capital dus au cours des cinq prochains exercices.

Démonstration 5.14

La présentation des emprunts hypothécaires dans les états financiers

Reprenons l'exemple de l'emprunt hypothécaire sur les biens immeubles contracté par l'auberge Le paradis sauvage le 1er février 20X7 (voir la démonstration 5.10, p. 302).

Travail à faire

Présentez la note complémentaire requise dans les états financiers de l'exercice terminé le 31 décembre 20X7.

Remarque : Arrondissez le montant au dollar près.

Notes complémentaires

15. Dettes à long terme

Emprunt hypothécaire sur les biens immeubles

- terrain et bâtiment en garantie
- taux d'intérêt de 8 %
- versements mensuels de 2 300,21 $ (capital et intérêts)
- échéance de 20 ans — 270 189 $

Fin de la démonstration 5.14

Mise en situation 5.9

La présentation des emprunts hypothécaires dans les états financiers

Reprenons l'exemple de l'emprunt hypothécaire sur les biens meubles contracté par l'auberge Le paradis sauvage le 15 février 20X7 (voir la démonstration 5.9, p. 297).

Travail à faire

Ajoutez les renseignements nécessaires à la note complémentaire des états financiers de l'exercice terminé le 31 décembre 20X7 : l'emprunt hypothécaire sur les biens meubles et les versements (montants arrondis au dollar près) dus au cours des cinq prochains exercices.

Notes complémentaires

15. Dettes à long terme

Emprunt hypothécaire sur les biens immeubles
- terrain et bâtiment en garantie
- taux d'intérêt de 8 %
- versements mensuels de 2 300,21 $ (capital et intérêts)
- échéance de 20 ans — 270 189 $

Emprunt hypothécaire sur les biens meubles
- mobilier et équipement en garantie
- taux d'intérêt de 10 %
- versements mensuels de 1 487,29 $ (capital et intérêts)
- échéance de 5 ans — ______

______ $

Moins : tranche de la dette à long terme échéant à court terme ______

Dettes à long terme au 31 décembre 20X7 ______ $

Versements en capital sur la dette à long terme au cours des cinq prochains exercices

Année	Emprunt hypothécaire sur les biens immeubles	Emprunt hypothécaire sur les biens meubles	Total des versements
20X8	$	$	$
20X9			
20Y0			
20Y1			
20Y2	8 545		

Fin de la mise en situation 5.9

Examinons de plus près cette note complémentaire :

- Pour respecter les normes comptables, on précise les détails de chaque dette à long terme.
- Le solde de chaque emprunt hypothécaire correspond au solde qui figure dans les tableaux de remboursement après le versement du mois de décembre 20X7.
- La tranche à court terme de la dette à long terme correspond au capital qui sera versé en 20X8 sur les deux emprunts hypothécaires. L'information est tirée des tableaux de remboursement.

- On pourrait synthétiser le tableau des versements dus au cours des cinq prochains exercices en ne présentant que la dernière colonne, soit le total des deux emprunts hypothécaires.
- Les versements dus proviennent également des tableaux de remboursement. **Ils ne comprennent que la portion affectée au remboursement du capital.** En effet, les intérêts qui courront après le 31 décembre 20X7 ne sont encore ni dépensés ni dus. Il ne faut donc pas faire l'erreur d'inclure ces intérêts dans les montants du tableau.

Habituellement, on présente chaque emprunt hypothécaire en deux colonnes : la première pour l'exercice financier qui vient de se terminer et la seconde pour l'exercice précédent. Comme les emprunts hypothécaires de l'auberge Le paradis sauvage ont été contractés en 20X7, il n'y a pas de seconde colonne pour l'exercice financier se terminant le 31 décembre 20X6.

Mise en situation 5.10

La présentation sur deux ans des emprunts hypothécaires dans les états financiers

Cette démonstration renvoie aux données des démonstrations 5.9 (p. 297) et 5.10 (p. 302).

Travail à faire

Ajoutez les renseignements nécessaires à la note complémentaire des états financiers de l'exercice terminé le 31 décembre 20X8.

Notes complémentaires

15. Dettes à long terme	**20X8**	**20X7**
Emprunt hypothécaire sur les biens immeubles		
■ terrain et bâtiment en garantie		
■ taux d'intérêt de 8 %		
■ versements mensuels de 2 300,21 $ (capital et intérêts)		
■ échéance de 20 ans	$	270 189 $
Emprunt hypothécaire sur les biens meubles		
■ mobilier et équipement en garantie		
■ taux d'intérêt de 10 %		
■ versements mensuels de 1 487,29 $ (capital et intérêts)		
■ échéance de 5 ans		60 614
	$	330 803 $
Moins : tranche de la dette à long terme échéant à court terme		18 554
Dettes à long terme	$	312 249 $

Fin de la mise en situation 5.10

Problèmes suggérés : 5.11 et 5.12.

5.5.2 L'emprunt obligataire

Dans le chapitre 3, nous avons traité les obligations du point de vue des placements. Dans la présente section, nous les examinerons sous l'angle des emprunts. Une obligation est un titre de créance négociable émis par une entreprise en faveur de plusieurs prêteurs de fonds anonymes. Un **emprunt obligataire** (ou **émission d'obligations**) comprend plusieurs obligations appelées « coupures ».

EMPRUNT OBLIGATAIRE (ou ÉMISSION D'OBLIGATIONS)
Création et mise en circulation d'obligations ; ensemble des obligations créées et mises en circulation à une même date.

CERTIFICAT D'OBLIGATION
Document, le plus souvent transmissible et négociable, remis à chaque obligataire par l'entreprise ou l'organisme qui a émis les obligations.

La **valeur nominale** (ou **principal**) de ces coupures varie de 250 $ à 5 000 $, selon la stratégie de la société émettrice. Rappelons que la valeur nominale correspond au montant remboursable à l'échéance, toujours inscrit clairement sur le **certificat d'obligation**. Le choix du montant des coupures d'une émission donnée est un élément de planification important pour l'entreprise. En effet, il est généralement plus facile de trouver des investisseurs pour des coupures de 250 $ que pour des coupures de 5 000 $. Une entreprise gagne donc en flexibilité lorsqu'elle présente des coupures de montant peu élevé. Par contre, il faut convenir que l'émission de coupures de montant élevé réduit le nombre d'investisseurs à trouver.

COUPON
Partie détachable d'un titre permettant à son porteur de toucher les intérêts ou les dividendes auxquels il a droit.

Ces titres de créance comportent des versements d'intérêts périodiques aux investisseurs. La période peut varier, mais elle est le plus souvent semestrielle. L'obligation comprend alors des **coupons** détachables qui donnent droit à des intérêts. Les dates et les montants sont déterminés à l'avance.

Enfin, rappelons que les preneurs, c'est-à-dire ceux qui achètent les obligations, n'achètent pas un droit de propriété sur la société émettrice. Il s'agit bien d'un placement à long terme qui leur rapportera un produit d'intérêts sûr et régulier, et qui leur offre la possibilité de réaliser un gain s'ils les revendent avant l'échéance. En effet, ces titres de créance étant négociés sur le marché boursier, les preneurs ne sont pas obligés de les conserver jusqu'à l'échéance. Selon leurs besoins en liquidités, leur stratégie financière et l'état du marché, ils peuvent décider de vendre leurs obligations, soit pour réaliser un gain, soit pour limiter une perte.

Le résumé des transactions journalières apparaît dans les principaux quotidiens et sur plusieurs sites Internet. Comme nous l'avons vu dans le chapitre 3, la **cote de l'obligation** est exprimée en pourcentage de sa valeur nominale. Elle varie habituellement en fonction de la réputation et de la solvabilité de la société émettrice, de l'échéance de l'obligation et du rapport entre le taux d'intérêt nominal offert et le taux d'intérêt du marché.

Le processus d'émission

Une émission d'obligations met en jeu des sommes très élevées. En effet, le processus étant long et coûteux, il serait inconcevable d'en faire pour des sommes peu importantes.

Une émission d'obligations sert à financer des projets d'envergure.

PRENEUR FERME
Personne physique ou morale, habituellement une maison de courtage de valeurs, qui souscrit la totalité ou une partie d'une émission de titres et se charge de son placement auprès du public, selon les termes de la convention de prise ferme.

Puisque le financement provient d'investisseurs, il convient de sécuriser ce processus. C'est pourquoi de nombreux professionnels interviennent : entre autres le conseiller juridique, l'expert-comptable, le fiduciaire et le **preneur ferme**. On planifie généralement une émission de titres entre trois et six mois à l'avance.

Le traitement comptable de l'émission d'obligations

Le traitement comptable d'une émission dépend de plusieurs facteurs, comme la date d'émission, les dates de paiement des intérêts et la date de fin d'exercice, de même que de la relation entre le taux d'intérêt nominal et le taux du marché. Par exemple, une écriture pourra être nécessaire si une date de paiement des intérêts diffère de la date de fin d'exercice. Il faut aussi modifier les sommes encaissées à l'émission quand la date de celle-ci se situe entre deux paiements des intérêts. Par ailleurs, selon la loi de l'offre et de la demande, il arrive qu'on fasse une émission d'obligations à escompte (valeur inférieure à la valeur nominale) ou d'obligations à prime (valeur supérieure à la valeur nominale)[6].

Il existe diverses transactions portant sur les obligations :

- l'émission d'obligations à la valeur nominale ;
- l'émission d'obligations à prime ou à escompte ;
- le remboursement anticipé d'obligations ;
- la conversion d'obligations en actions.

Nous traiterons de façon détaillée les deux premières transactions, mais nous n'effectuerons qu'un survol des deux dernières.

L'émission d'obligations à la valeur nominale

Comme son nom l'indique, l'émission d'obligations à la valeur nominale se caractérise par un prix de vente correspondant à la valeur nominale des titres. Il n'y a donc ni prime ni escompte. C'est la situation la plus simple, quoiqu'elle soit un peu irréaliste. C'est surtout à des fins pédagogiques que nous l'utilisons.

Le traitement comptable des émissions d'obligations dépend de la relation entre trois dates importantes : la date d'émission, la date de paiement des intérêts et la date de fin d'exercice. À l'aide d'exemples, nous illustrerons les trois scénarios suivants :

- l'émission d'obligations dont la date de paiement des intérêts correspond à la date de fin d'exercice ;
- l'émission d'obligations dont la date de paiement des intérêts ne correspond pas à la date de fin d'exercice ;
- l'émission d'obligations dont la date de paiement des intérêts ne correspond ni à la date de fin d'exercice ni à la date d'émission.

Au fil des démonstrations et des mises en situation, nous traiterons d'un emprunt obligataire effectué par la société Académik selon différents scénarios.

Démonstration 5.15

La comptabilisation d'une émission d'obligations avec versement des intérêts à la date de fin d'exercice

La société Académik gère de nombreux instituts répartis dans le monde. Ces établissements offrent un enseignement privé de qualité grâce à des professeurs chevronnés et à des installations haut de gamme. Les deux dernières années ont servi à planifier l'ouverture d'un nouvel institut dans la ville de Québec. La société a décidé de procéder à une émission d'obligations afin de trouver les fonds nécessaires à cet investissement majeur.

Le 1er janvier 20X7, l'émission globale s'élève à 5 000 000 $. L'**acte de fiducie** fait état de coupures de 1 000 $ donnant droit à des intérêts calculés au taux nominal de 7 % et payables le 30 juin et le 31 décembre, qui viennent à échéance dans 20 ans. La date de fin d'exercice de la société Académik est le 31 décembre. Moyennant une commission de 55 000 $, un preneur ferme achète les 5 000 obligations émises par Académik : il s'agit de **frais d'émission d'obligations**. Ces frais incluent tous les

ACTE DE FIDUCIE
Acte juridique par lequel une personne morale transfère la propriété de biens à un fondé de pouvoir à titre de garantie, notamment dans le cadre d'un emprunt obligataire.

FRAIS D'ÉMISSION D'OBLIGATIONS
Frais résultant d'une émission obligataire, notamment les frais juridiques, les frais de publicité, de vente et d'impression des certificats, etc.

6. Voir la sous-section 3.2.2.

coûts relatifs à la préparation de l'émission : le prospectus, l'impression des certificats d'obligation, les honoraires du conseiller juridique, etc.

Travail à faire

Comptabilisez au journal général l'émission d'obligations de la société Académik.

Journal général

Date	Nom des comptes et explications	Réf.	Débit	Crédit
20X7				
01-01	Banque		4 945 000,00	
	Frais d'émission d'obligations reportés		55 000,00	
	Emprunt obligataire			5 000 000,00
	(Émission d'obligations, déduction faite des frais de courtage)			

Fin de la démonstration 5.15

Compte tenu de la commission payée au preneur ferme, Académik encaisse une somme inférieure à la valeur nominale de l'émission. La rapidité de la transaction lui a coûté 55 000 $, mais la société peut bénéficier d'une somme de 4 945 000 $ pour une période de 20 ans. En vertu du principe du rapprochement des produits et des charges, ces frais financiers doivent donc être **capitalisés** dans un compte de **charge reportée** (ou **charge à répartir**), soit le compte frais d'émission d'obligations reportés, et ils sont amortis sur toute la durée de l'émission.

CHARGE REPORTÉE (ou CHARGE À RÉPARTIR)
Dépense autre qu'une dépense en immobilisations qui, plutôt que d'être passée en charges dans l'exercice au cours duquel elle est effectuée, est portée à l'actif en raison des avantages qu'elle est censée procurer à l'entité durant un certain nombre d'exercices futurs et figure dans le bilan jusqu'à répartition complète entre ces exercices.

Afin de passer ces frais en charges sur les 20 prochains exercices, on utilise la **méthode de l'amortissement linéaire**, dont il a été question dans les chapitres précédents. Rappelons que cette méthode permet d'étaler un montant uniformément sur un nombre déterminé d'exercices. On comptabilise cet amortissement en même temps que les versements d'intérêts.

Je me rappelle que « capitaliser » signifie « porter dans un compte de bilan ».

Enfin, soulignons que l'emprunt de la société Académik totalise bien 5 000 000 $, car peu importe le montant encaissé, le dû aux obligataires correspond toujours à la valeur nominale de l'émission.

Démonstration 5.16

La comptabilisation des versements d'intérêts

Travail à faire

Comptabilisez au journal général le versement des intérêts du premier coupon de l'émission d'obligations par Académik.

Journal général

Date	Nom des comptes et explications	Réf.	Débit	Crédit
20X7				
06-30	Intérêts sur emprunt obligataire		176 375,00	
	Frais d'émission d'obligations reportés			1 375,00
	Banque			175 000,00
	(Versement des intérêts du premier coupon)			

Calculs

Versement des intérêts

$$\text{Valeur nominale} \times \text{taux nominal} \times 6/12 = 5\,000\,000\ \$ \times 7\ \% \times 6/12 = \mathbf{175\,000\ \$}$$

Amortissement des frais reportés

$$\text{Total des frais reportés}/20 \times 6/12 = 55\,000\ \$/20 \times 6/12 = \mathbf{1\,375\ \$}$$

Fin de la démonstration 5.16

La comptabilisation simultanée de la charge d'intérêts et de l'amortissement des frais fait ressortir le coût réel du financement obtenu. Cette façon de procéder est donc conforme aux normes comptables.

Mise en situation 5.11

La comptabilisation des versements d'intérêts

Travail à faire

Comptabilisez au journal général le versement des intérêts du deuxième coupon de l'émission d'obligations par Académik.

Journal général

Date	Nom des comptes et explications	Réf.	Débit	Crédit
20X7				

Fin de la mise en situation 5.11

Chaque versement d'intérêts donnera donc lieu à la même écriture !

En effet, comme les versements des intérêts sont constants et que l'amortissement des frais reportés est linéaire, la comptabilisation demeure la même. Dans le cas de la société Académik, l'émission d'obligations coûte semestriellement 176 375 $. Donc, l'état des résultats présentera chaque année, pendant 20 ans, le poste intérêts sur emprunt obligataire au montant de 352 750 $, ce qui rendra compte des deux versements semestriels.

Démonstration 5.17

La comptabilisation du remboursement d'un emprunt obligataire

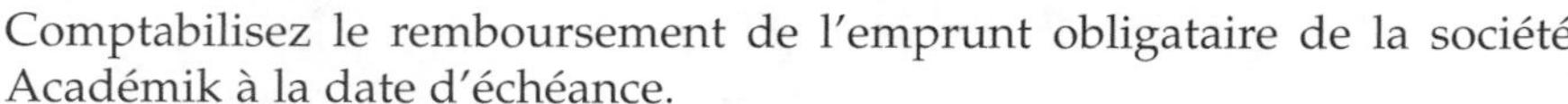

Travail à faire

Comptabilisez le remboursement de l'emprunt obligataire de la société Académik à la date d'échéance.

Journal général

Date	Nom des comptes et explications	Réf.	Débit	Crédit
20Z6[7]				
12-31	Emprunt obligataire		5 000 000,00	
	Banque			5 000 000,00
	(Remboursement de l'emprunt obligataire)			

Fin de la démonstration 5.17

Démonstration 5.18

La comptabilisation d'une émission d'obligations avec versement des intérêts à une date différente de la date de fin d'exercice

Supposons que l'émission d'obligations de la société Académik ait lieu le 1er mars 20X7 et que les intérêts soient payables semestriellement le 31 août et le 28 février. Les autres données de la démonstration 5.15 demeurent inchangées.

Travail à faire

Comptabilisez au journal général l'émission d'obligations de la société Académik.

Journal général

Date	Nom des comptes et explications	Réf.	Débit	Crédit
20X7				
08-01	Banque		4 945 000	
	Frais d'émission d'obligations reportés		55 000	
	Emprunt obligataire			5 000 000
	(Émission d'obligations, déduction faite des frais de courtage)			

Fin de la démonstration 5.18

7. Année d'émission : 20**X**7. Dix ans après l'émission : 20**Y**6. Vingt ans après l'émission : 20**Z**6.

Démonstration 5.19

La comptabilisation des versements d'intérêts

Travail à faire

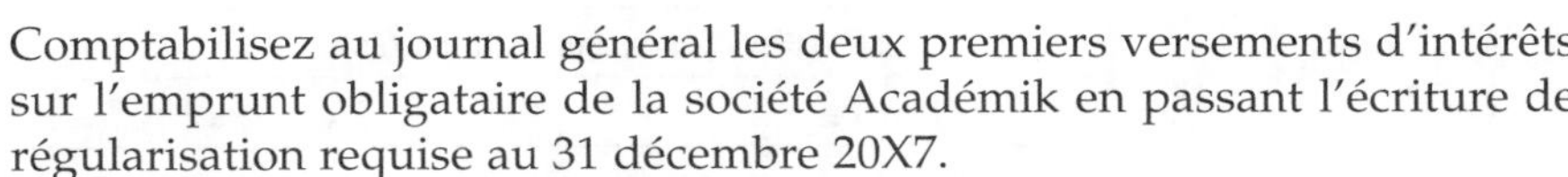

Comptabilisez au journal général les deux premiers versements d'intérêts sur l'emprunt obligataire de la société Académik en passant l'écriture de régularisation requise au 31 décembre 20X7.

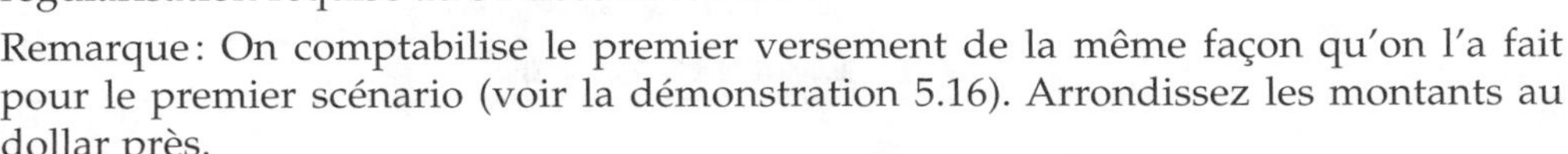

Remarque : On comptabilise le premier versement de la même façon qu'on l'a fait pour le premier scénario (voir la démonstration 5.16). Arrondissez les montants au dollar près.

Journal général

Date	Nom des comptes et explications	Réf.	Débit	Crédit
20X7				
08-31	Intérêts sur emprunt obligataire		176 375,00	
	Frais d'émission d'obligations reportés			1 375,00
	Banque			175 000,00
	(Premier versement d'intérêts)			

Au 31 décembre 20X7, la société doit quatre mois d'intérêts à ses obligataires. Ces intérêts ne seront versés que le 28 février 20X8. Il faut donc passer l'écriture de régularisation suivante.

Journal général

Date	Nom des comptes et explications	Réf.	Débit	Crédit
20X7				
12-31	Intérêts sur emprunt obligataire		117 584,00	
	Frais d'émission d'obligations reportés			917,00
	Intérêts à payer			116 667,00
	(Pour amortir les frais d'émission et régulariser les intérêts :			
	5 000 000 $ × 7 % × 4/12 = 116 667 $;			
	55 000 $/20 × 4/12 = 917 $)			

La somme de 116 667 $ sera déboursée le 28 février 20X8 à l'occasion du versement semestriel de 175 000 $. Pour l'exercice terminé le 31 décembre 20X7, Académik présentera donc une charge totale sur l'emprunt obligataire de 293 959 $: 291 667 $ en intérêts (175 000 $ + 116 667 $) et 2 292 $ en frais reportés (1 375 $ + 917 $). Ces soldes sont inférieurs à ceux du scénario précédent. En effet, au 31 décembre 20X7, la société a bénéficié de l'emprunt obligataire pendant 10 mois plutôt que 12.

Pour comptabiliser le deuxième versements d'intérêts, il faut tenir compte de l'écriture de régularisation précédente.

Journal général

Date	Nom des comptes et explications	Réf.	Débit	Crédit
20X8				
02-28	Intérêts sur emprunt obligataire		58 791,00	
	Intérêts à payer		116 667,00	
	Frais d'émission d'obligations reportés			458,00
	Banque			175 000,00
	(Deuxième versement d'intérêts :			
	55 000 $/20 × 2/12 = 458 $)			

Comment peut-on résumer la différence de comptabilisation entre un versement d'intérêts à la date de fin d'exercice et un versement d'intérêts à une date différente de la date de fin d'exercice ?

C'est très simple ! Dans le second cas, il faut régulariser la charge d'intérêts et l'amortissement des frais d'émission.

Fin de la démonstration 5.19

Démonstration 5.20

La comptabilisation d'une émission d'obligations avec versement des intérêts à une date différente de la date d'émission

Voyons un autre scénario pour l'emprunt obligataire de la société Académik. Cette fois-ci, l'acte de fiducie prévoit l'émission d'obligations le 1er juillet 20X7, avec des versements d'intérêts semestriels le 31 décembre et le 30 juin. Les certificats d'obligation sont imprimés et le processus est bien enclenché. Toutefois, l'Autorité des marchés financiers relève une irrégularité dans le prospectus, ce qui retarde l'émission au 1er septembre 20X7. C'est donc à cette date que le preneur ferme achète les 5 000 obligations. Les autres données de la démonstration 5.15 (p. 317) demeurent inchangées.

Renseignements complémentaires

Malgré le report de la date d'émission, les conditions de l'acte de fiducie demeurent valides. Le 1er septembre, au moment où le preneur ferme achète les obligations, les coupons sont toujours datés du 31 décembre et du 30 juin. Au 31 décembre 20X7, les obligataires auront gagné quatre mois d'intérêts (seulement quatre mois s'étant écoulés depuis le 1er septembre), mais ils en recevront six (du 1er juillet au 31 décembre). Il est donc normal que la société émettrice exige un montant additionnel : les acheteurs devront verser, en plus de la valeur nominale, l'équivalent de deux mois d'intérêts.

Travail à faire

Comptabilisez au journal général l'émission d'obligations de la société Académik.

Remarque : Arrondissez les montants au dollar près.

Journal général

Date	Nom des comptes et explications	Réf.	Débit	Crédit
20X7				
09-01	Banque		5 003 333,00	
	Frais d'émission d'obligations reportés		55 000,00	
	Intérêts à payer			58 333,00
	Emprunt obligataire			5 000 000,00
	(Émission d'obligations, plus les intérêts courus en juillet et			
	en août, moins les frais de courtage)			

Fin de la démonstration 5.20

La somme de 5 003 333 $ encaissée par la société Académik correspond au produit de l'émission d'obligations (5 000 obligations au prix unitaire de 1 000 $), plus les intérêts relatifs aux mois de juillet et d'août 20X7 (5 000 000 $ × 7 % × 2/12), moins la commission (55 000 $). Cependant, seulement la somme de 4 945 000 $ appartient à la société, soit le produit d'émission, moins la commission du preneur. L'autre partie, soit 58 333 $, représente les intérêts des mois de juillet et d'août qui seront reversés aux obligataires le 31 décembre 20X7. Ces derniers ont donc avancé les fonds pour couvrir les deux mois d'intérêts courus, qu'ils n'ont pas gagnés mais qu'ils recevront tout de même.

Démonstration 5.21

La comptabilisation des versements d'intérêts

Reprenons les données de la démonstration 5.20.

Travail à faire

Comptabilisez au journal général le premier versement d'intérêts sur l'emprunt obligataire de la société Académik.

Remarque : Arrondissez les montants au dollar près.

Journal général

Date	Nom des comptes et explications	Réf.	Débit	Crédit
20X7				
12-31	Intérêts sur emprunt obligataire		117 591,00	
	Intérêts à payer		58 333,00	
	Frais d'émission d'obligations reportés			924,00
	Banque			175 000,00
	(Premier versement d'intérêts)			

Cette écriture tient compte de celle du 1er septembre.

Fin de la démonstration 5.21

On peut faire les constatations suivantes :

- La durée initialement prévue de l'émission d'obligations par la société Académik était de 240 mois (20 ans). Comme l'émission a été reportée de 2 mois, la société ne pourra bénéficier de l'emprunt que pendant 238 mois. Il a donc fallu modifier en conséquence la période d'amortissement des frais d'émission : 55 000 $ × 4/238 = 924 $.
- La charge d'intérêts pour l'exercice terminé le 31 décembre 20X7 comprend les intérêts de 116 667 $ (4 mois à 7 %) et l'amortissement des frais reportés de 924 $ (4 mois).
- La somme totale déboursée par Académik en intérêts et en frais d'émission demeure la même que dans le scénario précédent : 175 000 $, soit le taux d'intérêt nominal appliqué à la valeur nominale de l'emprunt pour une période de 6 mois. Il ne faut pas oublier que les coupons prévoient un versement constant et périodique des intérêts.
- La somme avancée par les obligataires pour couvrir le paiement des intérêts des mois de juillet et d'août 20X7 a été portée au passif à court terme, puisque la société doit la leur remettre au premier versement d'intérêts. Par la suite, il convient de supprimer cette dette.

La comptabilisation des versements ultérieurs se fera de la façon habituelle. Aucune régularisation ne sera nécessaire puisque le 31 décembre correspond à la fois à un versement des intérêts et à la fin de l'exercice. Il faut cependant rester attentif à cet aspect.

Comment faut-il procéder si le versement des intérêts est annuel et ne correspond pas à la date de fin d'exercice ?

Démonstration 5.22

La comptabilisation d'une émission d'obligations avec versement annuel des intérêts à une date différente de la date de fin d'exercice et de la date d'émission

Prenons un autre scénario pour l'emprunt obligataire de la société Académik. Cette fois-ci, supposons que l'acte de fiducie ait prévu l'émission d'obligations le 1er avril 20X7 et le versement annuel des intérêts le 31 mars. La date de mise en vente des obligations est le 1er juillet 20X7. Les autres données demeurent inchangées.

Travail à faire

a) Comptabilisez au journal général l'émission d'obligations de la société Académik.

b) Passez au journal général l'écriture de régularisation requise au 31 décembre 20X7.

Remarque : Arrondissez les montants au dollar près.

a) **Journal général**

Date	Nom des comptes et explications	Réf.	Débit	Crédit
20X7				
07-01	Banque		5 032 500,00	
	Frais d'émission d'obligations reportés		55 000,00	
	Intérêts à payer			87 500,00
	Emprunt obligataire			5 000 000,00
	(Émission d'obligations)			

La société encaisse le prix de l'émission (5 000 000 $) plus les intérêts des mois d'avril à juin (5 000 000 $ × 7 % × 3/12), moins la commission de 55 000 $. Le montant de 87 500 $ représente les 3 mois d'intérêts qui seront remis aux obligataires le 31 mars 20X8.

b) **Journal général**

Date	Nom des comptes et explications	Réf.	Débit	Crédit
20X7				
12-31	Intérêts sur emprunt obligataire		176 392,00	
	Frais d'émission d'obligations reportés			1 392,00
	Intérêts à payer			175 000,00
	(Pour amortir les frais d'émission et régulariser les intérêts)			

Fin de la démonstration 5.22

On peut faire les constatations suivantes :

- Les intérêts à payer totalisent 262 500 $, soit une période de 9 mois (du 1er avril au 31 décembre).
- La charge d'intérêts est de 176 392 $, soit une période de 6 mois (du 1er juillet au 31 décembre), plus 6 mois d'amortissement de frais reportés (55 000 $ × 6/237 mois).

Six mois de charges et neuf mois de dettes : est-ce juste ?

C'est juste : il ne faut pas oublier le montant payé par les obligataires à l'achat des obligations, c'est-à-dire trois mois d'intérêts. La société Académik doit donc les six mois d'intérêts relatifs à la période où elle a bénéficié des fonds empruntés, en plus des trois mois d'intérêts payés d'avance par les obligataires, ce qui ne constitue pas une charge.

Mise en situation 5.12

La comptabilisation d'un versement annuel d'intérêts à une date différente de la date de fin d'exercice

Reprenons les données de la démonstration 5.22.

Travail à faire

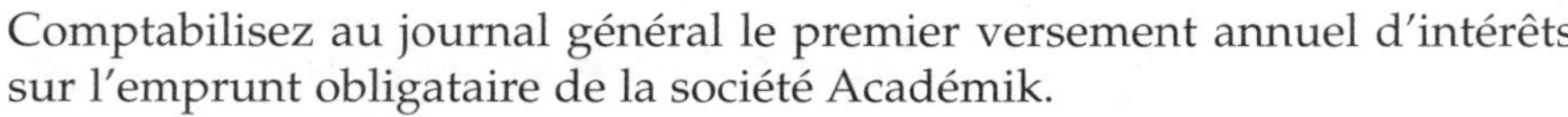

Comptabilisez au journal général le premier versement annuel d'intérêts sur l'emprunt obligataire de la société Académik.

Remarque : Arrondissez les montants au dollar près.

Journal général

Date	Nom des comptes et explications	Réf.	Débit	Crédit
20X8				

Fin de la mise en situation 5.12

Comment peut-on se retrouver dans toutes ces émissions d'obligations ?

Le premier coupon ne génère que neuf mois de charges, puisque la mise en vente a lieu le 1er juillet et que le versement des intérêts a lieu le 31 mars suivant. C'est pourquoi les frais reportés ont été amortis sur 237 mois au lieu de 240 mois. La société bénéficiera de fonds empruntés pour une période inférieure à celle établie dans le prospectus à cause de ce délai de trois mois. Il faut donc régulariser le calcul de l'amortissement des frais reportés. De plus, comme 6 des 9 mois sont passés en charges en 20X7, il convient d'en constater 3 autres en 20X8, soit 87 500 $ en intérêts et 696 $ en amortissement de frais reportés.

Il existe quatre scénarios d'émissions d'obligations à la valeur nominale, et les écritures requises varient de l'un à l'autre (voir le tableau 5.2).

Tableau 5.2 L'émission d'obligations à la valeur nominale selon quatre scénarios

	Scénario 1 Démonstration 5.15	Scénario 2 Démonstration 5.18	Scénario 3 Démonstration 5.20	Scénario 4 Démonstration 5.22
Questions à se poser				
Date d'émission = date de versement des intérêts ?	Oui	Oui	Non	Non
Date de versement des intérêts = date de fin d'exercice ?	Oui	Non	Oui	Non
Écritures				
Intérêts à payer à la date d'émission	Non	Non	Oui	Oui
Intérêts courus en date de fin d'exercice	Non	Oui	Non	Oui
Modification de la période d'amortissement des frais reportés	Non	Non	Oui	Oui

Problèmes suggérés : 5.13, 5.14, 5.15, 5.16, 5.17 et 5.18.

L'émission d'obligations à prime ou à escompte

Nous avons mentionné plus haut que l'émission d'obligations à la valeur nominale n'était pas chose courante. En effet, le prix d'émission diffère fréquemment de cette valeur. La valeur réelle d'un titre obligataire se comporte un peu comme celle d'une action : elle est soumise à la loi de l'offre et de la demande. Cette variation d'ordre macroéconomique dépend de plusieurs facteurs, dont les suivants :

- la conjoncture économique, principalement la différence entre le taux d'intérêt nominal de l'obligation et le taux du marché, appelé « taux d'intérêt effectif », pour des titres semblables ;
- le risque lié à l'émission ;
- la réputation et la solvabilité de la société émettrice ;
- les actifs affectés à la garantie de l'emprunt obligataire.

D'une part, la société émettrice offre des conditions qu'elle juge acceptables pour elle-même ; d'autre part, les investisseurs potentiels ont des attentes fondées sur l'analyse des facteurs mentionnés. Lorsque l'offre égale la demande, il n'y a pas de problème : l'émission se fait à la valeur nominale. Quand cet équilibre n'est pas présent, le décalage entre l'offre et la demande peut se faire dans un sens comme dans l'autre. Dans le chapitre 3, nous avons déjà présenté ce phénomène. Revoyons-le brièvement.

Par exemple, une société peut fixer le **taux d'intérêt nominal** de son titre à 5 %, alors que le marché offre un taux d'intérêt de 4,5 % pour des titres comparables. Les investisseurs seront donc très intéressés à faire l'acquisition de ce titre ; la demande en deviendra ainsi plus forte, ce qui en fera augmenter la valeur. On émettra alors les obligations à une valeur supérieure à leur valeur nominale, c'est-à-dire des obligations à prime.

Le **taux d'intérêt nominal** est le taux fixé par l'acte de fiducie. Il sert à calculer les intérêts versés par l'intermédiaire des coupons.

D'un autre côté, il arrive que les attentes des investisseurs, fondées sur l'état du marché obligataire, dépassent l'offre de la société émettrice. C'est le cas des obligations à taux d'intérêt nominal de 5 % dans un marché où le taux d'intérêt se situe à 7 %. Bien sûr, il se trouvera toujours des preneurs pour ces obligations, mais ils seront moins nombreux que pour les obligations à prime et exigeront certaines conditions. La demande étant réduite, les investisseurs ont le pouvoir économique d'exiger un prix d'émission inférieur à la valeur nominale : il s'agira d'obligations à escompte.

Pour comptabiliser correctement ces obligations, il faut d'abord en calculer le prix d'émission.

La détermination du prix d'émission des obligations

On comprendra aisément que plus l'écart entre le taux d'intérêt nominal et le taux d'intérêt du marché est grand, plus la prime ou l'escompte sera appréciable. Pour établir une correspondance et ainsi déterminer le prix d'émission idéal en fonction du marché, il faut actualiser tous les versements que la société émettrice devra faire pour rembourser l'emprunt obligataire, et ce, au taux du marché. Rappelons que les versements comprennent deux portions :

- **La portion affectée aux intérêts.** Les versements d'intérêts possèdent deux caractéristiques particulières : ils sont égaux et périodiques. C'est pourquoi on parle de **versements périodiques**.
- **La portion affectée à la dette.** Elle représente, en bout de ligne, le remboursement final de l'emprunt à l'échéance. Il s'agit ici d'un **montant unique**.

On calcule le prix d'émission des obligations comme suit.

$$\text{Prix d'émission} = \begin{array}{c}\text{valeur actualisée}\\ \text{des intérêts versés}\end{array} + \begin{array}{c}\text{valeur actualisée}\\ \text{de la valeur nominale}\end{array}$$

$$\text{Prix d'émission} = \begin{array}{c}\text{(intérêts versés par coupon} \times\\ \text{facteur d'actualisation)}\end{array} + \begin{array}{c}\text{(valeur nominale} \times\\ \text{facteur d'actualisation)}\end{array}$$

Le **facteur d'actualisation**[8] est le facteur de correspondance entre la valeur totale des versements effectués sur une période et la valeur actuelle de ces mêmes versements. Ce facteur est présenté sous la forme de tables organisées selon deux critères : le taux d'intérêt (*i*) et le nombre de périodes (*n*). Une table présente les facteurs pour actualiser un versement périodique, et une autre permet d'actualiser les montants uniques[9].

Examinons deux émissions d'obligations à l'aide de l'exemple de la société Académik : dans le premier cas, il s'agit d'obligations à prime ; dans le second, ce sont des obligations à escompte.

Démonstration 5.23

La comptabilisation d'une émission d'obligations à prime

Précisons d'abord le premier scénario pour l'emprunt obligataire de la société Académik. Le 1er janvier 20X7, la société émet 5 000 obligations d'une valeur nominale unitaire de 1 000 $ en faveur d'un preneur ferme, moyennant une commission de 55 000 $. L'échéance est de 20 ans et les intérêts sont payables annuellement le 31 décembre. Le taux d'intérêt nominal est de 7 %, alors que le taux du marché est de 5 %.

Travail à faire

a) Déterminez les facteurs d'actualisation du remboursement des intérêts et de la valeur nominale des obligations.

b) À l'aide de ces facteurs, calculez le prix d'émission des obligations et le coût réel du financement pour la société.

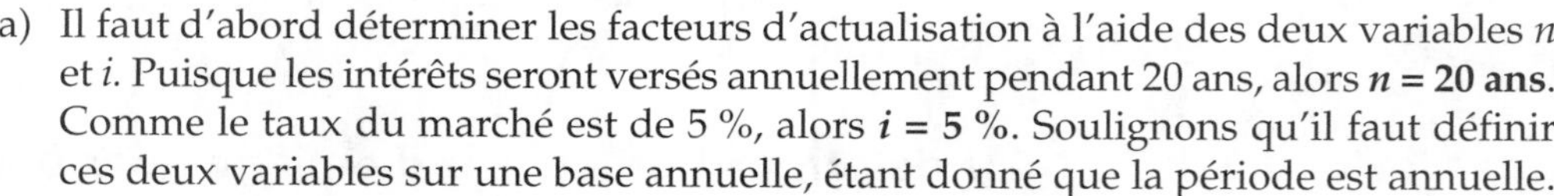

a) Il faut d'abord déterminer les facteurs d'actualisation à l'aide des deux variables *n* et *i*. Puisque les intérêts seront versés annuellement pendant 20 ans, alors ***n* = 20 ans**. Comme le taux du marché est de 5 %, alors ***i* = 5 %**. Soulignons qu'il faut définir ces deux variables sur une base annuelle, étant donné que la période est annuelle.

8. Voir la section 3.3.
9. Voir les annexes 3.1 et 3.2.

Dans le cas de versements semestriels, les valeurs auraient plutôt été les suivantes: n = 40 ans et i = 2,5 %.

En consultant la table des valeurs actualisées de n versements périodiques de 1 $[10], avec **$n$ = 20 ans** et **i = 5 %**, on trouve le facteur d'actualisation **12,46221**. Ce facteur servira à actualiser les versements d'intérêts.

Quant au remboursement de la valeur nominale, le nombre de périodes et le taux d'intérêt sont les mêmes: **n = 20** et **i = 5 %**. Avec ces valeurs, la table des valeurs actualisées de 1 $ reçu à la fin de n périodes[11] précise un facteur d'actualisation de **0,37689**. Ce facteur servira à actualiser le remboursement de la valeur nominale.

b) Maintenant que nous avons déterminé les facteurs d'actualisation, nous pouvons calculer le prix d'émission des obligations à l'aide de l'équation proposée plus haut.

Prix d'émission = (intérêts versés par coupon × facteur d'actualisation) + (valeur nominale × facteur d'actualisation)
= (70 $ × 12,46221) + (1 000 $ × 0,37689)
= 872,35 $ + 376,89 $
= **1 249,24 $**

Puisque le taux d'intérêt nominal est supérieur au taux du marché, l'obligation prend de la valeur. Il s'agit donc d'une obligation à prime dont le prix sera supérieur à sa valeur nominale:

- La prime est de 249,24 $ par obligation.
- Le produit de l'émission est de **6 191 200 $**.

  Valeur nominale + prime – commission
  (1 000 $ × 5 000) + (249,24 $ × 5 000) – 55 000 $

La prime constitue une entrée de fonds additionnelle pour la société Académik. On peut donc déterminer le coût réel du financement sur 20 ans.

Coût réel de financement = intérêts versés + commission – prime
= (5 000 000 $ × 7 % × 20) + 55 000 $ – (249,24 $ × 5 000)
= 7 000 000 $ + 55 000 $ – 1 246 200 $
= **5 808 800 $**

Fin de la démonstration 5.23

Mise en situation 5.13

La comptabilisation d'une émission d'obligations à escompte

Reprenons les données de la démonstration 5.23, mais en supposant cette fois que le taux du marché soit de 8 %.

10. Voir l'annexe 3.2.
11. Voir l'annexe 3.1.

Travail à faire

a) Déterminez les facteurs d'actualisation du remboursement des intérêts et de la valeur nominale des obligations.

b) À l'aide de ces facteurs, calculez le prix d'émission des obligations et le coût réel du financement pour la société.

---

a) Il faut d'abord déterminer les facteurs d'actualisation à l'aide des deux variables n et i. Puisque les intérêts seront versés annuellement pendant ______ ans, alors n = ______ ans. Comme le taux du marché est de ______ %, alors i = ______ %. Soulignons qu'il faut définir ces deux variables sur une base annuelle, étant donné que la période est annuelle. Dans le cas de versements semestriels, les valeurs auraient plutôt été les suivantes : n = ______ ans et i = ______ %.

En consultant la table des valeurs actualisées ______ (voir l'annexe ______), avec n = 20 ans et i = 8 %, on trouve le facteur d'actualisation de ______. Ce facteur servira à actualiser ______.

Quant au remboursement de la valeur nominale, le nombre de périodes et le taux d'intérêt sont les suivants : n = ______ et i = ______ %. Avec ces valeurs, la table ______ (voir l'annexe ______) précise un facteur d'actualisation de ______. Ce facteur servira à actualiser ______.

b) Maintenant que nous avons déterminé les facteurs d'actualisation, nous pouvons calculer le prix d'émission des obligations à l'aide de l'équation proposée plus haut.

Prix d'émission = (intérêts versés par coupon × facteur d'actualisation) + (valeur nominale × facteur d'actualisation)

= ______

= ______

= ______

Puisque le taux d'intérêt nominal est inférieur au taux du marché, l'obligation perd de la valeur. Il s'agit donc d'une obligation à ______ dont le prix sera ______ à sa valeur nominale :

- L'escompte est de ______ $ par obligation.
- Le produit de l'émission est de ______ $.

Valeur nominale – ______ – ______

(______ × ______) – (______ × ______) – ______ $

On remarque que l'escompte est moins élevé que la prime ne l'était dans la démonstration 5.23. Cette différence est liée à l'écart qui sépare le taux nominal et le taux du marché dans les deux scénarios :

- un écart de + ______ % pour l'obligation à prime ;
- un écart de – ______ % pour l'obligation à escompte.

L'escompte constitue un ______ pour la société Académik. On peut donc déterminer le coût réel du financement sur 20 ans.

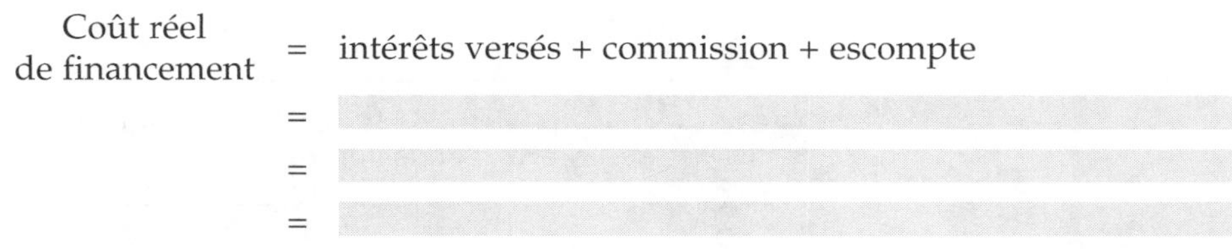

Fin de la mise en situation 5.13

L'amortissement de la prime ou de l'escompte

Après avoir établi le produit de l'émission d'obligations à prime ou à escompte, on peut faire la comptabilisation de l'émission, des versements d'intérêts et de l'amortissement de la prime ou de l'escompte. En effet, comme il faut calculer la prime ou l'escompte dans le coût de financement, il faut donc les imputer à tous les exercices financiers concernés par l'emprunt obligataire. Deux méthodes, traitées dans le chapitre 3, sont possibles :

- La **méthode de l'amortissement linéaire** crée une charge constante à l'état des résultats, puisque la prime ou l'escompte est réparti uniformément sur la durée de l'emprunt obligataire.
- La **méthode de l'intérêt réel** crée une charge différente d'année en année, puisque le calcul est basé sur la valeur comptable nette (en début de période) des obligations émises et que celle-ci varie chaque année.

La valeur comptable nette des obligations se calcule de l'une ou l'autre des façons suivantes, selon le cas :

Valeur nominale de l'emprunt + prime à l'émission

Valeur nominale de l'emprunt – escompte à l'émission

Démonstration 5.24

La comptabilisation d'une émission d'obligations à prime

Cette démonstration renvoie aux données de la démonstration 5.23.

Travail à faire

Comptabilisez au journal général l'émission d'obligations de la société Académik.

Journal général

Date	Nom des comptes et explications	Réf.	Débit	Crédit
20X7				
01-01	Banque		6 191 200,00	
	Frais d'émission d'obligations reportés		55 000,00	
	Prime d'émission d'obligations			1 246 200,00
	Emprunt obligataire			5 000 000,00
	(Émission d'obligations à prime)			

Fin de la démonstration 5.24

Le compte prime d'émission d'obligations est un compte de contrepartie à présenter au passif à long terme avec le compte emprunt obligataire, ce qui permet de dégager la valeur comptable nette de ce dernier. Le solde du compte prime d'émission d'obligations comprend toujours la prime non amortie.

Au 31 décembre 20X7, la valeur comptable nette de l'emprunt obligataire effectué par la société Académik est donc supérieure à sa valeur nominale. Elle diminuera toutefois au rythme des amortissements constatés jusqu'à correspondre à cette valeur nominale à la date d'échéance.

Démonstration 5.25

La comptabilisation des versements d'intérêts, des frais reportés et de la prime d'émission selon la méthode de l'amortissement linéaire

Cette démonstration renvoie aux données des démonstrations 5.23 et 5.24.

Travail à faire

a) Comptabilisez au journal général le premier versement annuel des intérêts sur l'emprunt obligataire de la société Académik en amortissant les frais reportés et la prime d'émission selon la méthode de l'amortissement linéaire.

b) Préparez le tableau d'amortissement de la prime d'émission selon la méthode de l'amortissement linéaire.

c) Rédigez le bilan partiel au 31 décembre 20X7 en présentant tous les comptes touchés.

a) **Journal général**

Date	Nom des comptes et explications	Réf.	Débit	Crédit
20X7				
12-31	Intérêts sur emprunt obligataire		290 440,00	
	Prime d'émission d'obligations		62 310,00	
	Frais d'émission d'obligations reportés			2 750,00
	Banque			350 000,00
	(Premier versement annuel des intérêts et amortissement			
	des frais et de la prime)			

Calculs

Charge d'intérêts totale pour l'exercice 20X7

Somme versée en intérêts	350 000 $
Plus : amortissement des frais d'émission reportés	2 750
Moins : amortissement de la prime d'émission	62 310
Charge d'intérêts totale	290 440 $

Charge annuelle liée à l'amortissement de la prime d'émission

Charge = prime d'émission totale/durée de l'emprunt obligataire
= 1 246 200 $/20
= 62 310 $

La méthode de l'amortissement linéaire crée une charge constante. Il en est de même pour l'amortissement des frais reportés et les intérêts versés annuellement. La charge annuelle de 290 440 $ sera la même pour toute la durée de l'emprunt obligataire, et le coût réel de financement total s'élève à **5 808 800 $** (290 440 $ × 20), ce qui correspond bien au solde calculé dans la démonstration 5.23 !

b)

Tableau d'amortissement de la prime d'émission selon la méthode de l'amortissement linéaire

Date	(1) Intérêts versés	(2) Amortissement de la prime (1 246 200 $/20)	(3) Charge d'intérêts (1) – (2)	(4) Prime non amortie (4) – (2)	(4) Valeur comptable des obligations (5) – (2)
20X7-01-01				1 246 200,00 $	6 246 200,00 $
20X7-12-31	350 000,00 $	62 310,00 $	287 690,00 $	1 183 890,00	6 183 890,00
20X8-12-31	350 000,00	62 310,00	287 690,00	1 121 580,00	6 121 580,00
20X9-12-31	350 000,00	62 310,00	287 690,00	1 059 270,00	6 059 270,00
20Y0-12-31	350 000,00	62 310,00	287 690,00	996 960,00	5 996 960,00
20Y1-12-31	350 000,00	62 310,00	287 690,00	934 650,00	5 934 650,00
20Y2-12-31	350 000,00	62 310,00	287 690,00	872 340,00	5 872 340,00
20Y3-12-31	350 000,00	62 310,00	287 690,00	810 030,00	5 810 030,00
20Y4-12-31	350 000,00	62 310,00	287 690,00	747 720,00	5 747 720,00
20Y5-12-31	350 000,00	62 310,00	287 690,00	685 410,00	5 685 410,00
20Y6-12-31	350 000,00	62 310,00	287 690,00	623 100,00	5 623 100,00
20Y7-12-31	350 000,00	62 310,00	287 690,00	560 790,00	5 560 790,00
20Y8-12-31	350 000,00	62 310,00	287 690,00	498 480,00	5 498 480,00
20Y9-12-31	350 000,00	62 310,00	287 690,00	436 170,00	5 436 170,00
20Z0-12-31	350 000,00	62 310,00	287 690,00	373 860,00	5 373 860,00
20Z1-12-31	350 000,00	62 310,00	287 690,00	311 550,00	5 311 550,00
20Z2-12-31	350 000,00	62 310,00	287 690,00	249 240,00	5 249 240,00
20Z3-12-31	350 000,00	62 310,00	287 690,00	186 930,00	5 186 930,00
20Z4-12-31	350 000,00	62 310,00	287 690,00	124 620,00	5 124 620,00
20Z5-12-31	350 000,00	62 310,00	287 690,00	62 310,00	5 062 310,00
20Z6-12-31	350 000,00	62 310,00	287 690,00	0	5 000 000,00
Total	7 000 000,00 $	1 246 200,00 $	5 753 800,00 $	0 $	5 000 000,00 $

c)

Académik **Bilan partiel** au 31 décembre 20X7	
ACTIF	
[...]	
Frais reportés	
Frais d'émission d'obligations reportés	52 250 $
[...]	
PASSIF ET CAPITAUX PROPRES	
[...]	
Passif à long terme	
[...]	
Emprunt obligataire, 7 %, échéant dans 20 ans, valeur nominale	5 000 000 $
Plus : prime d'émission	1 183 890
Valeur comptable nette	6 183 890 $
[...]	

Fin de la démonstration 5.25

La comptabilisation d'une émission d'obligations à escompte est identique à celle d'une émission d'obligations à prime, sauf qu'il faut utiliser le compte de contrepartie escompte d'émission d'obligations au lieu du compte prime d'émission d'obligations.

Le compte escompte d'émission d'obligations comprend la partie non amortie de l'escompte. Le solde de ce compte diminuera au fur et à mesure des versements d'intérêts. Dans ce cas, le passif au 31 décembre 20X7 présenterait une valeur comptable nette inférieure à la valeur nominale des obligations. Par la suite, cette valeur comptable nette augmentera progressivement jusqu'au remboursement final de l'emprunt obligataire.

Au 31 décembre 20X7, on enregistre le versement des intérêts annuels en plus d'amortir les frais reportés et l'escompte d'émission. Pour l'amortissement de l'escompte, nous verrons comment utiliser la méthode de l'intérêt réel. Rappelons que cette méthode mesure la charge annuelle à partir de la valeur comptable nette de l'emprunt obligataire au début de la période. La démarche comporte quatre étapes de calculs :

1. **Valeur comptable nette au début de l'exercice.** Comme nous l'avons déjà indiqué, on établit la valeur comptable nette en ajoutant la prime ou en soustrayant l'escompte du montant de l'emprunt obligataire. On effectue le calcul des soldes en début de période.
2. **Charge d'intérêts.** La charge d'intérêts mesure l'intérêt qui devrait avoir cours si l'emprunt obligataire était soumis aux conditions du marché, c'est-à-dire au taux du marché à la date d'émission des obligations. On applique ce taux à la valeur comptable nette de l'emprunt en début de période.
3. **Intérêts au taux nominal.** Il s'agit des intérêts versés aux obligataires en vertu des coupons attachés. On multiplie donc la valeur nominale de l'emprunt par le taux d'intérêt nominal prévu dans l'acte de fiducie.

4. **Amortissement de la prime ou de l'escompte.** L'amortissement de la prime ou de l'escompte est égal à la différence entre la charge d'intérêts calculée à l'étape 2 et les intérêts calculés à l'étape 3.

Démonstration 5.26

La comptabilisation des versements d'intérêts, des frais reportés et de l'escompte d'émission selon la méthode de l'intérêt réel

Cette démonstration renvoie aux données de la mise en situation 5.13 (p. 329).

Travail à faire

a) Comptabilisez au journal général l'émission d'obligations de la société Académik.

b) Comptabilisez au journal général le premier versement annuel des intérêts sur l'emprunt obligataire de la société Académik en amortissant les frais reportés et l'escompte d'émission selon la méthode de l'intérêt réel.

c) Préparez le tableau d'amortissement de l'escompte d'émission selon la méthode de l'intérêt réel.

d) Rédigez le bilan partiel au 31 décembre 20X7 en présentant tous les comptes touchés.

a) **Journal général**

Date	Nom des comptes et explications	Réf.	Débit	Crédit
20X7				
01-01	Banque		4 454 100,00	
	Frais d'émission d'obligations reportés		55 000,00	
	Escompte d'émission d'obligations		490 900,00	
	Emprunt obligataire			5 000 000,00
	(Émission d'obligations)			

b) **Journal général**

Date	Nom des comptes et explications	Réf.	Débit	Crédit
20X7				
12-31	Intérêts sur emprunt obligataire		363 478,00	
	Escompte d'émission d'obligations			10 728,00
	Frais d'émission d'obligations reportés			2 750,00
	Banque			350 000,00
	(Premier versement annuel des intérêts et amortissement			
	des frais et de l'escompte)			

Calculs

1. *Valeur comptable nette au début de l'exercice*

Valeur comptable nette = valeur nominale de l'emprunt – escompte d'émission
= 5 000 000 $ – 490 900 $
= **4 509 100 $**

2. *Charge d'intérêts*

Charge d'intérêts = valeur comptable nette × taux du marché à la date d'émission
= 4 509 100 $ × 8 %
= **360 728 $**

3. *Intérêts au taux nominal*

Intérêts dus = valeur nominale de l'emprunt × taux nominal
= 5 000 000 $ × 7 %
= **350 000 $**

4. *Amortissement de la prime ou de l'escompte*

Amortissement = charge d'intérêts – intérêts versés
= 360 728 $ – 350 000 $
= **10 728 $**

Charge d'intérêts totale pour l'exercice 20X7

Somme versée en intérêts	350 000 $
Plus : amortissement des frais d'émission reportés	2 750
amortissement de l'escompte d'émission	10 728
Charge d'intérêts totale	363 478 $

Dans le passif à long terme au 31 décembre 20X7, on inscrira donc l'emprunt obligataire à sa valeur nominale (5 000 000 $), diminué du solde du compte escompte d'émission d'obligations (480 172 $), pour une valeur comptable nette de 4 519 828 $.

c)

Tableau d'amortissement de l'escompte d'émission selon la méthode de l'intérêt réel

Date	(1) Intérêts versés	(2) Charge d'intérêts (5) × 8 %	(3) Amortissement de l'escompte (2) – (1)	(4) Escompte non amorti (4) – (3)	(5) Valeur comptable des obligations (5) + (3)
20X7-01-01				490 900,00 $	4 509 100,00 $
20X7-12-31	350 000,00 $	360 728,00 $	10 728,00 $	480 172,00	4 519 828,00
20X8-12-31	350 000,00	361 586,00	11 586,00	468 586,00	4 531 414,00
20X9-12-31	350 000,00	362 513,00	12 513,00	456 073,00	4 543 927,00
20Y0-12-31	350 000,00	363 514,00	13 514,00	442 559,00	4 557 441,00
20Y1-12-31	350 000,00	364 595,00	14 595,00	427 964,00	4 572 036,00
20Y2-12-31	350 000,00	365 763,00	15 763,00	412 201,00	4 587 799,00
20Y3-12-31	350 000,00	367 024,00	17 024,00	395 177,00	4 604 823,00
20Y4-12-31	350 000,00	368 386,00	18 386,00	376 791,00	4 623 209,00
20Y5-12-31	350 000,00	369 857,00	19 857,00	356 934,00	4 643 066,00

Date	(1) Intérêts versés	(2) Charge d'intérêts (5) × 8 %	(3) Amortissement de l'escompte (2) – (1)	(4) Escompte non amorti (4) – (3)	(5) Valeur comptable des obligations (5) + (3)
20Y6-12-31	350 000,00	371 445,00	21 445,00	335 489,00	4 664 511,00
20Y7-12-31	350 000,00	373 161,00	23 161,00	312 328,00	4 687 672,00
20Y8-12-31	350 000,00	375 014,00	25 014,00	287 314,00	4 712 686,00
20Y9-12-31	350 000,00	377 015,00	27 015,00	260 299,00	4 739 701,00
20Z0-12-31	350 000,00	379 176,00	29 176,00	231 123,00	4 768 877,00
20Z1-12-31	350 000,00	381 510,00	31 510,00	199 613,00	4 800 387,00
20Z2-12-31	350 000,00	384 031,00	34 031,00	165 582,00	4 834 418,00
20Z3-12-31	350 000,00	386 753,00	36 753,00	128 829,00	4 871 171,00
20Z4-12-31	350 000,00	389 694,00	39 694,00	89 135,00	4 910 865,00
20Z5-12-31	350 000,00	392 869,00	42 869,00	46 266,00	4 953 734,00
20Z6-12-31	350 000,00	396 266,00	46 266,00	0	5 000 000,00
Total	7 000 000,00 $	7 490 900,00 $	490 900,00 $	0 $	5 000 000,00 $

d)

Académik
Bilan partiel
au 31 décembre 20X7

ACTIF	
[...]	
Frais reportés	
Frais d'émission d'obligations reportés	52 250 $
[...]	
PASSIF ET CAPITAUX PROPRES	
[...]	
Passif à long terme	
[...]	
Emprunt obligataire, 7 %, échéant dans 20 ans, valeur nominale	5 000 000 $
Moins : escompte d'émission	480 172
Valeur comptable nette	4 519 828 $
[...]	

Fin de la démonstration 5.26

La situation précédente est la plus simple : la date de paiement des intérêts coïncide à la fois avec la date d'émission et la date de fin d'exercice. Ce n'est évidemment pas toujours le cas !

On peut s'y retrouver facilement à l'aide du tableau 5.2, qui passe en revue toutes les situations possibles et les écritures requises selon le scénario.

Mise en situation 5.14

La comptabilisation des versements d'intérêts, des frais reportés et de la prime d'émission selon la méthode de l'intérêt réel

Cette mise en situation renvoie aux données de la démonstration 5.23 (p. 328).

Travail à faire

a) Comptabilisez au journal général l'émission d'obligations de la société Académik.

b) Comptabilisez au journal général le premier versement annuel des intérêts sur l'emprunt obligataire de la société Académik en amortissant les frais reportés et la prime d'émission selon la méthode de l'intérêt réel.

c) Rédigez le bilan partiel au 31 décembre 20X7 en présentant tous les comptes touchés.

a) **Journal général**

Date	Nom des comptes et explications	Réf.	Débit	Crédit
20X7				

b) **Journal général**

Date	Nom des comptes et explications	Réf.	Débit	Crédit
20X7				

Calculs

1. *Valeur comptable nette au début de l'exercice*

Valeur comptable nette = valeur nominale de l'emprunt + prime d'émission
=
= $

2. *Charge d'intérêts*

Charge d'intérêts = valeur comptable nette × taux du marché à la date d'émission
=
= $

3. *Intérêts au taux nominal*

Intérêts dus = valeur nominale de l'emprunt × taux nominal
=
= $

4. *Amortissement de la prime ou de l'escompte*

Amortissement = intérêts dus – charge d'intérêts
=
= $

c)

Académik
Bilan partiel
au 31 décembre 20X7

ACTIF	
[...]	
Frais reportés	
Frais d'émission d'obligations reportés	$
[...]	
PASSIF ET CAPITAUX PROPRES	
[...]	
Passif à long terme	
[...]	
Emprunt obligataire, 7 %, échéant dans 20 ans, valeur nominale	$
Plus: prime d'émission	
Valeur comptable nette	$
[...]	

Fin de la mise en situation 5.14

Mise en situation 5.15

La comptabilisation des versements d'intérêts, des frais reportés et de l'escompte d'émission selon la méthode de l'amortissement linéaire

Cette mise en situation renvoie aux données de la mise en situation 5.13 (p. 329).

Travail à faire

a) Comptabilisez au journal général l'émission d'obligations de la société Académik.

b) Comptabilisez au journal général le premier versement annuel des intérêts sur l'emprunt obligataire de la société Académik en amortissant les frais reportés et l'escompte d'émission selon la méthode de l'amortissement linéaire.

c) Rédigez le bilan partiel au 31 décembre 20X7 en présentant tous les comptes touchés.

a) **Journal général**

Date	Nom des comptes et explications	Réf.	Débit	Crédit
20X7				

b) **Journal général**

Date	Nom des comptes et explications	Réf.	Débit	Crédit
20X7				

c)

Académik **Bilan partiel** au 31 décembre 20X7	
ACTIF	
[…]	
Frais reportés	
Frais d'émission d'obligations reportés	$
[…]	
PASSIF ET CAPITAUX PROPRES	
[…]	
Passif à long terme	
[…]	
Emprunt obligataire, 7 %, échéant dans 20 ans, valeur nominale	$
Moins : escompte d'émission	
Valeur comptable nette	$
[…]	

Fin de la mise en situation 5.15

Le remboursement anticipé d'obligations

CLAUSE DE REMBOURSEMENT ANTICIPÉ
Clause du contrat d'émission d'un instrument financier, le plus souvent une obligation, stipulant que l'émetteur a le droit de procéder au remboursement avant l'échéance.

L'acte de fiducie d'un emprunt obligataire peut comprendre, entre autres clauses particulières, une **clause de remboursement anticipé**, soit au gré de la société émettrice, soit au gré des détenteurs d'obligations.

La clause de remboursement anticipé **au gré de la société émettrice** fixe à l'avance le prix de rachat. Habituellement, ce prix est supérieur à la valeur nominale de l'obligation afin de compenser le manque à gagner lié à la perte de revenus d'intérêts subie par les investisseurs. La société émettrice peut vouloir racheter ses obligations dans le cas où elle trouve un financement à un coût moindre.

La clause de remboursement anticipé **au gré de l'investisseur** est beaucoup plus rare. En effet, une telle clause assortie d'aucune restriction laisse peser sur la société émettrice la menace d'une demande de remboursement, ce qui peut compromettre la saine gestion des liquidités.

La comptabilisation d'un remboursement anticipé renvoie au prix de rachat et à la valeur comptable nette. On devine aisément que ces deux valeurs ne sont pas identiques, ce qui amène nécessairement un gain ou une perte, selon que le prix de rachat est inférieur ou supérieur à la valeur comptable. Le traitement comptable détaillé de ce genre de transaction dépasse le cadre du présent ouvrage.

La conversion d'obligations en actions

Si le remboursement anticipé au gré de la société émettrice est une clause courante et favorable à l'entreprise, la clause de convertibilité favorise plutôt les investisseurs en leur permettant de convertir leurs titres obligataires en actions de différentes catégories. Ici encore, la clause précise à l'avance le nombre et la catégorie des actions qui pourront être émises en contrepartie des obligations converties. Cependant, la valeur boursière des actions demeure inconnue au moment de la rédaction de l'acte de fiducie : c'est donc un élément stratégique de première importance pour l'obligataire qui voudrait profiter d'une telle clause.

STRUCTURE DU CAPITAL
Classement, selon leur nature, des capitaux investis dans une société par ses créanciers (le plus souvent, les créanciers à long terme seulement) et les actionnaires ou associés.

Comme les transactions de ce genre sont de simples transferts de titres, il n'y a ni gain ni perte à comptabiliser. Seule la **structure du capital** de la société est touchée. Le traitement comptable détaillé de ces transactions dépasse aussi le cadre du présent ouvrage.

Problèmes suggérés : 5.19 et 5.20.

Section 5.6 La présentation du passif dans les états financiers

Nous avons constaté que la section du bilan qui porte sur les dettes d'une entreprise peut comporter plusieurs catégories de passif : entre autres les effets à payer, les emprunts hypothécaires, les emprunts obligataires, les provisions et les dettes éventuelles.

Selon le *Manuel de l'ICCA*, il faut communiquer au lecteur des états financiers tout élément d'information nécessaire à une analyse juste de la situation financière de l'entreprise. Voici les principales règles à respecter pour le passif :

- Présenter de façon distincte les dettes contractées auprès de personnes physiques ou morales avec lesquelles l'entreprise est liée.
- Présenter dans un compte distinct de l'état des résultats les intérêts qui découlent des dettes à long terme.
- Présenter dans le passif à court terme la portion des dettes à long terme qui deviendra exigible au cours du prochain exercice.
- Détailler chacun des passifs, par voie de note complémentaire, en précisant, s'il y a lieu, les éléments suivants :
  - le titre de créance ;
  - le taux d'intérêt ;
  - la date d'échéance ;
  - le montant et la fréquence des versements ;
  - les actifs affectés à la garantie ;
  - le montant global estimatif des versements en capital dus pour chacun des cinq prochains exercices ;
  - le montant des emprunts obligataires et autres dettes semblables en circulation ;
  - la nature du titre de même que les clauses particulières (par exemple le rachat ou la conversion d'obligations) ;
  - tout manquement aux clauses contenues dans les ententes (par exemple un manquement au remboursement du capital à l'échéance).

La consultation des états financiers annuels ou trimestriels de grandes entreprises s'avérera fort instructive sur la présentation du passif. Ces rapports sont en effet complets et variés en plus de refléter la réalité. Les grandes entreprises proposent généralement leurs états financiers en fichiers téléchargeables sur leur site Internet (par exemple couchetard.com et jeancoutu.com). On pourra constater que ces documents respectent les normes comptables en la matière.

Résumé

Sur le plan comptable, le passif correspond aux sommes que l'entreprise doit. Un passif existe quand l'entreprise contracte une obligation qui découle d'un événement passé et qui entraînera un règlement futur, par l'utilisation ou le virement d'un actif, la prestation de services ou la contraction d'une autre dette. On peut généralement estimer le montant d'un passif au moyen des pièces justificatives.

Sur le plan financier, on peut dire que le passif représente la partie de l'actif financée par les créanciers. On classe les passifs en diverses catégories, selon l'échéance de la dette (passif à court terme ou à long terme), de même que selon l'existence et l'estimation de la dette (passif certain, provision ou passif éventuel).

Les dettes du passif à court terme ont une échéance inférieure à 12 mois. Généralement, elles servent à financer l'exploitation courante de l'entreprise et elles sont remboursées en un seul versement, elles ne portent pas intérêt et ne sont pas garanties par un bien particulier. Leur montant est habituellement très facile à déterminer au moyen de pièces justificatives. En finance, elles servent à évaluer les liquidités de l'entreprise.

Le passif à court terme comprend les dettes suivantes : le découvert bancaire, l'emprunt bancaire (ou la marge de crédit), les fournisseurs et les frais courus, les effets à payer, les salaires et les charges sociales, les produits reçus d'avance, les dettes envers les gouvernements (les retenues à la source, les taxes à la consommation et les impôts), les dividendes à payer et la portion échéant à court terme de la dette à long terme.

Les dettes du passif à long terme ont une échéance qui excède 12 mois. Généralement, elles servent à financer les transactions d'investissement de l'entreprise, elles font l'objet d'un contrat écrit, elles sont remboursées en plusieurs versements et elles sont garanties par un bien en particulier. Leur montant est habituellement très facile à déterminer. En finance, elles servent à évaluer le taux d'endettement de l'entreprise.

Le passif à long terme comprend les dettes suivantes : les emprunts hypothécaires (sur les biens meubles ou immeubles), les emprunts obligataires, les obligations découlant de contrats de location-acquisition et des régimes de retraite, les effets à payer et les provisions dont le dénouement excède 12 mois.

La présentation du passif dans les états financiers suit des règles précises, qui visent à communiquer au lecteur tout élément d'information nécessaire à une analyse juste de la situation financière de l'entreprise.

Problèmes

Problème 5.1 L'existence et l'estimation des éléments de passif

La boutique Le patenteux vend des articles de décoration fabriqués par des artisans de la région. L'entreprise a récemment conclu une entente avec Mme Gingras. Cette artiste est très prolifique, ce qui permet à la boutique de présenter fréquemment de nouveaux produits. Toutefois, ne voulant pas financer un inventaire aussi varié, le propriétaire de la boutique mise sur la marchandise laissée en consignation. Mme Gingras laisse donc ses œuvres en dépôt à la boutique, mais elles demeurent sa propriété jusqu'au moment de la vente. La boutique n'est pas responsable de ces objets et elle n'a aucune obligation financière envers Mme Gingras tant qu'elle n'en a pas vendu.

En 20X6, il y a toutefois eu une exception à cette entente de vente en consignation. En effet, Mme Gingras a conçu des œuvres pour souligner Noël. Comme cet ensemble de produits était exclusif à la boutique Le patenteux, Mme Gingras a exigé du propriétaire que la moitié soit achetée et que l'autre moitié soit laissée en consignation. Mme Gingras s'était engagée à récupérer les objets en consignation non vendus au 31 décembre, et ce, sans frais pour la boutique.

Les œuvres d'art liées à la fête de Noël ont été livrées à la boutique le 25 novembre 20X6. La commande contenait 50 articles. Le prix de vente unitaire était de 30 $ pour les articles achetés par la boutique et de 40 $ pour les articles en consignation. Au 31 décembre 20X6, 42 des 50 œuvres avaient été vendues.

Par ailleurs, 35 autres œuvres de Mme Gingras livrées à la boutique le 23 décembre 20X6 demeuraient invendues au 31 décembre de la même année. De plus, 10 autres nouveautés ont été livrées le 15 janvier 20X7. Toutes ces œuvres étaient en consignation, selon l'entente générale liant les deux parties. Le prix de vente unitaire en boutique est de 20 $ pour les 35 autres œuvres et de 30 $ pour les nouveautés.

Enfin, au début du mois de décembre 20X6, l'artiste a voulu remercier le propriétaire de la boutique pour son soutien en lui offrant gratuitement cinq œuvres à l'effigie du Patenteux. Le prix de vente unitaire de ces œuvres originales a été fixé à 45 $. Au 31 décembre 20X6, trois d'entres elles avaient été vendues.

Travail à faire

a) Existe-t-il un passif pour Le patenteux par rapport à la commande spéciale livrée le 25 novembre 20X6 ? Expliquez votre réponse et quantifiez le passif, le cas échéant.

b) En supposant que la boutique n'ait fait parvenir aucun paiement à Mme Gingras, déterminez le passif au 31 décembre 20X6 pour Le patenteux par rapport à cette livraison d'articles de Noël.

c) Déterminez ce passif en supposant que la boutique ait fait parvenir un paiement de 517,61 $ (taxes incluses) à Mme Gingras en décembre 20X6.

d) Les 35 œuvres livrées le 23 décembre 20X6 doivent-elles être incluses dans le passif au 31 décembre 20X6 ? Expliquez votre réponse.

e) Les 10 nouveautés livrées le 15 janvier 20X7 doivent-elles apparaître au bilan à titre de passif en date du 31 décembre 20X6 ? Expliquez votre réponse.

f) Les cinq œuvres originales reçues en décembre 20X6, dont trois ont été vendues, donnent-elles lieu à un passif au 31 décembre de la même année ? Expliquez votre réponse et quantifiez le passif, s'il y a lieu.

Remarque : Tenez compte des taxes à la consommation dans vos calculs.

Problème 5.2 L'existence et l'estimation des éléments de passif

L'année financière de la société Bloc se termine le 31 décembre. Le comptable cherche à déterminer les éléments de passif au 31 décembre 20X7. Il hésite sur les éléments suivants.

a) Le contrat d'assurance de la société couvre la période du 1er mai au 30 avril de l'année suivante. Le coût annuel en est de 3 600 $. Au 31 décembre 20X7, seulement la moitié de la facture est payée.

b) Le 12 décembre 20X7, la société a passé la commande suivante au fournisseur Legault :

- 5 unités du jouet A au coût unitaire de 125 $;
- 10 unités du jouet B au coût unitaire de 200 $;
- 7 unités du jouet C au coût unitaire de 150 $.

La commande est livrée le 29 décembre 20X7. Le bon de réception comporte les renseignements suivants:

- 4 unités du jouet A;
- 10 unités du jouet B;
- 7 unités du jouet D au coût unitaire de 140 $;
- 5 unités du jouet E reçues gratuitement.

La société Bloc a effectué les opérations suivantes, relatives à cette commande:

- Elle a retourné au fournisseur 2 unités du jouet B parce qu'elles étaient endommagées.
- Elle a aussi retourné 7 unités du jouet D parce qu'elles ne correspondaient pas à la commande passée.
- Elle a gardé les 5 unités du jouet E, que Legault a décidé de donner à ses bons clients.

Au 31 décembre 20X7, la société Bloc n'a effectué aucun paiement relatif à cette commande.

c) Le 26 décembre 20X7, un bris de plomberie survient à la société Bloc. On constate une charge de 450 $ en matériel. Les réparations sont effectuées le lendemain. En janvier 20X8, la société reçoit la facture de l'entrepreneur: 10 heures à 50 $.

Travail à faire

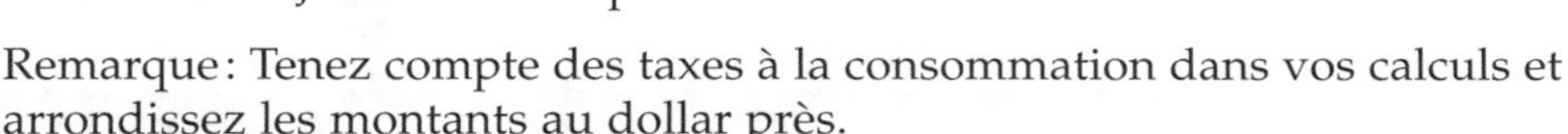

Dans chaque cas, déterminez et estimez les éléments de passif au 31 décembre 20X7. Justifiez vos réponses.

Remarque: Tenez compte des taxes à la consommation dans vos calculs et arrondissez les montants au dollar près.

Problème 5.3 La détermination de la catégorie d'un passif

On a demandé à un étudiant de donner un exemple, au 31 décembre 20X7, pour les catégories de passif suivantes: passif certain à court terme, provision à long terme et passif certain à long terme.

Travail à faire

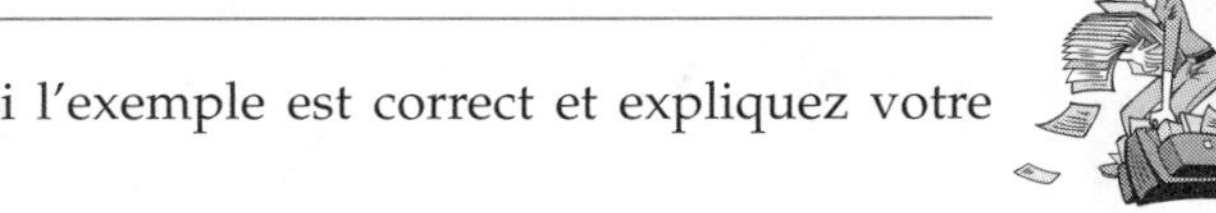

Dans chaque cas, déterminez si l'exemple est correct et expliquez votre réponse.

a) Un **passif certain à court terme**: un compte fournisseur relatif à la facture n° 6543 reçue le 16 janvier 20X8. Les trois quarts des articles commandés ont été reçus le 20 décembre 20X7; le reste de la commande a été livré le 5 janvier 20X8, ce qui a permis au fournisseur de facturer la totalité de la commande.

b) Une **provision à long terme**: en novembre 20X7, un client très insatisfait menace d'engager une poursuite contre un concessionnaire automobile. Ce client invoque de nombreux bris inhabituels et importants survenus à sa voiture neuve dans les premiers mois qui ont suivi son achat en mars 20X7. Comme les tribunaux sont débordés, ce genre de poursuite se règle habituellement dans un délai de deux ans. Au 31 décembre 20X7, le client n'a toutefois pas encore entamé de poursuite.

c) Un **passif certain à long terme**: le solde d'une hypothèque mobilière contractée en février 20X7 s'établit à 46 450 $. On prévoit payer ce solde comme suit: 6 000 $ en 20X8, 8 500 $ en 20X9, 11 250 $ en 20Y0, 13 600 $ en 20Y1 et le reste en 20Y2.

Problème 5.4 La détermination de la catégorie d'un passif

Travail à faire

Dans chaque cas, imaginez une situation précise donnant lieu à la catégorie de passif donnée.

a) Un passif certain à court terme.

b) Une provision à court terme.

c) Un passif certain à long terme.

d) Une provision à long terme.

Problème 5.5 La comptabilisation du découvert bancaire et de l'emprunt bancaire

Voici le relevé bancaire et le rapprochement bancaire de la société pharmaceutique Pharma-Plus pour le mois de mai 20X7.

BANQUE DU DÉBOURS
8809, avenue York
Montréal (Québec)
H2P 3N8

Pharma-Plus
773, rue Windsor
Montréal (Québec) H7L 9H5

RELEVÉ

COMPTE COURANT — **Date :** 31 mai 20X7

PÉRIODE
Du 1er au 31 mai 20X7

Succursale : **22456** — Numéro du compte : **30723**

Date	Description	Réf.	Débit	Crédit	Solde
01		DÉP		6 100,00	11 175,25
02	Chèque n° 13219	COP	8 700,00		2 475,25
02	Chèque n° 13216	COP	1 885,24		590,01
03	Chèque n° 13220	COP	13 512,90		(12 922,89)
03		DMC		15 000,00	2 077,11
05		REM	1 685,70		391,41
05		DÉP		4 765,50	5 156,91
08	Chèque n° 13222	COP	2 340,10		2 816,81
10		DÉP		8 445,23	11 262,04
11	Chèque n° 13217	COP	6 573,15		4 688,89
12	Naturo	CSP	6 880,60		(2 191,71)
12		DEP		13 500,00	11 308,29
17		RMC	10 000,00		1 308,29
21		DÉP		3 582,65	4 890,94
23	Chèque n° 13225	COP	2 376,50		2 514,44
27		DÉP		10 925,00	13 439,44
28		RMC	10 000,00		3 439,44
28		FCS	30,00		3 409,44
31		INT	394,53		3 014,91
		ADM	21,71		2 993,20

Solde précédent	Dépôts et crédits		Retraits et débits		Solde courant
	Nombre	Montant	Nombre	Montant	
5 075,25	7	62 318,38	12	64 400,43	2 993,20

ADM : frais bancaires.
COP : chèque oblitéré sur paiement.
CSP : chèque sans provision.
DÉP : dépôt.
DMC : dépôt provenant de la marge de crédit.
FCS : frais pour chèque sans provision.
INT : intérêts sur marge de crédit.
REM : remboursement de prêt préautorisé.
RMC : remboursement de la marge de crédit.

Si vous désirez de plus amples informations concernant une transaction à votre compte, n'hésitez pas à communiquer avec nous.

Page 1 de 1

Pharma-Plus
Rapprochement bancaire
au 31 mai 20X7

Solde bancaire au 31 mai 20X7		2 993,20 $
Plus : dépôts en circulation		5 433,41
Moins : chèques en circulation		
n° 13218	1 536,25 $	
n° 13221	1 756,90	
n° 13223	10 035,00	
n° 13224	935,30	(14 263,45)
Solde réel		**(5 836,84) $**
Solde aux livres au 31 mai 20X7		8 175,70 $
Plus : emprunt sur marge de crédit		15 000,00
Moins : chèque sans provision	6 880,60 $	
remboursement d'emprunt	1 685,70	
remboursement de marge de crédit	20 000,00	
intérêts sur marge de crédit	394,53	
frais bancaires	21,71	
frais pour chèque sans provision	30,00	(29 012,54)
Solde réel		**(5 836,84) $**

Travail à faire

a) Détaillez le calcul de la charge d'intérêts totale relative à la marge de crédit pour le mois de mai 20X7.

b) Passez au journal général les écritures nécessaires.

c) Pourquoi Pharma-Plus a-t-elle eu un découvert bancaire malgré sa marge de crédit ?

d) Que pourrait faire le comptable de Pharma-Plus au sujet de la marge de crédit ?

e) Comment doit-on présenter le solde du compte banque dans le bilan au 31 mai 20X7 ?

Renseignements complémentaires

1. Au 1er mai 20X7, le solde de la marge de crédit était de 85 000 $, alors que la limite maximale est de 100 000 $. La marge porte intérêt au taux de 5 % et les intérêts sont calculés sur le solde quotidien. La banque verse les fonds dans le compte par tranches de 5 000 $ et le remboursement est prélevé automatiquement, aussi par tranches de 5 000 $, au fur et à mesure que les fonds sont disponibles dans le compte.
2. Le remboursement automatique de 1 685,70 $, débité le 5 mai 20X7, comprend 955,32 $ en intérêts.
3. Le chèque sans provision a été émis par le client Naturo. La politique de Pharma-Plus est de facturer au client les frais imposés par la banque en y ajoutant un montant de 20 $ pour couvrir ses frais administratifs.
4. Le 12 mai 20X7, le comptable de Pharma-Plus reçoit un appel de la banque. Le responsable de compte lui demande de faire un dépôt avant 15 h afin de couvrir un découvert bancaire de 2 191,71 $. Le comptable fait déposer la somme de 13 500 $.

Problème 5.6 La comptabilisation du découvert bancaire et de l'emprunt bancaire

Voici le relevé bancaire de la société Lave-auto Excel pour le mois de juillet 20X7.

BANQUE DU DÉBOURS
8809, avenue York
Montréal (Québec)
H2P 3N8

Lave-auto Excel
13275, avenue Champlain
Montréal (Québec) H2C 3J9

RELEVÉ

COMPTE COURANT — **Date :** 31 juillet 20X7

PÉRIODE
Du 1er au 31 juillet 20X7

Succursale : **22456** | Numéro du compte : **27899**

Date	Description	Réf.	Débit	Crédit	Solde
01		DÉP		8 100,00	12 975,50
02		RMC	12 000,00		975,50
03	Chèque nº 320	COP	280,25		695,25
03	Chèque nº 325	COP	1 465,24		(769,99)
04		DMC		1 000,00	230,01
04		REM	435,70		(205,69)
07		DÉP		6 742,63	6 536,94
08		RMC	6 000,00		536,94
10		DÉP		2 445,23	2 982,17
10	Chèque nº 323	COP	1 575,45		1 406,72
12	Location J.M.	CSP	2 300,69		(893,97)
12		DEP		7 500,00	6 606,03
14		RMC	3 000,00		3 606,03
23		DÉP		512,65	4 118,68
23	Chèque nº 322	COP	8 346,50		(4 227,82)
27		DMC		5 000,00	772,18
28		DÉP		156,87	929,05
28		FCS	10,00		919,05
		ADM	36,95		882,10
31		INT			

Solde précédent	Dépôts et crédits – Nombre	Dépôts et crédits – Montant	Retraits et débits – Nombre	Retraits et débits – Montant	Solde courant
4 875,50 $	8	31 457,38	11		

ADM : frais bancaires.
COP : chèque oblitéré sur paiement.
CSP : chèque sans provision.
DÉP : dépôt.
DMC : dépôt provenant de la marge de crédit.
FCS : frais pour chèque sans provision.
INT : intérêts sur marge de crédit.
REM : remboursement de prêt préautorisé.
RMC : remboursement de la marge de crédit.

Si vous désirez de plus amples informations concernant une transaction à votre compte, n'hésitez pas à communiquer avec nous.

Page 1 de 1

Travail à faire

a) Calculez les intérêts sur la marge de crédit pour le mois de juillet 20X7 et complétez le relevé bancaire pour la même période.

b) Dressez le rapprochement bancaire pour la même période.

c) Comptabilisez au journal général les transactions nécessaires afin de rendre le solde aux livres conforme au solde réel dégagé sur le relevé bancaire.

Renseignements complémentaires

1. Au 1er juillet 20X7, le solde de la marge de crédit est de 20 000 $, alors que la limite maximale est de 40 000 $. La marge porte intérêt à 5 % et les intérêts sont calculés sur le solde quotidien. Par tranches de 1 000 $ dans le compte, la banque verse les fonds au fur et à mesure des besoins et effectue des prélèvements automatiques au fur et à mesure des fonds disponibles.
2. Le remboursement automatique de 435,70 $, débité le 4 juillet 20X7, comporte 268,12 $ en intérêts.
3. Le chèque sans provision a été émis par le client Location J.M. La politique de Lave-auto Excel est de facturer au client les frais imposés par la banque en y ajoutant un montant de 10 $ pour couvrir ses frais administratifs.
4. Les frais de service de la société s'élèvent à 36,95 $ pour le mois de juillet 20X7.
5. Le solde aux livres au 31 juillet 20X7 est de 18 586,63 $.
6. Au 31 juillet 20X7, il y avait en circulation un dépôt au montant de 2 888,45 $ et les chèques suivants.

No 321	1 893,25 $
No 324	349,11 $
No 326	724,90 $

Problème 5.7 La comparaison entre les sommes économisées grâce aux escomptes et le coût du crédit nécessaire pour s'en prévaloir

La société Air-Bos œuvre dans l'industrie aéronautique. L'entreprise subit les contrecoups de la montée vertigineuse du prix de l'essence et de l'instabilité politique qui règne dans certains des pays où se trouvent ses destinations. C'est pourquoi elle recourt souvent à sa marge de crédit. Les dirigeants veulent déterminer la rentabilité d'emprunts sur marge pour payer les fournisseurs à l'intérieur du délai d'escompte. Si c'est le cas, ils feront une demande auprès de leur établissement bancaire pour en augmenter la limite.

Travail à faire

Analysez la situation et faites une recommandation à Air-Bos.

Renseignements complémentaires

1. La marge de crédit porte intérêt à 8 %.
2. Les conditions de paiement de ses fournisseurs sont 1/10, n/30.
3. Le volume d'achats mensuel moyen de la société auprès de ses fournisseurs est de 500 000 $ avant taxes.

Problème 5.8 La comparaison entre les sommes économisées grâce aux escomptes et le coût du crédit nécessaire pour s'en prévaloir

La société Air-Jet songe à demander une marge de crédit portant intérêt à 6,5 % afin de bénéficier des escomptes de caisse offerts par ses fournisseurs. Ses achats mensuels moyens sont de 34 750 $ et les conditions de paiement sont 2/10, n/30.

Travail à faire

Calculez l'économie réelle que fera la société si elle décide de profiter de cette possibilité.

Problème 5.9 La comptabilisation des divers éléments de passif à court terme

La quincaillerie Au paradis du bricoleur est inscrite au régime de la TPS et de la TVQ, et elle utilise la méthode de l'inventaire périodique. Voici quelques transactions effectuées par l'entreprise au cours des mois de novembre et de décembre 20X7.

Date	Opération
20X7	
11-04	Achat de marchandises pour un total de 10 459 $ plus taxes. Conditions: 2/10, n/30, FAB point de départ. Facture de transport: 517,61 $ taxes comprises.
11-09	Réception d'une facture pour l'entretien périodique de la flotte de camions: 2 875,63 $ taxes comprises. Condition: n/30.
11-11	Refinancement d'un compte fournisseur par la signature d'un billet à ordre: 35 500 $. L'effet porte intérêt au taux de 8,5 % et vient à échéance le 28 février 20X8, date à laquelle seront payables le capital et les intérêts.
11-14	Paiement de l'achat du 4 novembre.
11-15	Versement des retenues à la source et des contributions de l'employeur aux gouvernements provincial et fédéral et aux organismes concernés. Ce total couvre une période de 22 jours ouvrables, pour un salaire brut total de 22 440 $. Voici les détails: RAS et contributions fédérales 3 242,98 $ RAS et contributions provinciales 4 444,70 Régime de pension agréé 2 322,50 Cotisations syndicales 452,18 Total 10 462,36 $ Note: Les charges sociales incluses dans le total sont de 2 725,00 $.
11-15	Versement des taxes au ministère du Revenu du Québec pour le mois d'octobre. Au 31 octobre, le grand livre général présente les soldes suivants: TPS à payer 4 900,00 $ TVQ à payer 5 617,50 TPS à recevoir 2 442,78 TVQ à recevoir 2 788,56
11-24	Réception de la facture du déneigement pour la période allant de décembre 20X7 à avril 20X8 inclusivement. La facture s'élève à 5 000 $ plus taxes et est payable en deux versements: le premier sur réception de la facture; le second dû au plus tard le 15 mai 20X8, avec escompte de 2 % si le paiement est reçu avant le 15 avril 20X8.
12-07	Paiement de la facture d'entretien reçue le 9 novembre.

Travail à faire

a) Passez au journal général les écritures requises.

b) Comptabilisez à nouveau au journal général la transaction du 4 novembre en supposant cette fois-ci que l'entreprise ne soit pas inscrite au régime de la TPS et de la TVQ et qu'elle utilise la méthode de l'inventaire permanent.

c) Passez au journal général les écritures de régularisation requises au 31 décembre 20X7 en supposant que la masse salariale soit constante et qu'il reste cinq jours à inscrire.

d) Comptabilisez au journal général le paiement du billet à ordre en supposant que l'entreprise se prévale du délai de grâce et qu'il y ait eu des écritures de réouverture le 1er janvier 20X8.

Remarque : L'année 20X8 n'est pas bissextile.

e) Comptabilisez à nouveau au journal général le paiement du billet à ordre en supposant cette fois-ci que l'entreprise ne se prévale pas du délai de grâce et qu'il n'y ait pas eu d'écritures de réouverture le 1er janvier 20X8.

f) Comptabilisez au journal général le second versement prévu au contrat de déneigement et effectué le 15 avril 20X8.

Problème 5.10 La comptabilisation des divers éléments de passif à court terme

La société Abritex fabrique des abris extérieurs. Elle est inscrite au régime de la TPS et de la TVQ, et elle utilise la méthode de l'inventaire périodique. Son exercice financier se termine le 31 mai. Voici quelques transactions effectuées par l'entreprise au cours du dernier trimestre de l'exercice 20X7.

Date	Opération
20X7	
03-11	Achat de marchandises pour un total de 9 777,13 $ taxes incluses. Conditions : 2/10, n/30, FAB point d'arrivée. Facture de transport : 350 $ plus taxes.
03-14	Réception d'une facture de 1 850 $ plus taxes du notaire, Me Rancourt. Condition : n/30. Le client a besoin d'un abri temporaire le 12 avril 20X7. Les parties conviennent de faire du troc, c'est-à-dire de faire un échange de biens et de services. La facture de location de l'abri s'élève à 950 $ plus taxes. Le solde sera payé comptant le 14 avril 20X7.
03-20	Refinancement d'un billet à ordre de 15 500 $. L'effet a été signé le 21 janvier 20X7 et porte intérêt à 6 %. Il s'agit d'un refinancement, capital et intérêts, au taux de 8,5 % et échéant le 21 septembre de la même année (capital et intérêts).
03-21	Paiement de l'achat du 11 mars.
04-15	Versement des retenues à la source et des contributions de l'employeur aux gouvernements provincial et fédéral et aux organismes concernés. Ce total couvre une période de 20 jours ouvrables, pour un salaire brut total de 25 675 $. Voici les détails : RAS et contributions fédérales — 3 248,16 $ RAS et contributions provinciales — 4 198,72 Régime de pension agréé — 2 200,55 Cotisations syndicales — 412,18 Total — 10 059,61 $ Note : Les charges sociales incluses dans le total sont de 2 400,00 $.
05-15	Versement des taxes au ministère du Revenu du Québec pour le mois d'avril. Au 30 avril, le grand livre général présente les soldes suivants : TPS à payer — 6 963,54 $ TVQ à payer — 7 983,20 TPS à recevoir — 3 549,78 TVQ à recevoir — 4 069,57
05-24	Réception de la facture d'assurances pour la période allant du 1er mai 20X7 au 30 avril 20X8 inclusivement. La facture s'élève à 5 820 $, sans possibilité d'escompte de caisse. Le premier versement de 1 455 $ est fait le 25 mai.
05-29	Réception d'une commande de fournisseur. Les préposés à la réception l'ont placée dans l'entrepôt sans la déballer. Le bon de réception montre la livraison complète de la commande nº 2345 au montant de 4 675 $ plus taxes.

Travail à faire

a) Passez au journal général les écritures requises.

b) Comptabilisez à nouveau au journal général la transaction du 11 mars en supposant cette fois-ci que l'entreprise ne soit pas inscrite au régime de la TPS et de la TVQ et que la condition de livraison soit FAB point de départ.

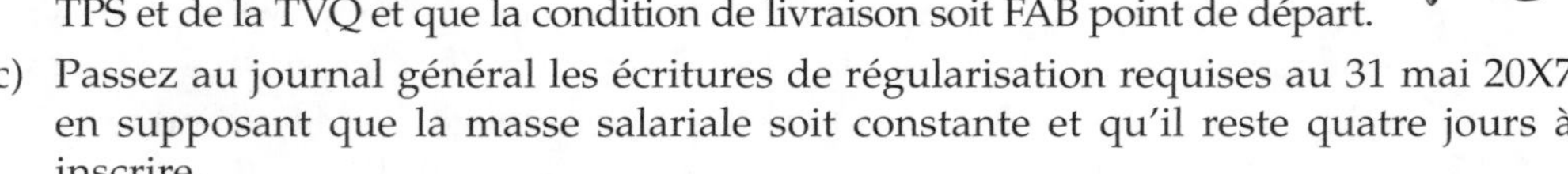

c) Passez au journal général les écritures de régularisation requises au 31 mai 20X7 en supposant que la masse salariale soit constante et qu'il reste quatre jours à inscrire.

d) Comptabilisez au journal général le paiement du billet à ordre en supposant que l'entreprise ne se prévale pas du délai de grâce et qu'il y ait eu des écritures de réouverture le 1er juin 20X7.

e) Comptabilisez à nouveau au journal général le paiement du billet à ordre en supposant cette fois-ci que l'entreprise se prévale du délai de grâce et qu'il n'y ait pas eu d'écritures de réouverture le 1er juin 20X7.

f) Comptabilisez au journal général le paiement du solde dû sur la facture d'assurances en date du 30 juin 20X7.

Problème 5.11 La comptabilisation des emprunts hypothécaires

Le 15 août 20X7, La fabrique de jouets contracte un emprunt hypothécaire sur les biens meubles au montant de 75 000 $. La dette est garantie par le matériel de production acheté grâce à ces nouveaux fonds. Le taux d'intérêt accordé par l'institution financière est de 7,87 % et la durée est de 7 ans (84 mois). L'exercice se termine le 31 décembre. Voici le tableau d'amortissement de l'emprunt.

Tableau de remboursement de l'emprunt hypothécaire sur les biens meubles

Capital emprunté : 75 000,00 $
Taux d'intérêt : 7,87 %[a]
Durée : 84 mois
Versement : 1 164,11 $

Période	Versement		Capital remboursé	Intérêts remboursés	Solde
	Numéro	Montant			
20X7-08					**75 000,00**
20X7-09	1	1 164,11	672,23	491,88	74 327,77
20X7-10	2	1 164,11	676,64	487,47	73 651,13
20X7-11	3	1 164,11	681,08	483,03	72 970,05
20X7-12	4	1 164,11	685,55	478,56	**72 284,50**
20X8-01	5	1 164,11	690,04	474,07	71 594,46
20X8-02	6	1 164,11	694,57	469,54	70 899,89
20X8-03	7	1 164,11	699,12	464,99	70 200,77
20X8-04	8	1 164,11	703,71	460,40	69 497,06
20X8-05	9	1 164,11	708,33	455,78	68 788,73
20X8-06	10	1 164,11	712,97	451,14	68 075,76
20X8-07	11	1 164,11	717,65	446,46	67 358,11
20X8-08	12	1 164,11	722,35	441,76	66 635,76
20X8-09	13	1 164,11	727,09	437,02	65 908,67
20X8-10	14	1 164,11	731,86	432,25	65 176,81
20X8-11	15	1 164,11	736,66	427,45	64 440,15
20X8-12	16	1 164,11	741,49	422,62	**63 698,66**
[...]					
20X9-12	28	1 164,11	802,00	362,11	**54 412,19**
[...]					

Période	Versement		Capital remboursé	Intérêts remboursés	Solde
	Numéro	Montant			
20Y0-12	40	1 164,11	867,44	296,67	**44 367,93**
[...]					
20Y1-12	52	1 164,11	938,23	225,88	**33 504,05**
[...]					
20Y2-12	64	1 164,11	1 014,79	149,32	**21 753,65**
[...]					
20Y3-12	76	1 164,11	1 097,60	66,51	**9 044,40**
20Y4-01	77	1 164,11	1 104,79	59,32	7 939,61
20Y4-02	78	1 164,11	1 112,04	52,07	6 827,57
20Y4-03	79	1 164,11	1 119,33	44,78	5 708,23
20Y4-04	80	1 164,11	1 126,67	37,44	4 581,56
20Y4-05	81	1 164,11	1 134,06	30,05	3 447,50
20Y4-06	82	1 164,11	1 141,50	22,61	2 306,00
20Y4-07	83	1 164,11	1 148,99	15,12	1 157,01
20Y4-08	84	1 164,11	1 157,01	7,10	**0**

a. Pour simplifier l'exemple, nous avons utilisé un taux d'intérêt de 7,87 % capitalisé 12 fois par an.

Travail à faire

a) Comptabilisez au journal général l'acquisition des biens meubles ainsi que l'obtention de l'emprunt.

b) Comptabilisez au journal général les quatre versements effectués en 20X7.

Remarque : Passez une écriture sommaire, c'est-à-dire une seule écriture pour les quatre versements.

c) S'il y a lieu, passez au journal général les écritures de régularisation requises en date du 31 décembre 20X7.

d) Reportez les écritures dans les comptes en T touchés.

e) Déterminez la portion de la dette à présenter dans le passif à court terme et celle à présenter dans le passif à long terme.

f) Rédigez la note complémentaire relative à l'emprunt hypothécaire pour l'exercice terminé le 31 décembre 20X7.

Remarque : Arrondissez les montants au dollar près.

Effectuez ces tâches selon chacun des scénarios suivants.

Scénario 1

Les versements sont entièrement débités au compte emprunt hypothécaire sur les biens meubles.

Scénario 2

Les versements sont ventilés selon le tableau de remboursement.

Problème 5.12 La comptabilisation des emprunts hypothécaires

Le 20 septembre 20X7, la Parfumerie Sens-bon contracte un emprunt hypothécaire sur les biens meubles d'un montant de 55 000 $ au taux de 8 %. La dette est garantie par le matériel de production acheté grâce à ces nouveaux fonds. Exceptionnellement, le remboursement se fera par versements trimestriels, le premier étant prévu le 20 décembre 20X7. La durée du prêt est de six ans. La date de fin d'exercice est le 31 décembre. Voici le tableau de remboursement de l'emprunt.

Tableau de remboursement de l'emprunt hypothécaire sur les biens meubles					
Capital emprunté : 55 000,00 $ Taux d'intérêt : 8 % Durée : 6 ans Versement trimestriel : 2 908,00 $					
Période	Versement		Capital remboursé	Intérêts remboursés	Solde
	Numéro	Montant			
20X7-09					**55 000,00**
20X7-12	1	2 908,00	1 808,00	1 100,00	**53 192,00**
20X8-03	2	2 908,00	1 844,00	1 064,00	51 348,00
20X8-06	3	2 908,00	1 881,00	1 027,00	49 467,00
20X8-09	4	2 908,00	1 919,00	989,00	47 548,00
20X8-12	5	2 908,00	1 957,00	951,00	**45 591,00**
20X9-03	6	2 908,00	1 996,00	912,00	43 595,00
20X9-06	7	2 908,00	2 036,00	872,00	41 559,00
20X9-09	8	2 908,00	2 077,00	831,00	39 482,00
20X9-12	9	2 908,00	2 118,00	790,00	**37 364,00**
20Y0-03	10	2 908,00	2 161,00	747,00	35 203,00
20Y0-06	11	2 908,00	2 204,00	704,00	32 999,00
20Y0-09	12	2 908,00	2 248,00	660,00	30 751,00
20Y0-12	13	2 908,00	2 293,00	615,00	**28 458,00**
20Y1-03	14	2 908,00	2 339,00	569,00	26 119,00
20Y1-06	15	2 908,00	2 385,00	523,00	23 734,00
20Y1-09	16	2 908,00	2 433,00	475,00	21 301,00
20Y1-12	17	2 908,00	2 482,00	426,00	**18 819,00**
20Y2-03	18	2 908,00	2 532,00	376,00	16 287,00
20Y2-06	19	2 908,00	2 582,00	326,00	13 705,00
20Y2-09	20	2 908,00	2 634,00	274,00	11 071,00
20Y2-12	21	2 908,00	2 686,00	222,00	**8 385,00**
20Y3-03	22	2 908,00	2 740,00	168,00	5 645,00
20Y3-06	23	2 908,00	2 795,00	113,00	2 850,00
20Y3-09	24	2 908,00	2 850,00	58,00	0

Travail à faire

a) Comptabilisez au journal général l'acquisition du matériel de production ainsi que l'obtention de l'emprunt.
b) Comptabilisez au journal général le versement effectué en 20X7.
c) S'il y a lieu, passez au journal général les écritures de régularisation requises en date du 31 décembre 20X7.
d) Reportez les écritures dans les comptes en T touchés.
e) Déterminez la portion de la dette à présenter dans le passif à court terme et celle à présenter dans le passif à long terme.
f) Rédigez la note complémentaire relative à l'emprunt hypothécaire pour l'exercice terminé le 31 décembre 20X7.

Effectuez ces tâches selon chacun des scénarios suivants.

Scénario 1

Les versements sont entièrement débités au compte emprunt hypothécaire sur les biens meubles.

Scénario 2

Les versements sont ventilés selon le tableau de remboursement.

Problème 5.13 La comptabilisation d'une émission d'obligations à la valeur nominale dont la date de paiement des intérêts correspond à la date de fin d'exercice et à la date d'émission

Ferblanc est une société ouverte de recyclage de métaux. Grâce au dynamisme de son service de recherche et développement, c'est un chef de file mondial. Afin de financer divers projets innovateurs, les dirigeants de l'entreprise ont décidé de procéder à une émission d'obligations.

L'émission de 6 000 obligations à valeur nominale de 1 000 $ chacune a lieu le 1er juillet 20X7. Le taux d'intérêt nominal est de 7 % et les intérêts seront payables semestriellement le 31 décembre et le 30 juin. L'emprunt obligataire viendra à échéance dans 20 ans, le 30 juin 20Z7.

Pour accélérer et simplifier le processus, la société a fait affaire avec un preneur ferme qui achète la totalité des obligations, moyennant une commission de 65 000 $. L'exercice financier de Ferblanc se termine le 31 décembre.

Travail à faire

a) Comptabilisez au journal général l'émission d'obligations de la société Ferblanc.

b) Comptabilisez au journal général le premier versement des intérêts en date du 31 décembre 20X7 et amortissez les frais d'émission reportés à cette date.

c) Rédigez le bilan partiel au 31 décembre 20X7 en présentant tous les comptes touchés.

d) Comptabilisez au journal général le deuxième versement des intérêts en date du 30 juin 20X8.

e) Comptabilisez au journal général le remboursement de l'emprunt obligataire le 30 juin 20Z7.

Remarque : Présentez vos calculs.

Problème 5.14 La comptabilisation d'une émission d'obligations à la valeur nominale dont la date de paiement des intérêts correspond à la date de fin d'exercice et à la date d'émission

La société Pétro Plus exploite des gisements de pétrole dans l'Ouest canadien. Ses dirigeants ont prévu une émission d'obligations afin de financer un nouveau projet.

L'émission de 2 000 obligations à valeur nominale unitaire de 5 000 $ aura lieu le 1er janvier 20X7. Le taux d'intérêt nominal prévu est de 6,5 % et les intérêts seront payables semestriellement, le 30 juin et le 31 décembre. L'emprunt obligataire viendra à échéance dans 20 ans.

La société fait affaire avec un preneur ferme qui achète la totalité des obligations, moyennant une commission de 105 500 $. L'exercice financier de Pétro Plus se termine le 31 décembre.

Travail à faire

a) Comptabilisez au journal général l'émission d'obligations de la société Pétro Plus.

b) Comptabilisez au journal général le versement des deux coupons d'intérêts prévus en 20X7 et amortissez les frais d'émission reportés aux même dates.

c) Rédigez le bilan partiel au 31 décembre 20X7 en présentant tous les comptes touchés.

d) Comptabilisez au journal général le remboursement de l'emprunt obligataire.

Remarque : Présentez vos calculs.

Problème 5.15 La comptabilisation d'une émission d'obligations à la valeur nominale dont la date de paiement des intérêts correspond à la date d'émission mais non à la date de fin d'exercice

Reprenons les données du problème 5.13. Supposons que l'émission ait lieu le 1er avril 20X7 et que les intérêts soient payables semestriellement le 30 septembre et le 31 mars. Les autres données demeurent inchangées.

Travail à faire

a) Déterminez la date d'échéance de l'emprunt obligataire.

b) Expliquez en quoi la comptabilisation sera différente de celle du problème 5.13.

c) Comptabilisez au journal général toutes les opérations relatives à cet emprunt survenues en 20X7 et en 20X8 en supposant que la société ne fasse pas d'écritures de réouverture.

Remarque : Présentez vos calculs et arrondissez les montants au dollar près.

Problème 5.16 La comptabilisation d'une émission d'obligations à la valeur nominale dont la date de paiement des intérêts correspond à la date d'émission mais non à la date de fin d'exercice

Reprenons les données du problème 5.14. Supposons que l'émission ait lieu le 15 mars 20X7, que les intérêts soient payables semestriellement le 15 septembre et le 15 mars et que la durée de l'emprunt soit de 15 ans. Les autres données demeurent inchangées.

Travail à faire

a) Déterminez la date d'échéance de l'emprunt obligataire.

b) Comptabilisez au journal général les opérations relatives à cet emprunt survenues en 20X7 et en 20X8 en supposant que la société ne fasse pas d'écritures de réouverture.

Remarque : Présentez vos calculs.

Problème 5.17 La comptabilisation d'une émission d'obligations à la valeur nominale dont la date de paiement des intérêts correspond à la date de fin d'exercice mais non à la date d'émission

Reprenons les données du problème 5.13. L'émission de 6 000 obligations à valeur nominale unitaire de 1 000 $ était prévue le 1er juillet 20X7. Le taux d'intérêt nominal est de 7 % et les intérêts seront payables semestriellement le 31 décembre et le 30 juin. L'emprunt obligataire viendra à échéance dans 20 ans, le 30 juin 20Z7.

La société fait affaire avec un preneur ferme qui achète la totalité des obligations, moyennant une commission de 65 000 $. L'exercice financier de Ferblanc se termine le 31 décembre.

Cette fois-ci, supposons que le décès de l'un des principaux gestionnaires de la société retarde l'émission des obligations jusqu'au 1er septembre 20X7. Cependant, toutes les autres conditions prévues dans le prospectus sont maintenues.

Travail à faire

a) Déterminez le produit total de l'émission d'actions de la société Ferblanc.
b) Comptabilisez au journal général cette émission.
c) Calculez la charge liée à l'amortissement des frais d'émission reportés pour l'exercice 20X7.
d) Comptabilisez au journal général le premier versement des intérêts.
e) Déterminez le nombre de mois d'intérêts à passer en charges pour l'exercice 20X7. Expliquez votre réponse.

Remarque : Présentez vos calculs.

Problème 5.18 La comptabilisation d'une émission d'obligations à la valeur nominale dont la date de paiement des intérêts correspond à la date de fin d'exercice mais non à la date d'émission

Reprenons les données du problème 5.14. L'émission de 2 000 obligations à valeur nominale de 5 000 $ chacune était prévue le 1er janvier 20X7. Le taux d'intérêt nominal prévu est de 6,5 % et les intérêts seront payables semestriellement le 30 juin et le 31 décembre. L'emprunt obligataire viendra à échéance dans 20 ans.

La société fait affaire avec un preneur ferme qui achète la totalité des obligations, moyennant une commission de 105 500 $. L'exercice financier de Pétro Plus se termine le 31 décembre.

Cette fois-ci, supposons que l'émission soit retardée au 31 mars 20X7. Toutes les autres conditions demeurent inchangées.

Travail à faire

a) Déterminez le produit total de l'émission d'actions de la société Pétro Plus.
b) Comptabilisez au journal général cette émission.
c) Calculez la charge liée à l'amortissement des frais d'émission reportés pour l'exercice 20X7.
d) Comptabilisez au journal général le versement des deux coupons d'intérêts prévus en 20X7.
e) Déterminez le nombre de mois d'intérêts à passer en charges pour l'exercice 20X7. Expliquez votre réponse.

Remarque : Présentez vos calculs.

Problème 5.19 La comptabilisation des obligations à prime ou à escompte

La Société verte offre des services de consultation en décontamination environnementale. Elle est présente en Amérique, en Europe et en Asie. Sa clientèle est composée de gouvernements et de multinationales.

Afin de financer un ambitieux projet de recherche et développement, la société procède à l'émission de 2 500 obligations à valeur nominale unitaire de 2 000 $ en date du 1er mai 20X7. Elle fait évidemment affaire avec un courtier (preneur ferme) qui lui facture des frais s'élevant à 1,5 % de la valeur nominale totale de l'émission.

Le taux d'intérêt nominal est de 6 % et le taux du marché est de 5 %. Les coupons sont annuels et payables le 30 avril. La durée de l'emprunt obligataire est de 15 ans. L'exercice financier de la société se termine le 31 décembre.

Travail à faire

a) Déterminez le prix d'émission des obligations, la prime ou l'escompte d'émission et le coût réel de financement pour la Société verte.

b) Comptabilisez au journal général l'émission des obligations.

c) Produisez le tableau de remboursement de la prime ou de l'escompte selon la méthode de l'amortissement linéaire.

d) Passez au journal général l'écriture de régularisation des intérêts au 31 décembre 20X7 en amortissant les frais reportés et la prime ou l'escompte d'émission selon la méthode de l'amortissement linéaire.

e) Déterminez le solde des comptes suivants au 31 décembre 20X7 : emprunt obligataire, intérêts à payer, frais d'émission d'obligations reportés, prime d'émission d'obligations et charge d'intérêts.

f) Rédigez le bilan partiel au 31 décembre 20X7 en présentant tous les comptes touchés.

g) Comptabilisez au journal général le versement des intérêts du coupon en date du 30 avril 20X8.

Remarque : Présentez vos calculs et arrondissez les montants au dollar près.

Problème 5.20 La comptabilisation des obligations à prime ou à escompte

Ce problème renvoie aux données du problème 5.19. Supposons que le taux du marché soit de 7 % et que les coupons soient semestriels, payables le 31 octobre et le 30 avril. Les autres données demeurent inchangées.

Travail à faire

a) Déterminez le prix d'émission des obligations, la prime ou l'escompte d'émission et le coût réel de financement pour la Société verte.

b) Produisez le tableau de remboursement de la prime ou de l'escompte selon la méthode de l'intérêt réel.

c) Passez au journal général toutes les écritures requises en 20X7.

d) Déterminez la charge totale d'intérêts relative à l'emprunt obligataire pour l'exercice terminé le 31 décembre 20X7.

e) Déterminez le solde des comptes suivants au 31 décembre 20X7 : frais d'émission d'obligations reportés, prime ou escompte d'émission d'obligations.

f) Rédigez le bilan partiel au 31 décembre 20X7 en présentant tous les comptes touchés.

Remarque : Présentez vos calculs et arrondissez les montants au dollar près.

CHAPITRE

6

La société en nom collectif

Compétence :

Analyser et traiter les données du cycle comptable (01H8).

Éléments de compétence	Objectifs d'apprentissage
Recueillir et analyser l'information comptable.	■ Établir les caractéristiques des sociétés en nom collectif.
Enregistrer l'ensemble des opérations du cycle comptable.	■ Enregistrer les opérations d'une société en nom collectif. ■ Clôturer les comptes d'une société en nom collectif.
Produire le bilan, l'état des résultats et l'état des capitaux propres.	■ Dresser le bilan, l'état des résultats et l'état des capitaux propres des associés d'une société en nom collectif.

SOCIÉTÉ DE PERSONNES
Entreprise dans laquelle plusieurs personnes (les associés) conviennent de mettre en commun des biens, leur crédit ou leur industrie en vue de partager les bénéfices qui pourront en résulter.

Il existe trois types de **sociétés de personnes**: la **société en nom collectif (SENC)**, la **société en commandite** et la **société en participation**. Dans ce chapitre, nous traitons de la forme la plus répandue dans les activités commerciales, soit la SENC.

La société en nom collectif peut se définir comme une entreprise formée d'au moins deux personnes (les associés) qui mettent en commun des biens, des ressources financières, des habiletés particulières ou des connaissances dans le contexte d'activités commerciales (secteur des services, secteur commercial ou manufacturier) et dont l'objectif est de faire des bénéfices. La responsabilité des associés envers les dettes de la société est illimitée, conjointe et solidaire.

Section 6.1 Les particularités de la société en nom collectif

SOCIÉTÉ EN NOM COLLECTIF (SENC)
Société de personnes qui a un objet commercial et dont la responsabilité des associés à l'égard du passif social est illimitée, conjointe et solidaire.

SOCIÉTÉ EN COMMANDITE
Société de personnes constituée d'un ou de plusieurs associés appelés commandités, chargés de la gestion de la société et responsables indéfiniment et solidairement des dettes de la société, et d'un ou de plusieurs autres associés appelés commanditaires, qui fournissent un apport en argent ou en nature et dont la responsabilité à l'égard des dettes de la société se limite à leur apport dans cette dernière.

SOCIÉTÉ EN PARTICIPATION
Société n'ayant pas l'obligation légale de s'immatriculer, dont les associés agissent en leur nom personnel et sont donc responsables de leurs obligations envers les tiers. L'apport d'un associé demeure sa propriété, car cette société ne dispose pas d'un patrimoine distinct comme les autres sociétés de personnes.

CONTRAT DE SOCIÉTÉ
Contrat conclu entre les associés au moment de l'établissement d'une société de personnes et dans lequel ils précisent, notamment, leur mise de fonds, leurs fonctions respectives, le mode de partage des bénéfices et les formalités à accomplir en cas de dissolution ou de liquidation.

La société en nom collectif se caractérise par les aspects suivants:

- Elle est composée d'au moins deux associés.
- Les associés doivent avoir un **contrat de société** écrit ou verbal.
- Ils doivent fournir un apport de capital à la société.
- Ils doivent mettre en commun des ressources pour exploiter l'entreprise dans un esprit de collaboration.
- Ils ont l'intention de faire des profits et de se les partager.

Les formalités à accomplir dans la création d'une société en nom collectif se résument ainsi:

- Le nom de la société doit comporter le terme «société en nom collectif» ou son abréviation «SENC».
- Les associés doivent procéder à l'**immatriculation de l'entreprise** auprès du Registraire des entreprises du Québec.
- La société doit tenir à jour son dossier auprès de cet organisme par la production d'une déclaration annuelle durant la période déterminée ou par la production d'une déclaration modificative dans les 15 jours suivant un changement.

Le contrat de société doit préciser les éléments suivants:

- Le mode de partage des profits, des actifs et des dettes de l'entreprise. Si le contrat de société n'apporte aucune précision, la répartition se fait à parts égales. Toute clause qui exclut un des associés de cette participation est nulle.
- L'apport de chaque associé à la société, soit une somme d'argent, des actifs, de l'expérience, des habiletés, des connaissances, etc.
- Les principes de gestion de la société, notamment le mode de prise de décision.
- La marche à suivre en cas d'événements malencontreux, tels que le décès, la maladie, l'incapacité ou la faillite d'un des associés.

Voyons un exemple de société en nom collectif. Anne-Marie Tremblay et Vanessa Tremblay décident de fonder une entreprise de sport aventure qui s'appellera Sport aventure Lac-Saint-Jean SENC. Elles désirent investir chacune 5 000 $ en argent et 4 000 $ en biens. Elles précisent par écrit leurs tâches respectives dans l'entreprise, le mode de partage des profits et des pertes ainsi que le processus décisionnel.

La société en nom collectif n'a pas de personnalité juridique propre et, tout en étant liée aux associés qui la forment, elle possède une existence distincte de ces derniers. En effet, la société en nom collectif possède ses propres biens, détient des droits et doit respecter certaines obligations. C'est à l'égard des dettes de la société que les associés ont une responsabilité illimitée.

Ainsi, en tant qu'associées, Anne-Marie et Vanessa ont une responsabilité illimitée quant aux dettes de leur entreprise. Si Sport aventure Lac-Saint-Jean SENC n'est pas en mesure de régler ses dettes, les deux jeunes femmes devront peut-être puiser dans leurs économies pour les rembourser.

Une autre caractéristique importante de cette responsabilité est qu'elle est solidaire, c'est-à-dire que chacun des associés peut être tenu de payer l'ensemble des dettes de l'entreprise.

Si par exemple l'institution financière de la société Sport aventure Lac-Saint-Jean SENC lui réclame le paiement d'un prêt de 20 000 $ qu'elle lui a accordé pour son exploitation et que la société est incapable de payer, Anne-Marie ou Vanessa peut être tenue responsable personnellement et en entier de cette dette envers ce créancier. Autrement dit, l'institution financière peut exiger de l'une ou l'autre des associées le remboursement de la dette de 20 000 $, en puisant à même son compte bancaire personnel ou encore, à la suite d'un jugement rendu, en faisant saisir ses biens personnels (automobile, résidence, etc.).

Pour terminer, examinons deux aspects de la fiscalité relative à la société en nom collectif : les taxes à la consommation et l'impôt sur le revenu.

En ce qui concerne la TPS et la TVQ, la société en nom collectif agit, comme toutes les autres entreprises quelle que soit leur forme juridique, à titre de mandataire de l'Agence du revenu du Canada et du ministère du Revenu du Québec. En ce sens, si elle est inscrite au régime de la TPS et de la TVQ, elle doit percevoir les taxes sur ses ventes et les remettre périodiquement, déduction faite des taxes payées sur ses achats, au ministère du Revenu du Québec, responsable de la gestion de la TPS et de la TVQ.

Quant à l'impôt, la société en nom collectif n'a pas à produire de déclaration de revenus puisqu'elle n'a pas de personnalité juridique qui lui est propre. Elle doit cependant tenir une comptabilité qui lui permettra de présenter des états financiers annuels. En fin d'année financière, les bénéfices ou les pertes de l'entreprise sont répartis également entre les associés, à moins d'une clause au contrat stipulant de faire autrement ; chaque associé est tenu d'inclure dans sa déclaration de revenus personnelle la portion qui lui est attribuée.

Reprenons l'exemple de Sport aventure Lac-Saint-Jean SENC. Au cours de sa première année d'exploitation, l'entreprise a réalisé un bénéfice net de 12 000 $. Le contrat de société stipule que les bénéfices ou les pertes sont répartis selon les proportions suivantes : 60 % à Anne-Marie et 40 % à Vanessa. Dans leur déclaration de revenus personnelle, Anne-Marie et Vanessa doivent inclure respectivement 7 200 $ et 4 800 $ à titre de revenus d'entreprise.

Le tableau 6.1 passe en revue les avantages et les inconvénients de la société en nom collectif.

Tableau 6.1 Les avantages et les inconvénients de la société en nom collectif

Avantages	Inconvénients
■ Frais de formation d'entreprise minimes (à l'exception des honoraires d'un professionnel pour la rédaction du contrat de société) ■ Facilité de formation ■ Processus décisionnel relativement simple ■ Mise en commun d'argent, de temps, de connaissances et d'expertises ■ Aucune déclaration de revenus pour l'entreprise ■ Déduction de la quote-part des pertes de la société dans la déclaration de revenus personnelle de chaque associé ■ Grande liberté d'action des associés (absence de conseil d'administration)	■ Responsabilité personnelle illimitée et solidaire des associés à l'égard des dettes ■ Ajout de la quote-part des bénéfices de la société dans la déclaration de revenus personnelle de chaque associé ■ Taux d'imposition plus élevé pour un particulier que pour une société par actions ■ Possibilité de conflits entre les associés ■ Durée de vie limitée de l'entreprise

Mise en situation 6.1

Les caractéristiques de la société en nom collectif

Travail à faire

Dites si chacun des énoncés suivants est vrai ou faux.

a) Il faut au moins trois associés pour former une société en nom collectif.

b) La société en nom collectif ne paie pas d'impôt sur le revenu.

c) Il existe quatre types de sociétés de personnes.

d) La durée de vie d'une société en nom collectif est illimitée.

e) Le fonctionnement d'une société en nom collectif est simple.

f) La société en nom collectif possède une personnalité juridique propre.

g) Les associés peuvent déduire leur part des pertes subies par la société en nom collectif dans leur déclaration de revenus personnelle.

h) Chaque associé peut être tenu de payer toutes les dettes de la société en nom collectif si cette dernière n'est pas en mesure de le faire.

i) Une société en nom collectif n'a aucun but lucratif.

j) La société en nom collectif doit déposer une déclaration annuelle auprès du Registraire des entreprises du Québec.

Fin de la mise en situation 6.1

Mise en situation 6.2

Les caractéristiques de la société en nom collectif

Travail à faire

Pour chacune des questions suivantes, choisissez la bonne réponse.

a) Quel élément concerne la société en nom collectif?
   1. Durée de vie illimitée.
   2. Bénéfice imposable.
   3. Responsabilité illimitée des associés.
   4. Liberté d'action limitée des associés.

b) Quel élément est un inconvénient de la société en nom collectif?
   1. Processus décisionnel simple.
   2. Associés solidairement responsables.
   3. Mise en commun des ressources.
   4. Formation facile.

c) Quel élément ne concerne pas la société en nom collectif ?
   1. Contrat de société.
   2. Intention de faire des profits.
   3. Déclaration modificative.
   4. Bénéfices non répartis.

d) Quelle énumération correspond aux différents types de sociétés de personnes ?
   1. Société en nom collectif, société de la Couronne, société par actions.
   2. Société commerciale, société en participation, société en nom collectif.
   3. Société en nom collectif, société en commandite, société en participation.
   4. Société sans but lucratif, société en commandite, société par actions.

e) Quelle énumération regroupe uniquement des termes étudiés dans la section 6.1 ?
   1. Taxes à la consommation, capital-actions, associés, mandataire.
   2. Mandataire, partage des profits, ressources financières, coopérative.
   3. Quote-part des pertes, Registraire des entreprises, dividende, esprit de collaboration.
   4. Contrat de société, responsabilité illimitée, quote-part des bénéfices, Registraire des entreprises.

Fin de la mise en situation 6.2

Section 6.2

La comptabilisation des opérations

Quelle que soit sa forme juridique, l'entreprise doit disposer d'un système comptable efficace, constitué du grand livre général, des grands livres auxiliaires, du journal général et des journaux auxiliaires.

6.2.1 Les règles de base

Que la comptabilité soit manuelle ou informatisée, l'enregistrement des opérations d'une société en nom collectif est pareil à celui d'une entreprise individuelle, mais il faut prêter une attention particulière aux capitaux propres. Puisque les capitaux propres appartiennent à plusieurs personnes, il est primordial de créer, pour chaque associé, un compte capital, un compte retraits (ou prélèvements) et un compte apports. Par ailleurs, il faut respecter le mode de partage des bénéfices (ou des pertes) entre les associés qui est stipulé dans le contrat de société.

L'équation comptable de la société en nom collectif est la même que celle de l'entreprise individuelle.

ACTIF = PASSIF + CAPITAUX PROPRES

Les capitaux propres sont composés des capitaux propres de chacun des associés, calculés de la façon suivante.

Capitaux propres de l'associé au début de l'exercice
Plus : apports
quote-part du bénéfice net de l'exercice (s'il y a lieu)
Moins : retraits
quote-part de la perte nette de l'exercice (s'il y a lieu)

Capitaux propres de l'associé à la fin de l'exercice

Démonstration 6.1

L'état des capitaux propres de la société en nom collectif

À la fin de la deuxième année d'exploitation, le grand livre général de Sport aventure Lac-Saint-Jean SENC présente les renseignements suivants.

Grand livre général partiel

Anne-Marie Tremblay – capital		Anne-Marie Tremblay – apports		Anne-Marie Tremblay – retraits	
	16 200,00		3 000,00	16 000,00	

Vanessa Tremblay – capital		Vanessa Tremblay – apports		Vanessa Tremblay – retraits	
	13 800,00		2 000,00	16 000,00	

En 20X7, l'entreprise a réalisé un bénéfice net de 28 000 $. Rappelons que le mode de partage des bénéfices est le suivant : 60 % à Anne-Marie Tremblay et 40 % à Vanessa Tremblay.

Travail à faire

Dressez l'état des capitaux propres pour l'exercice terminé le 31 décembre 20X7.

Sport aventure Lac-Saint-Jean SENC
État des capitaux propres
pour l'exercice terminé le 31 décembre 20X7

	Anne-Marie Tremblay	Vanessa Tremblay	Total
Capital au 1er janvier 20X7	16 200 $	13 800 $	30 000 $
Plus : apports	3 000	2 000	5 000
bénéfice net	16 800	11 200	28 000
Total	36 000 $	27 000 $	63 000 $
Moins : retraits	(16 000)	(16 000)	(32 000)
Capital au 31 décembre 20X7	20 000 $	11 000 $	31 000 $

L'utilisation des comptes capital, apports et retraits pour chaque associé facilite la préparation de l'état des capitaux propres.

Fin de la démonstration 6.1

Mise en situation 6.3

L'état des capitaux propres de la société en nom collectif

Le grand livre général de l'entreprise La cantine mobile SENC présente les renseignements suivants pour l'exercice terminé le 31 décembre 20X7.

Grand livre général partiel

Jean Simard – capital		Jean Simard – apports		Jean Simard – retraits	
	5 000,00		8 000,00	5 000,00	

Simon Jean – capital		Simon Jean – apports		Simon Jean – retraits	
	7 000,00		6 000,00	4 000,00	

En 20X7, l'entreprise a réalisé un bénéfice net de 6 000 $. Le mode de partage des bénéfices n'est pas stipulé au contrat de société.

Travail à faire

Complétez l'état des capitaux propres pour l'exercice terminé le 31 décembre 20X7.

La cantine mobile SENC
État des capitaux propres
pour l'exercice terminé le 31 décembre 20X7

	Jean Simard	Simon Jean	Total
Capital au 1er janvier 20X7	$	$	$
Plus : apports			
bénéfice net			
Total	$	$	$
Moins : retraits			
Capital au 31 décembre 20X7	11 000 $	12 000 $	23 000 $

Fin de la mise en situation 6.3

Problèmes suggérés : 6.1 et 6.2.

6.2.2 La formation d'une société en nom collectif

Nous avons défini la société en nom collectif comme l'association d'au moins deux personnes mettant en commun des biens, des ressources financières, des connaissances et des habiletés. Ces investissements peuvent être des sommes d'argent ou d'autres éléments d'actif. Les associés peuvent même transférer des dettes liées aux actifs investis dans la société. Lorsque l'apport d'un associé est en nature, c'est-à-dire quand il s'agit de tout actif autre qu'une somme d'argent, il est essentiel de déterminer la juste valeur des biens en question à la date d'acquisition par la société.

Au fil des démonstrations, nous traiterons de la société en nom collectif à l'aide de l'entreprise Le centre de l'auto SENC.

Démonstration 6.2

La formation d'une société en nom collectif

Maxime Maltais et Sabrina Tremblay exploitent respectivement un atelier de mécanique automobile et un centre de débosselage. Le 4 janvier 20X7, ils décident de mettre en commun leurs biens et leurs dettes afin de créer une nouvelle entreprise : Le centre de l'auto SENC.

Voici d'abord les renseignements relatifs à leur entreprise respective.

Nom du compte	Maxime Maltais		Sabrina Tremblay	
	Valeur comptable	Juste valeur	Valeur comptable	Juste valeur
Banque			14 000 $	**14 000 $**
Clients	35 000 $	**35 000 $**	11 000	**11 000**
Provision pour créances irrécouvrables	(5 000)	**(6 000)**	(1 000)	**(3 000)**
Stocks	22 000	**18 000**	15 000	**12 000**
Fournitures d'atelier	3 000	**1 000**	8 000	**7 000**
Terrain	20 000	**25 000**		
Bâtiment	50 000	**40 000**		
Amortissement cumulé – bâtiment	(20 000)			
Matériel	15 000	**6 000**	33 000	**20 000**
Amortissement cumulé – matériel	(8 000)		(10 000)	
Emprunt bancaire	(12 000)	**(12 000)**		
Fournisseurs	(8 000)	**(8 000)**	(5 000)	**(5 000)**
Effets à payer[1]	(6 000)	**(6 000)**	(11 000)	**(11 000)**
Hypothèque à payer	(25 000)	**(25 000)**		
	61 000 $	**68 000 $**	54 000 $	**45 000 $**

Travail à faire

a) Passez au journal général les écritures requises.

b) Rédigez le bilan d'ouverture.

1. Dans ce chapitre, les effets à payer sont à long terme.

a) **Journal général**

Date	Nom des comptes et explications	Réf.	Débit	Crédit
20X7				
01-04	Clients		35 000,00	
	Stocks		18 000,00	
	Fournitures d'atelier		1 000,00	
	Terrain		25 000,00	
	Bâtiment		40 000,00	
	Matériel		6 000,00	
	Provision pour créances irrécouvrables			6 000,00
	Emprunt bancaire			12 000,00
	Fournisseurs			8 000,00
	Effets à payer			6 000,00
	Hypothèque à payer			25 000,00
	Maxime Maltais – capital			68 000,00
	(Pour comptabiliser l'investissement de Maxime Maltais)			
01-04	Banque		14 000,00	
	Clients		11 000,00	
	Stocks		12 000,00	
	Fournitures d'atelier		7 000,00	
	Matériel		20 000,00	
	Provision pour créances irrécouvrables			3 000,00
	Fournisseurs			5 000,00
	Effets à payer			11 000,00
	Sabrina Tremblay – capital			45 000,00
	(Pour comptabiliser l'investissement de Sabrina Tremblay)			

Pourquoi faut-il tenir compte de la valeur de réalisation nette des comptes clients en les inscrivant à leur montant brut et en ajustant la provision pour créances irrécouvrables ?

Cela permet de maintenir le contrôle et la relation entre les comptes clients et le grand livre auxiliaire des clients. Par contre, il faut inscrire uniquement la juste valeur des immobilisations. En effet, il ne peut y avoir d'amortissement cumulé dans la nouvelle société, car elle n'a pas encore commencé à utiliser ses immobilisations.

b)

Le centre de l'auto SENC
Bilan d'ouverture
au 4 janvier 20X7

ACTIF		
Actif à court terme		
Banque		14 000 $
Clients	46 000 $	
Moins : provision pour créances irrécouvrables	9 000	37 000
Stocks		30 000
Fournitures d'atelier		8 000
Total de l'actif à court terme		89 000 $
Immobilisations		
Matériel		26 000
Bâtiment		40 000
Terrain		25 000
Total des immobilisations		91 000 $
Total de l'actif		**180 000 $**
PASSIF		
Passif à court terme		
Emprunt bancaire		12 000 $
Fournisseurs		13 000
Total du passif à court terme		25 000 $
Passif à long terme		
Effets à payer		17 000
Hypothèque à payer		25 000
Total du passif à long terme		42 000 $
Total du passif		67 000 $
CAPITAUX PROPRES		
Maxime Maltais – capital	68 000 $	
Sabrina Tremblay – capital	45 000	
Total des capitaux propres		113 000
Total du passif et des capitaux propres		**180 000 $**

Fin de la démonstration 6.2

Problèmes suggérés : 6.3 et 6.4.

Au fil des mises en situation, nous traiterons de la société en nom collectif à l'aide de l'entreprise Le groupe Hébert, Ferron et Delisle SENC.

Mise en situation 6.4

La formation d'une société en nom collectif

Marc Hébert, Johanne Ferron et Luc Delisle ont acquis, au cours des années, une expertise dans les domaines suivants :

- l'implantation de systèmes d'information et la création de sites Web ;
- la conception de matériel pédagogique ;
- l'implantation de systèmes comptables informatisés.

Le 16 juin 20X7, les trois entrepreneurs décident de mettre en commun cette expertise diversifiée ainsi que différents biens et dettes pour former Le groupe Hébert, Ferron et Delisle SENC.

Voici les renseignements relatifs à leur entreprise respective.

	Marc Hébert		Johanne Ferron		Luc Delisle	
	Valeur comptable	Juste valeur	Valeur comptable	Juste valeur	Valeur comptable	Juste valeur
Banque	2 500 $	**2 500 $**	2 500 $	**2 500 $**	2 500 $	**2 500 $**
Clients	500	**500**	1 000	**1 000**	750	**750**
Provision pour créances irrécouvrables		**(100)**	(200)	**(300)**	(150)	**(200)**
Matériel	4 000	**2 000**			3 000	**1 000**
Amortissement cumulé – matériel	(1 500)				(1 500)	
Fournisseurs	(200)	**(200)**	(600)	**(600)**	(400)	**(400)**
Effets à payer	(1 800)	**(1 800)**			(1 000)	**(1 000)**
	3 500 $	**2 900 $**	2 700 $	**2 600 $**	3 200 $	**2 650 $**

Travail à faire

a) Passez au journal général les écritures d'ouverture.

b) Complétez le bilan d'ouverture au 16 juin 20X7.

a) **Journal général**

Date	Nom des comptes et explications	Réf.	Débit	Crédit
20X7				

Journal général

Date	Nom des comptes et explications	Réf.	Débit	Crédit
20X7				

b)

Le groupe Hébert, Ferron et Delisle SENC
Bilan d'ouverture
au 16 juin 20X7

ACTIF		
Actif à court terme		
Banque		$
Clients	$	
Moins : provision pour créances irrécouvrables		
Total de l'actif à court terme		$
Immobilisations		
Matériel		
Total de l'actif		**$**
PASSIF		
Passif à court terme		
Fournisseurs		$
Passif à long terme		
Effets à payer		
Total du passif		$
CAPITAUX PROPRES		
Marc Hébert – capital	$	
Johanne Ferron – capital		
Luc Delisle – capital		
Total des capitaux propres		
Total du passif et des capitaux propres		**$**

Fin de la mise en situation 6.4

6.2.3 Les mises de fonds additionnelles

On doit comptabiliser les mises de fonds postérieures à la formation de la société en nom collectif en créditant un compte distinct du compte capital, soit le compte apports.

Démonstration 6.3

Les mises de fonds additionnelles

Le 15 mai 20X7, Maxime Maltais transfère à l'entreprise Le centre de l'auto SENC le droit de propriété de son automobile personnelle. Les deux associés conviennent d'attribuer à l'automobile une juste valeur de 8 500 $.

Travail à faire

Passez au journal général l'écriture relative à cet apport additionnel.

Journal général

Date	Nom des comptes et explications	Réf.	Débit	Crédit
20X7				
05-15	Automobile		8 500,00	
	Maxime Maltais – apports			8 500,00
	(Mise de fonds additionnelle de Maxime Maltais)			

Fin de la démonstration 6.3

6.2.4 Les retraits effectués par les associés

Au même titre que le propriétaire d'une entreprise individuelle, les associés d'une société en nom collectif peuvent effectuer des retraits. Ces opérations ne constituent pas un salaire, mais plutôt des prélèvements anticipés relatifs au partage des bénéfices de la société. Les retraits ne constituent pas comme tels un revenu imposable, mais chaque associé doit inclure sa quote-part des bénéfices de la société en nom collectif dans sa déclaration de revenus personnelle.

On doit comptabiliser au débit du compte retraits de chaque associé les opérations suivantes :

- Les retraits de sommes d'argent.
- Les retraits d'autres actifs à des fins personnelles, comme des marchandises. Ces retraits sont comptabilisés au coût d'acquisition des biens par la société et non à leur juste valeur.
- Les paiements de dépenses personnelles d'un associé effectués par la société, comme une facture de téléphone.
- Les sommes qu'un associé encaisse pour le compte de la société et qu'il garde pour son usage personnel, comme l'encaissement d'une vente.

La distinction entre les retraits autorisés et les retraits non autorisés

Il faut distinguer les retraits autorisés des retraits non autorisés. Les retraits autorisés sont prévus au contrat de société et constituent bel et bien des prélèvements anticipés relatifs au partage des bénéfices entre les associés. Par contre, les retraits non autorisés d'un associé réduisent son investissement dans la société. Il est donc préférable de distinguer ces deux types de retraits dans les livres comptables en utilisant deux comptes distincts pour chaque associé : retraits autorisés et retraits non autorisés.

Démonstration 6.4

Les retraits autorisés et les retraits non autorisés

Au cours du mois de juillet 20X7, Maxime Maltais et Sabrina Tremblay ont effectué un retrait totalisant 10 000 $ chacun, comme prévu au contrat de société. Par ailleurs, Maxime a effectué un retrait non autorisé de 3 000 $.

Travail à faire

Passez au journal général l'écriture relative à ces retraits.

Journal général

Date	Nom des comptes et explications	Réf.	Débit	Crédit
20X7				
07-31	Maxime Maltais – retraits autorisés		10 000,00	
	Maxime Maltais – retraits non autorisés		3 000,00	
	Sabrina Tremblay – retraits autorisés		10 000,00	
	Banque			23 000,00
	(Retraits des associés)			

Fin de la démonstration 6.4

Il importe de faire la distinction entre les retraits autorisés et les retraits non autorisés parce qu'il faut en tenir compte dans la répartition des bénéfices de la société en nom collectif (voir la section 6.8).

6.2.5 Les prêts accordés à la société par les associés

Comme nous l'avons déjà mentionné, les sommes investies par un associé dans une société en nom collectif sont portées soit au crédit du compte capital dans le cas de l'investissement initial, soit au crédit du compte apports dans le cas d'investissements additionnels.

Quand un associé prête de l'argent à la société, cette opération doit être comptabilisée dans le compte de passif emprunt à un associé. Il faut distinguer cette créance des autres dettes, car les sommes dues aux créanciers externes ont priorité sur les prêts consentis par les associés.

Démonstration 6.5

Les prêts accordés à la société par les associés

Le 2 août 20X7, Sabrina Tremblay consent un prêt de 6 000 $ à la société Le centre de l'auto SENC pour une période de 6 mois à un taux d'intérêt de 8 %.

Travail à faire

Passez au journal général l'écriture relative à ce prêt.

Journal général

Date	Nom des comptes et explications	Réf.	Débit	Crédit
20X7				
08-02	Banque		6 000,00	
	Emprunt à une associée – Sabrina Tremblay			6 000,00
	(Emprunt à une associée)			

Fin de la démonstration 6.5

6.2.6 La clôture des comptes

Le processus comptable de la clôture des comptes d'une société en nom collectif se déroule de la même façon que celui d'une entreprise individuelle.

Les comptes de résultats

La clôture des comptes de résultats consiste à fermer en premier tous les comptes créditeurs et tous les comptes débiteurs de l'état des résultats en virant les montants au compte sommaire des résultats.

Démonstration 6.6

La clôture des comptes de résultats

La première année d'exploitation de l'entreprise Le centre de l'auto SENC se solde par un bénéfice net de 14 000 $. Aucune clause particulière de partage des bénéfices et des pertes n'est prévue au contrat de société.

Voici les comptes du grand livre général de la société au 31 décembre 20X7, nécessaires à la fermeture des livres. Afin de simplifier l'exemple, nous avons regroupé l'ensemble des comptes de produits et l'ensemble des comptes de charges en deux comptes globaux.

Grand livre général

Produits	
	62 000,00

Charges	
48 000,00	

Sommaire des résultats	

Maxime Maltais – capital	
	68 000,00

Maxime Maltais – apports	
	8 500,00

Maxime Maltais – retraits autorisés	
10 000,00	

Maxime Maltais – retraits non autorisés	
3 000,00	

Sabrina Tremblay – capital	
	45 000,00

Sabrina Tremblay – apports	

Sabrina Tremblay – retraits autorisés	
10 000,00	

Sabrina Tremblay – retraits non autorisés	

Travail à faire

a) Passez au journal général les écritures relatives à la fermeture des comptes de l'état des résultats.

b) Passez au journal général l'écriture relative à la fermeture du compte sommaire des résultats.

a) **Journal général**

Date	Nom des comptes et explications	Réf.	Débit	Crédit
20X7				
12-31	Produits		62 000,00	
	Sommaire des résultats			62 000,00
	(Pour fermer les comptes créditeurs)			
12-31	Sommaire des résultats		48 000,00	
	Charges			48 000,00
	(Pour fermer les comptes débiteurs)			

b) On ferme le compte sommaire des résultats en virant le bénéfice net ou la perte nette aux comptes des capitaux propres, en conformité avec le contrat de société. Comme les associés n'ont prévu aucune clause particulière de partage des bénéfices, on ferme ce compte comme suit.

Journal général

Date	Nom des comptes et explications	Réf.	Débit	Crédit
20X7				
12-31	Sommaire des résultats		14 000,00	
	Maxime Maltais – capital			7 000,00
	Sabrina Tremblay – capital			7 000,00
	(Pour fermer le compte sommaire des résultats)			

Fin de la démonstration 6.6

Les comptes d'apports et les comptes de retraits

On doit ensuite fermer les comptes apports et retraits de chaque associé.

Démonstration 6.7

La clôture des comptes d'apports et des comptes de retraits

Cette démonstration renvoie aux données de la démonstration 6.6.

Travail à faire

a) Passez au journal général l'écriture relative à la fermeture des comptes d'apports et des comptes de retraits.

b) Mettez à jour les comptes du grand livre général.

c) Dressez l'état des capitaux propres pour l'exercice terminé le 31 décembre 20X7.

a) **Journal général**

Date	Nom des comptes et explications	Réf.	Débit	Crédit
20X7				
12-31	Maxime Maltais – apports		8 500,00	
	Maxime Maltais – capital		4 500,00	
	Sabrina Tremblay – capital		10 000,00	
	Maxime Maltais – retraits autorisés			10 000,00
	Maxime Maltais – retraits non autorisés			3 000,00
	Sabrina Tremblay – retraits autorisés			10 000,00
	(Pour fermer les comptes apports et retraits :			
	10 000 $ + 3 000 $ – 8 500 $ = 4 500 $)			

b)

Grand livre général

Produits

	62 000,00
62 000,00	
	0

Charges

48 000,00	
	48 000,00
0	

Sommaire des résultats

	62 000,00
48 000,00	
14 000,00	
	0

Maxime Maltais – capital

	68 000,00
4 500,00	7 000,00
	70 500,00

Maxime Maltais – apports

	8 500,00
8 500,00	
	0

Maxime Maltais – retraits autorisés

10 000,00	
	10 000,00
0	

Maxime Maltais – retraits non autorisés

3 000,00	
	3 000,00
0	

Sabrina Tremblay – capital

	45 000,00
10 000,00	7 000,00
	42 000,00

Sabrina Tremblay – apports

Sabrina Tremblay – retraits autorisés

10 000,00	
	10 000,00
0	

Sabrina Tremblay – retraits non autorisés

c)

Le centre de l'auto SENC

État des capitaux propres

pour l'exercice terminé le 31 décembre 20X7

	Maxime Maltais	Sabrina Tremblay	Total
Capital au 4 janvier 20X7	68 000 $	45 000 $	113 000 $
Plus : apports	8 500		8 500
bénéfice net	7 000	7 000	14 000
Total	83 500 $	52 000 $	135 500 $
Moins : retraits autorisés	(10 000)	(10 000)	(20 000)
retraits non autorisés	(3 000)		(3 000)
Capital au 31 décembre 20X7	70 500 $	42 000 $	112 500 $

Fin de la démonstration 6.7

Mise en situation 6.5

Les mises de fonds additionnelles, les retraits, les prêts consentis à la société par les associés, la clôture des comptes et l'état des capitaux propres

Cette mise en situation renvoie aux données de la mise en situation 6.4 (p. 369).

Voici les opérations relatives aux associés de l'entreprise Le groupe Hébert, Ferron et Delisle SENC pour la première année d'exploitation.

Date	Opération
20X7	
08-05	Johanne Ferron effectue une mise de fonds additionnelle de 3 500 $.
08-31	Les associés retirent chacun la somme de 1 000 $. Ces retraits sont prévus au contrat de société.
09-15	Marc Hébert effectue un retrait non autorisé de 300 $.
09-30	Luc Delisle prête la somme de 20 000 $ à la société.
10-31	Chacun des associés effectue une mise de fonds additionnelle de 3 500 $.
12-31	On constate une perte nette de 7 500 $ pour le premier exercice de la société.

Travail à faire

a) Passez au journal général les écritures relatives à ces opérations.
b) Passez au journal général les écritures de fermeture.
c) Complétez l'état des capitaux propres pour l'exercice terminé le 31 décembre 20X7.

a) et b) **Journal général**

Date	Nom des comptes et explications	Réf.	Débit	Crédit
20X7				

Journal général

Date	Nom des comptes et explications	Réf.	Débit	Crédit
20X7				

c)

Le groupe Hébert, Ferron et Delisle SENC **État des capitaux propres** pour l'exercice terminé le 31 décembre 20X7	Marc Hébert	Johanne Ferron	Luc Delisle	Total
Capital au 16 juin 20X7	$	$	$	$
Plus : apports				
Total	$	$	$	$
Moins : retraits autorisés				
retraits non autorisés				
perte nette				
Capital au 31 décembre 20X7	$	$	$	$

Fin de la mise en situation 6.5

Problèmes suggérés : 6.5, 6.6, 6.7 et 6.8.

Section 6.3 Le partage des bénéfices ou des pertes

Nous avons déjà souligné que l'objectif de la société en nom collectif est de faire des bénéfices. Par ailleurs, sans clause particulière de partage au contrat de société, ces bénéfices sont répartis également entre les associés. Dans l'exemple de Sport aventure Lac-Saint-Jean SENC (voir la section 6.1), les deux associées avaient décidé de répartir les bénéfices de façon inégale : 60 % à Anne-Marie et 40 % à Vanessa. Qu'en est-il exactement de ce genre de clause ? Quelles sont les différentes méthodes de partage des bénéfices ? Avant de répondre à ces questions, il faut d'abord comprendre en quoi consistent les bénéfices d'une société en nom collectif.

6.3.1 La nature des bénéfices

En tant que propriétaire d'une société en nom collectif, un associé ne peut pas en être aussi l'employé. C'est donc dire qu'il n'a pas droit à un salaire ni aux avantages sociaux qui s'y rattachent, comme c'est le cas de n'importe quel salarié. Toutefois, il faut admettre que les associés ont tout de même droit à une forme de rémunération pour le travail effectué dans la société. L'associé qui travaille plus qu'un autre pour le compte de la société peut donc s'attendre à toucher une part plus importante des bénéfices. Les associés font partie d'une société en vue d'en tirer des bénéfices et non de recevoir un salaire.

Par ailleurs, les associés s'attendent à recevoir un rendement sur leur capital investi dans la société. Cependant, ils n'ont pas plus le droit de toucher des intérêts sur leur capital que de recevoir un salaire ; là encore, il est question de part des bénéfices. Il est donc normal que l'associé qui investit un capital plus élevé qu'un autre reçoive une part plus importante des bénéfices.

Enfin, les bénéfices de la société en nom collectif sont évidemment liés non seulement à l'exploitation de l'entreprise, mais aussi aux risques qui s'y rattachent, aux décisions administratives prises par les associés et aux habiletés particulières de chacun. Il faut donc s'attendre à ce que, par exemple, les habiletés particulières d'un associé lui procurent une part plus importante des bénéfices.

Il existe différents modes de partage des bénéfices, que voici :

- le partage selon un ratio fixe convenu d'avance ;
- le partage selon le capital investi dans la société ;
- le partage selon la rémunération pour le travail effectué, le rendement sur le capital investi, le risque couru et les habiletés particulières.

Ce dernier mode de partage permet de tenir compte de tous les aspects.

Examinons l'application de ces méthodes à l'aide de l'entreprise Le centre de l'auto SENC dans son deuxième exercice financier, terminé le 31 décembre 20X8.

6.3.2 Le partage des bénéfices selon un ratio fixe

Dans le partage des bénéfices selon un ratio fixe, le bénéfice net est réparti selon le ratio prévu au contrat de société ou, à défaut d'une telle clause, de façon égale entre les associés.

Démonstration 6.8

Le partage des bénéfices selon un ratio fixe et l'état des capitaux propres

Cette démonstration renvoie aux données de la démonstration 6.7. Le 1er janvier 20X8, les deux associés de l'entreprise Le centre de l'auto SENC ajoutent au contrat de société une clause de partage des bénéfices selon le ratio fixe de 55 % pour Maxime Maltais et de 45 % pour Sabrina Tremblay.

Par ailleurs, la consultation des livres comptables de l'entreprise fournit les renseignements suivants sur l'exercice terminé le 31 décembre 20X8 :

- Le 1er mai, Sabrina Tremblay a effectué un retrait non autorisé de 6 000 $.
- Le 1er juillet, elle a effectué un apport additionnel de 12 500 $.
- Au cours de l'exercice, chaque associé a effectué des retraits autorisés de 30 000 $.
- Le bénéfice net se chiffre à 62 000 $.

Travail à faire

a) Dressez le tableau de répartition du bénéfice net pour l'exercice terminé le 31 décembre 20X8.

b) Dressez l'état des capitaux propres pour ce même exercice.

a)

Le centre de l'auto SENC
Tableau de répartition du bénéfice net
pour l'exercice terminé le 31 décembre 20X8

	Maxime Maltais	Sabrina Tremblay	Total
Bénéfice net à répartir			62 000 $
Quote-part attribuée à chaque associé			
Maxime Maltais (55 % × 62 000 $)	34 100 $		(34 100)
Sabrina Tremblay (45 % × 62 000 $)		27 900 $	(27 900)
Part du bénéfice net pour chaque associé	34 100 $	27 900 $	0 $

b)

Le centre de l'auto SENC
État des capitaux propres
pour l'exercice terminé le 31 décembre 20X8

	Maxime Maltais	Sabrina Tremblay	Total
Capital au 1er janvier 20X8	70 500 $	42 000 $	112 500 $
Plus : apports		12 500	12 500
bénéfice net	34 100	27 900	62 000
Total	104 600 $	82 400 $	187 000 $
Moins : retraits autorisés	(30 000)	(30 000)	(60 000)
retraits non autorisés		(6 000)	(6 000)
Capital au 31 décembre 20X8	74 600 $	46 400 $	121 000 $

Fin de la démonstration 6.8

6.3.3 Le partage des bénéfices selon le capital au début de l'exercice

Selon ce mode de partage, le bénéfice net est réparti en fonction du capital de chaque associé au début de l'exercice par rapport au capital total de la société à cette date.

Démonstration 6.9

Le partage des bénéfices selon le capital au début de l'exercice et l'état des capitaux propres

Cette démonstration renvoie aux données de la démonstration 6.8. Supposons que la clause ajoutée au contrat de société le 1er janvier 20X8 prévoie le partage des bénéfices non pas selon un ratio fixe, mais selon le capital de chaque associé au début de l'exercice.

Travail à faire

a) Dressez le tableau de répartition du bénéfice net pour l'exercice terminé le 31 décembre 20X8.

b) Dressez l'état des capitaux propres pour ce même exercice.

Remarque : Arrondissez les montants au dollar près.

a)

Le centre de l'auto SENC
Tableau de répartition du bénéfice net
pour l'exercice terminé le 31 décembre 20X8

	Maxime Maltais	Sabrina Tremblay	Total
Bénéfice net à répartir			62 000 $
Quote-part attribuée à chaque associé			
Maxime Maltais ((70 500 $/112 500 $) × 62 000 $)	38 853 $		(38 853)
Sabrina Tremblay ((42 000 $/112 500 $) × 62 000 $)		23 147 $	(23 147)
Part du bénéfice net pour chaque associé	38 853 $	23 147 $	0 $

Pour déterminer la proportion du bénéfice à laquelle chaque associé a droit, on divise son capital au début de l'exercice par le capital total de la société au début du même exercice.

b)

Le centre de l'auto SENC
État des capitaux propres
pour l'exercice terminé le 31 décembre 20X8

	Maxime Maltais	Sabrina Tremblay	Total
Capital au 1er janvier 20X8	70 500 $	42 000 $	112 500 $
Plus : apports		12 500	12 500
bénéfice net	38 853	23 147	62 000
Total	109 353 $	77 647 $	187 000 $
Moins : retraits autorisés	(30 000)	(30 000)	(60 000)
retraits non autorisés		(6 000)	(6 000)
Capital au 31 décembre 20X8	79 353 $	41 647 $	121 000 $

Fin de la démonstration 6.9

6.3.4 Le partage des bénéfices selon le capital moyen au cours de l'exercice

Selon ce mode de partage, le bénéfice net est réparti en fonction du capital moyen de chaque associé au cours de l'exercice par rapport au capital total de la société pour cette période.

Démonstration 6.10

Le partage des bénéfices selon le capital moyen et l'état des capitaux propres

Cette démonstration renvoie aux données de la démonstration 6.8. Cette fois-ci, supposons que le contrat de société prévoie le partage des bénéfices selon le capital moyen de chaque associé au cours de l'exercice.

Travail à faire

a) Dressez le tableau de répartition du bénéfice net pour l'exercice terminé le 31 décembre 20X8.

b) Dressez l'état des capitaux propres pour ce même exercice.

Remarque : Arrondissez les montants au dollar près.

a)

Le centre de l'auto SENC
Tableau de répartition du bénéfice net
pour l'exercice terminé le 31 décembre 20X8

	Maxime Maltais	Sabrina Tremblay	Total
Capital au 1er janvier 20X8	70 500 $	42 000 $	112 500 $
Plus : apport de Sabrina Tremblay le 1er juillet 20X8 (12 500 $ × 6/12[a])		6 250	6 250
Moins : retrait non autorisé de Sabrina Tremblay le 1er mai 20X8 (6 000 $ × 8/12[b])		(4 000)	(4 000)
Capital moyen investi au cours de l'exercice 20X8	70 500 $	44 250 $	114 750 $
Bénéfice net à répartir			62 000 $
Quote-part attribuée à chaque associé			
Maxime Maltais ((70 500 $/114 750 $) × 62 000 $)	38 092 $		(38 092)
Sabrina Tremblay ((44 250 $/114 750 $) × 62 000 $)		23 908 $	(23 908)
Part du bénéfice net pour chaque associé	38 092 $	23 908 $	0 $

a. Dans le calcul du capital moyen, on doit tenir compte du fait que l'apport de 12 500 $ a été fait le 1er juillet. Comme l'exercice se termine le 31 décembre, l'entreprise a bénéficié de ces fonds 6 mois sur 12.

b. Le retrait de 6 000 $ a été fait le 1er mai. Comme l'exercice se termine le 31 décembre, l'entreprise n'a pas pu bénéficier de ces fonds pendant 8 mois sur 12.

Pourquoi seuls les retraits non autorisés et les apports additionnels modifient-ils le capital moyen des associés durant l'exercice ?

Les retraits autorisés constituent des prélèvements anticipés relatifs au partage des bénéfices et ils n'influent donc pas sur le capital des associés.

b)

Le centre de l'auto SENC
État des capitaux propres
pour l'exercice terminé le 31 décembre 20X8

	Maxime Maltais	Sabrina Tremblay	Total
Capital au 1er janvier 20X8	70 500 $	42 000 $	112 500 $
Plus : apports		12 500	12 500
bénéfice net	38 092	23 908	62 000
Total	108 592 $	78 408 $	187 000 $
Moins : retraits autorisés	(30 000)	(30 000)	(60 000)
retraits non autorisés		(6 000)	(6 000)
Capital au 31 décembre 20X8	78 592 $	42 408 $	121 000 $

Fin de la démonstration 6.10

6.3.5 Le partage des bénéfices selon la rémunération pour le travail effectué, le rendement sur le capital investi, le risque couru et les habiletés particulières

Selon ce mode de partage, le bénéfice net est d'abord réparti en fonction d'un montant fixe de rémunération prévu au contrat de société et d'un pourcentage de rendement sur le capital investi par chaque associé ; ensuite, le solde est réparti en fonction d'un ratio fixe pour tenir compte du risque couru et des habiletés particulières.

Démonstration 6.11

Le partage des bénéfices selon la rémunération pour le travail effectué, le rendement sur le capital investi, le risque couru et les habiletés particulières

Cette démonstration renvoie aux données de la démonstration 6.8. Cette fois-ci, supposons que le contrat de société prévoie (1) une rémunération annuelle de 20 000 $ à Maxime Maltais et de 25 000 $ à Sabrina Tremblay, (2) des intérêts de 4 % calculés sur le capital investi au début de l'exercice et (3) le partage du reste du bénéfice selon un facteur de répartition de 3 pour Maxime et de 2 pour Sabrina, de façon à tenir compte du risque couru par chacun et des habiletés particulières de chacun.

Travail à faire

a) Dressez le tableau de répartition du bénéfice net pour l'exercice terminé le 31 décembre 20X8.

b) Dressez l'état des capitaux propres pour ce même exercice.

a)

Le centre de l'auto SENC
Tableau de répartition du bénéfice net
pour l'exercice terminé le 31 décembre 20X8

	Maxime Maltais	Sabrina Tremblay	Total
Bénéfice net à répartir			62 000 $
Rémunération attribuée à chaque associé	20 000 $	25 000 $	(45 000)
Solde du bénéfice net à répartir			17 000 $
Intérêts sur le capital au début			
Maxime Maltais (70 500 $ × 4 %)	2 820		(2 820)
Sabrina Tremblay (42 000 $ × 4 %)		1 680	(1 680)
Solde du bénéfice net à répartir			12 500 $
Quote-part attribuée à chaque associé			
Maxime Maltais ((3/5) × 12 500 $)	7 500		(7 500)
Sabrina Tremblay ((2/5) × 12 500 $)		5 000	(5 000)
Part du bénéfice net pour chaque associé	30 320 $	31 680 $	0 $

Pourquoi utilise-t-on les termes « rémunération » et « intérêts », alors que nous avons mentionné au début de cette section que les associés n'y ont pas droit ?

Généralement, on utilise ces termes dans les contrats de société ; en réalité, il s'agit d'allocations. Rappelons que, sur le plan juridique, des personnes forment une société en nom collectif dans le but d'en retirer des bénéfices et non dans celui de recevoir une rémunération pour le travail effectué ou des intérêts sur le capital investi. Il faut par conséquent comptabiliser les rémunérations et les intérêts prévus au contrat de société comme une répartition du bénéfice net.

b)

Le centre de l'auto SENC
État des capitaux propres
pour l'exercice terminé le 31 décembre 20X8

	Maxime Maltais	Sabrina Tremblay	Total
Capital au 1er janvier 20X8	70 500 $	42 000 $	112 500 $
Plus : apports		12 500	12 500
bénéfice net	30 320	31 680	62 000
Total	100 820 $	86 180 $	187 000 $
Moins : retraits autorisés	(30 000)	(30 000)	(60 000)
retraits non autorisés		(6 000)	(6 000)
Capital au 31 décembre 20X8	70 820 $	50 180 $	121 000 $

Fin de la démonstration 6.11

Mise en situation 6.6

Le partage des bénéfices

Cette mise en situation renvoie aux données de la mise en situation 6.5 (p. 377). Au début de l'année 20X8, les associés de l'entreprise Le groupe Hébert, Ferron et Delisle SENC s'entendent pour inclure au contrat de société une clause de partage des bénéfices et des pertes qui se détaille comme suit : Marc Hébert, Johanne Ferron et Luc Delisle recevront 10 000 $ chacun comme rémunération pour le travail effectué et des intérêts de 5 % sur leur capital moyen respectif ; de plus, pour tenir compte du risque couru par chacun et des habiletés particulières de chacun, le solde sera partagé selon les facteurs de répartition 1, 2, 3.

Par ailleurs, la consultation des livres comptables de la société fournit les renseignements suivants pour l'exercice terminé le 31 décembre 20X8 :

- Apport additionnel de Marc Hébert le 1er mai : 3 000 $.
- Apport additionnel de Luc Delisle le 1er juin : 3 600 $.
- Retraits autorisés de chaque associé : 10 000 $.

- Retrait non autorisé de Johanne Ferron le 1er février : 2 400 $.
- Retrait non autorisé de Luc Delisle le 1er octobre : 2 400 $.
- Bénéfice net de la société : 25 000 $.

Travail à faire

a) Complétez le tableau de répartition du bénéfice net pour l'exercice terminé le 31 décembre 20X8.

b) Complétez l'état des capitaux propres pour ce même exercice.

Remarque : Arrondissez les montants au dollar près.

a)

Le groupe Hébert, Ferron et Delisle SENC
Tableau de répartition du bénéfice net
pour l'exercice terminé le 31 décembre 20X8

	Marc Hébert	Johanne Ferron	Luc Delisle	Total
Capital au 1er janvier 20X8	$	$	$	$
Apport de Marc Hébert le 1er mai 20X8 ( )				
Apport de Luc Delisle le 1er juin 20X8 ( )				
Retrait non autorisé de Johanne Ferron le 1er février 20X8 ( )				
Retrait non autorisé de Luc Delisle le 1er octobre 20X8 ( )				
Capital moyen investi au cours de l'exercice 20X8	$	$	$	$
Bénéfice net à répartir				$
Rémunération attribuée aux associés	$	$	$	
Solde à répartir				$
Intérêts sur le capital moyen				
Marc Hébert ( )				
Johanne Ferron ( )				
Luc Delisle ( )				
Solde à répartir				$
Quote-part attribuée à chaque associé				
Marc Hébert ( )				
Johanne Ferron ( )				
Luc Delisle ( )				
Part du bénéfice net pour chaque associé	$	$	$	$

À la suite de l'attribution des intérêts sur le capital moyen, le solde à répartir est négatif. Dans ce cas, ce solde déficitaire est réparti selon les mêmes facteurs de répartition (1, 2, 3), à moins qu'une clause au contrat de société ne spécifie une répartition différente pour les pertes.

b)

Le groupe Hébert, Ferron et Delisle SENC **État des capitaux propres** pour l'exercice terminé le 31 décembre 20X8				
	Marc Hébert	**Johanne Ferron**	**Luc Delisle**	**Total**
Capital au 1er janvier 20X8	$	$	$	$
Plus : apports				
bénéfice net				
Total	$	$	$	$
Moins : retraits autorisés				
retraits non autorisés				
Capital au 31 décembre 20X8	$	$	$	$

Fin de la mise en situation 6.6

Problèmes suggérés : 6.9 et 6.10.

Section 6.4 Les changements dans la composition de la société en nom collectif

Comme nous l'avons mentionné précédemment, la société en nom collectif est composée d'au moins deux associés. Toutefois, rien n'empêche de modifier sa composition, soit par l'admission d'un nouvel associé ou par le retrait d'un associé.

Afin d'éviter bien des ennuis, le contrat de société doit prévoir l'éventualité du départ de l'un des associés, que ce soit à la suite de son décès, d'une maladie, d'un changement de carrière, d'une faillite personnelle ou d'une faute grave de sa part. En l'absence d'une clause au contrat de société, la valeur de la part de l'associé qui se retire est fixée par un expert ou un tribunal, ce qui peut s'avérer long et coûteux.

Qu'il s'agisse du départ ou de l'admission d'un associé, il faut recalculer la participation de tous les associés avant l'événement. De plus, il faut déposer une **déclaration modificative** auprès du Registraire des entreprises du Québec ; sinon, l'associé qui se retire pourra quand même être tenu responsable des dettes de la société envers les tiers.

6.4.1 L'admission d'un nouvel associé

L'admission d'un nouvel associé oblige les associés à rédiger un nouveau contrat ou à modifier le contrat actuel afin de continuer les activités de la société. Cette admission peut se faire de l'une ou l'autre des façons suivantes :

- Le nouvel associé achète la part ou une partie de la part d'un ou de plusieurs associés.
- Le nouvel associé investit dans la société. Dans ce cas, il arrive que le nouvel associé accorde une prime aux associés déjà en place ou que ceux-ci lui en accordent une.

L'achat de la participation d'un associé par un associé actuel ou par une tierce personne

PARTICIPATION (PART ou PART DES CAPITAUX PROPRES)
Possession d'une part des capitaux propres d'une société.

Lorsqu'un associé ou une tierce personne achète en tout ou en partie la **participation** (**part** ou **part des capitaux propres**) d'un autre associé, il faut simplement virer le montant du compte capital de l'associé vendeur au compte capital de l'associé acheteur (actuel ou nouveau).

Démonstration 6.12

L'achat d'une participation par une tierce personne

Comme on l'a vu, les parts de Maxime Maltais et de Sabrina Tremblay sont respectivement de 70 820 $ et de 50 180 $ au 31 décembre 20X8. Le 3 janvier 20X9, Sabrina Tremblay vend sa part à Caroline Simard pour la somme de 54 000 $.

Travail à faire

Comptabilisez le transfert de la participation de 50 180 $ de Sabrina Tremblay à Caroline Simard.

Journal général

Date	Nom des comptes et explications	Réf.	Débit	Crédit
20X9				
01-03	Sabrina Tremblay – capital		50 180,00	
	Caroline Simard – capital			50 180,00
	(Pour virer la participation de Sabrina Tremblay de son compte			
	au compte de Caroline Simard)			

Pourquoi ne tient-on pas compte de la somme payée par la nouvelle associée ?

La somme de 54 000 $ payée par Caroline Simard pour l'achat de la part de 50 180 $ de Sabrina Tremblay dans l'entreprise Le centre de l'auto SENC ne concerne que ces deux personnes et n'influe en rien sur l'actif et le passif de la société en nom collectif (postulat de la personnalité de l'entité).

Fin de la démonstration 6.12

Démonstration 6.13

L'achat d'une participation par un associé actuel et par une tierce personne

Cette démonstration renvoie aux données de la démonstration 6.11. Supposons que Sabrina Tremblay vende un quart de sa part à Maxime Maltais et un autre quart à Caroline Simard.

Travail à faire

a) Comptabilisez le transfert de la participation de Sabrina Tremblay.

b) Présentez la nouvelle participation de chaque associé en dollars et en pourcentage.

a) **Journal général**

Date	Nom des comptes et explications	Réf.	Débit	Crédit
20X9				
01-03	Sabrina Tremblay – capital		25 090,00	
	Maxime Maltais – capital			12 545,00
	Caroline Simard – capital			12 545,00
	(Pour virer une partie de la participation de Sabrina Tremblay			
	de son compte au compte de Caroline Simard et au compte			
	de Maxime Maltais : 50 180 $ × ¼ = 12 545 $)			

b)

Compte	Participation en dollars	Participation en pourcentage
Maxime Maltais – capital	83 365 $ (70 820 $ + 12 545 $)	68,90 % (83 365 $/121 000 $ × 100)
Sabrina Tremblay – capital	25 090 $ (50 180 $ – 25 090 $)	20,73 % (25 090 $/121 000 $ × 100)
Caroline Simard – capital	12 545 $	10,37 % (12 545 $/121 000 $ × 100)
	121 000 $	100,00 %

Fin de la démonstration 6.13

L'investissement d'un nouvel associé

La situation est différente lorsqu'un nouvel associé fournit un investissement dans la société en nom collectif. La nouvelle mise de fonds accroît le total de l'actif et les capitaux propres de l'entreprise.

Démonstration 6.14

L'admission d'une nouvelle associée

Cette démonstration renvoie aux données de la démonstration 6.11. Cette fois-ci, supposons que Maxime Maltais et Sabrina Tremblay désirent accueillir Caroline Simard comme nouvelle associée et acceptent qu'elle investisse une somme de 60 500 $ dans la société.

Travail à faire

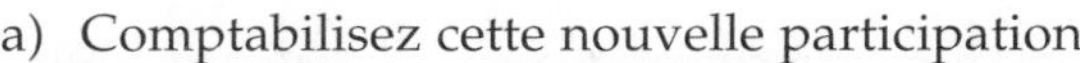

a) Comptabilisez cette nouvelle participation.

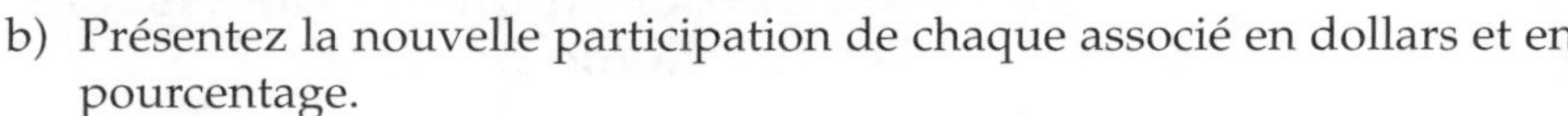

b) Présentez la nouvelle participation de chaque associé en dollars et en pourcentage.

a) **Journal général**

Date	Nom des comptes et explications	Réf.	Débit	Crédit
20X9				
01-03	Banque		60 500,00	
	Caroline Simard – capital			60 500,00
	(Investissement de Caroline Simard)			

b)

Compte	Participation en dollars	Participation en pourcentage
Maxime Maltais – capital	70 820 $	39,02 % (70 820 $/181 500 $ × 100)
Sabrina Tremblay – capital	50 180 $	27,65 % (50 180 $/181 500 $ × 100)
Caroline Simard – capital	60 500 $	33,33 % (60 500 $/181 500 $ × 100)
	181 500 $	100,00 %

Même si Caroline détient un tiers des parts de la société, cela ne représente pas nécessairement sa quote-part des bénéfices. Il en est de même pour les autres associés : les parts ne reflètent pas obligatoirement les quotes-parts. Les trois associés devront modifier le contrat de société pour déterminer le nouveau mode de répartition des bénéfices.

Fin de la démonstration 6.14

La prime accordée aux associés actuels

Il se peut que le nouvel associé doive verser une prime aux associés déjà en place, et ce pour diverses raisons : la société réalise des bénéfices supérieurs à la moyenne ; la juste valeur des actifs de la société est supérieure à la valeur comptable ; les associés actuels ont déployé beaucoup d'énergie pour mettre sur pied la société. Quelle que soit la raison, la prime correspond à la différence entre le montant exigé du nouvel associé et celui porté au crédit de son compte capital. Cette prime est répartie selon le mode de partage des bénéfices prévu au contrat de société en vigueur et créditée au compte capital de chacun des associés actuels.

Démonstration 6.15

L'admission d'une nouvelle associée qui paie une prime aux associés actuels

Cette démonstration renvoie aux données de la démonstration 6.11. Cette fois-ci, supposons que Caroline Simard investisse 60 500 $ le 3 janvier 20X9 et obtienne une participation de 25 % dans la société Le centre de l'auto SENC.

Travail à faire

a) Déterminez le montant à créditer au compte Caroline Simard – capital ainsi que celui de la prime à créditer au compte capital de chacun des associés actuels et passez au journal général l'écriture requise.

b) Présentez la nouvelle participation de chaque associé en dollars et en pourcentage.

a) **Calculs**

1. Valeur des capitaux propres de la nouvelle société

Capital total des associés avant l'investissement	121 000 $
Plus : investissement de la nouvelle associée	60 500
Capital total des associés après l'investissement	181 500 $

2. Capital de la nouvelle associée

Nouveau capital total des associés	181 500 $
Multiplié par : pourcentage de participation dans la société	25 %
Capital de la nouvelle associée	45 375 $

3. Prime accordée aux associés actuels

Investissement de la nouvelle associée	60 500 $
Moins : capital de la nouvelle associée	45 375
Prime accordée aux associés actuels	15 125 $

4. Répartition de la prime accordée aux associés actuels

Prime à répartir	15 125 $
Maxime Maltais (3/5 × 15 125 $)	9 075
Sabrina Tremblay (2/5 × 15 125 $)	6 050
Solde à répartir	0 $

Pour les calculs, on utilise le facteur de répartition attribué à chaque associé dans le contrat de société en vigueur avant l'intégration du nouvel associé.

Journal général

Date	Nom des comptes et explications	Réf.	Débit	Crédit
20X9				
01-03	Banque		60 500,00	
	Maxime Maltais – capital			9 075,00
	Sabrina Tremblay – capital			6 050,00
	Caroline Simard – capital			45 375,00
	(Investissement de Caroline Simard et répartition de la prime			
	entre les associés)			

b)

Compte	Participation en dollars	Participation en pourcentage
Maxime Maltais – capital	79 895 $ (70 820 $ + 9 075 $)	44,02 %
Sabrina Tremblay – capital	56 230 $ (50 180 $ + 6 050 $)	30,98 %
Caroline Simard – capital	45 375 $	25,00 %
	181 500 $	100,00 %

Fin de la démonstration 6.15

La prime accordée au nouvel associé

Il se peut que le nouvel associé voit créditer son compte capital d'une valeur supérieure à son investissement dans la société. Cela se produit lorsque les associés actuels désirent à tout prix l'admission du nouvel associé. Là encore, il peut exister différentes raisons : le nouvel associé possède une expertise particulière ; il apporte une clientèle supplémentaire à la société ; il peut faire bénéficier la société de relations privilégiées.

La prime accordée au nouvel associé correspond à la différence entre le montant de son investissement et celui qu'on porte au crédit de son compte capital. Cette prime est répartie selon le mode de partage des bénéfices prévu au contrat de société en vigueur et débitée au compte capital de chacun des associés actuels.

Démonstration 6.16

L'admission d'une nouvelle associée qui reçoit une prime des associés actuels

Cette démonstration renvoie aux données de la démonstration 6.11. Cette fois-ci, supposons que Caroline Simard investisse 60 500 $ le 3 janvier 20X9, pour obtenir une participation de 40 % dans la société Le centre de l'auto SENC.

Travail à faire

a) Déterminez le montant à créditer au compte capital de Caroline Simard ainsi que celui de la prime à débiter au compte capital de chacun des associés actuels et passez au journal général l'écriture requise.

b) Présentez la nouvelle participation de chaque associé en dollars et en pourcentage.

Calculs

1. *Valeur des capitaux propres de la nouvelle société*

Capital total des associés avant l'investissement	121 000 $
Plus : investissement de la nouvelle associée	60 500
Capital total des associés après l'investissement	181 500 $

2. *Capital de la nouvelle associée*

Nouveau capital total des associés	181 500 $
Multiplié par : pourcentage de participation dans la société	40 %
Capital de la nouvelle associée	72 600 $

3. *Prime accordée à la nouvelle associée*

Capital de la nouvelle associée	72 600 $
Moins : investissement de la nouvelle associée	60 500
Prime accordée à la nouvelle associée	12 100 $

4. *Répartition de la prime accordée à la nouvelle associée*

Prime à répartir	12 100 $
Maxime Maltais (3/5 × 12 100 $)	7 260
Sabrina Tremblay (2/5 × 12 100 $)	4 840
Solde à répartir	0 $

Journal général

Date	Nom des comptes et explications	Réf.	Débit	Crédit
20X9				
01-03	Banque		60 500,00	
	Maxime Maltais – capital		7 260,00	
	Sabrina Tremblay – capital		4 840,00	
	Caroline Simard – capital			72 600,00
	(Investissement de Caroline Simard et répartition de la prime			
	entre les associés)			

b)

Compte	Participation en dollars	Participation en pourcentage
Maxime Maltais – capital	63 560 $ (70 820 $ – 7 260 $)	35,02 %
Sabrina Tremblay – capital	45 340 $ (50 180 $ – 4 840 $)	24,98 %
Caroline Simard – capital	72 600 $	40,00 %
	181 500 $	100,00 %

Fin de la démonstration 6.16

Mise en situation 6.7

L'admission d'une nouvelle associée qui paie une prime aux associés actuels

Cette mise en situation renvoie aux données de la mise en situation 6.6 (p. 385). Le 5 janvier 20X9, les trois associés de l'entreprise Le groupe Hébert, Ferron et Delisle SENC acceptent Sylvie Pelletier comme nouvelle associée. Cette dernière est une spécialiste des technologies de l'information, ce qui permettra à la société d'offrir de nouveaux services. Comme c'est elle qui désire se joindre à l'entreprise, elle accepte d'obtenir seulement une participation de 40 % pour son investissement de 6 000 $.

La société s'appellera désormais Le groupe Hébert, Ferron, Delisle et Pelletier SENC. Selon le nouveau contrat de société, Marc Hébert, Johanne Ferron, Luc Delisle et Sylvie Pelletier se partageront les bénéfices selon les facteurs de répartition 2, 2, 2, 3.

Travail à faire

a) Déterminez le montant à créditer au compte capital de Sylvie Pelletier ainsi que celui de la prime à porter au compte capital de chacun des associés actuels et passez au journal général l'écriture requise.

b) Présentez la nouvelle participation de chaque associé en dollars et en pourcentage.

Remarque : Arrondissez les montants au dollar près.

a) **Calculs**

1. *Valeur des capitaux propres de la nouvelle société*

Capital total des associés avant l'investissement	$
Plus : investissement de la nouvelle associée	
Capital total des associés après l'investissement	$

2. *Capital de la nouvelle associée*

Nouveau capital total des associés	$
Multiplié par : pourcentage de participation dans la société	%
Capital de la nouvelle associée	$

3. *Prime accordée aux associés actuels*

Investissement de la nouvelle associée	$
Moins : capital de la nouvelle associée	
Prime accordée aux associés actuels	$

4. *Répartition de la prime accordée aux associés actuels*

Prime à répartir	$
Marc Hébert ( )	
Johanne Ferron ( )	
Luc Delisle ( )	
Solde à répartir	$

Journal général

Date	Nom des comptes et explications	Réf.	Débit	Crédit
20X9				
01-05				
	(Investissement de Sylvie Pelletier et répartition de la prime			
	entre les associés)			

b)

Compte	Participation en dollars	Participation en pourcentage
Marc Hébert – capital		
Johanne Ferron – capital		
Luc Delisle – capital		
Sylvie Pelletier – capital		

Fin de la mise en situation 6.7

Problèmes suggérés: 6.11 et 6.12.

6.4.2 Le retrait d'un associé

Le contrat de société doit prévoir l'éventualité du départ d'un associé. Le retrait d'un associé peut se faire de l'une ou l'autre des façons suivantes:

- L'associé qui se retire vend sa part à un autre associé ou à une tierce personne.
- L'associé qui se retire vend sa part à la société. Dans ce cas, il arrive que l'associé qui se retire accorde une prime aux associés qui restent ou que ceux-ci lui en accordent une.

Qu'arrive-t-il si la société est composée de seulement deux associés et que l'un d'eux se retire sans qu'un autre soit admis?

Il y a dissolution de la société, ce qui entraîne sa liquidation[2].

La vente de la participation d'un associé à un autre associé ou à une tierce personne

Lorsqu'un associé vend sa part à l'un des associés actuels ou à une tierce personne, il faut porter au crédit du compte capital du nouvel associé le montant débité au compte capital de l'associé qui se retire. Cette situation est exactement l'inverse de l'admission d'un nouvel associé qui achète la participation d'un associé actuel (voir la sous-section 6.4.1).

La vente de la participation d'un associé à la société

Les associés d'une société en nom collectif peuvent utiliser les fonds de l'entreprise pour racheter la participation d'un associé qui se retire. Alors, l'actif de la société et le total des capitaux propres diminuent. Cette situation est exactement l'inverse de l'admission d'un nouvel associé qui investit dans la société (voir la sous-section 6.4.1).

2. La liquidation est un sujet qui déborde le cadre du présent manuel.

Par ailleurs, une prime peut être accordée aux associés qui restent, soit parce que les actifs de la société sont surévalués, soit parce que la société éprouve certaines difficultés, soit encore parce que l'associé est pressé de se retirer. D'un autre côté, une prime peut être accordée à l'associé qui se retire, soit parce que les actifs de la société sont sous-évalués, soit parce que la société fait des bénéfices impressionnants, soit encore parce que les associés qui restent désirent que l'associé se retire rapidement.

Mise en situation 6.8

Le retrait d'un associé

Voici les soldes des comptes de capital au 30 juin 20Y0 de la société Le groupe Hébert, Ferron, Delisle et Pelletier SENC.

Compte	Solde	Facteur de répartition
Marc Hébert – capital	8 200 $	2
Johanne Ferron – capital	6 500 $	2
Luc Delisle – capital	6 200 $	2
Sylvie Pelletier – capital	10 000 $	3

Le 1er juillet 20Y0, Marc Hébert se retire de la société et en obtient un paiement de 10 300 $.

Travail à faire

a) Déterminez le montant de la prime accordée à Marc Hébert ainsi que le montant à débiter au compte capital de chacun des associés qui restent et passez au journal général l'écriture requise.

b) Présentez la nouvelle participation de chaque associé en dollars et en pourcentage.

Remarque : Arrondissez les montants au dollar près.

a) **Calculs**

1. Prime accordée à l'associé qui se retire

Montant payé par la société ______ $
Moins : capital de l'associé qui se retire ______
Prime accordée à l'associé qui se retire ______ $

2. Répartition de la prime accordée à l'associé qui se retire

Prime à répartir ______ $
Johanne Ferron (______) ______
Luc Delisle (______) ______
Sylvie Pelletier (______) ______
Solde à répartir ______ $

Journal général

Date	Nom des comptes et explications	Réf.	Débit	Crédit
20Y0				
07-01				

b)

Compte	Participation en dollars	Participation en pourcentage
Johanne Ferron – capital		
Luc Delisle – capital		
Sylvie Pelletier – capital		

Fin de la mise en situation 6.8

6.4.3 Le décès d'un associé

La loi stipule que le décès d'un associé n'entraîne pas la dissolution de la société. Il faut cependant dresser des états financiers pour la période comprise entre le début de l'exercice financier et la date du décès. Ce travail permet d'établir le bénéfice net pour cette période et de le répartir entre tous les associés (y compris l'associé décédé) selon le mode de partage prévu dans le contrat de société. La part de l'associé décédé peut ensuite être rachetée par les associés survivants ou par la société elle-même auprès de la succession du défunt.

Problèmes suggérés: 6.13 et 6.14.

Résumé

La société en nom collectif (SENC) est l'un des trois types de sociétés de personnes. Elle est formée d'au moins deux associés qui, par un contrat de société, mettent en commun des biens, des ressources financières, des habiletés et des connaissances dans le but de faire des bénéfices. Chaque associé a une responsabilité personnelle illimitée et solidaire à l'égard des dettes de l'entreprise.

Comme toute autre entreprise, la société en nom collectif doit se doter d'un système comptable efficace constitué du grand livre général, des grands livres auxiliaires, du journal général et des journaux auxiliaires. Pour chaque associé, on doit créer un compte capital, un compte retraits autorisés, un compte retraits non autorisés et un compte apports. L'équation comptable de la société en nom collectif est la même que celle de l'entreprise individuelle: actif = passif + capitaux propres.

L'investissement initial d'un associé peut être une somme d'argent ou d'autres éléments d'actif dont il importe de déterminer la juste valeur à la date d'acquisition par la société. Il doit être porté au compte capital de l'associé. Quant aux investissements postérieurs à la formation de la société, on doit les comptabiliser à l'aide des comptes apports des associés.

Les retraits (en argent ou sous forme de biens) effectués par les associés peuvent être autorisés ou non autorisés. Les premiers, prévus au contrat de société, constituent des prélèvements anticipés relatifs au partage des bénéfices de la société, alors que les seconds réduisent l'investissement dans la société.

Le prêt accordé à la société par un associé est porté au compte de passif emprunt à un associé.

Le mode de partage des bénéfices et des pertes entre les associés est stipulé dans le contrat de société. Il peut se faire selon un ratio fixe convenu d'avance, selon le capital investi dans la société ou selon la rémunération pour le travail effectué, le rendement sur le capital investi, le risque couru et les habiletés particulières.

La composition d'une société en nom collectif peut être modifiée par l'admission d'un nouvel associé ou par le retrait d'un associé actuel. En général, on prévoit le départ d'un associé dans le contrat de société. Quand la composition de la société est modifiée, on recalcule la participation de tous les associés. De plus, on rédige un nouveau contrat ou bien on modifie le contrat existant. L'admission d'un nouvel associé ou le retrait d'un associé actuel peut engendrer une prime.

Problèmes

Problème 6.1 L'état des capitaux propres de la société en nom collectif

Aucune clause particulière de partage des bénéfices et des pertes n'est prévue au contrat de société de l'entreprise Les voyages plein air SENC.

Travail à faire

Complétez l'état des capitaux propres pour l'exercice terminé le 31 décembre 20X7.

Les voyages plein air SENC
État des capitaux propres
pour l'exercice terminé le 31 décembre 20X7

	Josée Simard	Simon Simard	Yvan Gagnon	Total
Capital au 1er janvier 20X7	11 000 $	$	14 000 $	32 000 $
Plus : apports		8 000	4 000	
bénéfice net				36 000
Total	$	$	$	$
Moins : retraits	(9 000)	(10 000)		
Capital au 31 décembre 20X7	16 000 $	$	$	48 000 $

Problème 6.2 L'état des capitaux propres de la société en nom collectif

L'entreprise La scierie mobile SENC a subi une perte nette de 4 000 $ en 20X7. Aucune clause particulière de partage des bénéfices et des pertes n'est prévue au contrat de société. Voici les comptes du grand livre général de l'entreprise au 31 décembre 20X7.

Grand livre général

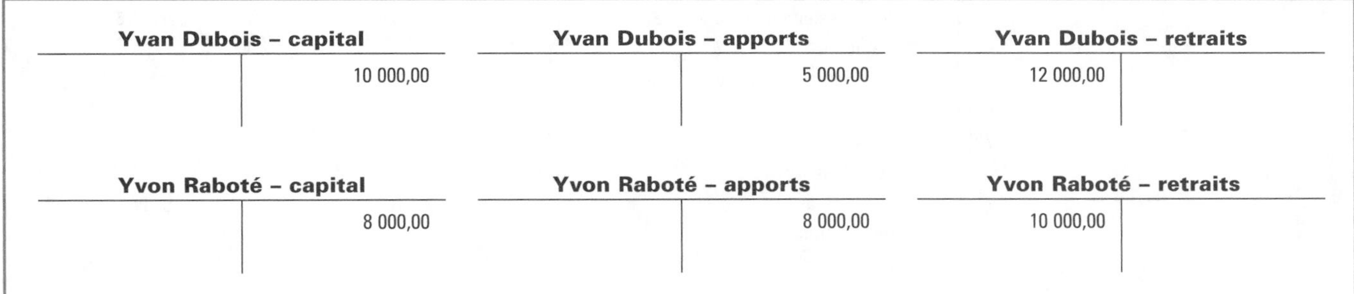

Yvan Dubois – capital		Yvan Dubois – apports		Yvan Dubois – retraits	
	10 000,00		5 000,00	12 000,00	

Yvon Raboté – capital		Yvon Raboté – apports		Yvon Raboté – retraits	
	8 000,00		8 000,00	10 000,00	

Travail à faire

Complétez l'état des capitaux propres pour l'exercice terminé le 31 décembre 20X7.

La scierie mobile SENC
État des capitaux propres
pour l'exercice terminé le 31 décembre 20X7

	Yvan Dubois	Yvon Raboté	Total
Capital au 1er janvier 20X7	$	$	$
Plus: apports			
Total	$	$	$
Moins: retraits			
perte nette			
Capital au 31 décembre 20X7	$	$	$

Problème 6.3 La formation d'une société en nom collectif

Simon Francœur est propriétaire d'un petit centre de conditionnement physique. Comme la concurrence est forte dans ce secteur d'activité, il décide de former une société en nom collectif avec Nathalie Rivard, éducatrice sportive reconnue et propriétaire d'une entreprise dans le domaine. Les deux entrepreneurs signent un contrat de société qui entre en vigueur le 1er juillet 20X7. La nouvelle société porte le nom d'Action santé SENC.

Voici les soldes des comptes des entreprises de Simon Francœur et de Nathalie Rivard au 30 juin 20X7.

	Simon Francœur		Nathalie Rivard	
	Débit	**Crédit**	**Débit**	**Crédit**
Banque	1 500 $		10 800 $	
Clients	22 300		9 200	
Fournitures	1 200			
Loyer payé d'avance	500			
Matériel	36 400		15 500	
Amortissement cumulé – matériel		14 560 $		9 300 $
Bâtiment			82 000	
Amortissement cumulé – bâtiment				30 750
Terrain			10 000	
Marge de crédit		3 000		
Fournisseurs		2 800		5 300
Effets à payer		24 200		5 000
Hypothèque à payer				48 200

Les deux associés conviennent de ce qui suit :

- La valeur de réalisation nette des comptes clients est établie à 80 % de la valeur comptable.
- Le tiers des fournitures n'est plus utilisable.
- Aucune somme ne peut être récupérée sur le loyer payé d'avance.
- La juste valeur du matériel est estimée à 105 % de la valeur comptable.
- La juste valeur du bâtiment est estimée à 110 % de la valeur comptable.
- Tous les autres éléments sont transférés dans la nouvelle société à leur valeur comptable.

Travail à faire

a) Passez au journal général les écritures d'ouverture de la nouvelle société.

b) Dressez la section des capitaux propres du bilan d'ouverture de la nouvelle société.

Problème 6.4 La formation d'une société en nom collectif

Justin Simard exploite une petite boulangerie artisanale depuis quelques années et il désire enrichir sa gamme de produits. Le 1er septembre 20X7, il crée une société en nom collectif avec Robert Lavoie, pâtissier bien connu et propriétaire d'un commerce. La nouvelle société s'appelle Les douces douceurs SENC.

Voici les soldes des comptes des entreprises de Justin Simard et de Robert Lavoie au 31 août 20X7.

	Justin Simard		Robert Lavoie	
	Débit	**Crédit**	**Débit**	**Crédit**
Banque	3 000 $		2 500 $	
Clients	12 000		13 300	
Provision pour créances irrécouvrables		3 200 $		1 800 $
Stocks	18 000		5 000	
Fournitures	1 300		1 800	
Matériel	15 000		23 000	
Amortissement cumulé – matériel		6 000		4 600
Bâtiment	98 000			
Amortissement cumulé – bâtiment		53 900		
Terrain	15 000			
Marge de crédit		8 000		
Fournisseurs		12 200		8 000
Hypothèque à payer		62 000		

Les deux associés conviennent de ce qui suit :

- La provision pour créances irrécouvrables doit être augmentée de 10 %.
- La valeur comptable des stocks doit être diminuée de 15 %.
- La valeur comptable des fournitures doit être diminuée de 50 %.
- La valeur comptable du matériel doit être augmentée de 10 %.
- La valeur comptable du bâtiment doit être augmentée de 15 %.
- Tous les autres éléments sont transférés dans la nouvelle société à leur valeur comptable.

Travail à faire

a) Passez au journal général les écritures d'ouverture de la nouvelle société.
b) Dressez la section des capitaux propres du bilan d'ouverture de la nouvelle société.

Problème 6.5 Les opérations relatives aux associés d'une société en nom collectif et les écritures de clôture

Jean Rivard, Sylvie Dufour et Raymond Doré ont fondé l'entreprise Fêtes en folie SENC. Aucune clause particulière de partage des bénéfices et des pertes n'est prévue au contrat de société. Voici les opérations relatives aux associés pour l'exercice terminé le 31 décembre 20X7 de la société Fêtes en folie SENC.

Date	Opération
20X7	
02-15	Emprunt de 15 000 $ effectué auprès de Jean Rivard, portant intérêt à 10 % et remboursable en totalité, y compris les intérêts, le 15 décembre 20X7.
04-30	Retrait non autorisé de 3 000 $ effectué par Sylvie Dufour.
07-01	Mise de fonds additionnelle de 2 000 $ effectuée par chaque associé.
12-15	Remboursement de l'emprunt fait à Jean Rivard.
12-31	Retraits autorisés effectués par chaque associé, correspondant à 2 000 $ par mois.
12-31	Déclaration d'un bénéfice net de 93 000 $.

Travail à faire

Comptabilisez les transactions relatives aux associés et effectuez les écritures de clôture.

Problème 6.6 Les opérations relatives aux associés d'une société en nom collectif et les écritures de clôture

Rock Tremblay, Serge Gagnon, Manon Nadeau et Jean Savard ont fondé la société Houdes. Aucune clause particulière de partage des bénéfices ou des pertes n'est prévue au contrat de société. Les prêts consentis aux associés et les emprunts contractés auprès d'eux portent intérêt à 8 %. Voici les opérations relatives aux associés pour l'exercice terminé le 31 décembre 20X7 de la société Houdes SENC.

Date	Opération
20X7	
01-10	Emprunt de 6 000 $ à Manon Nadeau.
02-10	Remboursement avec les intérêts de l'emprunt de 6 000 $ fait à Manon Nadeau.
03-15	Prêt de 2 400 $ consenti à Jean Savard, remboursable en totalité avec les intérêts le 15 mars 20X8.
05-30	Retrait non autorisé de 5 000 $ effectué par Manon Nadeau.
08-25	Prélèvement par Serge Gagnon, pour son usage personnel, de marchandises coûtant 800 $ et se détaillant 1 100 $.
12-31	Retraits autorisés effectués par chaque associé, correspondant à 1 500 $ par mois.
12-31	Régularisation des intérêts.
12-31	Déclaration d'une perte nette de 4 000 $.

Travail à faire

Comptabilisez les transactions relatives aux associés et effectuez les écritures de régularisation et les écritures de clôture.

Problème 6.7 Les opérations relatives aux associés d'une société en nom collectif, les écritures de clôture et l'état des capitaux propres

Voici le solde de quelques comptes de la société Infopub SENC au 31 décembre 20X7.

Compte	Débit	Crédit
Sylvie Tremblay – capital		36 800 $
Sylvie Tremblay – retraits autorisés	12 000 $	
Réjean Simard – capital		42 600
Réjean Simard – retraits autorisés	12 000	
Réjean Simard – retraits non autorisés	5 000	
Jean Raymond – capital		24 000
Jean Raymond – apports		6 000
Jean Raymond – retraits autorisés	12 000	
Sommaire des résultats	6 100	

Travail à faire

a) Effectuez les écritures de correction nécessaires au 31 décembre 20X7 en utilisant le compte sommaire des résultats s'il s'agit de produits ou de charges.

b) Effectuez les écritures de clôture au 31 décembre 20X7.

c) Dressez l'état des capitaux propres pour l'exercice terminé le 31 décembre 20X7.

Renseignements complémentaires

1. Durant le mois de novembre 20X7, la société a effectué des achats totalisant 8 200 $. Des marchandises au coût de 2 200 $ ont été livrées chez Sylvie Tremblay.
2. Réjean Simard a remboursé un emprunt de 4 000 $ qu'il avait contracté auprès de la société. Ce remboursement apparaît dans le compte retraits non autorisés – Réjean Simard.
3. Jean Raymond a remboursé personnellement la somme de 3 300 $ à un fournisseur de la société. Il désire que la société lui rembourse ce montant lorsqu'elle le pourra.

Problème 6.8 Les opérations relatives aux associés d'une société en nom collectif, les écritures de clôture et l'état des capitaux propres

Voici le solde de quelques comptes de la société Vidéocan SENC au 31 décembre 20X7.

Compte	Débit	Crédit
Alain Girard – capital		42 800 $
Alain Girard – apports		4 600
Alain Girard – retraits autorisés	24 000 $	
Alain Girard – retraits non autorisés	6 200	
Josée Fortin – capital		58 900
Josée Fortin – apports		2 100
Josée Fortin – retraits autorisés	24 000	
Josée Fortin – retraits non autorisés	9 800	
Sommaire des résultats		72 200

Travail à faire

a) Effectuez les écritures de correction nécessaires au 31 décembre 20X7 en utilisant le compte sommaire des résultats s'il s'agit de produits ou de charges.

b) Effectuez les écritures de clôture au 31 décembre 20X7.

c) Dressez l'état des capitaux propres pour l'exercice terminé le 31 décembre 20X7.

Renseignements complémentaires

1. La société a payé la somme de 800 $ à Martin Lévesque, CGA. Ce montant inclut 300 $ pour un travail personnel commandé par Alain Girard.
2. Josée Fortin a pris pour son usage personnel une caméra vidéo vendue habituellement 1 200 $. Aucune écriture n'a été faite à ce sujet. La marge bénéficiaire brute sur ce genre de produit est de 25 %.
3. Durant le mois de décembre 20X7, la société a effectué des ventes totalisant 10 500 $. Alain Girard a utilisé 2 000 $ de cette somme pour effectuer un voyage avec son amie.

4. Alain Girard a payé la somme de 2 200 $ à un notaire, dont 600 $ concernent des services rendus à la société.
5. Josée Fortin a investi 5 000 $ de plus dans la société. Ce montant apparaît dans le compte emprunt à une associée – Josée Fortin.

Problème 6.9 Le partage des bénéfices ou des pertes

Voici le solde de quelques comptes de la société Bôcase SENC au 31 décembre 20X7.

Compte	Louise Leduc	Andrée Leduc	François Gagné
Capital	34 000 $	21 000 $	11 000 $
Apports			4 000
Retraits autorisés	20 000	12 000	6 000
Retraits non autorisés	6 000		

L'apport additionnel de François Gagné a été effectué le 15 juillet et le retrait non autorisé de Louise Leduc, le 3 août.

Travail à faire

a) Préparez le tableau de répartition du bénéfice net de 20X7 selon chacun des trois scénarios suivants.

Scénario 1

Le bénéfice net totalise 27 000 $ et le partage du bénéfice s'effectue selon les facteurs de répartition 4, 3, 1.

Scénario 2

Le bénéfice net totalise 30 000 $. Louise Leduc et Andrée Leduc reçoivent une rémunération respective de 11 000 $ et de 10 000 $. Le solde est partagé à parts égales.

Scénario 3

Le bénéfice net totalise 13 608 $. Chacun des associés a droit à des intérêts de 8 % sur le solde d'ouverture de son compte de capital. Une rémunération de 12 000 $ est attribuée à Louise Leduc. Le solde est partagé à parts égales.

b) Comptabilisez le partage du bénéfice net calculé en a) selon le scénario 3.

c) Dressez l'état des capitaux propres pour l'exercice selon les données du scénario 3.

Remarque : Arrondissez les montants au dollar près.

Problème 6.10 Le partage des bénéfices ou des pertes

Voici le solde de quelques comptes de la société Servpac SENC au 31 décembre 20X7.

Compte	Richard Leroux	Robin Lebœuf	Julie Leclerc
Capital	58 000 $	40 000 $	35 000 $
Apports			6 000
Retraits autorisés	32 000	20 000	15 000
Retraits non autorisés	5 000		

L'apport additionnel de Julie Leclerc a été effectué le 1er septembre et le retrait non autorisé de Richard Leroux, le 1er juillet.

Travail à faire

a) Préparez le tableau de répartition du bénéfice net de 20X7 selon chacun des trois scénarios suivants.

Scénario 1

Le bénéfice net totalise 34 000 $ et le partage du bénéfice s'effectue selon les facteurs de répartition 5, 3, 2.

Scénario 2

Le bénéfice net totalise 42 000 $. Richard Leroux et Robin Lebœuf reçoivent une rémunération respective de 20 000 $ et de 15 000 $. Le solde est partagé selon les facteurs de répartition 5, 3, 2.

Scénario 3

Le bénéfice net totalise 24 000 $. Chacun des associés a droit à des intérêts de 10 % sur son capital moyen au cours de l'exercice. Une rémunération de 10 000 $ est attribuée à Richard Leroux. Le solde est partagé selon les facteurs de répartition 5, 3, 2.

b) Comptabilisez le partage du bénéfice net calculé en a) selon le scénario 3.

c) Dressez l'état des capitaux propres pour l'exercice selon les données du scénario 3.

Problème 6.11 L'admission d'une nouvelle associée

Le 31 octobre 20X7, les associés du cabinet comptable Paquette, Lévesque et Lavoie SENC acceptent l'admission d'une nouvelle associée, Janie Bouchard. Le contrat de société et les livres comptables fournissent les renseignements suivants à cette date.

Associé	Solde du compte capital	Part des bénéfices
Alain Paquette	63 500 $	50 %
Éric Lévesque	38 000 $	10 %
Martine Lavoie	14 000 $	40 %

Travail à faire

a) Comptabilisez l'admission de Janie Bouchard selon chacun des trois scénarios suivants.

Scénario 1

Janie Bouchard verse 12 000 $ à Martine Lavoie pour acquérir 50 % de sa participation dans la société.

Scénario 2

Janie Bouchard investit 69 500 $ pour acquérir une participation de 40 % dans la nouvelle société.

Scénario 3

Janie Bouchard investit 44 500 $ pour acquérir une participation de 25 % dans la nouvelle société.

b) Supposons que le solde du compte Éric Lévesque – capital s'élève à 38 900 $ après l'admission de Janie Bouchard dans la société par voie d'un investissement et que la part de capital de Janie Bouchard corresponde à 20 % du total des capitaux propres de la société.

1. Déterminez le montant de la prime accordée aux associés actuels.
2. Déterminez le montant de l'investissement de Janie Bouchard.

Problème 6.12 L'admission d'un nouvel associé

Le 31 mai 20X7, les associés de la société TellTic Communication SENC acceptent l'admission d'un nouvel associé, Kevin Simard. Le contrat de société et les livres comptables fournissent les renseignements suivants à cette date.

Associé	Solde du compte capital	Part des bénéfices
Nancy Tremblay	50 000 $	60 %
Judith Ricard	25 000 $	30 %
Mario Hébert	20 000 $	10 %

Travail à faire

a) Comptabilisez l'admission de Kevin Simard selon chacun des trois scénarios suivants.

Scénario 1

Kevin Simard verse 10 000 $ à Mario Hébert pour acquérir 40 % de sa participation dans la société.

Scénario 2

Kevin Simard investit 70 000 $ pour acquérir une participation de 40 % dans la nouvelle société.

Scénario 3

Kevin Simard investit 50 000 $ pour acquérir une participation de 40 % dans la nouvelle société.

b) Supposons que le solde du compte Nancy Tremblay – capital s'élève à 47 000 $ après l'admission de Kevin Simard dans la société par voie d'un investissement et que la part de capital de Kevin Simard corresponde à 25 % du total des capitaux propres de la société.

1. Déterminez le montant de la prime accordée au nouvel associé.
2. Déterminez le montant de l'investissement de Kevin Simard.

Problème 6.13 Le retrait d'un associé

Le 31 décembre 20X7, Jacques Bélanger se retire de la société Simard, Bélanger et Toulouse SENC. Voici le solde des comptes de capital des associés à cette date.

Compte	Solde
Pierre Simard – capital	80 000 $
Jacques Bélanger – capital	76 000 $
Jean Toulouse – capital	41 000 $

Selon le contrat de société, Pierre Simard, Jacques Bélanger et Jean Toulouse se partagent les bénéfices selon les facteurs de répartition 4, 3, 1.

Travail à faire

a) Comptabilisez le départ de Jacques Bélanger selon chacun des quatre scénarios suivants.

Scénario 1

Chacun des associés qui restent en place consent à payer la somme de 41 000 $ pour acheter la part de capital de Jacques Bélanger. Chaque associé obtient ainsi 50 % de cette part.

Scénario 2

Jean Toulouse consent à verser 78 000 $ pour acheter la part de capital de Jacques Bélanger.

Scénario 3

La société verse à Jacques Bélanger la somme de 82 000 $ en règlement de sa part de capital.

Scénario 4

La société verse à Jacques Bélanger la somme de 71 000 $ en règlement de sa part de capital.

b) Supposons que le solde du compte Pierre Simard – capital s'élève à 78 000 $ après le départ de Jacques Bélanger.

1. Déterminez le montant de la prime accordée à l'associé qui se retire.
2. Déterminez le montant payé par la société à Jacques Bélanger.

Problème 6.14 Le retrait d'un associé

Le 31 décembre 20X7, Marc Raymond se retire de la société Boily, Gauthier et Raymond SENC. Voici le solde des comptes de capital des associés à cette date.

Compte	Solde
Jean-Luc Boily – capital	70 000 $
Pierre Gauthier – capital	50 000 $
Marc Raymond – capital	30 000 $

Selon le contrat de société, Jean-Luc Boily, Pierre Gauthier et Marc Raymond se partagent les bénéfices selon les facteurs de répartition 5, 3, 3.

Travail à faire

a) Comptabilisez le départ de Marc Raymond selon chacun des quatre scénarios suivants.

Scénario 1

Chacun des associés qui restent en place consent à payer la somme de 19 000 $ pour acheter la part de capital de Marc Raymond. Chaque associé obtient ainsi 50 % de la part de capital de Marc Raymond.

Scénario 2

Pierre Gauthier consent à verser 32 000 $ pour acheter la part de capital de Marc Raymond.

Scénario 3

La société verse à Marc Raymond la somme de 27 600 $ en règlement de sa part de capital.

Scénario 4

La société verse à Marc Raymond la somme de 34 800 $ en règlement de sa part de capital.

b) Supposons que le solde du compte Pierre Gauthier – capital s'élève à 53 000 $ après le départ de Marc Raymond.

1. Déterminez le montant de la prime accordée aux associés qui restent.
2. Déterminez le montant payé par la société à Marc Raymond.

CHAPITRE

7

La société par actions

Compétence :

Analyser et traiter les données du cycle comptable (01H8).

Éléments de compétence	Objectifs d'apprentissage
Recueillir et analyser l'information comptable.	■ Distinguer les droits et les privilèges liés aux actions. ■ Calculer le montant du dividende à verser selon les privilèges liés aux actions.
Enregistrer l'ensemble des opérations du cycle comptable.	■ Enregistrer les opérations d'une société par actions. ■ Clôturer les comptes d'une société par actions.
Produire le bilan, l'état des résultats et l'état des capitaux propres.	■ Rédiger l'état des bénéfices non répartis et l'état des capitaux propres d'une société par actions.

SOCIÉTÉ PAR ACTIONS (ou SOCIÉTÉ DE CAPITAUX)
Entité juridique, avec capital social, distincte et indépendante de ses actionnaires et ayant pour objet la fabrication de produits, le commerce ou la prestation de services.

ACTIONNAIRE
Personne physique ou morale titulaire d'une ou de plusieurs actions émises par une société de capitaux et représentatives d'une part du capital de la société émettrice.

ACTION
Titre donnant à son porteur le droit à une participation liée aux résultats de l'entité émettrice et le droit au partage de l'actif net en cas de liquidation.

ACTE CONSTITUTIF
Document par lequel est constituée une personne morale.

La notion de **forme juridique** de l'entreprise vous est familière. Vous connaissez déjà bien l'entreprise individuelle et la société de personnes. Par ailleurs, nous avons traité des actions dans le chapitre 3, qui porte sur les placements. Dans ce chapitre, nous étudierons de plus près la **société par actions** (ou **société de capitaux**).

On se rappelle que l'entreprise individuelle est la propriété d'un seul individu (une personne physique) et que la société de personnes appartient à des associés. Pour sa part, la société par actions appartient à des **actionnaires**. Ces actionnaires ne sont pas propriétaires des actifs de la société, mais bien des titres de propriété émis par cette société, soit les **actions**.

La société par actions est donc une entité juridique distincte et indépendante de ses propriétaires (les actionnaires). C'est une personne morale qui jouit des mêmes droits patrimoniaux et qui a les mêmes responsabilités qu'une personne physique !

La société par actions a des actifs et des dettes ; elle produit ses propres déclarations de revenus en vertu des lois sur la fiscalité des entreprises et paie ses propres impôts. L'**existence** d'une société par actions est garantie par son **acte constitutif**. Ce document marque la naissance de la société et en définit les points saillants.

Section 7.1

Les catégories de sociétés

SOCIÉTÉ PRIVÉE
Société qui est la propriété d'un ou de plusieurs particuliers, lesquels ont investi les capitaux nécessaires à sa création, par opposition à société publique.

On classe les sociétés selon le type, le nombre et la provenance des capitaux, de même que selon le but et les objectifs poursuivis (voir le tableau 7.1).

La **société privée** est une personne morale ayant ses propres droits et responsabilités et poursuivant un but bien précis. Elle exploite un créneau qui lui est propre et qui correspond à sa mission. Elle définit sa clientèle cible, c'est-à-dire ses clients potentiels. Elle peut être **constituée en vertu de la loi fédérale ou provinciale**.

Tableau 7.1 Les catégories de sociétés

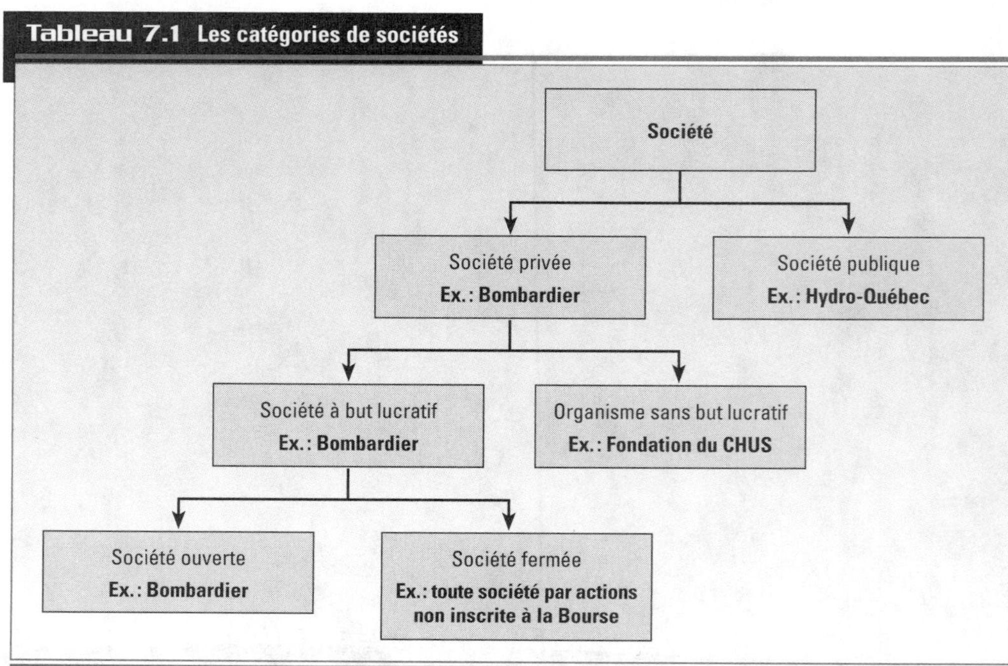

SOCIÉTÉ PUBLIQUE (ou SOCIÉTÉ D'ÉTAT)
Société appartenant à l'État et exerçant le plus souvent ses activités dans le domaine des services publics.

SOCIÉTÉ À BUT LUCRATIF
Société de capitaux établie dans le but de réaliser des profits et dont les titres ou autres droits de propriété sont généralement transférables et susceptibles de procurer un profit à ses membres ou de leur occasionner une perte.

ORGANISME SANS BUT LUCRATIF (OSBL)
Organisme constitué à des fins sociales, éducatives, religieuses ou philanthropiques, qui n'émet généralement pas de titres de capital transférables et dont l'objet n'est pas de procurer un avantage économique à ses membres ni de leur distribuer des profits.

SOCIÉTÉ OUVERTE
Société de capitaux dont les actions sont inscrites à la cote officielle, se vendent sur un marché hors cote ou peuvent être offertes au public de quelque autre façon.

SOCIÉTÉ FERMÉE
Société qui ne fait pas d'appel public à l'épargne et dont les actions, qui font souvent l'objet de restrictions, sont généralement détenues par un nombre limité d'actionnaires.

La **société publique** (ou **société d'État**) est aussi une entité distincte. Toutefois, sa finalité diffère de celle de la société privée, puisqu'elle est au service de la population. Les sociétés publiques gèrent des services jugés essentiels (comme la santé et l'éducation), exploitent des ressources collectives (par exemple l'électricité) et gèrent des activités dont les revenus doivent profiter à la collectivité (comme le jeu et les loteries). Puisque ces services concernent tous les citoyens, l'État préfère en avoir la gestion pour des raisons d'équité sociale et d'accessibilité. Mentionnons qu'une société d'État n'est pas constituée, mais plutôt créée par une loi.

La **société à but lucratif** vise à faire des profits, qui seront ensuite réinvestis ou distribués aux actionnaires sous forme de dividendes. Elle doit donc appliquer des méthodes de gestion et de contrôle de coûts qui lui permettront de maximiser son rendement à la satisfaction des actionnaires.

Un **organisme sans but lucratif (OSBL)** ne poursuit pas les mêmes visées. Sa finalité est plus philanthropique. On crée un organisme de ce genre pour répondre à un besoin social, éducatif, religieux, etc. Les OSBL visent à utiliser leurs ressources de la façon la plus efficace possible afin d'atteindre le mieux possible leurs objectifs. Ils n'émettent pas d'actions et n'ont donc pas d'actionnaires à satisfaire. L'excédent, s'il y a lieu, est plutôt réinvesti dans les services aux membres. D'ailleurs, on peut comptabiliser les opérations d'un OSBL selon un système différent, appelé « comptabilité par fonds ».

La **société ouverte** est une société dont les actions sont négociées à la Bourse, selon la réglementation et sous la surveillance de l'Autorité des marchés financiers. Les actions sont très volatiles, elles peuvent changer souvent de propriétaire et sont accessibles au grand public. Il y a donc une multitude d'actionnaires, de provenances différentes et tous anonymes. Leur pouvoir sur la gestion de la société se limite au droit de vote de certains. Comme les investisseurs potentiels sont très nombreux, les sociétés ouvertes sont en mesure d'amasser des capitaux très importants à l'émission d'actions.

La **société fermée** a un nombre restreint d'actionnaires, qui se connaissent tous. Leurs titres de propriété sont rarement négociés, sauf dans le cas d'un départ. La société fermée ne présente donc pas le caractère anonyme de la société ouverte. Enfin, mentionnons que la société fermée réunit habituellement des capitaux moins importants, puisqu'elle ne fait pas d'**appels publics à l'épargne**.

Mise en situation 7.1

Les catégories de sociétés

APPEL PUBLIC À L'ÉPARGNE
Le fait pour un émetteur d'offrir ses titres au grand public, le plus souvent par l'intermédiaire d'une maison de courtage de valeurs.

La Fondation du CHUS est un exemple de société privée sans but lucratif. Cette société s'est donné pour mission d'amasser des fonds afin de procéder à l'acquisition de matériel pour le Centre hospitalier de l'Université de Sherbrooke (CHUS) ou pour y améliorer la qualité des soins. Elle répond donc à un besoin social. Les sommes amassées ne sont pas distribuées à des actionnaires, mais investies dans la réalisation des objectifs de la société.

Travail à faire

Sur le même modèle, donnez un exemple pour chaque catégorie suivante et justifiez votre réponse à l'aide des définitions qui se trouvent dans le texte précédent.

a) Société publique.

b) Société privée à but lucratif.

c) Société privée sans but lucratif.

d) Société privée, à but lucratif, ouverte.

e) Société privée, à but lucratif, fermée.

Fin de la mise en situation 7.1

Section 7.2 Les avantages et les inconvénients de la société par actions

Les tableaux 7.2 et 7.3 présentent respectivement les avantages et les inconvénients de la société par actions.

Tableau 7.2 Les avantages de la société par actions

Avantage	Explication
Responsabilité financière limitée des actionnaires	Il s'agit d'un avantage majeur ! En effet, les actionnaires ne peuvent pas être tenus personnellement responsables des dettes de la société, puisqu'elle est distincte de ses propriétaires. En pratique, on ne peut pas saisir leurs biens personnels pour payer des dettes de la société.
Durée de vie illimitée de la société	La société par actions existe en vertu de la loi et ne peut donc être dissoute par le retrait ou le décès d'un actionnaire. En pareil cas, les titres sont simplement transférés. On dit que la société survit à ses actionnaires.
Mise en commun des ressources	Qu'il s'agisse de capitaux, d'expertise ou d'expérience, la société par actions crée une synergie entre ses propriétaires. Ainsi, chacun peut apporter sa contribution à la société pour lui permettre de s'attaquer à des projets de grande envergure.
Régime d'imposition propre	Entité distincte de ses propriétaires, la société produit sa propre déclaration fiscale et paie ses propres impôts. Il en résulte un fractionnement des revenus entre les actionnaires et la société par actions, ce qui réduit les taux d'imposition.
Transférabilité des titres	Comme les actionnaires peuvent revendre leurs actions en tout temps, la gestion financière de leur portefeuille peut se faire plus sainement et la recherche de financement par la société est facilitée.

Tableau 7.3 Les inconvénients de la société par actions

Inconvénient	Explication
Importance des coûts et des formalités	Les démarches juridiques (création de la société), les responsabilités et les formalités (tenue de différents registres) sont nombreuses. Les autres coûts liés à la société par actions sont élevés.
Fiscalité liée au dividende	Le dividende représente la partie des bénéfices nets après impôts que la société par actions distribue aux actionnaires. Bien qu'il ait déjà été assujetti à l'impôt, ce dividende sera également imposable à titre de revenu de placement entre les mains des actionnaires, ce qui constitue une double imposition !
Participation limitée des actionnaires à la gestion de la société	La gestion d'une société par actions est distincte de sa propriété. En effet, les actionnaires détiennent les titres de propriété, mais ce sont les gestionnaires qui dirigent la société. Le seul lien entre ces deux groupes réside dans le droit de vote des détenteurs d'actions ordinaires.

Section 7.3

Les droits et les privilèges liés aux actions

Nous avons déjà souligné que les actionnaires de la société par actions ne sont pas propriétaires des actifs de la société, mais bien de ses titres de propriété. Selon leur catégorie, ces titres confèrent à leurs détenteurs divers droits et privilèges. Plus la société offre de catégories de titres, plus elle peut attirer d'investisseurs, ces derniers ayant alors la possibilité de trouver des conditions qui correspondent à leurs attentes et à leur stratégie financière.

STATUTS
Document déposé auprès des autorités compétentes lors de la constitution d'une société de capitaux ou d'un organisme sans but lucratif. C'est l'acte constitutif le plus courant déposé auprès des autorités compétentes pour la création des sociétés par actions.

Les droits et les privilèges des détenteurs de chaque catégorie de titres sont définis dans les **statuts** de la société. Cette dernière bénéficie d'une grande latitude en la matière, mais elle est tenue de prévoir au moins une catégorie d'actions qui comporte les droits fondamentaux des actionnaires (dont nous traitons dans les sous-sections suivantes).

De façon générale, on trouve deux types d'actions : les actions ordinaires et les actions privilégiées.

Voici l'état des capitaux propres partiel de la société Eskargo au 20 août 20X7. Il nous servira à expliquer les privilèges liés aux actions.

Société Eskargo
État des capitaux propres partiel
au 20 août 20X7

CAPITAL-ACTIONS

Autorisé

Nombre illimité d'**actions ordinaires**, à valeur nominale de 7 $.

3 000 **actions privilégiées de catégorie A**, à valeur nominale de 10 $, sans droit de vote, sans droit de participation, à dividende cumulatif de 10 %, rachetables en tout temps au gré de la société au prix unitaire de 12 $.

Nombre illimité d'**actions privilégiées de catégorie B**, sans valeur nominale, sans droit de vote, sans droit de participation, à dividende prioritaire non cumulatif de 2 $, convertibles en 3 actions ordinaires.

Nombre illimité d'**actions privilégiées de catégorie C**, à valeur nominale de 5 $, sans droit de vote, avec droit de participation, à dividende non cumulatif de 8 %.

Qu'a de particulier l'état des capitaux propres d'une société par actions?

Il renseigne le lecteur sur le capital que la société a le droit d'émettre (capital-actions autorisé) et sur les actions effectivement émises (capital-actions émis).

Chaque catégorie d'actions a ses propres caractéristiques. Il faut cependant souligner que toutes les actions d'une même catégorie sont égales entre elles. Ainsi, aucun actionnaire privilégié de catégorie B n'aura plus ou moins de droits que les autres de la même catégorie. Ils auront tous les mêmes droits, soit ceux inscrits dans la description du capital-actions autorisé.

7.3.1 Les actions ordinaires

Les actions ordinaires sont celles qui comportent les **droits fondamentaux** des actionnaires (voir le tableau 7.4).

Que sont les droits fondamentaux?

Ce sont les privilèges que doivent obligatoirement comporter les actions ordinaires d'une société. Les plus connus sont le **droit de vote aux assemblées** des actionnaires et le **droit de participation aux bénéfices.**

Tableau 7.4 Les droits fondamentaux des détenteurs d'actions ordinaires

Droit	Explication	Exemple
Droit de vote aux assemblées des actionnaires	■ Les actionnaires peuvent exprimer leurs opinions au cours de l'assemblée générale annuelle. ■ Ils participent donc à l'élection des membres du conseil d'administration et à la prise de décision dans les dossiers majeurs. ■ Chaque action détenue confère une voix.	Dans le cas de la société Eskargo, seuls les détenteurs d'actions ordinaires peuvent participer à la gestion de la société en exerçant leur droit de vote au cours des assemblées d'actionnaires. Les actionnaires privilégiés (catégories d'actions A, B et C) ne possèdent pas ce privilège.
Droit de participation aux bénéfices	■ Les actionnaires peuvent obtenir une part des bénéfices réalisés par la société : le dividende. ■ Le dividende sur les actions ordinaires est résiduel, c'est-à-dire que la société distribue ce qu'il reste après avoir versé le dividende sur les actions privilégiées. ■ Les actionnaires peuvent participer à la liquidation des actifs en cas de dissolution de la société. (Il arrive que certaines actions privilégiées soient porteuses de ce privilège : ce sont des actions participatives, comme c'est le cas des actions privilégiées de catégorie C de la société Eskargo.)	Le conseil d'administration de la société Eskargo déclare un dividende global de 50 000 $. Le dividende sur les actions privilégiées (catégories A, B et C) est versé en premier lieu, selon le taux prévu à l'état des capitaux propres. Si la somme totale à verser est inférieure au dividende global déclaré (50 000 $), la différence sera partagée également entre les actionnaires ordinaires. Advenant la liquidation de la société Eskargo, seuls les détenteurs d'actions ordinaires et d'actions privilégiées de catégorie C pourraient éventuellement recevoir une partie des actifs après le paiement des créanciers.

7.3.2 Les actions privilégiées

Les actions privilégiées sont plus complexes et plus nuancées que les actions ordinaires. En effet, la société peut offrir aux investisseurs potentiels toute une gamme de privilèges attachés à diverses catégories d'actions privilégiées. Le tableau 7.5 présente un aperçu de ces privilèges.

Les actions privilégiées sont donc dépourvues de certains droits fondamentaux ; en contrepartie, elles sont assorties de divers privilèges, d'où leur appellation.

Tableau 7.5 Les privilèges liés aux actions

Privilège	Explication
Dividende cumulatif et dividende arriéré	Les actionnaires peuvent cumuler les dividendes annuels non versés et en recevoir le versement de façon prioritaire à la déclaration de dividende suivante. Aucun autre actionnaire ne reçoit de dividende avant que le dividende arriéré ne soit versé.
Dividende prioritaire	Les actionnaires perçoivent leur dividende de façon prioritaire par rapport à toutes les autres catégories d'actions, mais après le dividende arriéré, qui est versé en premier dans toutes les circonstances.
Droit de participation	Les actionnaires ont le même droit de participation que les détenteurs d'actions ordinaires. En plus de recevoir leur dividende annuel, ils ont donc le droit de partager le dividende résiduel avec les actionnaires ordinaires. Ils ont aussi le droit de recevoir une partie des actifs nets en cas de liquidation de la société.
Droit de rachat	Ce privilège est double. En effet, il permet aux actionnaires de revendre leurs actions à la société et à celle-ci de racheter ses propres actions pour en diminuer le nombre sur le marché des capitaux.
Droit de conversion	Les actionnaires peuvent convertir leurs actions privilégiées en actions ordinaires selon le ratio de conversion prévu dans les statuts de la société.

Revenons à notre exemple de la société Eskargo afin d'illustrer les principaux privilèges. Supposons que, le 30 avril 20X7, la société Eskargo déclare un dividende de 50 000 $ payable le 30 juin aux actionnaires inscrits le 15 juin de la même année. Supposons également qu'aucun dividende n'ait été déclaré en 20X6. Les actions émises pour chaque catégorie sont les suivantes :

- 40 000 actions ordinaires ;
- 3 000 actions privilégiées de catégorie A ;
- 7 000 actions privilégiées de catégorie B ;
- 5 000 actions privilégiées de catégorie C.

Le dividende cumulatif

La description du capital-actions autorisé de la société Eskargo contient le montant du dividende auquel ont droit les détenteurs d'actions privilégiées de catégorie A. Ce dividende est exprimé en pourcentage de la valeur nominale des actions, mais il peut aussi être exprimé en dollars par action ($/action).

Ce dividende n'est légalement dû qu'au moment où il est déclaré par le conseil d'administration. Or, le conseil d'administration n'est pas tenu de déclarer un dividende chaque année. Au contraire, certaines règles l'obligent à s'abstenir de le faire si une telle décision mettait en péril la survie de la société.

DIVIDENDE CUMULATIF
Dividende calculé à un taux annuel fixe qu'une société doit verser aux actionnaires privilégiés. En cas de non-versement, ce dividende s'accumule et sera remis prioritairement sur les bénéfices que le conseil d'administration décidera de distribuer plus tard.

Les investisseurs considèrent généralement qu'une année sans déclaration de dividende est une année «perdue», puisqu'ils n'encaisseront aucun revenu, et ce, même si les statuts prévoient un dividende annuel de 1,50 $ par action! Certes, ils n'encaisseront rien cette année-là, mais si leurs actions sont assorties du privilège de **dividende cumulatif**, le dividende non déclaré ne sera pas perdu mais **reporté** à la déclaration de dividende suivante.

Cette situation engendre un **dividende arriéré** et, tant que celui-ci ne sera pas versé, aucun autre actionnaire ne pourra recevoir de dividende. En fait, un dividende arriéré ne constitue pas une dette pour la société, tant qu'aucun dividende n'est déclaré. Ce n'est qu'un engagement à respecter un certain ordre de versement pour une déclaration ultérieure.

Démonstration 7.1

Le versement du dividende arriéré

Travail à faire

Déterminez le montant du dividende arriéré au 30 avril 20X7.

DIVIDENDE ARRIÉRÉ
Dividende qu'une société n'a pas versé sur des actions dites à dividende cumulatif et qu'elle devra servir aux détenteurs de ces actions avant de verser quelque autre dividende que ce soit aux autres actionnaires.

Dividende selon la catégorie d'actions	Dividende versé	Dividende disponible
Dividende déclaré		**50 000 $**
Dividende arriéré[a]		
Actions privilégiées de catégorie A	3 000 × 10 $ × 10 % = **3 000 $**	47 000 $[b]
Dividende courant		

a. La société Eskargo doit d'abord verser le dividende arriéré aux détenteurs d'actions privilégiées de catégorie A. En effet, comme ces actions comportent un dividende cumulatif et qu'aucun dividende n'a été versé en 20X6, la société doit en premier lieu honorer ses engagements (3 000 $).

b. Le solde (47 000 $) servira à verser le dividende courant, c'est-à-dire celui de 20X7. Cette somme sera répartie entre les quatre catégories d'actions en fonction des particularités et des privilèges de chacune.

Fin de la démonstration 7.1

Le dividende prioritaire

DIVIDENDE PRIORITAIRE
Dividende distribué en priorité par rapport à celui de toutes les autres catégories d'actions (mais après le dividende arriéré, qui est versé en premier dans toutes les circonstances).

En principe, les détenteurs d'actions privilégiées reçoivent le dividende avant les détenteurs d'actions ordinaires; comme nous l'avons déjà précisé, ces derniers reçoivent un **dividende résiduel**, c'est-à-dire ce qu'il reste après le paiement du dividende sur actions privilégiées. Toutefois, parmi les catégories d'actions privilégiées qu'une société peut émettre, certaines sont assorties du privilège du **dividende prioritaire**, c'est-à-dire que le dividende est versé sur ces actions avant d'être versé sur les actions d'autres catégories d'actions privilégiées. C'est le cas des actions privilégiées de catégorie B émises par la société Eskargo.

Bien sûr, ce privilège n'a pas priorité sur le dividende cumulatif. En effet, la première responsabilité d'une société déclarant un dividende est de payer le dividende arriéré. Une fois le versement des dividendes à jour, la société peut commencer la distribution du dividende courant, en commençant par le dividende prioritaire. Elle verse ensuite le dividende sur les autres actions privilégiées (sans droit au dividende prioritaire) et, enfin, sur les actions ordinaires. On comprendra aisément que le privilège du dividende prioritaire revêt une importance particulière pour les catégories d'actions qui ne sont pas assorties du dividende cumulatif.

Démonstration 7.2

Le versement du dividende prioritaire

Revenons au solde de 47 000 $ que la société Eskargo peut affecter au versement du dividende courant de 20X7, soit la différence entre le dividende global (50 000 $) et le dividende arriéré versé (3 000 $) sur les actions privilégiées de catégorie A.

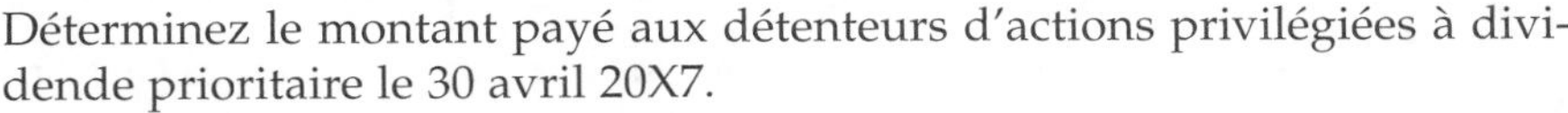

Travail à faire

Déterminez le montant payé aux détenteurs d'actions privilégiées à dividende prioritaire le 30 avril 20X7.

Dividende selon la catégorie d'actions	Dividende versé	Dividende disponible
Dividende déclaré		50 000 $
Dividende arriéré Actions privilégiées de catégorie A	3 000 × 10 $ × 10 % = **3 000 $**	47 000 $
Dividende courant Actions privilégiées de catégorie B[a]	7 000 × 2 $ = **14 000 $**	33 000 $[b]

a. La première partie du dividende est versée aux détenteurs des 7 000 actions de catégorie B, puisqu'ils jouissent du privilège du dividende prioritaire.

b. Le solde de 33 000 $ servira à verser le dividende aux détenteurs d'actions privilégiées de catégories A et C ainsi que le dividende aux actionnaires ordinaires.

Fin de la démonstration 7.2

La participation aux bénéfices de la société

L'actionnaire d'une société peut recevoir diverses sommes :

- des dividendes ;
- une partie du **bénéfice net résiduel** de la société, si le dividende déclaré est supérieur au dividende prévu sur les actions privilégiées ;
- une partie des actifs nets en cas de liquidation de la société.

BÉNÉFICE NET RÉSIDUEL
Bénéfice restant aux actionnaires ordinaires après les coûts souvent fixes des capitaux empruntés et des autres catégories de capitaux propres, notamment les actions privilégiées.

Tout comme les actions privilégiées, les actions ordinaires donnent droit au dividende. Toutefois, comme nous l'avons expliqué, les actionnaires ordinaires reçoivent le bénéfice net résiduel distribué par voie de dividende, contrairement aux actionnaires privilégiés, qui ne reçoivent que la part prévue aux statuts de la société, à moins qu'ils n'aient le privilège de participation aux bénéfices. Ce dernier donne donc aux actionnaires le droit de recevoir deux versements plutôt qu'un ! En effet, ils recevront de façon prioritaire le **dividende de base prescrit**, en plus de partager le **bénéfice net résiduel** avec les actionnaires ordinaires, une fois que ceux-ci auront reçu le dividende leur procurant un rendement égal à celui octroyé aux actions privilégiées avec droit de participation.

Soulignons que le privilège de participation aux bénéfices peut être limité en vertu des statuts. En effet, les actions peuvent être pleinement participatives (partage avec les actionnaires ordinaires en fonction du nombre d'actions en circulation ou au prorata du capital émis) ou partiellement participatives (avec un montant maximal).

Démonstration 7.3

La participation aux bénéfices de la société

La société Eskargo a versé le dividende arriéré et le dividende sur les actions privilégiées à dividende prioritaire.

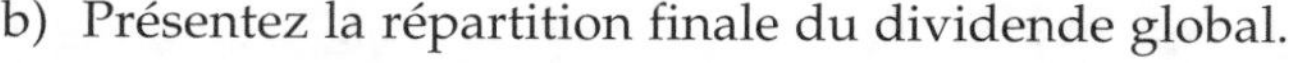

Travail à faire

a) Déterminez les montants à payer aux autres actionnaires privilégiés et aux actionnaires ordinaires le 30 avril 20X7.

Remarque : Arrondissez les montants au dollar près.

b) Présentez la répartition finale du dividende global.

a)

Dividende selon la catégorie d'actions	Dividende versé	Dividende disponible
Dividende déclaré		50 000 $
Dividende arriéré		
Actions privilégiées de catégorie A	3 000 × 10 $ × 10 % = **3 000 $**	47 000 $
Dividende courant		
Actions privilégiées de catégorie B	7 000 × 2 $ = **14 000 $**	33 000 $
Actions privilégiées de catégorie A[a]	3 000 × 10 $ × 10 % = **3 000 $**	30 000 $
Actions privilégiées de catégorie C	5 000 × 5 $ × 8 % = **2 000 $**	28 000 $
Actions ordinaires[b]	?	

a. Après le versement du dividende prioritaire, les actionnaires privilégiés de catégories A et C recevront leur dividende courant.

b. À cette étape, il arrive qu'il ne reste plus d'argent à verser aux actionnaires ordinaires. En effet, **les actionnaires ordinaires reçoivent ce qui reste, s'il reste quelque chose !**

C'est à cette étape qu'entre en ligne de compte le privilège de participation aux bénéfices. En effet, le dividende résiduel devrait être réparti entre les actionnaires ordinaires. Toutefois, dans la description du capital-actions autorisé de la société Eskargo, les actions privilégiées de catégorie C sont assorties du privilège de participation, ce qui implique que les détenteurs de ces actions ont le droit de partager le dividende résiduel avec les actionnaires ordinaires. Cependant, il faut que les actionnaires ordinaires aient préalablement reçu un dividende leur permettant d'obtenir un rendement égal à celui obtenu par les actionnaires privilégiés de catégorie C, soit 8 % selon le capital-actions autorisé, avant que ceux-ci participent au dividende résiduel.

Dividende selon la catégorie d'actions	Dividende versé	Dividende disponible
Dividende déclaré		50 000 $
Dividende arriéré		
Actions privilégiées de catégorie A	3 000 × 10 $ × 10 % = **3 000 $**	47 000 $
Dividende courant		
Actions privilégiées de catégorie B	7 000 × 2 $ = **14 000 $**	33 000 $
Actions privilégiées de catégorie A	3 000 × 10 $ × 10 % = **3 000 $**	30 000 $
Actions privilégiées de catégorie C	5 000 × 5 $ × 8 % = **2 000 $**	28 000 $
Dividende courant de base[a]		
Actions ordinaires	40 000 × 7 $ × 8 % = **22 400 $**	5 600 $
Dividende résiduel[b]		
Actions ordinaires	40 000/45 000 × 5 600 $ = **4 978 $**	622 $
Actions privilégiées de catégorie C	5 000/45 000 × 5 600 $ = **622 $**	0 $

a. Il faut d'abord verser aux actionnaires ordinaires un dividende égal à 8 % de la valeur nominale des titres, puisque c'est le rendement obtenu par les actions participatives de catégorie C.

b. Ensuite, on répartit également le dividende résiduel entre les actionnaires ordinaires et les actionnaires privilégiés de catégorie C selon les étapes suivantes :
   1. Calcul du dividende résiduel (28 000 $ – 22 400 $ = 5 600 $).
   2. Calcul du nombre total d'actions admissibles (40 000 actions ordinaires + 5 000 actions privilégiées de catégorie C = 45 000 actions).
   3. Calcul des quotes-parts pour chaque catégorie d'actions admissible.
   4. Répartition du dividende résiduel selon les quotes-parts.

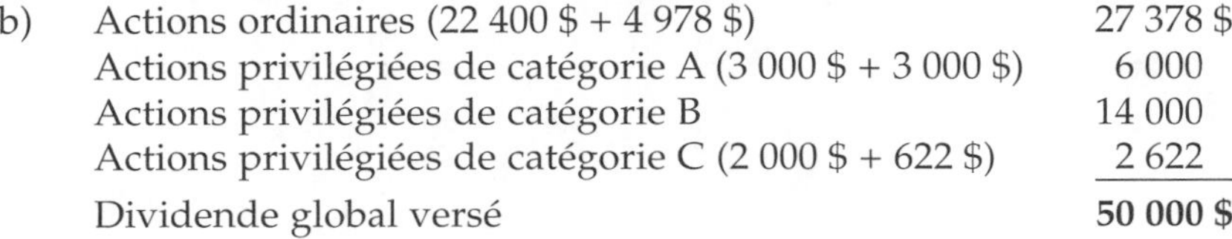

b)		
	Actions ordinaires (22 400 $ + 4 978 $)	27 378 $
	Actions privilégiées de catégorie A (3 000 $ + 3 000 $)	6 000
	Actions privilégiées de catégorie B	14 000
	Actions privilégiées de catégorie C (2 000 $ + 622 $)	2 622
	Dividende global versé	**50 000 $**

Fin de la démonstration 7.3

Mise en situation 7.2

Le versement du dividende

Voici l'état des capitaux propres partiel de la société Dublin au 28 novembre 20X7.

Société Dublin
État des capitaux propres partiel
au 28 novembre 20X7

CAPITAL-ACTIONS

Autorisé

Nombre illimité d'**actions ordinaires**, à valeur nominale de 5 $.

4 000 **actions privilégiées de catégorie A**, à valeur nominale de 8 $, sans droit de vote, sans droit de participation, à dividende cumulatif de 10 %.

Nombre illimité d'**actions privilégiées de catégorie B**, sans valeur nominale, sans droit de vote, sans droit de participation, à dividende prioritaire non cumulatif de 3 $.

Nombre illimité d'**actions privilégiées de catégorie C**, à valeur nominale de 10 $, sans droit de vote, avec droit de participation, à dividende non cumulatif de 6 %.

Voici le nombre d'actions en circulation au 28 novembre 20X7 :

- 50 000 actions ordinaires ;
- 3 500 actions privilégiées de catégorie A ;
- 6 000 actions privilégiées de catégorie B ;
- 7 500 actions privilégiées de catégorie C.

La société Dublin n'a émis aucune nouvelle action depuis cinq ans et n'a déclaré aucun dividende en 20X5 ni en 20X6. Le dividende global de 20X7 s'élève à 40 000 $.

Travail à faire

a) Effectuez le partage du dividende global déclaré.

b) À combien devrait s'élever le dividende global si on voulait avoir un dividende résiduel de 5 000 $ à partager ?

c) Effectuez à nouveau le partage du dividende global déclaré en supposant qu'il s'élève à 60 000 $.

Remarque : Présentez vos calculs et arrondissez les montants au dollar près.

a)

Dividende selon la catégorie d'actions	Dividende versé	Dividende disponible
Dividende déclaré		40 000 $

b)

c)

Dividende selon la catégorie d'actions	Dividende versé	Dividende disponible
Dividende déclaré		**60 000 $**

Fin de la mise en situation 7.2

Section 7.4

La valeur des actions

La valeur d'une action dépend du contexte ; c'est pourquoi il faut être précis : valeur de marché, valeur comptable ou valeur nominale.

7.4.1 La valeur de marché

La valeur de marché est évidemment liée à la **loi de l'offre et de la demande**, qui repose sur plusieurs facteurs, comme les conditions attachées aux actions émises, le rendement projeté par rapport à celui que procurent les autres titres sur le marché, les résultats financiers et les perspectives d'avenir de la société émettrice. La valeur de marché déterminera le **produit d'émission total encaissé** par la société à l'émission des actions.

7.4.2 La valeur comptable

La valeur comptable des actions résulte d'un calcul faisant intervenir la **valeur nette d'une société (capitaux propres)** et le **nombre d'actions en circulation**. Contrairement à la valeur de marché, soumise aux lois du marché, il s'agit ici d'une valeur plus prudente et moins volatile, puisqu'elle est basée sur des chiffres établis en vertu des normes comptables. Cette valeur est importante dans l'évaluation d'une entreprise.

7.4.3 La valeur nominale

Certaines sociétés choisissent d'attribuer arbitrairement une valeur aux actions de certaines catégories : c'est ce qu'on appelle la **valeur nominale**. Cette valeur est définie dans les statuts de la société et apparaît dans la description du capital-actions autorisé. Notons que les actions ne possèdent pas toutes une valeur nominale. La description du capital-actions qu'une société est autorisée à émettre peut contenir des actions **avec valeur nominale** et des actions **sans valeur nominale**[1].

Démonstration 7.4

Les trois valeurs d'une action

Parmi les différentes catégories d'actions incluses dans le capital-actions autorisé de la société Eskargo, trois ont une valeur nominale (actions ordinaires, actions privilégiées de catégorie A et actions privilégiées de catégorie C) et une est sans valeur nominale (actions privilégiées de catégorie B).

Travail à faire

Déterminez les trois valeurs suivantes des actions privilégiées.

a) La valeur de marché des actions privilégiées de catégorie A.

b) La valeur comptable des actions privilégiées de catégorie B.

c) La valeur nominale des actions privilégiées de catégorie C.

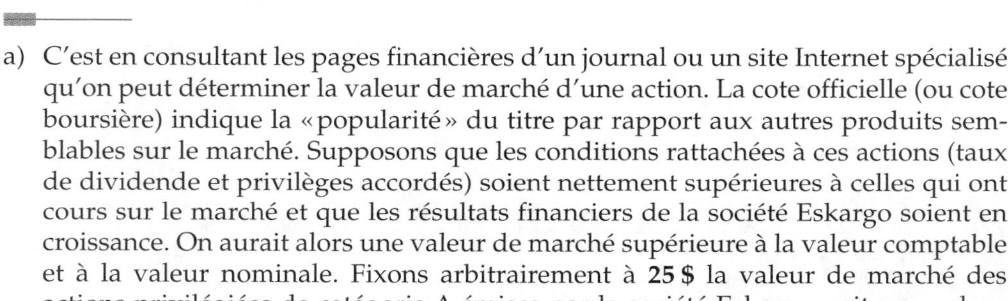

a) C'est en consultant les pages financières d'un journal ou un site Internet spécialisé qu'on peut déterminer la valeur de marché d'une action. La cote officielle (ou cote boursière) indique la «popularité» du titre par rapport aux autres produits semblables sur le marché. Supposons que les conditions rattachées à ces actions (taux de dividende et privilèges accordés) soient nettement supérieures à celles qui ont cours sur le marché et que les résultats financiers de la société Eskargo soient en croissance. On aurait alors une valeur de marché supérieure à la valeur comptable et à la valeur nominale. Fixons arbitrairement à **25 $** la valeur de marché des actions privilégiées de catégorie A émises par la société Eskargo, soit une valeur supérieure à la valeur nominale de 10 $.

b) On sait déjà que la valeur comptable est plus «rationnelle» que la valeur de marché, puisqu'elle s'appuie sur des données comptables et des calculs précis, basés sur les principes comptables. Il faudrait calculer la valeur comptable de la société Eskargo qui revient aux actionnaires privilégiés de catégorie B. Fixons cette valeur à 105 000 $, à répartir entre les 7 000 actions privilégiées de catégorie B émises. La valeur comptable d'une action privilégiée de catégorie B serait donc de 15 $ (105 000 $/7 000 actions).

c) La valeur nominale des actions privilégiées de catégorie C est précisée dans les statuts de la société et dans la section du capital-actions autorisé de l'état des capitaux propres : 5 $. Soulignons que la valeur nominale constitue un **prix plancher**, c'est-à-dire que la société ne pourra pas vendre ses actions en deçà de ce niveau.

Fin de la démonstration 7.4

Problèmes suggérés : 7.1 et 7.2.

1. Les entreprises constituées selon la *Loi canadienne sur les sociétés par actions* doivent émettre leurs actions sans valeur nominale.

Section 7.5

La constitution d'une société par actions

Tout individu a le droit de constituer une société par actions s'il remplit les trois conditions suivantes :

- être âgé d'au moins 18 ans ;
- être sain d'esprit ;
- ne pas être en faillite.

Une société par actions, en tant que personne morale, peut aussi exercer ce droit. Elle doit alors satisfaire à la troisième condition.

La constitution d'une société par actions demande plus de formalités que celle d'une entreprise individuelle ou d'une société de personnes. D'abord, **une personne ou un groupe de personnes physiques ou morales** doivent adresser une demande au palier de gouvernement choisi. En effet, les sociétés par actions peuvent être constituées en vertu de l'une ou l'autre de deux lois : au fédéral, la *Loi canadienne sur les sociétés par actions* ; au provincial, la *Loi sur les compagnies*. Les différences entre les deux types de constitution touchent l'étendue du territoire accessible et les caractéristiques du capital-actions.

DÉNOMINATION SOCIALE
Nom sous lequel est désignée une société de capitaux dans ses statuts.

CERTIFICAT DE CONSTITUTION
Document délivré par les autorités compétentes auprès desquelles ont été déposés les statuts d'une société par actions et qui a pour effet d'établir la société à compter de la date qui y figure.

Il faut accomplir les formalités prévues dans l'une ou l'autre des lois et faire parvenir les statuts à Consommation et Corporations Canada (au fédéral) ou à l'Autorité des marchés financiers (au provincial). Ces statuts doivent préciser, notamment, les éléments suivants :

- la **dénomination sociale** de la société ;
- le lieu et le district judiciaire du siège social ;
- la description du capital-actions autorisé ;
- la date de constitution de la société.

Une fois le processus terminé, les autorités compétentes remettent à la société nouvellement formée un **certificat de constitution**.

Section 7.6

Les états financiers

Les états financiers de la société par actions ressemblent à ceux d'une entreprise individuelle, à quelques différences près. Le tableau 7.6 rappelle les notions essentielles des états financiers de l'entreprise individuelle. On y retrouve l'état des résultats, l'état des capitaux propres et le bilan. On se rappellera que le résultat (bénéfice net) du premier état financier est intégré dans le deuxième et que le résultat (capital à la fin) du deuxième est inclus dans le troisième. Cette mécanique de virement des soldes s'effectue grâce aux écritures de fermeture (ou de clôture).

Comme le fonctionnement d'une société par actions est plus complexe que celui d'une entreprise individuelle, on peut facilement en déduire que les états financiers le sont aussi ! Bien sûr, la principale différence réside dans la section qui porte sur les capitaux. Nous traiterons les écritures de fermeture dans la section 7.10.

Le tableau 7.7 présente les états financiers de la société par actions. On remarque que l'état des résultats et le bilan sont identiques à ceux de l'entreprise individuelle. Toutefois, puisque la notion de capital est beaucoup plus complexe dans le cas de la société par actions, il faut établir un état des bénéfices non répartis, et l'état des capitaux propres est différent.

Tableau 7.6 Les états financiers de l'entreprise individuelle

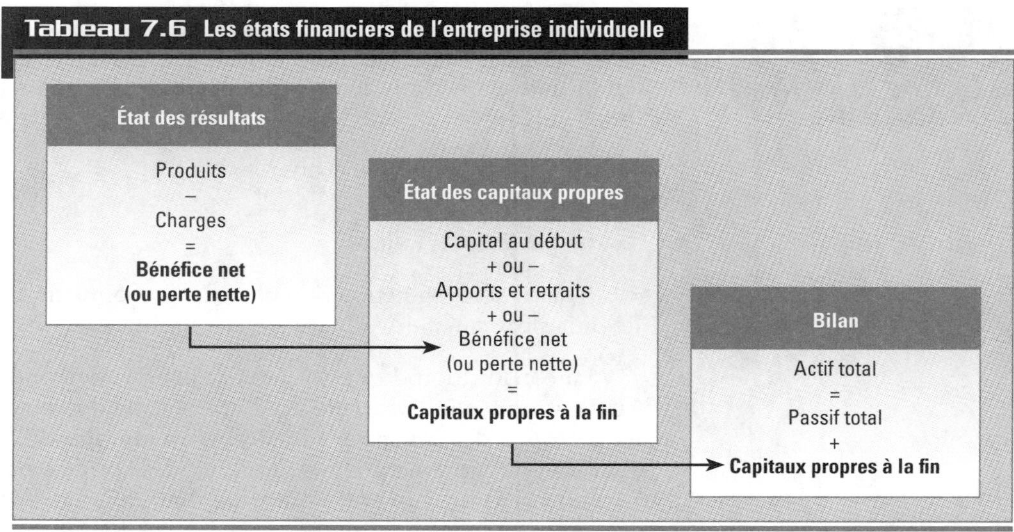

Tableau 7.7 Les états financiers de la société par actions

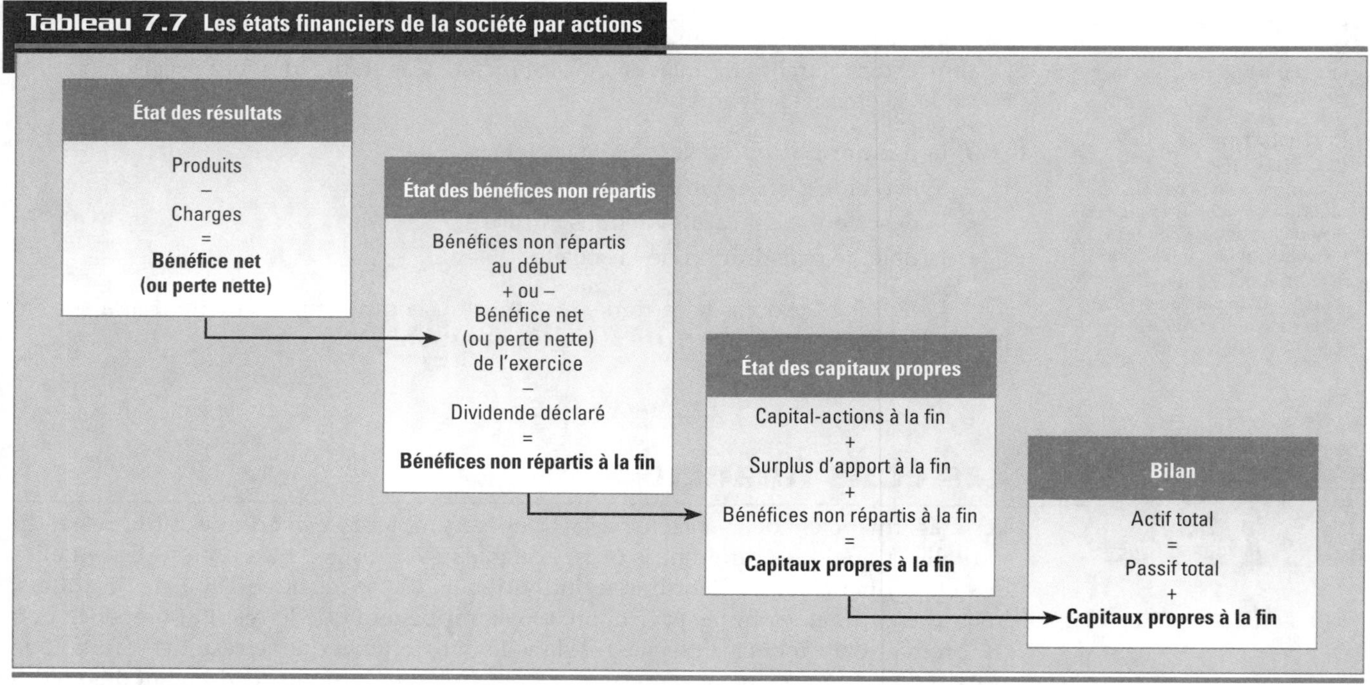

Comparons les tableaux 7.6 et 7.7. D'une part, on observe que les capitaux propres de l'entreprise individuelle varient selon :

- l'augmentation ou la diminution des sommes investies dans l'entreprise par le propriétaire (apports et retraits) ;
- la compilation des résultats de l'exercice (bénéfice net ou perte nette).

La première cause de variation relève du capital investi et la seconde renvoie aux résultats d'exploitation de l'entreprise.

D'autre part, on voit que les capitaux propres de la société par actions varient selon :

- l'augmentation ou la diminution des sommes investies dans la société par les actionnaires (émission ou rachat d'actions et déclaration de dividende), ce qui est traité dans les sections capital-actions, surplus d'apport et bénéfices non répartis ;
- la compilation des résultats de l'exercice (bénéfice net ou perte nette), ce qui est traité dans la section bénéfices non répartis.

On constate que les sources des variations sont semblables et que seule la présentation diffère. En effet, les informations sur le capital-actions sont si nombreuses que le calcul détaillé des bénéfices non répartis fait l'objet d'un état financier à part. De fait, l'état des capitaux propres et l'état des bénéfices non répartis de la société par actions jouent ensemble le même rôle que l'état des capitaux propres de l'entreprise individuelle. La présentation générale des états financiers gagne ainsi en clarté.

7.6.1 L'état des résultats

L'état des résultats sert à présenter les résultats de l'exploitation de l'entreprise pour une période donnée. Il contient donc tous les postes de produits et de charges qui permettent de dégager le bénéfice net avant impôts. Dans le cas de la société par actions, il faut ajouter le compte **impôts sur le bénéfice** (ou **charges d'impôts**). À cause de sa qualité de personne morale, la société par actions doit en effet produire une déclaration de revenus et payer des impôts. La charge d'impôts diminue le compte **bénéfice avant impôts**, ce qui engendre un **bénéfice après impôts**, à intégrer dans l'état financier suivant, au compte **bénéfices non répartis (BNR)**.

BÉNÉFICES NON RÉPARTIS (BNR)
Total des bénéfices réalisés par l'entreprise depuis sa constitution, diminué des pertes des exercices déficitaires, compte tenu des dividendes et des autres éléments qui ont pu en être retranchés ou y être ajoutés.

ÉTAT DES BÉNÉFICES NON RÉPARTIS
État financier présentant un sommaire des changements survenus au cours de la période dans les bénéfices non répartis.

7.6.2 L'état des bénéfices non répartis

L'**état des bénéfices non répartis** rend compte des changements survenus dans les bénéfices non répartis de la société au cours d'une période donnée. Les changements les plus courants sont évidemment le bénéfice ou la perte de l'exercice et les déclarations de dividende. Le résultat de ce calcul, soit les bénéfices non répartis à la fin, est à son tour intégré dans l'état financier suivant, l'état des capitaux propres, comme le montre l'exemple de la société Eskargo.

Société Eskargo
État des bénéfices non répartis
pour l'exercice terminé le 31 décembre 20X7

Bénéfices non répartis au 1er janvier 20X7			257 500 $
Plus : bénéfice net de l'exercice		72 750 $	
Moins : dividendes déclarés sur les actions			
■ privilégiées de catégorie A	6 000 $		
■ privilégiées de catégorie B	14 000		
■ privilégiées de catégorie C	2 622		
■ ordinaires	27 378	50 000	
Excédent des bénéfices sur les dividendes			22 750
Bénéfices non répartis au 31 décembre 20X7			**280 250 $**

7.6.3 L'état des capitaux propres

L'état des capitaux propres est en fait une description des capitaux propres à une date précise. Le solde des capitaux propres en fin d'exercice est reporté au bilan, de façon qu'on puisse vérifier l'équilibre de l'équation comptable.

CAPITAL D'APPORT
Capital investi par les actionnaires et représenté par les sommes inscrites dans les comptes capital-actions et primes d'émission (le surplus d'apport). Autrement dit, c'est l'argent ou les autres biens remis à la société par les actionnaires en échange des actions émises à leur nom.

L'état des capitaux propres comprend trois sections: le capital-actions, le surplus d'apport et les bénéfices non répartis. Les deux premières constituent le **capital d'apport**.

Qu'est-ce que le capital d'apport?

Le capital d'apport désigne la partie des capitaux propres qui provient de l'investissement direct des propriétaires (ou actionnaires), contrairement aux bénéfices non répartis, qui sont générés par l'exploitation de l'entreprise.

Voici l'état des capitaux propres de la société Eskargo au 31 décembre 20X7.

Société Eskargo
État des capitaux propres
au 31 décembre 20X7

CAPITAL-ACTIONS		
Autorisé		
Nombre illimité d'actions ordinaires, à valeur nominale de 7 $.		
3 000 actions privilégiées de catégorie A, à valeur nominale de 10 $, sans droit de vote, sans droit de participation, à dividende cumulatif de 10 %, rachetables en tout temps au gré de la société au prix unitaire de 12 $.		
Nombre illimité d'actions privilégiées de catégorie B, sans valeur nominale, sans droit de vote, sans droit de participation, à dividende prioritaire non cumulatif de 2 $, convertibles en 3 actions ordinaires.		
Nombre illimité d'actions privilégiées de catégorie C, à valeur nominale de 5 $, sans droit de vote, avec droit de participation, à dividende non cumulatif de 8 %.		
Émis et payé		
40 000 actions ordinaires		280 000 $
3 000 actions privilégiées de catégorie A	30 000 $	
7 000 actions privilégiées de catégorie B	140 000	
5 000 actions privilégiées de catégorie C	25 000	195 000
Souscrit		
SURPLUS D'APPORT		
Prime d'émission d'actions privilégiées de catégorie A	9 000 $	
Prime d'émission d'actions privilégiées de catégorie C	10 000	19 000
BÉNÉFICES NON RÉPARTIS		280 250
Total des capitaux propres		**774 250 $**

Examinons les trois grandes sections de cet état financier.

CAPITAL-ACTIONS
Montant des apports des actionnaires d'une société, représenté par les actions qu'elle a émises.

CAPITAL-ACTIONS AUTORISÉ
Capital représenté par un nombre d'actions de chaque catégorie (actions ordinaires, actions privilégiées, etc.) avec leur valeur nominale, le cas échéant, que le conseil d'administration d'une société peut émettre en conformité avec les dispositions de ses statuts et de la loi en vertu de laquelle elle est constituée.

CAPITAL-ACTIONS ÉMIS
Capital représentant les sommes, ou la valeur de la contrepartie en nature, que les actionnaires ont versées en échange des actions qu'ils ont souscrites.

CAPITAL-ACTIONS SOUSCRIT
Montant des apports que des investisseurs ont effectués ou irrévocablement promis d'effectuer lors de la constitution d'une société ou à l'occasion d'une augmentation de capital.

SOUSCRIPTION
Engagement pris par un investisseur d'acheter des titres (le plus souvent des actions) qu'une société a l'intention d'émettre.

SURPLUS D'APPORT
Apport des actionnaires provenant uniquement de transactions effectuées sur les capitaux (ce qui est plutôt rare), la plus courante étant la prime d'émission d'actions à valeur nominale. Ce peut aussi être le produit de la vente d'actions remises à la société à titre gratuit, l'excédent du prix de vente d'actions rachetées sur leur prix de rachat, etc.

PRIME D'ÉMISSION D'ACTIONS
Excédent du prix d'émission d'actions sur leur valeur nominale.

Le capital-actions

Le **capital-actions** représente l'argent qu'ont investi les actionnaires dans la société en contrepartie d'actions porteuses de certains droits et privilèges selon leur catégorie. Cette section correspond donc à des « capitaux neufs », en ce sens qu'ils ne proviennent pas de l'exploitation de l'entreprise, mais bien de sources externes.

Cette section comprend trois parties.

- Le **capital-actions autorisé** renseigne le lecteur des états financiers sur trois éléments : les différentes catégories d'actions qu'offre la société ; le nombre autorisé d'actions ; les droits et les privilèges propres à chaque catégorie d'actions.
- Le **capital-actions émis** se compose du **capital-actions effectivement mis en circulation** et des **sommes récoltées**. Il faut mentionner dans cette section le nombre d'actions émises et le montant encaissé par catégorie. Dans le cas des actions à valeur nominale, on doit distinguer la partie affectée au capital-actions (valeur nominale) de celle portée au surplus d'apport (excédent du prix d'émission sur la valeur nominale).
- Le **capital-actions souscrit** correspond à une réalité particulière. La *Loi canadienne sur les sociétés par actions* autorise la vente d'actions par **souscription**. C'est ce qui se produit quand un preneur n'a pas les liquidités pour payer entièrement les actions au moment où il les achète. L'investisseur souscrit ainsi à l'achat d'un bloc d'actions qu'il s'engage à payer par versements partiels. Il s'agit en quelque sorte d'une **émission d'actions à crédit**. Cette façon de faire demande une comptabilisation spéciale, sur laquelle nous reviendrons. Les actions en cause seront émises seulement après l'encaissement de toutes les sommes dues. Entre-temps, on les présente dans la section du capital-actions souscrit. Par ailleurs, les futurs actionnaires ne pourront jouir des droits et des privilèges liés à leurs actions qu'au moment du transfert de ces dernières dans le capital-actions émis.

Le surplus d'apport

La deuxième section des capitaux propres, le **surplus d'apport**, est à la fois moins courante et méconnue. D'une part, elle renferme uniquement des éléments se rapportant aux transactions effectuées sur les capitaux, ce qui est plutôt rare. C'est donc dire qu'aucune écriture portant sur une transaction liée à l'exploitation de l'entreprise ne saurait être portée aux comptes du surplus d'apport. D'autre part, les transactions concernant les capitaux d'une société par actions sont souvent complexes. Qu'il s'agisse de rachat ou de conversion d'actions, ou encore d'actions autodétenues ou annulées, ces transactions sont toutes plus ou moins familières. La plus courante est certes la **prime d'émission d'actions** à valeur nominale.

L'encaissement consécutif à l'émission d'actions à valeur nominale touche deux comptes des capitaux propres : on crédite le compte capital-actions de la valeur nominale des actions, et on crédite le compte prime d'émission d'actions (qui appartient au surplus d'apport) de l'excédent du prix d'émission sur la valeur nominale.

Les bénéfices non répartis

Si les deux premières sections de l'état des capitaux propres correspondent au capital d'apport, la troisième fait plutôt état des sommes générées par l'exploitation de l'entreprise et non redistribuées aux actionnaires sous forme de dividende, d'où son appellation de bénéfices non répartis.

On calcule les bénéfices non répartis à partir du solde de l'exercice précédent, du bénéfice net (ou de la perte nette) après impôts et des dividendes déclarés au cours de l'exercice.

7.6.4 Le bilan

L'équation comptable demeure toujours la même.

Actif = passif + capitaux propres

Cependant, dans le cas d'une société par actions, l'actif et le passif présentent des comptes propres à l'impôt des sociétés, soit **impôts à recevoir** et **impôts à payer**, de même qu'un compte particulier aux dividendes, **dividendes à payer**.

Par ailleurs, il ne faut pas oublier qu'un dividende devient légalement exigible à partir de sa date de déclaration. Ainsi, tout dividende déclaré au cours d'un exercice mais versé au cours de l'exercice suivant donne lieu à un élément de passif à court terme pour l'exercice où il est déclaré. On présente donc le dividende dans l'état des bénéfices non répartis de l'exercice où il est déclaré.

Comme nous l'avons souligné, la composition des capitaux propres de la société par actions est plus complexe que celle de l'entreprise individuelle; c'est pourquoi cette section du bilan comprend trois parties: le capital-actions, le surplus d'apport et les bénéfices non répartis. Si la société produit un état des capitaux propres, son bilan peut n'en présenter que le solde. Sinon, cette section du bilan doit montrer le détail des trois composantes.

Section 7.7 Les frais de constitution et les autres coûts de démarrage

Les **frais de constitution** correspondent aux charges engagées pour créer une société par actions. Ils incluent notamment les droits d'enregistrement exigés par les instances gouvernementales et les honoraires professionnels (comptables ou juridiques).

Les **frais de démarrage** comprennent toutes les charges engagées avant l'exploitation de la société, concernant la recherche et le financement des immobilisations, l'insertion (publication par la voie des journaux prescrite par la loi), l'étude de marché, l'embauche et la formation du personnel, etc.

Peut-on passer en charges tous ces frais au cours du premier exercice? En vertu du principe du rapprochement des produits et des charges, il faudrait les répartir sur tous les exercices où ils permettront de générer des revenus, ce qui n'est pas réaliste. C'est pourquoi on les amortit sur une période de temps restreinte (par exemple sur cinq ans). Par ailleurs, en vertu du principe de l'importance relative, on pourrait, si le montant est peu élevé, les inclure en entier dans les résultats du premier exercice.

Démonstration 7.5

La comptabilisation des frais de constitution

Le 1er août 20X7, la société Yamaska est constituée en vertu de la *Loi sur les compagnies* du Québec. Les frais de constitution s'élèvent à 5 000 $, et les dirigeants de la société décident de les amortir sur cinq ans.

Travail à faire

Comptabilisez au journal général les frais de constitution et leur amortissement.

Remarque : Arrondissez les montants au dollar près.

Journal général

Date	Nom des comptes et explications	Réf.	Débit	Crédit
20X7				
08-01	Frais de constitution reportés		5 000,00	
	Caisse			5 000,00
	(Paiement des frais de constitution de la société)			
12-31	Amortissement		417,00	
	Frais de constitution reportés			417,00
	(Amortissement des frais de constitution :			
	5 000 $/60 mois × 5 mois = 417 $)			

Fin de la démonstration 7.5

Section 7.8 L'émission d'actions

Les statuts de la société Yamaska autorisent l'émission d'actions selon le nombre et les catégories précisées dans l'état des capitaux propres suivant.

Société Yamaska
État des capitaux propres partiel
au 1er août 20X7

CAPITAL-ACTIONS

Autorisé

Nombre illimité d'actions ordinaires, à valeur nominale de 7 $.

3 000 actions privilégiées de catégorie A, à valeur nominale de 10 $, sans droit de vote, sans droit de participation, à dividende cumulatif de 10 %, rachetables en tout temps au gré de la société au prix unitaire de 12 $.

Nombre illimité d'actions privilégiées de catégorie B, sans valeur nominale, sans droit de vote, sans droit de participation, à dividende prioritaire non cumulatif de 2 $, convertibles en 3 actions ordinaires.

Nombre illimité d'actions privilégiées de catégorie C, à valeur nominale de 5 $, sans droit de vote, avec droit de participation, à dividende non cumulatif de 8 %.

Ces données serviront à comptabiliser les émissions d'actions de la société Yamaska. Selon leurs caractéristiques et leur mode de paiement, les actions peuvent être émises de six façons.

- Actions sans valeur nominale émises :
  - au comptant ;
  - en contrepartie d'un bien ;
  - par souscription.

- Actions avec valeur nominale émises :
  - au comptant ;
  - en contrepartie d'un bien ;
  - par souscription.

7.8.1 Les actions sans valeur nominale émises au comptant

Démonstration 7.6

L'émission au comptant d'actions sans valeur nominale

Le 24 août 20X7, la société Yamaska émet 1 500 actions privilégiées de catégorie B au prix unitaire de 20 $.

Travail à faire

Comptabilisez au journal général cette émission d'actions.

Journal général

Date	Nom des comptes et explications	Réf.	Débit	Crédit
20X7				
08-24	Banque		30 000,00	
	Capital-actions privilégiées de catégorie B			30 000,00
	(Émission d'actions au comptant : 1 500 actions × 20 $)			

Fin de la démonstration 7.6

7.8.2 Les actions sans valeur nominale émises en contrepartie d'un bien

Démonstration 7.7

L'émission d'actions sans valeur nominale en contrepartie d'un bien

Le 24 août 20X7, l'un des administrateurs de la société Yamaska vend à cette dernière un terrain en contrepartie de 3 250 actions privilégiées de catégorie B. Un évaluateur agréé a récemment établi la valeur de marché du terrain à 65 000 $.

Travail à faire

Comptabilisez au journal général cette émission d'actions. La société paie comptant les taxes sur cet achat.

Journal général

Date	Nom des comptes et explications	Réf.	Débit	Crédit
20X7				
08-24	Terrain		65 000,00	
	TPS à recevoir		4 550,00	
	TVQ à recevoir		5 216,25	
	Capital-actions privilégiées de catégorie B			65 000,00
	Banque			9 766,25
	(Émission d'actions en contrepartie d'un bien)			

Fin de la démonstration 7.7

Dans une transaction d'échange, il faut établir une base d'évaluation. On peut alors utiliser la juste valeur du bien ou celle des actions émises. Si la transaction ne comporte pas de contrepartie monétaire, c'est qu'il s'agit de deux valeurs comparables.

On peut facilement établir la valeur des actions d'une société ouverte, puisqu'elles sont cotées en Bourse. Dans le cas d'une société fermée, c'est un peu plus complexe : il faut d'abord évaluer la société elle-même pour ensuite déterminer la valeur de marché de ses actions. Il est alors plus facile d'évaluer le bien. Dans l'exemple de la société Yamaska, il est question d'une valeur d'expertise, donc suffisamment fiable. Ainsi, l'émission des 3 250 actions au prix global de 65 000 $ correspond à un prix unitaire de 20 $. En comparant avec l'émission du 24 août, on se rend compte que c'est aussi le prix unitaire payé par les autres actionnaires.

7.8.3 Les actions sans valeur nominale émises par souscription

Démonstration 7.8

L'émission par souscription d'actions sans valeur nominale

Le 25 août 20X7, un investisseur souscrit 3 000 actions privilégiées de catégorie B, émises par la société Yamaska au prix unitaire de 20 $. Il s'engage à verser un tiers du coût total immédiatement et le solde, trois mois plus tard, soit le 25 novembre.

Travail à faire

Comptabilisez au journal général cette émission d'actions et l'encaissement du 25 août 20X7.

Journal général

Date	Nom des comptes et explications	Réf.	Débit	Crédit
20X7				
08-25	Souscription à recevoir – actions privilégiées de catégorie B		60 000,00	
	Capital-actions souscrit – actions privilégiées de catégorie B			60 000,00
	(Émission d'actions par souscription : 3 000 actions × 20 $)			
08-25	Banque		20 000,00	
	Souscription à recevoir – actions privilégiées de catégorie B			20 000,00
	(Paiement d'un tiers de la souscription)			

Fin de la démonstration 7.8

Dans l'état des capitaux propres, on présente le compte capital-actions souscrit à la suite du capital-actions autorisé et du capital-actions émis. Quant au compte souscriptions à recevoir – actions privilégiées de catégorie B, on le présente dans l'actif à court terme. On pourrait aussi le présenter en contrepartie du capital-actions souscrit.

Dans le cas de la société Yamaska, l'état des capitaux propres au 25 août 20X7 présente un capital-actions souscrit, puisque la souscription n'est pas encore entièrement encaissée. Quant au compte souscriptions à recevoir, qui s'élève à 40 000 $, il demeure dans l'actif à court terme du bilan.

Société Yamaska
État des capitaux propres partiel
au 25 août 20X7

CAPITAL-ACTIONS

Autorisé

Nombre illimité d'actions ordinaires, à valeur nominale de 7 $.

3 000 actions privilégiées de catégorie A, à valeur nominale de 10 $, sans droit de vote, sans droit de participation, à dividende cumulatif de 10 %, rachetables en tout temps au gré de la société au prix unitaire de 12 $.

Nombre illimité d'actions privilégiées de catégorie B, sans valeur nominale, sans droit de vote, sans droit de participation, à dividende prioritaire non cumulatif de 2 $, convertibles en 3 actions ordinaires.

Nombre illimité d'actions privilégiées de catégorie C, à valeur nominale de 5 $, sans droit de vote, avec droit de participation, à dividende non cumulatif de 8 %.

Émis et payé	
4 750 actions privilégiées de catégorie B	95 000 $
Souscrit	
3 000 actions privilégiées de catégorie B	60 000
Total des capitaux propres	**155 000 $**

Lorsque la souscription est entièrement payée, l'entreprise émet le capital-actions. La somme qui était «réservée» dans le compte capital-actions souscrit est alors virée au compte capital-actions émis.

Démonstration 7.9

La comptabilisation du paiement complet de la souscription

Travail à faire

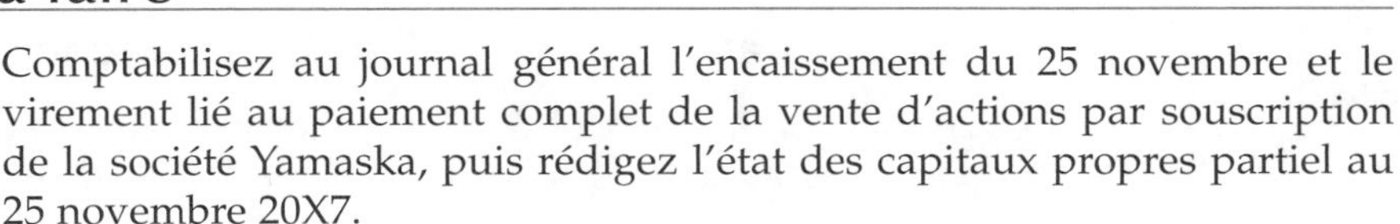

Comptabilisez au journal général l'encaissement du 25 novembre et le virement lié au paiement complet de la vente d'actions par souscription de la société Yamaska, puis rédigez l'état des capitaux propres partiel au 25 novembre 20X7.

Journal général

Date	Nom des comptes et explications	Réf.	Débit	Crédit
20X7				
11-25	Banque		40 000,00	
	Souscription à recevoir – actions privilégiées de catégorie B			40 000,00
	(Paiement du solde de la souscription)			
11-25	Capital-actions souscrit – actions privilégiées de catégorie B		60 000,00	
	Capital-actions privilégiées de catégorie B			60 000,00
	(Pour virer le paiement complet de la souscription)			

Société Yamaska
État des capitaux propres partiel
au 25 novembre 20X7

CAPITAL-ACTIONS

Autorisé

Nombre illimité d'actions ordinaires, à valeur nominale de 7 $.

3 000 actions privilégiées de catégorie A, à valeur nominale de 10 $, sans droit de vote, sans droit de participation, à dividende cumulatif de 10 %, rachetables en tout temps au gré de la société au prix unitaire de 12 $.

Nombre illimité d'actions privilégiées de catégorie B, sans valeur nominale, sans droit de vote, sans droit de participation, à dividende prioritaire non cumulatif de 2 $, convertibles en 3 actions ordinaires.

Nombre illimité d'actions privilégiées de catégorie C, à valeur nominale de 5 $, sans droit de vote, avec droit de participation, à dividende non cumulatif de 8 %.

Émis et payé

7 750 actions privilégiées de catégorie B	155 000 $

Fin de la démonstration 7.9

Le 25 novembre 20X7, le capital-actions souscrit devient donc du capital-actions émis. À partir de cette date, les investisseurs deviennent actionnaires à part entière et peuvent bénéficier de tous les droits et les privilèges rattachés à leurs actions.

7.8.4 Les actions avec valeur nominale émises au comptant

Démonstration 7.10

L'émission au comptant d'actions avec valeur nominale

Le 26 août 20X7, la société Yamaska émet au comptant 5 000 actions ordinaires au prix unitaire de 10 $ et 4 000 actions privilégiées de catégorie C au prix unitaire de 9 $.

Travail à faire

Comptabilisez au journal général ces deux émissions d'actions.

Journal général

Date	Nom des comptes et explications	Réf.	Débit	Crédit
20X7				
08-26	Banque		86 000,00	
	Capital-actions ordinaires			35 000,00
	Capital-actions privilégiées de catégorie C			20 000,00
	Prime d'émission d'actions ordinaires			15 000,00
	Prime d'émission d'actions privilégiées de catégorie C			16 000,00
	(Émission d'actions au comptant:			
	5 000 actions × 7 $;			
	4 000 actions × 5 $)			

Fin de la démonstration 7.10

Le prix d'émission d'une action à valeur nominale doit être réparti dans deux comptes !

En effet, on inscrit la valeur nominale au capital-actions et on porte la prime (excédent du prix d'émission sur la valeur nominale) au compte surplus d'apport. La société Yamaska a émis 5 000 actions ordinaires à valeur nominale unitaire de 7 $, ce qui augmente le capital-actions ordinaires de 35 000 $. Le surplus est de 3 $ par action (10 $ – 7 $) et la prime totalise 15 000 $.

Quant au capital-actions privilégiées de catégorie C, la valeur nominale unitaire est de 5 $ et le prix d'émission est de 9 $, d'où une prime d'émission de 4 $ par action. Le capital-actions augmente donc de 20 000 $ (4 000 × 5 $) et la prime s'établit à 16 000 $ (4 000 × 4 $).

7.8.5 Les actions avec valeur nominale émises en contrepartie d'un bien

Démonstration 7.11

L'émission d'actions avec valeur nominale en contrepartie d'un bien

Le 28 août 20X7, l'administrateur de la société Yamaska qui a vendu un terrain à cette dernière meuble son bureau avec des biens personnels. La société avait convenu de les lui acheter en contrepartie de 300 actions ordinaires.

Travail à faire

Comptabilisez au journal général cette émission d'actions.

Journal général

Date	Nom des comptes et explications	Réf.	Débit	Crédit
20X7				
08-28	Mobilier de bureau		3 000,00	
	TPS à recevoir		210,00	
	TVQ à recevoir		240,75	
	Capital-actions ordinaires			2 100,00
	Prime d'émission d'actions ordinaires			900,00
	Banque			450,75
	(Émission d'actions en contrepartie d'un bien : 300 actions × 7 $)			

Fin de la démonstration 7.11

Dans l'exemple précédent, la valeur de marché des biens achetés n'est pas connue. Toutefois, deux jours plus tôt, il y a eu une émission d'actions de même catégorie (actions ordinaires) au prix unitaire de 10 $, ce qui renseigne sur la valeur approximative du mobilier : 3 000 $ (300 × 10 $). Par ailleurs, les actions émises en contrepartie du bien acheté ont une valeur nominale, ce qui oblige l'entreprise à répartir la somme dans deux comptes. La valeur nominale de 2 100 $ (300 × 7 $) est portée au compte capital-actions ordinaires, alors que l'excédent de 900 $ ((10 $ – 7 $) × 300) est crédité au compte prime d'émission d'actions ordinaires.

7.8.6 Les actions avec valeur nominale émises par souscription

Démonstration 7.12

L'émission par souscription d'actions avec valeur nominale

Le 30 août 20X7, la société Yamaska signe un autre contrat de souscription. L'investisseur s'engage à acheter 1 500 actions privilégiées de catégorie A au prix unitaire de 15 $. Il paiera 50 % du montant total le 15 septembre et le solde, le 15 décembre.

Travail à faire

Comptabilisez au journal général cette émission d'actions et l'encaissement du 15 septembre 20X7.

Journal général

Date	Nom des comptes et explications	Réf.	Débit	Crédit
20X7				
08-30	Souscription à recevoir – actions privilégiées de catégorie A		22 500,00	
	Capital-actions souscrit – actions privilégiées de catégorie A			15 000,00
	Prime d'émission d'actions privilégiées de catégorie A			7 500,00
	(Émission d'actions par souscription : 1 500 actions × 10 $)			
09-15	Banque		11 250,00	
	Souscription à recevoir – actions privilégiées de catégorie A			11 250,00
	(Paiement de la moitié de la souscription)			

Fin de la démonstration 7.12

Dans cette émission d'actions aussi, il faut tenir compte de l'excédent du prix d'émission sur la valeur nominale, soit 7 500 $ (1 500 × 5 $). On inscrit cette prime immédiatement, même si le capital-actions émis ne sera comptabilisé que le 15 décembre 20X7, au moment de l'encaissement complet de la souscription.

L'état des capitaux propres au 15 septembre 20X7 de la société Yamaska présente un capital-actions souscrit (actions de catégorie A), puisque la somme n'est pas totalement encaissée.

<table>
<tr><th colspan="3">Société Yamaska
État des capitaux propres partiel
au 15 septembre 20X7</th></tr>
<tr><td colspan="3">**CAPITAL-ACTIONS**</td></tr>
<tr><td colspan="3">**Autorisé**</td></tr>
<tr><td colspan="3">Nombre illimité d'actions ordinaires, à valeur nominale de 7 $.</td></tr>
<tr><td colspan="3">3 000 actions privilégiées de catégorie A, à valeur nominale de 10 $, sans droit de vote, sans droit de participation, à dividende cumulatif de 10 %, rachetables en tout temps au gré de la société au prix unitaire de 12 $.</td></tr>
<tr><td colspan="3">Nombre illimité d'actions privilégiées de catégorie B, sans valeur nominale, sans droit de vote, sans droit de participation, à dividende prioritaire non cumulatif de 2 $, convertibles en 3 actions ordinaires.</td></tr>
<tr><td colspan="3">Nombre illimité d'actions privilégiées de catégorie C, à valeur nominale de 5 $, sans droit de vote, avec droit de participation, à dividende non cumulatif de 8 %.</td></tr>
<tr><td colspan="3">**Émis et payé**</td></tr>
<tr><td>5 300 actions ordinaires</td><td>37 100 $</td><td></td></tr>
<tr><td>7 750 actions privilégiées de catégorie B</td><td>155 000</td><td></td></tr>
<tr><td>4 000 actions privilégiées de catégorie C</td><td>20 000</td><td>212 100 $</td></tr>
<tr><td colspan="3">**Souscrit**</td></tr>
<tr><td>1 500 actions privilégiées de catégorie A</td><td></td><td>15 000</td></tr>
<tr><td colspan="3">**SURPLUS D'APPORT**</td></tr>
<tr><td>Prime d'émission d'actions ordinaires</td><td>15 900 $</td><td></td></tr>
<tr><td>Prime d'émission d'actions privilégiées de catégorie A</td><td>7 500</td><td></td></tr>
<tr><td>Prime d'émission d'actions privilégiées de catégorie C</td><td>16 000</td><td>39 400</td></tr>
<tr><td>**Total des capitaux propres**</td><td></td><td>**266 500 $**</td></tr>
</table>

Une fois que la souscription est entièrement payée, il faut débiter la somme «réservée» du compte capital-actions souscrit pour la créditer au compte capital-actions privilégiées de catégorie A.

Démonstration 7.13

La comptabilisation du paiement complet de la souscription

Travail à faire

Comptabilisez au journal général l'encaissement du 15 décembre et le virement lié au paiement complet de la vente d'actions par souscription de la société Yamaska, puis rédigez l'état des capitaux propres partiel au 15 décembre 20X7.

Journal général

Date	Nom des comptes et explications	Réf.	Débit	Crédit
20X7				
12-15	Banque		11 250,00	
	Souscription à recevoir – actions privilégiées de catégorie A			11 250,00
	(Paiement du solde de la souscription)			

Journal général

Date	Nom des comptes et explications	Réf.	Débit	Crédit
20X7				
12-15	Capital-actions souscrit – actions privilégiées de catégorie A		15 000,00	
	Capital-actions privilégiées de catégorie A			15 000,00
	(Pour virer le paiement complet de la souscription)			

Société Yamaska
État des capitaux propres partiel
au 15 décembre 20X7

CAPITAL-ACTIONS
Autorisé

Nombre illimité d'actions ordinaires, à valeur nominale de 7 $.

3 000 actions privilégiées de catégorie A, à valeur nominale de 10 $, sans droit de vote, sans droit de participation, à dividende cumulatif de 10 %, rachetables en tout temps au gré de la société au prix unitaire de 12 $.

Nombre illimité d'actions privilégiées de catégorie B, sans valeur nominale, sans droit de vote, sans droit de participation, à dividende prioritaire non cumulatif de 2 $, convertibles en 3 actions ordinaires.

Nombre illimité d'actions privilégiées de catégorie C, à valeur nominale de 5 $, sans droit de vote, avec droit de participation, à dividende non cumulatif de 8 %.

Émis et payé		
5 300 actions ordinaires	37 100 $	
1 500 actions privilégiées de catégorie A	15 000	
7 750 actions privilégiées de catégorie B	155 000	
4 000 actions privilégiées de catégorie C	20 000	227 100 $
SURPLUS D'APPORT		
Prime d'émission d'actions ordinaires	15 900 $	
Prime d'émission d'actions privilégiées de catégorie A	7 500	
Prime d'émission d'actions privilégiées de catégorie C	16 000	39 400
Total des capitaux propres		**266 500 $**

Fin de la démonstration 7.13

On constate que la partie du montant de 22 500 $ affectée au capital-actions privilégiées de catégorie A correspond à la valeur nominale des 1 500 actions émises.

Mise en situation 7.3

La comptabilisation des transactions relatives au capital-actions et la rédaction des états financiers

Voici l'état des capitaux propres au 31 décembre 20X7 de la société Dublin.

Société Dublin **État des capitaux propres** au 31 décembre 20X7		
CAPITAL-ACTIONS		
Autorisé		
Nombre illimité d'actions ordinaires, à valeur nominale de 5 $.		
4 000 actions privilégiées de catégorie A, à valeur nominale de 8 $, sans droit de vote, sans droit de participation, à dividende cumulatif de 10 %.		
Nombre illimité d'actions privilégiées de catégorie B, sans valeur nominale, sans droit de vote, sans droit de participation, à dividende prioritaire non cumulatif de 3 $.		
Nombre illimité d'actions privilégiées de catégorie C, à valeur nominale de 10 $, sans droit de vote, avec droit de participation, à dividende non cumulatif de 6 %.		
Émis et payé		
50 000 actions ordinaires	250 000 $	
3 500 actions privilégiées de catégorie A	28 000	
6 000 actions privilégiées de catégorie B	42 000	
7 500 actions privilégiées de catégorie C	75 000	395 000 $
SURPLUS D'APPORT		
Prime d'émission d'actions ordinaires	25 000 $	
Prime d'émission d'actions privilégiées de catégorie A	7 000	
Prime d'émission d'actions privilégiées de catégorie C	15 000	47 000
BÉNÉFICES NON RÉPARTIS		250 860
Total des capitaux propres		**692 860 $**

Au cours de l'exercice terminé le 31 décembre 20X8, la société a réalisé un bénéfice net de 18 245 $ et elle a effectué les transactions suivantes, relatives à ses actions.

Date	Opération
20X8	
02-07	La société émet au comptant 10 000 actions ordinaires au prix unitaire de 8 $ et 2 000 actions privilégiées de catégorie C au prix unitaire de 13 $.
04-16	Un investisseur souscrit 1 500 actions privilégiées de catégorie B au prix unitaire de 15 $. Il paie 50 % du coût total immédiatement et s'engage à payer le solde le 16 octobre.
04-27	La société acquiert du matériel informatique. En contrepartie, elle émet 3 000 actions privilégiées de catégorie B en faveur du vendeur. La société paie comptant les taxes sur cet achat.
09-30	La société signe un contrat de souscription. L'investisseur s'engage à acheter 2 000 actions privilégiées de catégorie A au prix unitaire de 11 $. Il versera 45 % de la somme le 15 octobre et le solde, le 15 avril de l'année suivante.
10-15	La société encaisse le premier versement sur les actions vendues par souscription le 30 septembre.
10-16	La société encaisse le solde sur les actions vendues pas souscription le 16 avril.

Travail à faire

a) Comptabilisez ces opérations au journal général.

b) Dressez l'état des bénéfices non répartis et l'état des capitaux propres au 31 décembre 20X8.

a) **Journal général**

Date	Nom des comptes et explications	Réf.	Débit	Crédit
20X8				

b)

Société Dublin
État des bénéfices non répartis
pour l'exercice terminé le 31 décembre 20X8

	$
	$

Société Dublin
État des capitaux propres
au 31 décembre 20X8

CAPITAL-ACTIONS

Autorisé

Nombre illimité d'actions ordinaires, à valeur nominale de 5 $.

4 000 actions privilégiées de catégorie A, à valeur nominale de 8 $, sans droit de vote, sans droit de participation, à dividende cumulatif de 10 %.

Nombre illimité d'actions privilégiées de catégorie B, sans valeur nominale, sans droit de vote, sans droit de participation, à dividende prioritaire non cumulatif de 3 $.

Nombre illimité d'actions privilégiées de catégorie C, à valeur nominale de 10 $, sans droit de vote, avec droit de participation, à dividende non cumulatif de 6 %.

Émis et payé		
	$	
		$
Souscrit		
SURPLUS D'APPORT		
	$	
BÉNÉFICES NON RÉPARTIS		
Total des capitaux propres		$

Fin de la mise en situation 7.3

Problèmes suggérés: 7.3 et 7.4.

Section 7.9

Les bénéfices non répartis

Les bénéfices non répartis correspondent au **total des bénéfices non redistribués aux actionnaires**. Il s'agit de la partie du bénéfice que l'entreprise a mise de côté, tout comme le fait un particulier dans son compte d'épargne. En fait, c'est dans l'état des bénéfices non répartis qu'on ajoute le résultat de l'exercice aux résultats antérieurs. Que fera la société de ces sommes disponibles ?

7.9.1 Les dividendes

Une partie des fonds accumulés par la société lui servira ultérieurement et l'autre sera maintenue dans ses réserves. Lorsqu'elle le jugera à propos, elle pourra déclarer un dividende.

Un dividende correspond à la répartition entre les actionnaires des bénéfices accumulés par la société. Comme le dividende n'est pas une charge, il ne faut pas l'inclure dans l'état des résultats, mais bien dans l'état des bénéfices non répartis. La déclaration de dividende n'est pas obligatoire en elle-même ; cependant, une fois déclaré, le dividende doit être versé selon les modalités déterminées par le conseil d'administration de la société.

Qui est responsable de la déclaration du dividende ?

La déclaration de dividende est une décision qui incombe au conseil d'administration de la société. Celui-ci adopte une résolution à cet effet après s'être assuré que le versement des sommes en jeu ne nuira pas à la société.

Le particulier qui désire acquérir une piscine doit s'assurer que cet achat ne l'empêchera pas d'effectuer ses paiements courants ou de faire son épicerie, ou, pire encore, ne le mènera pas directement à la faillite. Dans le même esprit, la société doit voir à ce que le versement d'un dividende ne compromette ni sa gestion courante ni sa solvabilité. Deux sortes de considérations entrent alors en ligne de compte.

- Les considérations d'ordre financier : le conseil d'administration doit s'assurer que le versement du dividende ne compromettra pas la santé financière de la société. Avant de déclarer un dividende global de 50 000 $, il doit d'abord être certain que la société possède bien cette somme et que celle-ci est disponible !
- Les considérations d'ordre juridique : la société doit respecter le principe de maintien du capital et les ententes prises avec les créanciers.

7.9.2 Le principe de maintien du capital

Nous avons mentionné plus haut que la responsabilité financière des actionnaires est limitée à leur investissement dans le capital-actions de la société. On ne peut donc pas les tenir responsables des dettes de la société (à moins, bien sûr, qu'ils ne s'en soient portés garants personnellement). Cette responsabilité limitée nuit en quelque sorte à la protection des créanciers. Sans règle, le conseil d'administration pourrait épuiser les ressources de la société en versant des dividendes, et les créanciers n'auraient à leur disposition aucun recours en justice.

MAINTIEN DU CAPITAL (ou PRÉSERVATION DU NUMÉRAIRE)
Notion de la préservation du patrimoine en vertu de laquelle l'entreprise peut distribuer un dividende à ses actionnaires seulement si cela n'a pas pour effet d'entamer la valeur de son actif net.

CAPITAL LÉGAL (ou CAPITAL MINIMAL)
Valeur minimale du capital social qui est exigée par la loi dans le cas de certaines sociétés de capitaux.

C'est là qu'intervient le principe de **maintien du capital** (ou **préservation du numéraire**). Selon ce principe, le versement d'un dividende ne doit pas empêcher la société:

- de demeurer solvable, c'est-à-dire de pouvoir rembourser ses dettes à échéance;
- de maintenir un actif total égal ou supérieur au passif additionné du **capital légal** (ou **capital minimal**) (actif total ≥ (passif total + capital légal)).

Cette deuxième condition reflète la volonté des autorités d'empêcher l'affaiblissement de la santé financière d'une société par un versement de dividende. Ainsi, la société ne versera pas de dividende si l'opération compromet le paiement de ses créanciers externes (passif total), mais aussi celui de ses créanciers internes (capital-actions émis). En cas de non-respect du principe de maintien du capital, les administrateurs seraient tenus solidairement responsables des sommes en cause.

7.9.3 Les ententes avec les créanciers

Avant de devenir le créancier majeur d'une société, certaines entreprises poseront des conditions. Ainsi, une institution financière consentira un prêt hypothécaire important à une société qui veut prendre de l'expansion pour autant que celle-ci s'engage à ne pas verser de dividende au cours des cinq prochaines années ou qu'elle maintienne un certain niveau de bénéfices. Comme les créanciers externes n'ont pas de recours possible contre les actionnaires de la société, il leur faut se protéger autrement. Dans ce cas-ci, l'institution financière pourrait poursuivre la société et le conseil d'administration en cas de non-respect de l'entente.

Le conseil d'administration a l'obligation de faire les vérifications nécessaires et d'évaluer les obligations de la société avant de déclarer un dividende.

Section 7.10 Les écritures de fermeture

On vire le bénéfice de l'état des résultats à l'état des bénéfices non répartis au moyen des écritures de fermeture (ou de clôture).

Les premières écritures de fermeture portent sur les comptes de produits et les comptes de charges: on ferme ces comptes en virant le solde au compte temporaire sommaire des résultats. D'ailleurs, ce compte correspond au bénéfice net (ou à la perte nette) réalisé au cours de l'exercice.

Ensuite, il faut ajouter le bénéfice net (ou la perte nette) de l'exercice au total des bénéfices et des pertes des années antérieures. Il faut donc fermer le compte sommaire des résultats et en virer le solde au compte bénéfices non répartis.

Enfin, on ferme les comptes relatifs aux dividendes et on en vire les soldes au compte bénéfices non répartis, ce qui permet d'en évaluer correctement le solde à la date de fin d'exercice. Ce compte reflète alors toutes les transactions présentées dans l'état des bénéfices non répartis, ce qui permet de présenter un compte de grand livre général correspondant aux états financiers de fin d'exercice.

Rappelons que les écritures de fermeture remettent à zéro les comptes de produits, de charges et de dividendes. Ainsi, ces comptes sont prêts pour les écritures de l'exercice suivant.

Démonstration 7.14

Les états financiers de la société par actions

Au cours de l'exercice terminé le 31 décembre 20X7, la société Bégin a réalisé des produits totaux de 567 345 $ et engagé des charges totales de 481 845 $. Elle a déclaré un dividende global de 65 400 $. Au 1er janvier 20X7, ses bénéfices non répartis totalisaient 377 560 $. Le taux d'imposition de l'entreprise est de 25 %.

Travail à faire

Illustrez sous forme de schéma les liens qui unissent l'état des résultats, le journal général et l'état des bénéfices non répartis au 31 décembre 20X7.

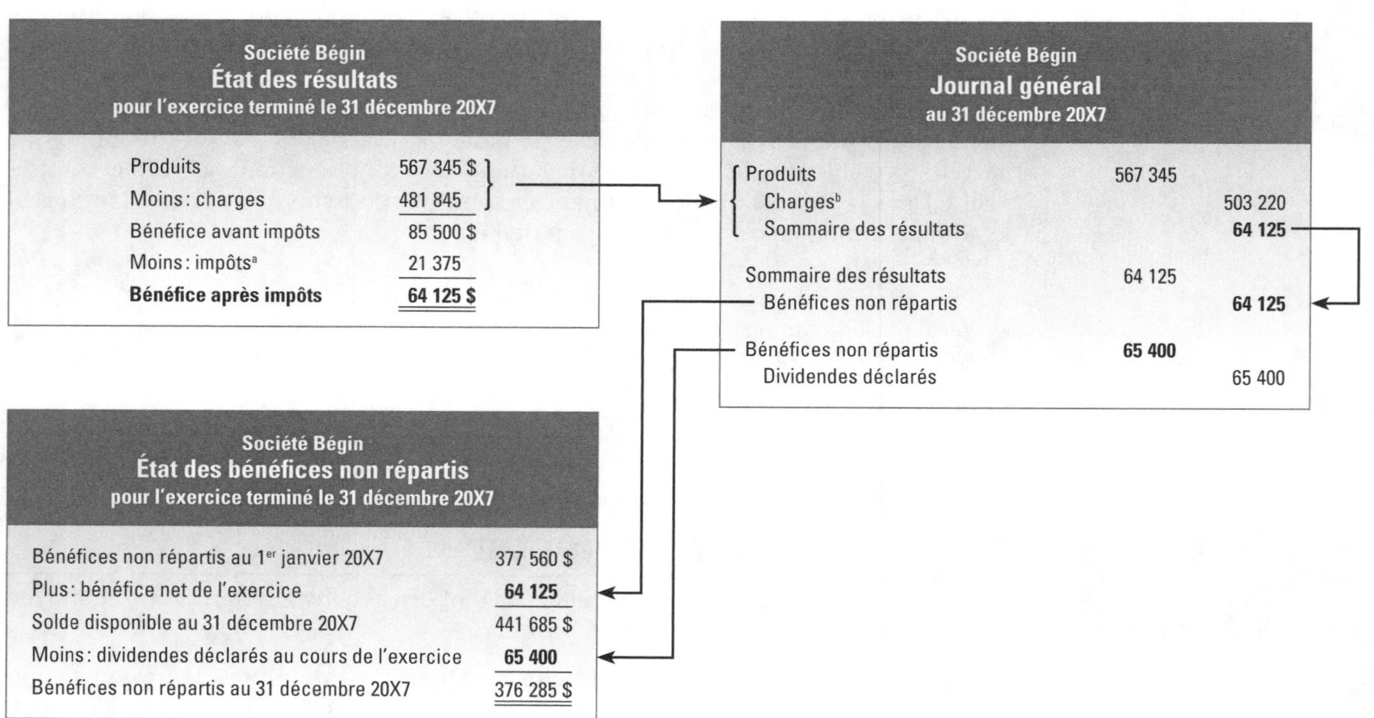

Société Bégin
État des résultats
pour l'exercice terminé le 31 décembre 20X7

Produits	567 345 $
Moins : charges	481 845
Bénéfice avant impôts	85 500 $
Moins : impôts[a]	21 375
Bénéfice après impôts	**64 125 $**

Société Bégin
Journal général
au 31 décembre 20X7

Produits	567 345	
Charges[b]		503 220
Sommaire des résultats		**64 125**
Sommaire des résultats	64 125	
Bénéfices non répartis		**64 125**
Bénéfices non répartis	**65 400**	
Dividendes déclarés		65 400

Société Bégin
État des bénéfices non répartis
pour l'exercice terminé le 31 décembre 20X7

Bénéfices non répartis au 1er janvier 20X7	377 560 $
Plus : bénéfice net de l'exercice	**64 125**
Solde disponible au 31 décembre 20X7	441 685 $
Moins : dividendes déclarés au cours de l'exercice	**65 400**
Bénéfices non répartis au 31 décembre 20X7	376 285 $

a. 85 500 $ × 25 % = 21 375 $.
b. 481 845 $ + 21 375 $ = 503 220 $.

Fin de la démonstration 7.14

Le bénéfice apparaît d'abord dans l'état des résultats, puis passe dans le compte sommaire des résultats pour être finalement présenté dans l'état des bénéfices non répartis. Soulignons que les écritures de fermeture permettent la mise à jour du compte bénéfices non répartis dans le grand livre général puisqu'on y affecte tous les éléments inclus dans l'état des bénéfices non répartis, c'est-à-dire le bénéfice après impôts de l'exercice et les dividendes déclarés.

Section 7.11

La comptabilisation du dividende

Nous avons vu comment répartir le dividende déclaré entre les différentes catégories d'actions. Voyons maintenant la façon de le comptabiliser et de le présenter aux états financiers.

Démonstration 7.15

L'ordre de versement d'un dividende

Voici l'état des capitaux propres au 31 décembre 20X7 de la société Pearson.

Société Pearson
État des capitaux propres
au 31 décembre 20X7

CAPITAL-ACTIONS

Autorisé

Nombre illimité d'actions ordinaires, à valeur nominale de 7 $.

3 000 actions privilégiées de catégorie A, à valeur nominale de 10 $, sans droit de vote, sans droit de participation, à dividende cumulatif de 10 %.

Nombre illimité d'actions privilégiées de catégorie B, sans valeur nominale, sans droit de vote, sans droit de participation, à dividende prioritaire non cumulatif de 2 $.

Nombre illimité d'actions privilégiées de catégorie C, à valeur nominale de 5 $, sans droit de vote, avec droit de participation, à dividende non cumulatif de 8 %.

Émis et payé		
5 300 actions ordinaires	37 100 $	
1 500 actions privilégiées de catégorie A	15 000	
7 750 actions privilégiées de catégorie B	116 250	
4 000 actions privilégiées de catégorie C	20 000	188 350 $
SURPLUS D'APPORT		
Prime d'émission d'actions ordinaires	5 300 $	
Prime d'émission d'actions privilégiées de catégorie A	3 000	
Prime d'émission d'actions privilégiées de catégorie C	12 000	20 300
BÉNÉFICES NON RÉPARTIS		325 750
Total des capitaux propres		**534 400 $**

Travail à faire

Advenant la déclaration d'un dividende, déterminez l'ordre de versement.

1. Dividende arriéré, s'il y a lieu.
2. Dividende courant sur les actions privilégiées dans l'ordre suivant :
   a) de catégorie B (dividende prioritaire) ;
   b) de catégorie A (dividende cumulatif) ;
   c) de catégorie C (pleinement participatives).

3. Dividende sur les actions ordinaires (selon un taux de rendement égal à celui obtenu avec les actions privilégiées de catégorie C).
4. Répartition du bénéfice net résiduel au prorata des actions détenues par:
   a) les actionnaires ordinaires;
   b) les actionnaires privilégiés de catégorie C.

Fin de la démonstration 7.15

Démonstration 7.16

La comptabilisation d'un dividende sans arriéré

Le 15 novembre 20X7, le conseil d'administration de la société Pearson déclare un dividende global de 25 000 $ à verser le 15 janvier 20X8 aux actionnaires inscrits le 15 décembre 20X7. En 20X6, il y a eu déclaration de dividende.

Travail à faire

a) À l'aide de l'état des capitaux propres de la démonstration précédente, répartissez le dividende global.

Remarque: Arrondissez les montants au dollar près.

b) Passez au journal général les écritures relatives au versement du dividende.

a)

Catégorie d'actions	Nombre d'actions en circulation	Valeur nominale ($)	Taux de dividende (pourcentage de la valeur nominale)	Dividende par action ($)	Dividende total ($)	Solde ($)
						25 000
Dividende arriéré[a]	s/o	s/o	s/o	s/o	0	25 000
Dividende courant						
Privilégiées						
Catégorie B	7 750	s/o	s/o	2,00	15 500	9 500
Catégorie A	1 500	10	10	1,00	1 500	8 000
Catégorie C	4 000	5	8	0,40	1 600	6 400
Ordinaires[b]	5 300	7	8	0,56	2 968	3 432
Dividende résiduel[c]						
Privilégiées						
Catégorie C (4 000/9 300 × 3 432 $)					1 476	1 956
Ordinaires (5 300/9 300 × 3 432 $)					1 956	0

a. Puisqu'il y a eu déclaration de dividende en 20X6, il n'y a pas de dividende arriéré en 20X7.

b. Les actions privilégiées de catégorie C étant participatives, on doit d'abord assurer aux détenteurs d'actions ordinaires un rendement égal à celui des actions participatives. Comme ces dernières ont reçu un dividende de 8 % de leur valeur nominale, il faut procurer le même rendement aux actionnaires ordinaires.

c. La répartition du dividende résiduel doit se faire au prorata des actions en circulation dans chaque catégorie à droit de participation. Il y a 5 300 actions ordinaires et 4 000 actions privilégiées de catégorie C en circulation, ce qui explique les prorata inscrits.

b) **Journal général**

Date	Nom des comptes et explications	Réf.	Débit	Crédit
20X7				
11-15	Dividende – actions ordinaires		4 924, 00	
	Dividende – actions privilégiées de catégorie A		1 500,00	
	Dividende – actions privilégiées de catégorie B		15 500,00	
	Dividende – actions privilégiées de catégorie C		3 076,00	
	Dividende à payer			25 000,00
	(Déclaration de dividende)			
12-31	Bénéfices non répartis		25 000,00	
	Dividende – actions ordinaires			4 924, 00
	Dividende – actions privilégiées de catégorie A			1 500,00
	Dividende – actions privilégiées de catégorie B			15 500,00
	Dividende – actions privilégiées de catégorie C			3 076,00
	(Pour fermer les comptes de dividende)			
20X8				
01-15	Dividende à payer		25 000,00	
	Banque			25 000,00
	(Versement de dividende)			

Aucune écriture n'est nécessaire à la date d'inscription, soit le 15 décembre 20X7. La société doit simplement fermer le registre des actionnaires et dresser la liste des ayants droit au dividende.

Si la fin de l'exercice de la société Pearson est le 31 décembre, le bilan doit présenter le dividende à payer, étant donné que les sommes ne sont pas encore déboursées. Par ailleurs, le dividende déclaré doit apparaître dans l'état des bénéfices non répartis : le montant de 25 000 $ n'est plus disponible, puisqu'il est en quelque sorte affecté au versement du dividende. La somme étant déjà répartie, on ne peut l'inclure dans les bénéfices non répartis !

Fin de la démonstration 7.16

Démonstration 7.17

La comptabilisation d'un dividende avec arriéré

Cette démonstration renvoie aux données de la démonstration 7.16. Cette fois-ci, supposons qu'aucun dividende n'ait été déclaré en 20X6.

a) Répartissez à nouveau le dividende global.

Remarque : Arrondissez les montants au dollar près.

b) Passez au journal général les écritures relatives au versement du dividende.

a)

Catégorie d'actions	Nombre d'actions en circulation	Valeur nominale ($)	Taux de dividende (pourcentage de la valeur nominale)	Dividende par action ($)	Dividende total ($)	Solde ($)
						25 000
Dividende arriéré[a]						
Catégorie A	1 500	10	10	1,00	1 500	23 500
Dividende courant						
Privilégiées						
Catégorie B	7 750	s/o	s/o	2,00	15 500	8 000
Catégorie A	1 500	10	10	1,00	1 500	6 500
Catégorie C	4 000	5	8	0,40	1 600	4 900
Ordinaires[b]	5 300	7	8	0,56	2 968	1 932
Dividende résiduel[c]						
Privilégiées						
Catégorie C (4 000/9 300 × 1 932 $)					831	1 101
Ordinaires (5 300/9 300 × 1 932 $)					1 101	0

a. En 20X6, aucun dividende n'a été déclaré en faveur des détenteurs d'actions privilégiées de catégorie A. Toutefois, leur dividende étant cumulatif, la société doit respecter le privilège accordé à ces actionnaires avant de déclarer tout dividende en faveur des autres actionnaires. Le taux est de 10 % de la valeur nominale, soit un dividende global de 1 500 $.

b. Les actions privilégiées de catégorie C étant participatives, on doit d'abord assurer aux détenteurs d'actions ordinaires un rendement égal à celui des actions participatives. Comme ces dernières ont reçu un dividende de 8 % de leur valeur nominale, il faut procurer le même rendement aux actionnaires ordinaires.

c. La répartition du dividende résiduel doit se faire au prorata des actions en circulation dans chaque catégorie à droit de participation. Il y a 5 300 actions ordinaires et 4 000 actions privilégiées de catégorie C en circulation, ce qui explique les prorata inscrits. Soulignons que le bénéfice net résiduel est de 1 932 $ au lieu de 3 432 $ (voir la démonstration 7.16), puisqu'il a d'abord fallu verser le dividende cumulatif sur les actions privilégiées de catégorie A.

b) **Journal général**

Date	Nom des comptes et explications	Réf.	Débit	Crédit
20X7				
11-15	Dividende – actions ordinaires		4 069, 00	
	Dividende – actions privilégiées de catégorie A		3 000,00	
	Dividende – actions privilégiées de catégorie B		15 500,00	
	Dividende – actions privilégiées de catégorie C		2 431,00	
	Dividende à payer			25 000,00
	(Déclaration de dividende)			
12-31	Bénéfices non répartis		25 000,00	
	Dividende – actions ordinaires			4 069, 00
	Dividende – actions privilégiées de catégorie A			3 000,00
	Dividende – actions privilégiées de catégorie B			15 500,00
	Dividende – actions privilégiées de catégorie C			2 431,00
	(Pour fermer les comptes de dividende)			

►

Journal général

Date	Nom des comptes et explications	Réf.	Débit	Crédit
20X8				
01-15	Dividende à payer		25 000,00	
	Banque			25 000,00
	(Versement de dividende)			

Aucune écriture n'est nécessaire à la date d'inscription, soit le 15 décembre 20X7. La société doit simplement fermer le registre des actionnaires et dresser la liste des ayants droit au dividende.

Si la fin de l'exercice de la société Pearson est le 31 décembre, le bilan doit présenter le dividende à payer, étant donné que les sommes ne sont pas encore déboursées. Par ailleurs, le dividende déclaré doit apparaître dans l'état des bénéfices non répartis : il n'est plus disponible, puisqu'il est en quelque sorte affecté au versement.

La somme est déjà répartie, c'est pourquoi on ne peut l'inclure dans les bénéfices non répartis !

Fin de la démonstration 7.17

Problèmes suggérés : 7.5 et 7.6.

7.11.1 La présentation du dividende dans les états financiers

L'état des résultats

Démonstration 7.18

La rédaction de l'état des résultats

Au cours de l'exercice terminé le 31 décembre 20X7, la société Pearson a réalisé un bénéfice avant impôts de 94 000 $ sur des ventes de 500 000 $. Au 1er janvier 20X7, le solde des bénéfices non répartis totalisait 325 750 $. Le taux d'imposition de l'entreprise est de 25 %.

Travail à faire

Rédigez l'état des résultats de la société pour l'exercice terminé le 31 décembre 20X7.

Société Pearson **État des résultats** pour l'exercice terminé le 31 décembre 20X7	
Produits	500 000 $
Moins : charges	406 000
Bénéfice avant impôts	94 000 $
Moins : impôts[a]	23 500
Bénéfice après impôts	70 500 $

a. 94 000 $ × 25 % = 23 500 $.

Fin de la démonstration 7.18

L'état des bénéfices non répartis

Après les écritures de fermeture, si le compte bénéfices non répartis dans le grand livre général est correctement évalué, il doit correspondre au montant des bénéfices accumulés au fil des ans et non distribués aux actionnaires. Ce solde diffère toutefois de celui du début de l'exercice. C'est l'état des bénéfices non répartis qui explique en détail cette différence.

Démonstration 7.19

La rédaction de l'état des bénéfices non répartis

Cette démonstration renvoie aux données des démonstrations 7.16 et 7.18.

Travail à faire

Rédigez l'état des bénéfices non répartis de la société Pearson pour l'exercice terminé le 31 décembre 20X7.

Société Pearson **État des bénéfices non répartis** pour l'exercice terminé le 31 décembre 20X7			
Bénéfices non répartis au 1er janvier 20X7			325 750 $
Plus : bénéfice net de l'exercice		70 500 $	
Moins : dividendes déclarés sur les actions			
■ privilégiées de catégorie A	1 500 $		
■ privilégiées de catégorie B	15 500		
■ privilégiées de catégorie C	3 076		
■ ordinaires	4 924	25 000	
Excédent des bénéfices sur les dividendes			45 500
Bénéfices non répartis au 31 décembre 20X7			**371 250 $**

Fin de la démonstration 7.19

Mise en situation 7.4

La rédaction de l'état des bénéfices non répartis

Cette mise en situation renvoie aux données des démonstrations 7.17 et 7.18.

Travail à faire

a) Rédigez l'état des bénéfices non répartis de la société Pearson pour l'exercice terminé le 31 décembre 20X7.

b) Expliquez pourquoi le solde des bénéfices non répartis au 31 décembre 20X7 est le même que celui de la démonstration 7.19.

a)

Société Pearson **État des bénéfices non répartis** pour l'exercice terminé le 31 décembre 20X7			
Bénéfices non répartis au 1er janvier 20X7			$
Plus : bénéfice net de l'exercice		$	
Moins : dividendes déclarés sur les actions			
■ privilégiées de catégorie A	$		
■ privilégiées de catégorie B			
■ privilégiées de catégorie C			
■ ordinaires			
Excédent des bénéfices sur les dividendes			
Bénéfices non répartis au 31 décembre 20X7			$

b)

Fin de la mise en situation 7.4

L'état des capitaux propres

Les bénéfices non répartis à la fin sont intégrés dans l'état des capitaux propres, où ils sont ajoutés au capital-actions et au surplus d'apport.

Démonstration 7.20

La rédaction de l'état des capitaux propres

Cette démonstration renvoie aux données des démonstrations 7.16, 7.18 et 7.19.

Travail à faire

Rédigez l'état des capitaux propres au 31 décembre 20X7 de la société Pearson.

Société Pearson
État des capitaux propres
au 31 décembre 20X7

CAPITAL-ACTIONS		
Autorisé		
Nombre illimité d'actions ordinaires, à valeur nominale de 7 $.		
3 000 actions privilégiées de catégorie A, à valeur nominale de 10 $, sans droit de vote, sans droit de participation, à dividende cumulatif de 10 %.		
Nombre illimité d'actions privilégiées de catégorie B, sans valeur nominale, sans droit de vote, sans droit de participation, à dividende prioritaire non cumulatif de 2 $.		
Nombre illimité d'actions privilégiées de catégorie C, à valeur nominale de 5 $, sans droit de vote, avec droit de participation, à dividende non cumulatif de 8 %.		
Émis et payé		
5 300 actions ordinaires	37 100 $	
1 500 actions privilégiées de catégorie A	15 000	
7 750 actions privilégiées de catégorie B	116 250	
4 000 actions privilégiées de catégorie C	20 000	188 350 $
SURPLUS D'APPORT		
Prime d'émission d'actions ordinaires	5 300 $	
Prime d'émission d'actions privilégiées de catégorie A	3 000	
Prime d'émission d'actions privilégiées de catégorie C	12 000	20 300
BÉNÉFICES NON RÉPARTIS		371 250
Total des capitaux propres		**579 900 $**

Fin de la démonstration 7.20

On devine aisément que l'état des capitaux propres de la société Pearson resterait inchangé, peu importe qu'il y ait dividende arriéré ou non. En effet, la répartition d'un dividende n'influe pas sur cet état financier.

Mise en situation 7.5

Le calcul du bénéfice après impôts, la répartition du dividende, la comptabilisation de la déclaration de dividende et la rédaction des états financiers

Au cours de l'exercice terminé le 31 décembre 20X7, les produits totaux de la société Falco ont atteint un niveau record de 985 645 $, pour un bénéfice avant impôts de 139 660 $. Le taux d'imposition des bénéfices de la société est de 25 %.

La société a fait sa dernière déclaration de dividende le 3 mars 20X5. Le 21 août 20X7, elle déclare un dividende global de 25 000 $, payable le 30 novembre aux actionnaires inscrits le 31 août.

Voici l'état des capitaux propres de la société au 31 décembre 20X6.

Société Falco
État des capitaux propres
au 31 décembre 20X6

CAPITAL-ACTIONS

Autorisé

Nombre illimité d'actions ordinaires, à valeur nominale de 9 $.

5 000 actions privilégiées de catégorie A, à valeur nominale de 12 $, sans droit de vote, avec droit de participation, à dividende non cumulatif de 5 %.

Nombre illimité d'actions privilégiées de catégorie B, sans valeur nominale, sans droit de vote, sans droit de participation, à dividende prioritaire non cumulatif de 0,50 $.

Nombre illimité d'actions privilégiées de catégorie C, à valeur nominale de 10 $, sans droit de vote, sans droit de participation, à dividende cumulatif de 6 %.

Émis et payé		
7 800 actions ordinaires	70 200 $	
3 420 actions privilégiées de catégorie A	41 040	
10 750 actions privilégiées de catégorie B	53 750	
4 000 actions privilégiées de catégorie C	40 000	204 990 $
SURPLUS D'APPORT		
Prime d'émission d'actions ordinaires	39 000 $	
Prime d'émission d'actions privilégiées de catégorie A	20 520	
Prime d'émission d'actions privilégiées de catégorie C	20 000	79 520
BÉNÉFICES NON RÉPARTIS		521 900
Total des capitaux propres		**806 410 $**

Travail à faire

a) Déterminez la charge d'impôts ainsi que le bénéfice après impôts de l'exercice terminé le 31 décembre 20X7 et comptabilisez au journal général la charge d'impôts.

b) À l'aide de l'état des capitaux propres de l'exercice terminé le 31 décembre 20X6, répartissez le dividende global déclaré le 21 juin 20X7. Enregistrez au journal général la déclaration et le versement du dividende.

c) Passez au journal général les écritures de fermeture en date du 31 décembre 20X7.

d) Dressez l'état des bénéfices non répartis pour l'exercice terminé le 31 décembre 20X7.

e) Complétez l'état des capitaux propres au 31 décembre 20X7.

Remarque : Présentez vos calculs et arrondissez les montants au dollar près.

a) Charge d'impôts =

=

=

Bénéfice après impôts =

=

=

Journal général

Date	Nom des comptes et explications	Réf.	Débit	Crédit
20X7				

b)

Dividende selon la catégorie d'actions	Dividende versé	Dividende disponible

Journal général

Date	Nom des comptes et explications	Réf.	Débit	Crédit
20X7				

c) **Journal général**

Date	Nom des comptes et explications	Réf.	Débit	Crédit
20X7				

d)

Société Falco
État des bénéfices non répartis
pour l'exercice terminé le 31 décembre 20X7

Bénéfices non répartis au 1er janvier 20X7			$
Plus : bénéfice net de l'exercice		$	
Moins : dividendes déclarés sur les actions			
■ ordinaires	$		
■ privilégiées de catégorie A			
■ privilégiées de catégorie B			
■ privilégiées de catégorie C			
Excédent des bénéfices sur les dividendes			
Bénéfices non répartis au 31 décembre 20X7			$

e)

Société Falco
État des capitaux propres
au 31 décembre 20X6

CAPITAL-ACTIONS

Autorisé

Nombre illimité d'actions ordinaires, à valeur nominale de 9 $.

5 000 actions privilégiées de catégorie A, à valeur nominale de 12 $, sans droit de vote, avec droit de participation, à dividende non cumulatif de 5 %.

Nombre illimité d'actions privilégiées de catégorie B, sans valeur nominale, sans droit de vote, sans droit de participation, à dividende prioritaire non cumulatif de 0,50 $.

Nombre illimité d'actions privilégiées de catégorie C, à valeur nominale de 10 $, sans droit de vote, sans droit de participation, à dividende cumulatif de 6 %.

Émis et payé		
7 800 actions ordinaires	70 200 $	
3 420 actions privilégiées de catégorie A	41 040	
10 750 actions privilégiées de catégorie B	53 750	
4 000 actions privilégiées de catégorie C	40 000	204 990 $
SURPLUS D'APPORT		
Prime d'émission d'actions ordinaires	39 000 $	
Prime d'émission d'actions privilégiées de catégorie A	20 520	
Prime d'émission d'actions privilégiées de catégorie C	20 000	79 520
BÉNÉFICES NON RÉPARTIS		
Total des capitaux propres		$

Fin de la mise en situation 7.5

Problèmes suggérés : 7.7 et 7.8.

Section 7.12

La valeur comptable des actions

VALEUR COMPTABLE D'UNE ACTION
Valeur mathématique comptable d'une action, qui équivaut à sa valeur nominale si elle en a une. Si l'action est sans valeur nominale, on obtient sa valeur comptable en divisant le prix d'émission par le nombre d'actions émis et payé de la catégorie. Pour les actions ordinaires, on utilise une autre formule mathématique.

La **valeur comptable des actions** est utile en ce qu'elle permet de déterminer la portion des capitaux propres appartenant à chaque catégorie d'actionnaires. Aussi, les investisseurs peuvent comparer la valeur comptable des actions avec leur valeur de marché. On calcule la valeur comptable des actions de la façon suivante.

- Si les actions privilégiées ont une valeur nominale, leur valeur comptable équivaut à leur valeur nominale.
- Si les actions privilégiées sont sans valeur nominale, leur valeur comptable se calcule de la façon suivante :

$$\frac{\text{Prix d'émission}}{\text{nombre d'actions émis et payé de la catégorie}}$$

- Pour les actions ordinaires, la formule est la suivante :

$$\frac{\text{Capitaux propres} - (\text{capital-actions des autres catégories} + \text{dividende arriéré})}{\text{nombre d'actions ordinaires émis et payé}}$$

Comment effectue-t-on ce calcul s'il existe un dividende arriéré ?

S'il existe un dividende arriéré, il faut l'ajouter à la valeur nominale, ou au prix d'émission lorsque les actions sont sans valeur nominale.

Démonstration 7.21

Le calcul de la valeur comptable des actions

Cette démonstration renvoie aux données de la démonstration 7.20.

Travail à faire

Pour chaque catégorie d'actions, calculez la valeur comptable des actions en supposant qu'il n'y ait pas de dividende arriéré.

a) Actions privilégiées de catégorie A
Valeur comptable = valeur nominale = 10 $

b) Actions privilégiées de catégorie B

$$\frac{\text{Prix d'émission}}{\text{nombre d'actions privilégiées de catégorie B émis et payé}} = \frac{116\,250\ \$}{7\,750\ \text{actions}} = 15\ \$$$

c) Actions privilégiées de catégorie C
Valeur comptable = valeur nominale = 5 $

d) Actions ordinaires

$$\frac{\text{Capitaux propres} - (\text{capital-actions des autres catégories} + \text{dividende arriéré})}{\text{nombre d'actions ordinaires émis et payé}}$$

$$\frac{579\,900\ \$ - ((15\,000\ \$ + 116\,250\ \$ + 20\,000\ \$) + 0\ \$)}{5\,300\ \text{actions}} = 80{,}88\ \$$$

Dans le calcul de la valeur comptable des actions ordinaires, on inclut donc le surplus d'apport et les bénéfices non répartis.

Fin de la démonstration 7.21

Mise en situation 7.6

Le calcul de la valeur comptable des actions

Cette mise en situation renvoie aux données de la mise en situation 7.5.

Travail à faire

Pour chaque catégorie d'actions, calculez la valeur comptable des actions en supposant qu'il n'y ait pas de dividende arriéré.

a) Actions privilégiées de catégorie A

b) Actions privilégiées de catégorie B

c) Actions privilégiées de catégorie C

d) Actions ordinaires

Fin de la mise en situation 7.6

Section 7.13 La conversion des actions privilégiées en actions ordinaires

Nous avons mentionné plus haut que certaines actions privilégiées comportent le privilège de conversion. Ainsi, leurs détenteurs peuvent décider de les convertir en actions ordinaires selon le ratio prévu dans les statuts de la société. La comptabilisation de la conversion d'actions diffère selon que les actions privilégiées comportent ou non une valeur nominale.

7.13.1 Les actions privilégiées sans valeur nominale

Démonstration 7.22

La conversion d'actions privilégiées sans valeur nominale

Rappelons que la société Yamaska a émis 7 750 actions privilégiées de catégorie B, au prix unitaire de 20 $, sans valeur nominale et convertibles en 3 actions ordinaires. Le 20 décembre 20X7, toutes ces actions doivent être converties en actions ordinaires à la demande des détenteurs.

Travail à faire

Comptabilisez au journal général cette conversion.

Journal général

Date	Nom des comptes et explications	Réf.	Débit	Crédit
20X7				
12-20	Capital-actions privilégiées de catégorie B		155 000,00	
	Capital-actions ordinaires			155 000,00
	(Conversion de 7 750 actions privilégiées de catégorie B			
	en 23 250 actions ordinaires)			

Fin de la démonstration 7.22

Qu'advient-il du total du capital-actions de l'entreprise ?

Le total du capital-actions ne change pas. Il n'y en a qu'une partie qui passe d'une catégorie à l'autre.

Il faut revoir le nombre d'actions émises et le total du capital-actions par catégorie. Ainsi, selon le ratio de conversion 3 actions ordinaires pour 1 action privilégiée, les 7 750 actions privilégiées de catégorie B se sont transformées en 23 250 actions ordinaires supplémentaires. Comme on vire 155 000 $ au compte actions ordinaires, le prix unitaire de celles-ci s'établit à 6,67 $ (155 000 $/23 250).

Démonstration 7.23

La mise à jour de l'état des capitaux propres à la suite d'une conversion d'actions

Travail à faire

Rédigez l'état des capitaux propres partiel de la société Yamaska au 20 décembre 20X7.

Société Yamaska
État des capitaux propres partiel
au 20 décembre 20X7

CAPITAL-ACTIONS

Autorisé

Nombre illimité d'actions ordinaires, à valeur nominale de 7 $.

3 000 actions privilégiées de catégorie A, à valeur nominale de 10 $, sans droit de vote, sans droit de participation, à dividende cumulatif de 10 %, rachetables en tout temps au gré de la société au prix unitaire de 12 $.

Nombre illimité d'actions privilégiées de catégorie B, sans valeur nominale, sans droit de vote, sans droit de participation, à dividende prioritaire non cumulatif de 2 $, convertibles en 3 actions ordinaires.

Nombre illimité d'actions privilégiées de catégorie C, à valeur nominale de 5 $, sans droit de vote, avec droit de participation, à dividende non cumulatif de 8 %.

Émis et payé		
28 550 actions ordinaires	192 100 $	
1 500 actions privilégiées de catégorie A	15 000	
4 000 actions privilégiées de catégorie C	20 000	227 100 $
SURPLUS D'APPORT		
Prime d'émission d'actions ordinaires	15 900 $	
Prime d'émission d'actions privilégiées de catégorie A	7 500	
Prime d'émission d'actions privilégiées de catégorie C	16 000	39 400
Total des capitaux propres		**266 500 $**

Fin de la démonstration 7.23

La conversion d'actions n'influe donc pas sur la structure financière d'une société : elle n'augmente pas le capital-actions total et elle ne modifie pas le ratio des capitaux externes (passif) sur les capitaux internes (capitaux propres). L'écriture sert simplement à donner l'information la plus juste et la plus fidèle à la réalité.

VALEUR ATTRIBUÉE
Valeur nominale des actions et, dans le cas des actions sans valeur nominale, coût moyen unitaire des actions d'une même catégorie.

Si la société Yamaska n'avait converti qu'une partie des actions de catégorie B, il aurait fallu utiliser la **valeur attribuée** des actions afin d'effectuer le virement, c'est-à-dire le **coût moyen unitaire** des actions d'une même catégorie.

Mise en situation 7.7

La conversion d'actions privilégiées sans valeur nominale

L'état des capitaux propres au 14 avril 20X7 de la société Jako ne présente que 32 500 actions ordinaires sans valeur nominale pour une valeur totale de 325 000 $.

Le 15 avril 20X7, la société émet au comptant 2 500 actions privilégiées de catégorie B au prix unitaire de 22 $. Ces actions sont sans valeur nominale et comportent un privilège de conversion selon le ratio 1 action privilégiée pour 2 actions ordinaires.

Le 29 septembre 20X7, toutes les actions privilégiées de catégorie B sont converties selon ce ratio.

Travail à faire

a) Comptabilisez au journal général l'émission et la conversion des actions de catégorie B.

b) Déterminez le nombre d'actions ordinaires en circulation après la conversion, leur valeur totale et leur valeur attribuée (coût moyen unitaire).

a) **Journal général**

Date	Nom des comptes et explications	Réf.	Débit	Crédit
20X7				

b)

Fin de la mise en situation 7.7

7.13.2 Les actions privilégiées avec valeur nominale

Démonstration 7.24

La conversion d'actions privilégiées avec valeur nominale

En 20X7, la société Yamaska modifie ses statuts de façon à pouvoir émettre 3 500 actions privilégiées de catégorie D, à valeur nominale de 20 $, sans droit de vote, sans droit de participation, à dividende non cumulatif de 6 % et convertibles au gré du détenteur en 4 actions ordinaires. La société ajoute cette nouvelle catégorie d'actions dans la description du capital-actions autorisé de son état des capitaux propres.

La première émission de cette nouvelle catégorie d'actions a eu lieu le 10 décembre 20X7 : 1 750 actions au prix unitaire de 23 $. Le 22 décembre, un autre lot de 1 000 actions est émis au prix unitaire de 21 $. La société modifie en conséquence les sections capital-actions émis et surplus d'apport de son état des capitaux propres.

Le 17 mars 20X8, toutes les actions privilégiées de catégorie D sont converties en actions ordinaires.

Travail à faire

a) Comptabilisez au journal général la première émission d'actions.
b) Comptabilisez au journal général la seconde émission d'actions.
c) Déterminez le nombre d'actions privilégiées de catégorie D en circulation, la valeur totale du capital généré, le surplus d'apport et le coût moyen unitaire de ces actions.
d) Comptabilisez au journal général la conversion des actions et déterminez-en l'effet sur l'état des capitaux propres de la société.

a) **Journal général**

Date	Nom des comptes et explications	Réf.	Débit	Crédit
20X7				
12-10	Banque		40 250,00	
	Capital-actions privilégiées de catégorie D			35 000,00
	Prime d'émission d'actions privilégiées de catégorie D			5 250,00
	(Émission d'actions : 1 750 actions × 20 $)			

On remarque que la valeur nominale des actions, soit 35 000 $ (20 $ × 1 750), est portée au compte de capital-actions. La différence, qui s'élève à 5 250 $ ((23 $ – 20 $) × 1 750), est créditée au compte de surplus d'apport prime d'émission d'actions privilégiées de catégorie D.

b) **Journal général**

Date	Nom des comptes et explications	Réf.	Débit	Crédit
20X7				
12-22	Banque		21 000,00	
	Capital-actions privilégiées de catégorie D			20 000,00
	Prime d'émission d'actions privilégiées de catégorie D			1 000,00
	(Émission d'actions : 1 000 actions × 20 $)			

c)

Nombre d'actions privilégiées de catégorie D en circulation

1 750 actions + 1 000 actions = 2 750 actions

Valeur totale du capital

2 750 × 20 $ = 55 000 $

Surplus d'apport

(3 $ × 1 750) + (1 $ × 1 000) = 6 250 $

Coût moyen unitaire

(55 000 $ + 6 250 $)/2 750 = 22,27 $

Ce coût moyen unitaire de 22,27 $ comprend la valeur nominale de 20 $ provenant du capital-actions et une prime moyenne de 2,27 $ provenant du surplus d'apport (6 250 $/2 750).

d) **Journal général**

Date	Nom des comptes et explications	Réf.	Débit	Crédit
20X8				
03-17	Capital-actions privilégiées de catégorie D		55 000,00	
	Prime d'émission d'actions privilégiées de catégorie D		6 250,00	
	Capital-actions ordinaires			61 250,00
	(Conversion de 2 750 actions privilégiées de catégorie D			
	en 11 000 actions ordinaires)			

Le capital-actions et la prime d'émission des actions privilégiées de catégorie D ont été virés au capital-actions ordinaires. Il n'y a donc ni rentrée de fonds, ni gain, ni perte. Il s'agit d'un simple déplacement d'une catégorie à une autre. Il faut supprimer de l'état des capitaux propres les comptes relatifs au capital-actions privilégiées de catégorie D dans les sections capital-actions et surplus d'apport. De plus, le capital-actions ordinaires augmente de 61 250 $, alors que le nombre d'actions ordinaires en circulation augmente de 11 000 actions (selon le ratio 1/4).

Fin de la démonstration 7.24

Mise en situation 7.8

La conversion d'actions privilégiées avec valeur nominale

Cette mise en situation renvoie aux données de la mise en situation 7.7. Le 16 juin 20X7, la société Jako émet au comptant 2 000 actions privilégiées de catégorie C au prix unitaire de 13 $ et le 30 août suivant, elle en émet 1 500 au prix unitaire de 11 $. Toutes ces actions ont une valeur nominale de 8 $ et sont convertibles selon le ratio 1 action privilégiée pour 3 actions ordinaires.

Le 28 septembre 20X7, toutes ces actions sont converties.

Travail à faire

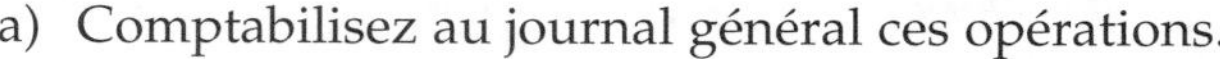

a) Comptabilisez au journal général ces opérations.

b) Déterminez le coût moyen unitaire des actions ordinaires au 30 septembre 20X7 en calculant d'abord le nombre et la valeur des actions ordinaires en circulation après la conversion.

a) **Journal général**

Date	Nom des comptes et explications	Réf.	Débit	Crédit
20X7				

b)

Fin de la mise en situation 7.8

Section 7.14 Le dividende en actions et le fractionnement d'actions

Le dividende en actions et le fractionnement d'actions constituent deux opérations de nature différente. Cependant, elles peuvent toutes deux être d'une grande complexité. Aussi n'en présenterons-nous que le traitement comptable de base.

La déclaration d'un dividende en actions s'effectue de la même façon que celle d'un dividende en argent. Les trois mêmes dates sont à retenir : la date de déclaration, la date d'inscription (ou de clôture des registres) et la date de versement.

Le fractionnement d'actions, quant à lui, entraîne des modifications dans l'état des capitaux propres, pour ce qui est du nombre d'actions en circulation. Le fractionnement d'actions peut faire suite à une décision du conseil d'administration qui voudrait, pour diverses raisons, augmenter le nombre d'actions en circulation.

Démonstration 7.25

Le dividende en actions déclaré sur des actions sans valeur nominale

Le 12 avril 20X7, la société Gigo déclare un dividende en actions de 15 % sur les 5 000 actions privilégiées de catégorie A à verser le 10 septembre aux détenteurs inscrits le 30 juin. Ces actions n'ont pas de valeur nominale. Leur valeur de marché était de 14 $ à la date de déclaration, de 15 $ à la date de fermeture des registres et de 13 $ à la date de versement du dividende.

Travail à faire

Déterminez le montant total du dividende et passez au journal général les écritures requises.

Pour déterminer le montant total du dividende, il faut considérer sa valeur **à la date de déclaration**, au moment où le conseil d'administration décide de verser le dividende de 15 %, c'est-à-dire d'émettre 15 nouvelles actions pour chaque bloc de 100 actions déjà détenues, pour un total de 750 nouvelles actions. À cette date, les actions ont une valeur de marché unitaire de 14 $. Les 750 actions à émettre ont donc une valeur de marché totale de 10 500 $. Si la société avait voulu verser l'équivalent à ses actionnaires à l'aide d'un dividende en argent, celui-ci aurait dû totaliser 10 500 $.

La valeur d'un dividende en actions équivaut au nombre de nouvelles actions émises multiplié par leur valeur de marché à la date de déclaration !

Journal général

Date	Nom des comptes et explications	Réf.	Débit	Crédit
20X7				
04-12	Dividende en actions – actions privilégiées de catégorie A		10 500,00	
	Dividende en actions à distribuer[2] – actions privilégiées			
	de catégorie A			10 500,00
	(Déclaration du dividende en actions : 5 000 × 15 % × 14 $)			
09-10	Dividende en actions à distribuer – actions privilégiées			
	de catégorie A		10 500,00	
	Capital-actions privilégiées de catégorie A			10 500,00
	(Distribution du dividende en actions)			

À la date d'inscription, aucune écriture n'est nécessaire. Cependant, il faut fermer le registre des actionnaires et dresser la liste des ayants droit au dividende.

À la date de versement, l'engagement de la société est rempli, puisqu'elle émet de nouvelles actions. Ainsi, la section capital-actions de l'état des capitaux propres présente le virement du compte dividende en actions à distribuer – catégorie A au compte capital-actions privilégiées de catégorie A. La composition du capital est modifiée, mais le total ne varie pas.

Fin de la démonstration 7.25

Si les actions privilégiées de catégorie A avaient une valeur nominale de 10 $ chacune, l'écriture au journal général aurait été la suivante.

Journal général

Date	Nom des comptes et explications	Réf.	Débit	Crédit
20X7				
04-12	Dividende en actions – actions privilégiées de catégorie A		10 500,00	
	Dividende en actions à distribuer – actions privilégiées			
	de catégorie A			7 500,00
	Prime d'émission d'actions privilégiées de catégorie A			3 000,00
	(Déclaration du dividende en actions : 5 000 actions × 15 % × 14 $)			
09-10	Dividende en actions à distribuer – actions privilégiées			
	de catégorie A		7 500,00	
	Capital-actions privilégiées de catégorie A			7 500,00
	(Distribution du dividende en actions)			

À la date d'inscription, aucune écriture n'est nécessaire. Cependant, il faut fermer le registre des actionnaires et dresser la liste des ayants droit au dividende.

2. Le compte dividendes en actions à distribuer est un compte de capitaux propres.

Démonstration 7.26

Le fractionnement d'actions sans valeur nominale

Cette démonstration renvoie aux données de la démonstration 7.25. Cette fois-ci, supposons que la société Gigo désire fractionner ses actions privilégiées de catégorie A dans une proportion de 2 pour 1.

Travail à faire

Déterminez le nombre total d'actions générées par le fractionnement.

Nombre d'actions générées par le fractionnement	= 5 000 × 2 =	10 000
Moins : nombre d'actions avant le fractionnement	=	5 000
		5 000

Aucune écriture n'est requise. Cependant, il faut mettre à jour le capital-actions de cette catégorie émis et payé, afin de faire état de l'augmentation du nombre d'actions en circulation.

Fin de la démonstration 7.26

Si les actions privilégiées de catégorie A avaient une valeur nominale de 10 $ chacune avant le fractionnement, cette valeur nominale serait de 5 $ après le fractionnement.

Section 7.15 Les normes de présentation de l'information

Les normes comptables exigent la présentation complète de l'information dans les états financiers. Dans le cas des sociétés par actions, on doit faire état des composantes du capital d'apport à la date de fin d'exercice et des variations survenues pendant l'exercice dans le capital d'apport et dans les bénéfices non répartis. Voici les grandes règles à suivre.

Dans la section du capital d'apport, il faut séparer le capital-actions (valeur nominale totale) et le surplus d'apport (primes d'émission).

La section du capital-actions comprend trois subdivisions.

- Le **capital-actions autorisé** présente la description de chacune des catégories d'actions prévues aux statuts de la société : le nombre autorisé, la valeur nominale s'il y a lieu, le taux, la nature et le caractère cumulatif ou non du dividende ainsi que les privilèges (droits de conversion, de participation ou de rachat).
- Le **capital-actions émis** présente toutes les émissions survenues au cours de l'exercice : le nombre de nouvelles actions émises et le montant de la contrepartie reçu ou à recevoir. Il faut également préciser le nombre total d'actions en circulation par catégorie et le montant de la contrepartie reçu ou à recevoir. On doit présenter tout dividende arriéré dans une note afférente aux états financiers.
- Le **capital-actions souscrit** présente le total des actions souscrites dans chaque catégorie, leur valeur monétaire totale et les sommes à recevoir. Il faut se rappeler que la loi fédérale ne permet pas l'émission d'actions « à crédit », c'est-à-dire pour lesquelles la contrepartie n'est pas entièrement encaissée.

La section du surplus d'apport présente la composition (bien reçu à titre gratuit, prime d'émission par catégorie, etc.) de cette partie du capital d'apport et les variations survenues au cours de l'exercice. Soulignons que ce compte peut correspondre simplement au résultat d'opérations sur le capital.

Pour ne pas surcharger les états financiers, c'est souvent par voie de notes qu'on communique au lecteur le détail de ces renseignements.

Mise en situation 7.9

La comptabilisation des transactions relatives au capital-actions et la rédaction des états financiers

Cette mise en situation reprend les principaux éléments de contenu du chapitre.

Le 5 janvier 20X7, la société Camco est constituée. Voici l'état des capitaux propres partiel à la date de constitution.

Société Camco
État des capitaux propres partiel
au 5 janvier 20X7

CAPITAL-ACTIONS

Autorisé

Nombre illimité d'actions ordinaires, à valeur nominale de 15 $.

5 000 actions privilégiées de catégorie A, à valeur nominale de 20 $, sans droit de vote, sans droit de participation, à dividende cumulatif de 10 %.

Nombre illimité d'actions privilégiées de catégorie B, sans valeur nominale, sans droit de vote, sans droit de participation, à dividende de 1 $, convertibles en 0,5 action ordinaire.

10 000 actions privilégiées de catégorie C, à valeur nominale de 10 $, sans droit de vote, avec droit de participation, à dividende prioritaire de 7 %.

En 20X7, la société a effectué les opérations suivantes, relatives au capital-actions.

Date	Opération
20X7	
01-15	Émission au comptant de 5 000 actions ordinaires au prix unitaire de 17 $.
01-23	Signature d'un contrat de souscription pour 3 475 actions privilégiées de catégorie C au prix unitaire de 12,50 $. Le souscripteur paie 30 % de la contrepartie et paiera le solde le 31 mars.
02-09	Émission au comptant de 6 500 actions privilégiées de catégorie B au prix unitaire de 7,50 $ et de 2 600 actions privilégiées de catégorie C au prix unitaire de 14 $.
03-04	Émission au comptant de 1 125 actions privilégiées de catégorie A au prix unitaire de 25 $.
03-08	Émission de 240 actions privilégiées de catégorie A en contrepartie de services professionnels reçus d'Yves Lambert, consultant en génie industriel. Ce dernier a effectué un mandat de 60 heures au taux horaire moyen de 100 $. La société paie les taxes comptant.
03-24	Émission de 2 000 actions ordinaires au prix unitaire de 19 $ et de 1 500 actions privilégiées de catégorie B au prix unitaire de 7,75 $.

Date	Opération
03-31	Encaissement du solde du contrat de souscription.
05-21	Conversion de toutes les actions privilégiées de catégorie B. Les détenteurs de ces actions désirent profiter de leur privilège, puisqu'ils anticipent déjà d'excellents résultats pour le premier exercice financier de la société.
06-15	Signature d'un contrat de souscription pour 2 000 actions privilégiées de catégorie C au prix unitaire de 13 $. Le souscripteur paie 50 % de la contrepartie et paiera le solde le 30 novembre.
08-27	Déclaration d'un dividende en numéraire totalisant 35 000 $ à verser le 15 octobre aux actionnaires inscrits le 30 septembre.
10-15	Versement du dividende.
11-30	Encaissement du solde du contrat de souscription.

Renseignement complémentaire

En 20X7, la société Camco a réalisé des ventes totales de 1 450 000 $ pour un bénéfice avant impôts de 185 739 $; le taux d'imposition de la société est de 23 %.

Travail à faire

a) Comptabilisez au journal général les opérations relatives au capital-actions.

b) Dressez le tableau de répartition du dividende en numéraire déclaré le 27 août 20X7.

c) Calculez et comptabilisez au journal général la charge d'impôts de l'exercice.

d) Passez au journal général les écritures de fermeture au 31 décembre 20X7.

e) Rédigez l'état des bénéfices non répartis pour l'exercice terminé le 31 décembre 20X7 et l'état des capitaux propres à cette date.

Remarque : Présentez vos calculs et arrondissez les montants au dollar près.

a) **Journal général**

Date	Nom des comptes et explications	Réf.	Débit	Crédit
20X7				

Journal général

Date	Nom des comptes et explications	Réf.	Débit	Crédit
20X7				

Journal général

Date	Nom des comptes et explications	Réf.	Débit	Crédit
20X7				

b)

Dividende selon la catégorie d'actions	Dividende versé	Dividende disponible

c) Charge d'impôts =
=
=

Journal général

Date	Nom des comptes et explications	Réf.	Débit	Crédit
20X7				

d) **Journal général**

Date	Nom des comptes et explications	Réf.	Débit	Crédit
20X7				

e)

Société Camco
État des bénéfices non répartis
pour l'exercice terminé le 31 décembre 20X7

Bénéfices non répartis au 1er janvier 20X7			$
Plus : bénéfice net de l'exercice		$	
Moins : dividendes déclarés sur les actions			
■ ordinaires	$		
■ privilégiées de catégorie A			
■ privilégiées de catégorie C		35 000	
Excédent des bénéfices sur les dividendes			
Bénéfices non répartis au 31 décembre 20X7			$

Société Camco
État des capitaux propres
au 31 décembre 20X7

CAPITAL-ACTIONS

Autorisé

Nombre illimité d'actions ordinaires, à valeur nominale de 15 $.

5 000 actions privilégiées de catégorie A, à valeur nominale de 20 $, sans droit de vote, sans droit de participation, à dividende cumulatif de 10 %.

Nombre illimité d'actions privilégiées de catégorie B, sans valeur nominale, sans droit de vote, sans droit de participation, à dividende de 1 $, convertibles en 0,5 action ordinaire.

10 000 actions privilégiées de catégorie C, à valeur nominale de 10 $, sans droit de vote, avec droit de participation, à dividende prioritaire de 7 %.

Émis et payé		
	$	
		$
SURPLUS D'APPORT		
	$	
BÉNÉFICES NON RÉPARTIS		
Total des capitaux propres		$

Fin de la mise en situation 7.9

Problèmes suggérés : 7.9 et 7.10.

Résumé

La société par actions est une entité juridique et fiscale distincte de ses propriétaires, les actionnaires. On distingue la société privée et la société publique, la société à but lucratif et l'organisme sans but lucratif, la société ouverte et la société fermée.

Les actionnaires possèdent des parts de la société, les actions, et leur responsabilité financière est limitée à cet investissement. Selon leur catégorie, les actions procurent à leurs détenteurs divers droits et privilèges qui sont définis dans les statuts de la société.

Aux actions ordinaires sont rattachés les droits fondamentaux des actionnaires, notamment le droit de vote aux assemblées et le droit de participation aux bénéfices, qui sont distribués sous forme de dividende, ainsi qu'aux actifs nets en cas de liquidation.

Les actions privilégiées sont plus complexes, pouvant comporter plusieurs catégories, donc des privilèges divers en matière de droits et de dividende. Ainsi, le dividende peut être cumulatif ou prioritaire. Le dividende arriéré sera versé avant tous les autres.

Une action peut avoir une valeur de marché, qui dépend de l'offre et de la demande, une valeur comptable, calculée en fonction des capitaux propres et du nombre d'actions en circulation, et une valeur nominale, qui est attribuée dans les statuts de la société.

La principale particularité des états financiers des sociétés par actions réside dans l'état des capitaux propres, qui comprend trois sections : le capital-actions (autorisé, émis et souscrit), le surplus d'apport et les bénéfices non répartis. Les capitaux propres varient selon les sommes investies par les actionnaires, le bénéfice ou la perte de l'exercice et les dividendes versés.

Les bénéfices non répartis correspondent au total des bénéfices non distribués aux actionnaires. Ils font souvent l'objet d'un état à part, l'état des bénéfices non répartis, qui sert à expliquer la différence entre les bénéfices non répartis au début et à la fin, c'est-à-dire l'excédent du bénéfice net sur les dividendes déclarés.

On peut émettre des actions au comptant, en contrepartie d'un bien ou par souscription, c'est-à-dire à crédit. Dans ce dernier cas, le capital-actions souscrit ne sera transféré dans le capital-actions émis que lorsque la souscription sera payée entièrement. Entre-temps, le solde apparaît dans l'actif à court terme, au compte souscription à recevoir.

À la déclaration du dividende, on débite les comptes de dividende pour créditer le compte dividendes à payer. À la fermeture des comptes de dividende, le montant est viré aux bénéfices non répartis.

Certaines actions privilégiées comportent le privilège de conversion en actions ordinaires selon un certain ratio. Cette opération ne modifie pas le total du capital-actions, mais en change seulement la répartition. Si les actions sont sans valeur nominale, on les comptabilise au coût moyen unitaire. Si elles ont une valeur nominale que le montant d'émission excède, la différence est portée au compte de surplus d'apport prime d'émission d'actions.

Enfin, le dividende peut être versé en actions, et les actions peuvent faire l'objet d'un fractionnement. Dans ces cas encore, la composition du capital est modifiée, mais le total ne change pas.

Problèmes

Problème 7.1 Les droits et les privilèges liés aux actions ainsi que la déclaration du dividende

Voici l'état des capitaux propres partiel au 31 juillet 20X7 de la société Bardin.

Société Bardin **État des capitaux propres partiel** au 31 juillet 20X7
CAPITAL-ACTIONS **Autorisé** Nombre illimité d'actions ordinaires, à valeur nominale de 5 $. 5 000 actions privilégiées de catégorie A, à valeur nominale de 12 $, sans droit de vote, sans droit de participation, à dividende cumulatif de 8 %. Nombre illimité d'actions privilégiées de catégorie B, sans valeur nominale, sans droit de vote, sans droit de participation, à dividende prioritaire non cumulatif de 1 $, convertibles en 2 actions ordinaires. Nombre illimité d'actions privilégiées de catégorie C, à valeur nominale de 15 $, sans droit de vote, avec droit de participation, à dividende non cumulatif de 10 %.

Pour la première fois depuis le 15 mai 20X5, la société Bardin déclare un dividende le 31 juillet 20X7, payable le 31 août aux actionnaires inscrits le 15 août. Voici le nombre d'actions en circulation à la date d'inscription :

- 25 000 actions ordinaires ;
- 3 000 actions privilégiées de catégorie A ;
- 15 000 actions privilégiées de catégorie B au prix unitaire de 20 $;
- 4 000 actions privilégiées de catégorie C.

Travail à faire

a) Déterminez l'ordre de distribution du dividende.

b) Déterminez le montant à déclarer en dividende pour que le dividende résiduel à partager totalise 4 500 $.

Remarque : Présentez vos calculs.

Problème 7.2 Les droits et les privilèges liés aux actions ainsi que la déclaration du dividende

La société Éko a été constituée le 27 mai 20X3. Elle a déclaré un dividende en 20X4 et en 20X5, mais, l'exercice 20X6 ayant été plus difficile, on a alors décidé de ne déclarer aucun dividende. Voici l'état des capitaux propres partiel de la société au 31 décembre 20X6.

Société Éko **État des capitaux propres partiel** au 31 décembre 20X6
CAPITAL-ACTIONS **Autorisé** Nombre illimité d'actions ordinaires, à valeur nominale de 10 $. 10 000 actions privilégiées de catégorie A, à valeur nominale de 15 $, sans droit de vote, sans droit de participation, à dividende cumulatif de 7,5 %. Nombre illimité d'actions privilégiées de catégorie B, sans valeur nominale, sans droit de vote, avec droit de participation, à dividende non cumulatif de 2 $, convertibles en 4 actions ordinaires. 7 500 actions privilégiées de catégorie C, à valeur nominale de 20 $, sans droit de vote, sans droit de participation, à dividende prioritaire non cumulatif de 10 %.

Le 1er septembre 20X7, la société Éko déclare un dividende payable le 1er octobre aux actionnaires inscrits le 15 septembre. Voici le nombre d'actions en circulation à la date d'inscription :

- 15 000 actions ordinaires ;
- 4 500 actions privilégiées de catégorie A ;
- 10 000 actions privilégiées de catégorie B émises au prix unitaire de 32 $;
- 3 000 actions privilégiées de catégorie C.

Travail à faire

a) Déterminez l'ordre de distribution du dividende.

b) Déterminez le montant à déclarer en dividende pour qu'il n'y ait aucun dividende résiduel.

Remarque : Présentez vos calculs.

Problème 7.3 La comptabilisation des transactions relatives au capital-actions et la rédaction des états financiers

Au cours de l'exercice terminé le 31 décembre 20X7, la société Xérès a réalisé un bénéfice net de 75 750 $. Voici l'état des capitaux propres partiel de la société Xérès au 31 décembre 20X6.

Société Xérès **État des capitaux propres partiel** au 31 décembre 20X6		
CAPITAL-ACTIONS		
Autorisé		
Nombre illimité d'actions ordinaires, à valeur nominale de 8 $.		
5 000 actions privilégiées de catégorie A, à valeur nominale de 10 $, sans droit de vote, sans droit de participation, à dividende prioritaire non cumulatif de 5 %.		
Nombre illimité d'actions privilégiées de catégorie B, sans valeur nominale, sans droit de vote, sans droit de participation, à dividende cumulatif de 1 $, convertibles en 2 actions ordinaires.		
7 500 actions privilégiées de catégorie C, à valeur nominale de 15 $, sans droit de vote, avec droit de participation, à dividende non cumulatif de 8 %.		
Émis et payé		
7 500 actions ordinaires	60 000 $	
4 000 actions privilégiées de catégorie B	60 000	
Souscrit		
2 000 actions privilégiées de catégorie B	32 000	152 000 $
SURPLUS D'APPORT		
Prime d'émission d'actions ordinaires		15 000
BÉNÉFICES NON RÉPARTIS		450 000
Total des capitaux propres		**617 000 $**

Au cours de l'exercice, la société a effectué les transactions suivantes, relatives à ses actions.

Date	Opération
20X7	
02-10	La société émet au comptant 5 000 actions ordinaires au prix unitaire de 9 $ et 2 000 actions privilégiées de catégorie A au prix unitaire de 13 $.
03-15	La société encaisse 20 000 $, soit le solde de la souscription à recevoir relative aux 2 000 actions privilégiées de catégorie B.
04-25	La société acquiert un terrain pour l'aménager en stationnement. Le vendeur accepte 3 000 actions privilégiées de catégorie C en échange de l'immobilisation évaluée à 54 000 $. La société paie comptant les taxes sur cet achat.
07-04	La société signe un contrat de souscription. L'investisseur s'engage à acheter 2 000 actions privilégiées de catégorie A au prix unitaire de 11 $. Il versera 35 % de la somme le 4 septembre 20X7 et le solde, le 4 janvier 20X8.
09-04	L'acheteur du 4 juillet effectue son premier versement.

Travail à faire

a) Comptabilisez ces opérations au journal général.

b) Dressez l'état des bénéfices non répartis et l'état des capitaux propres au 31 décembre 20X7.

Remarque : Présentez vos calculs et arrondissez les montants au dollar près.

Problème 7.4 La comptabilisation des transactions relatives au capital-actions

Le 3 mars 20X7, la société Rapido est constituée. Les frais de constitution s'élèvent à 15 000 $ et la société compte les amortir sur 5 ans. Voici l'état des capitaux propres partiel à la date de constitution.

Société Rapido **État des capitaux propres partiel** au 3 mars 20X7
CAPITAL-ACTIONS
Autorisé
Nombre illimité d'actions ordinaires, sans valeur nominale.
10 000 actions privilégiées de catégorie A, à valeur nominale de 10 $, sans droit de vote, sans droit de participation, à dividende prioritaire non cumulatif de 5,5 %.
Nombre illimité d'actions privilégiées de catégorie B, sans valeur nominale, sans droit de vote, sans droit de participation, à dividende de 1,50 $, convertibles en 2 actions ordinaires.

Afin de constituer son capital d'apport, la société procède aux émissions d'actions suivantes.

Date	Opération
20X7	
03-16	Émission au comptant de 10 000 actions ordinaires au prix unitaire de 10 $.
03-27	Émission par souscription de 2 000 actions privilégiées de catégorie B au prix unitaire de 15 $: 65 % de la somme est encaissable immédiatement et le solde, le 31 mai.
04-17	Émission au comptant de 3 500 actions privilégiées de catégorie A au prix unitaire de 12 $.

En réaction aux commentaires des preneurs fermes, la société Rapido décide de modifier ses statuts afin d'y inclure une catégorie d'actions offrant un dividende cumulatif, puisque les investisseurs recherchent ce privilège. Les actions privilégiées de catégorie C auront une valeur nominale de 15 $ et la société pourra en émettre 15 000. Les détenteurs n'auront pas droit de vote, mais ils pourront participer aux bénéfices. Le dividende cumulatif s'élèvera à 7,5 % annuellement.

Le 25 avril 20X7, la société Rapido procède à l'émission au comptant de 5 000 actions privilégiées de catégorie C au prix de 16,50 $. Ces actions prennent vite de la valeur sur le marché, pour atteindre déjà 16 $ le 30 juin ! C'est ce qui explique probablement l'opération de troc avec l'entrepreneur qui a aménagé le terrain de la société Rapido. Sa facture, datée du 28 juillet, s'élève à 14 665,69 $ taxes incluses. En guise de paiement, il accepte 750 actions privilégiées de catégorie C, à condition toutefois que les taxes lui soient payées immédiatement en argent.

Le 31 août, la société signe un contrat de souscription relativement à l'émission de 2 500 actions privilégiées de catégorie C au prix unitaire de 17,75 $. La moitié du montant sera encaissée le 31 octobre 20X7 et le solde, le 28 février 20X8.

Travail à faire

a) Passez au journal général les écritures requises.

b) La société Rapido veut déclarer un dividende en espèces de 20 000 $ le 15 décembre afin de stimuler la vente de ses actions. Ce dividende sera payé en 20X8 aux actionnaires inscrits le 31 décembre 20X7.

   1. Déterminez le dividende attribuable à chaque catégorie d'actions.

      Remarque : Arrondissez les montants au dollar près.

   2. Comptabilisez la déclaration du dividende au journal général.

c) Dressez l'état des bénéfices non répartis pour l'exercice terminé le 31 décembre 20X7 et l'état des capitaux propres à cette date.

Renseignement complémentaire

Le bénéfice net de la société est de 175 460 $ pour l'exercice terminé le 31 décembre 20X7.

Problème 7.5 La déclaration et la comptabilisation du dividende

Voici l'état des capitaux propres de la société Ludo au 31 décembre 20X7.

Société Ludo **État des capitaux propres** au 31 décembre 20X7		
CAPITAL-ACTIONS		
Autorisé		
Nombre illimité d'actions ordinaires, à valeur nominale de 9 $.		
5 500 actions privilégiées de catégorie A, à valeur nominale de 10 $, sans droit de vote, sans droit de participation, à dividende cumulatif de 7,5 %.		
Nombre illimité d'actions privilégiées de catégorie B, sans valeur nominale, sans droit de vote, sans droit de participation, à dividende prioritaire non cumulatif de 3,25 $, convertibles en 4 actions ordinaires.		
15 000 actions privilégiées de catégorie C, à valeur nominale de 6 $, sans droit de vote, avec droit de participation, à dividende non cumulatif de 10 %.		
Émis et payé		
35 000 actions ordinaires	315 000 $	
3 000 actions privilégiées de catégorie A	30 000	
4 000 actions privilégiées de catégorie B	80 000	
6 000 actions privilégiées de catégorie C	36 000	461 000 $
SURPLUS D'APPORT		
Prime d'émission d'actions ordinaires	35 000 $	
Prime d'émission d'actions privilégiées de catégorie A	6 000	
Prime d'émission d'actions privilégiées de catégorie C	18 000	59 000
BÉNÉFICES NON RÉPARTIS		300 500
Total des capitaux propres		**820 500 $**

Le 31 décembre 20X7, la société Ludo déclare un dividende de 60 000 $. En 20X6, aucun dividende n'avait été déclaré.

Travail à faire

a) Déterminez le prix d'émission unitaire des actions ordinaires, des actions privilégiées de catégorie A et des actions privilégiées de catégorie B.

b) Répartissez le dividende et comptabilisez-en la déclaration au journal général.

Remarque : Présentez vos calculs et arrondissez les montants au dollar près.

Problème 7.6 La déclaration et la comptabilisation du dividende

Reprenons les données du problème 7.2. Supposons que, le 1er septembre 20X7, la société Éko déclare un dividende de 50 000 $ payable le 1er octobre aux actionnaires inscrits le 15 septembre. Voici le nombre d'actions en circulation à la date d'inscription :

- 15 000 actions ordinaires ;
- 4 500 actions privilégiées de catégorie A ;

- 10 000 actions privilégiées de catégorie B émises au prix unitaire de 32 $;
- 3 000 actions privilégiées de catégorie C.

Travail à faire

a) Répartissez le dividende selon le capital autorisé et émis du problème 7.2.
b) Comptabilisez la déclaration et le paiement du dividende.

Problème 7.7 La comptabilisation des impôts sur le revenu et les écritures de fermeture

Les produits de la société Fabri s'élèvent à 2 347 800 $ pour l'exercice terminé le 31 décembre 20X7. Les efforts de rationalisation ont porté fruit, puisque la société a réussi à produire un bénéfice avant impôts de 8 %, comparativement à 6,5 % pour l'exercice précédent. Elle a donc déclaré un dividende de 35 000 $ au cours de l'exercice. D'ailleurs, un autre dividende de 15 000 $ sera déclaré le 15 janvier 20X8. Le taux d'imposition de la société est de 25 % et les bénéfices non répartis au début de l'exercice étaient de 674 900 $.

Travail à faire

a) Calculez et comptabilisez au journal général la charge d'impôts pour l'exercice 20X7.
b) Passez au journal général les écritures de fermeture au 31 décembre 20X7.
c) Rédigez l'état des bénéfices non répartis pour l'exercice terminé le 31 décembre 20X7.

Problème 7.8 La comptabilisation des impôts sur le revenu et les écritures de fermeture

Voici quelques renseignements sur la société Hélis pour l'exercice terminé le 31 décembre 20X7.

Bénéfices non répartis au début	800 370 $
Bénéfice après impôts	184 734 $
Taux d'imposition	25 %
Charges totales (excluant la charge d'impôts)	2 894 433 $
Dividendes versés	27 500 $
Dividendes déclarés	40 000 $

Travail à faire

a) Calculez et enregistrez la charge d'impôts pour l'exercice 20X7.
b) Passez au journal général les écritures de fermeture au 31 décembre 20X7.
c) Rédigez l'état des bénéfices non répartis pour l'exercice terminé le 31 décembre 20X7.

Problème 7.9 La comptabilisation de la déclaration du dividende en actions

Reprenons les données du problème 7.4 et supposons que, dès la première année, la société Rapido veuille lancer un message clair aux investisseurs. Le 12 septembre 20X7, elle déclare un dividende en actions de 10 % en faveur des actionnaires ordinaires. Les actions seront émises le 15 novembre aux actionnaires inscrits le 30 septembre. La valeur de marché de ces actions varie comme suit : 12 $ le 12 septembre, 11,50 $ le 30 septembre, 11,75 $ le 15 novembre.

Travail à faire

Passez au journal général les écritures requises.

Problème 7.10 La comptabilisation de la conversion d'actions

Reprenons les données du problème 7.4 et supposons que, le 15 octobre, tous les détenteurs d'actions privilégiées de catégorie B décident de convertir celles-ci selon les conditions précisées dans les statuts de la société. En effet, le cours de l'action se porte bien et le dividende en actions déclaré en septembre rend les actions ordinaires plus alléchantes encore.

Travail à faire

Passez au journal général l'écriture requise.

ANNEXE

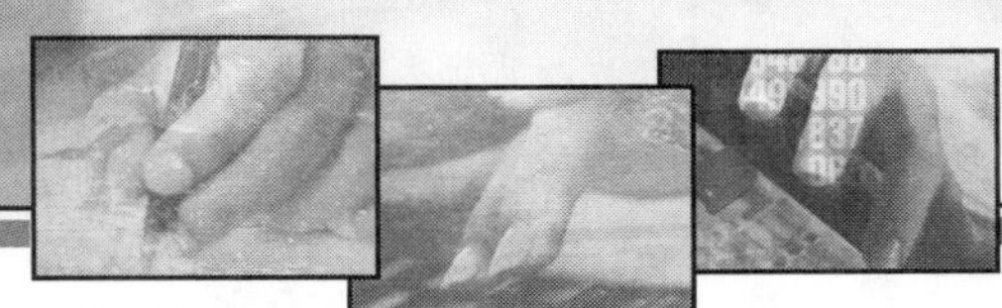

LE CADRE THÉORIQUE DE LA COMPTABILITÉ

Au-delà des états financiers et des éléments qui les composent, on peut se poser certaines questions. Peut-on se fier à l'information présentée ? Comment savoir si cette information est pertinente ? Quelles sont les bases de comparaison entre les résultats d'une entreprise et ceux d'une autre ?

Pour répondre à ces questions et à bien d'autres, on a établi un cadre théorique. Il s'agit des principes comptables généralement reconnus (PCGR), qui comprennent des postulats comptables, des principes comptables et des normes comptables.

- Les **postulats comptables** sont des hypothèses de base que les comptables ont établies pour préciser l'environnement de l'entreprise. Ces hypothèses sont nécessaires à la définition du contexte d'application des principes comptables.
- Les **principes comptables** sont des règles dont l'existence est reconnue formellement par des organismes de réglementation (par exemple l'Institut Canadien des Comptables Agréés). Ils indiquent comment mesurer, classer et présenter les informations financières dans les états financiers. Toutes les entreprises doivent se conformer aux principes comptables, de façon à assurer la comparabilité de l'information financière. Ces principes découlent directement des postulats comptables et servent de principes généraux dans l'établissement des normes comptables qui régissent le traitement particulier de certaines opérations.
- Pour le traitement de certaines opérations, les associations comptables professionnelles formulent des **normes comptables**. Les méthodes d'amortissement, les méthodes de détermination du coût des stocks, les méthodes de comptabilisation des organismes sans but lucratif (OSBL) en constituent des exemples. Le comptable doit préciser par voie de notes dans les états financiers le mode de traitement de l'information qui a été choisi.

En fait, les PCGR constituent les bases théoriques sur lesquelles repose l'information financière.

Section 1 Le postulat de la personnalité de l'entité

Sur le plan juridique, une entreprise à propriétaire unique ou une société en nom collectif n'est pas dissociée de son ou de ses propriétaires. Ainsi, un même individu peut créer plus d'une entreprise, tout en occupant un emploi, en ayant des placements, etc. Cependant, pour être en mesure d'évaluer séparément les résultats et la situation financière de chacune des entreprises appartenant à un même propriétaire, il est nécessaire d'obtenir de l'information financière distincte pour chacune.

C'est pourquoi, en vertu du postulat de la personnalité de l'entité, chaque entreprise a une existence propre, elle est une entité économique indépendante de son propriétaire. Les activités de chaque entreprise doivent donc être traitées séparément des affaires du propriétaire, d'où l'utilisation des comptes apports et retraits. En vertu de ce postulat, il faut un système comptable et des états financiers distincts pour chaque entreprise, même dans le cas où plusieurs entreprises appartiennent à un même propriétaire.

Cela signifie aussi que seuls les biens disponibles pour l'exploitation de l'entreprise sont présentés à l'actif et que seules les dettes contractées dans le cadre de l'exploitation de l'entreprise sont présentées au passif. Les charges et les produits d'exploitation ne doivent inclure que les activités liées à cette exploitation.

Exemple

M. Laverdure est propriétaire de l'entreprise Dubois. Il reçoit un chèque de 3 000 $, tiré sur le compte de son entreprise. Il utilise la somme pour payer le loyer de son appartement et son épicerie du mois. Ce décaissement ne constitue pas une charge d'exploitation pour l'entreprise ; il s'agit plutôt d'un retrait, c'est-à-dire une réduction du financement fourni par le propriétaire (ou une diminution des capitaux propres de l'entreprise).

Section 2

Le postulat de la continuité de l'exploitation

Si l'entreprise devait cesser ses activités à court terme, elle ne pourrait pas utiliser ses actifs pour atteindre ses objectifs, mais elle devrait les liquider, parfois même à perte. Si on s'attend à ce que l'entreprise cesse ses activités sous peu, il devient difficile d'évaluer les différents éléments de l'actif.

Le postulat de la continuité de l'exploitation suppose que l'entreprise existera assez longtemps pour réaliser ses projets et remplir ses engagements dans le cours normal de ses activités. Ce postulat permet aux comptables d'établir des principes pour évaluer les éléments de l'actif.

Section 3

Le postulat de l'unité de mesure monétaire

Selon le postulat de l'unité de mesure monétaire, on doit enregistrer dans la même unité monétaire toutes les opérations d'une entreprise qui sont compilées et présentées dans les états financiers. Au Canada, l'unité de mesure monétaire est le dollar canadien.

L'actif doit représenter l'ensemble des ressources mises à la disposition de l'entreprise pour réaliser ses activités. Toutefois, il est parfois difficile de mesurer certaines de ces ressources. En effet, si cette mesure est relativement facile pour certaines ressources comme l'encaisse, les stocks de marchandises ou les immobilisations, comment peut-on évaluer la valeur des ressources humaines de l'entreprise ? La présentation se limite donc aux éléments quantifiables.

Section 4

Le postulat de l'unité monétaire stable

Le postulat de l'unité monétaire stable suppose que l'entreprise évolue dans un environnement économique libre de toute fluctuation des prix. On a besoin de ce postulat pour comparer entre eux les états financiers d'une même entreprise à différentes dates. On le remet souvent en question parce qu'il ne correspond pas tout à fait à la réalité économique. Cependant, les comptables n'ont pas encore trouvé un moyen efficace et objectif pour tenir compte de la fluctuation des prix.

4.1 Le principe du coût d'acquisition

Le principe du coût d'acquisition (ou principe du coût historique) s'appuie sur les postulats de la continuité de l'exploitation et de l'unité monétaire stable. On doit comptabiliser au coût d'acquisition les biens qu'une entreprise acquiert et les services qui lui sont rendus. Le prix payé constitue l'évaluation la plus fiable de la valeur d'un bien au moment de son acquisition parce qu'il est le résultat d'une négociation entre deux parties indépendantes, l'acheteur et le vendeur.

Par la suite, on ne modifie pas la valeur du bien dans les registres comptables pour refléter sa valeur de marché parce qu'il est impossible d'évaluer parfaitement un bien sans le vendre. De plus, si l'entreprise existe suffisamment longtemps pour utiliser complètement le bien, le prix payé constitue la meilleure évaluation de la charge engagée pour utiliser ce bien.

Exemple

Une entreprise acquiert un terrain pour 50 000 $. Dix ans plus tard, la valeur du terrain est estimée à 75 000 $ selon l'évaluation municipale. Il faut quand même continuer de présenter ce terrain selon le prix payé et non selon sa valeur de marché.

Section 5

Le postulat de l'indépendance des exercices

Pour déterminer avec certitude si une entreprise a atteint les objectifs pour lesquels elle a été formée, il faudrait, en théorie, attendre la fin de son existence. Cependant, les gestionnaires, les créanciers et les propriétaires doivent prendre régulièrement des décisions et ils ont besoin d'information financière sur l'entreprise pour le faire de façon éclairée. C'est pourquoi, en vertu du postulat de l'indépendance des exercices, on découpe arbitrairement la vie de l'entreprise en tranches de 12 mois, chacune constituant un exercice financier, et on établit des états financiers à la fin de chaque période. Ce postulat n'empêche pas une entreprise de présenter un rapport financier plus fréquemment, mais il fixe une fréquence minimale, commune à toutes les entreprises.

5.1 Le principe de réalisation

Compte tenu du postulat de l'indépendance des exercices, qui découpe la vie de l'entreprise en périodes de 12 mois, il faut déterminer dans quel exercice financier les produits d'exploitation sont réalisés. En vertu du principe de réalisation, on constate les produits dans l'exercice financier où le droit de propriété, avec ses avantages et ses responsabilités, est transféré au client. En règle générale, ce moment correspond à la livraison de la marchandise ou à la prestation du service, sans égard au moment du paiement.

L'application du principe de réalisation devient particulièrement importante pour les transactions qui ont lieu en fin d'exercice. Il faut alors procéder au temps d'arrêt des comptes et s'assurer que chaque transaction est bien enregistrée dans l'exercice approprié.

Exemple

L'entreprise XYZ vend à crédit des produits à un client situé en Californie. La marchandise quitte l'entrepôt le 23 décembre 20X7 et arrive à destination le 4 janvier 20X8. Le client paie la marchandise le 1er février suivant. L'exercice de XYZ se termine le 31 décembre. À quel moment doit-on comptabiliser cette vente ?

La responsabilité de la marchandise en transit est tributaire de la condition de livraison sur laquelle les parties se sont entendues au moment de la vente : FAB point de départ ou FAB point d'arrivée. Si XYZ est responsable de la livraison chez le client

(FAB point d'arrivée), on reconnaît la vente seulement le 4 janvier 20X8. Par contre, si c'est le client qui est responsable de la cueillette de la marchandise à l'entrepôt de XYZ ainsi que du transport (FAB point de départ), on enregistre la vente en date du 23 décembre 20X7.

5.2 Le principe du rapprochement des produits et des charges

Afin de réaliser des produits d'exploitation, l'entreprise doit utiliser des ressources. Ces ressources correspondent à des charges d'exploitation, mais elles ne sont pas nécessairement payées au moment même où elles sont consommées. Le principe du rapprochement des produits et des charges consiste à préciser l'exercice financier dans lequel les charges d'exploitation doivent être comptabilisées.

Compte tenu du postulat de l'indépendance des exercices, selon lequel la vie de l'entreprise est découpée en périodes de 12 mois, le principe du rapprochement des produits et des charges exige qu'on inclue les charges d'exploitation engagées pour engendrer des produits d'exploitation dans les résultats du même exercice que ces produits.

En vertu de ce principe, les comptables doivent effectuer diverses estimations pour déterminer le plus exactement possible le bénéfice net réalisé ou la perte nette subie pour la période visée. Ainsi, ils doivent amortir les immobilisations. En effet, si l'entreprise utilise un bien pour générer des produits au cours de plusieurs exercices financiers, il est normal d'attribuer à chacun de ces exercices une portion du coût de ce bien. Le choix de la méthode d'amortissement (linéaire, proportionnel à l'utilisation, dégressif, etc.) doit refléter le plus exactement possible la contribution de ce bien à l'exploitation de chaque exercice.

Exemple

Reprenons l'exemple donné pour le principe de réalisation. Si la vente est reconnue seulement le 4 janvier 20X8, XYZ doit inscrire la marchandise vendue dans le bilan au 31 décembre 20X7, puisque la vente n'est pas encore considérée comme conclue à cette date. Par contre, si l'entreprise enregistre la vente en date du 23 décembre 20X7, elle doit inclure le coût de la marchandise dans les charges à l'état des résultats pour l'exercice terminé le 31 décembre 20X7.

Section 6 Les qualités de l'information comptable

Pour combler efficacement les besoins des utilisateurs, l'information comptable doit avoir certaines caractéristiques. Ces qualités sont sous-jacentes aux principes qui guident la transmission de l'information comptable.

6.1 Le principe de bonne information

En vertu du principe de bonne information, les états financiers doivent comporter toutes les informations qui sont pertinentes et peuvent influencer le jugement que portera le lecteur sur la situation financière de l'entreprise. Conséquemment, on peut inclure dans les états financiers des notes et des tableaux qui précisent les principales normes comptables adoptées et le contenu de certains postes. Par ailleurs, il faut informer le lecteur de tout engagement ou éventualité qui pourrait avoir une influence importante sur la situation de l'entreprise.

6.2 Le principe de l'importance relative

Les états financiers sont le résultat de la compilation de toutes les transactions financières de l'entreprise. Ce processus est très coûteux pour l'entreprise (matériel, logiciels, salaires, honoraires professionnels, etc.). Il est donc préférable que le niveau de précision des informations présentées dans les états financiers justifie les coûts engagés. Par ailleurs, les transactions ne revêtent pas toutes la même importance. La précision qu'il faut apporter à l'enregistrement d'une transaction est directement liée à la valeur et à la nature du bien ou du service ainsi qu'à la taille de l'entreprise. Il faut présenter clairement toute information susceptible de modifier le jugement global de l'utilisateur et les décisions qu'il pourrait prendre à la lecture des états financiers.

Exemple

Pour l'exercice terminé le 31 décembre 20X7, la société Yamaska présente un actif total de 18 000 000 $ et un bénéfice net de 3 000 000 $. Au cours de l'exercice, le comptable a enregistré dans un compte de charges l'acquisition de tous les éléments de matériel de bureau dont la valeur unitaire était de 400 $ ou moins. Il a ainsi passé en charges un total de 4 987,65 $ au lieu d'amortir ce montant sur 5 ans. Cette comptabilisation ne respecte pas le principe du rapprochement des produits et des charges, mais la faible importance des sommes en jeu (comparativement à l'actif total et au bénéfice net) justifie la transgression du principe. L'avantage évident est la simplification du processus comptable.

6.3 Le principe de clarté

La précision et la transparence qu'apportent les principes comptables ne garantissent évidemment pas la compréhension de l'information comptable par tout le monde. En effet, les utilisateurs potentiels n'ont pas tous la même formation, les mêmes intérêts, etc. Cependant, on considère que cette information doit être compréhensible par un public averti et ayant une bonne connaissance du milieu des affaires et de la comptabilité.

6.4 Le principe de pertinence

L'information comptable est pertinente pour autant qu'elle soit utile au lecteur averti dans la prise de décisions éclairées. On juge la pertinence de l'information selon trois critères: la rapidité de publication, la valeur de confirmation et la valeur de précision. L'information doit donc être disponible rapidement. Elle doit aussi fournir une rétrospective des réalisations de l'entreprise pour que l'utilisateur puisse comparer les résultats obtenus avec les résultats auxquels il pouvait s'attendre. Enfin, l'information fournie doit permettre à l'utilisateur d'établir des prévisions pour les périodes à venir.

6.5 Le principe d'objectivité

En vertu du principe d'objectivité, la comptabilisation des opérations doit être fondée sur des faits, et l'information comptable doit être vérifiable et déterminée avec neutralité. Il faut donc posséder des pièces justificatives pour inscrire une opération et il faut les conserver par la suite. En fait, deux individus devraient, sans se consulter, choisir le même traitement comptable pour une même transaction.

Quand il est obligé de procéder à des estimations, un comptable doit rechercher des sources d'information externes pour les corroborer. Par ailleurs, il doit choisir des méthodes d'estimation dans le respect des normes comptables.

L'information comptable doit être fiable et, par conséquent, neutre, c'est-à-dire être exempte de parti pris : elle doit rester la même, quel qu'en soit le destinataire. C'est pourquoi aussi il ne faut pas choisir des méthodes de calcul en fonction des résultats qu'on aimerait obtenir. Enfin, pour être fiable, l'information comptable doit refléter fidèlement la réalité économique des transactions, sans égard à la forme juridique de l'entreprise.

Exemple

On peut présenter à l'actif un contrat de location, même si l'entreprise n'est pas propriétaire du bien sur le plan juridique : dans les faits, elle a la pleine jouissance et l'entière responsabilité du bien.

6.6 Le principe de la permanence des méthodes

Les normes comptables prévoient parfois plus d'une méthode, soit pour comptabiliser les opérations de l'entreprise, soit pour présenter certains éléments. Il faut alors choisir les méthodes les plus adaptées à la situation de l'entreprise. En vertu du principe de la permanence des méthodes, une fois qu'on a arrêté son choix sur des méthodes données, il faut continuer de les utiliser dans tous les exercices financiers, de façon à préserver la comparabilité des données. Si un changement de méthode s'avère nécessaire pour améliorer la qualité de l'information fournie, il faut en informer le lecteur et lui indiquer les répercussions de ce changement sur la compréhension des états financiers.

6.7 Le principe de prudence

Pour être fiable, l'information comptable doit refléter la prudence. Lorsqu'on doit choisir entre plusieurs méthodes, exprimer des jugements ou procéder à des estimations, il faut éviter d'énoncer des hypothèses trop optimistes ou trop pessimistes. En fait, il faut adopter la méthode qui risque le moins de fausser les résultats d'exploitation ou le bilan de l'entreprise. La prudence se justifie notamment dans des situations d'incertitude telles que l'évaluation des créances irrécouvrables, des réclamations sur garanties, de la durée de vie des actifs ou encore devant l'éventualité de poursuites judiciaires.

GLOSSAIRE

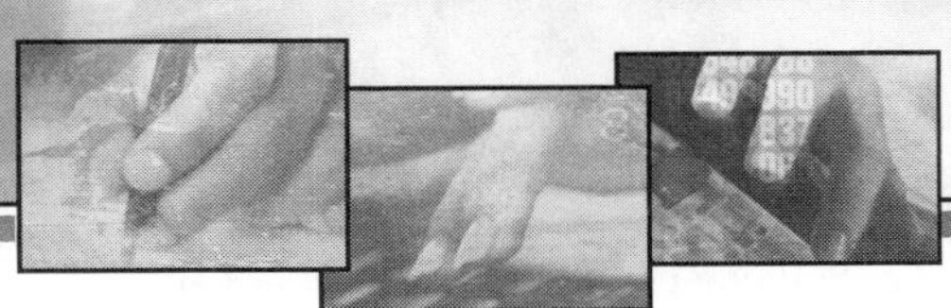

ACHATS NETS
Somme des achats de la période augmentée des frais de transport et diminuée des retours, rabais et escomptes sur achats s'y rapportant.

ACTE CONSTITUTIF
Document par lequel est constituée une personne morale.

ACTE DE FIDUCIE
Acte juridique par lequel une personne morale transfère la propriété de biens à un fondé de pouvoir à titre de garantie, notamment dans le cadre d'un emprunt obligataire.

ACTIF
Composante du bilan qui décrit les ressources économiques sur lesquelles l'entité exerce un contrôle à la suite d'opérations ou de faits passés, et qui sont susceptibles de lui procurer des avantages économiques futurs.

ACTIF À COURT TERME
Section du bilan qui regroupe les liquidités et autres actifs que l'entité s'attend normalement à réaliser, à vendre ou à consommer dans l'année qui suit la date du bilan.

ACTION
Titre donnant à son porteur le droit à une participation liée aux résultats de l'entité émettrice et le droit au partage de l'actif net en cas de liquidation.

ACTION ORDINAIRE
Action accordant généralement à son titulaire le droit de voter aux assemblées générales ainsi que celui de participer, sans restrictions particulières, aux résultats de la société et à l'excédent de son actif sur son passif en cas de liquidation.

ACTION PRIVILÉGIÉE
Action accordant à son porteur des droits particuliers (dividende prioritaire, dividende cumulatif à taux fixe, participation additionnelle aux bénéfices, remboursement prioritaire en cas de liquidation, etc.), mais pouvant comporter certaines restrictions, notamment quant au droit de vote.

ACTIONNAIRE
Personne physique ou morale titulaire d'une ou de plusieurs actions émises par une société de capitaux et représentatives d'une part du capital de la société émettrice.

ÂGE D'UN COMPTE
Temps écoulé depuis la date d'émission de factures impayées.

AMORTISSEMENT
Procédure comptable permettant de répartir, d'une façon systématique et logique, le coût d'une immobilisation sur sa durée de vie utile prévue.

AMORTISSEMENT CUMULÉ
Montant cumulatif représentant la partie du coût des immobilisations corporelles passée en charges depuis le début de l'utilisation de ces immobilisations par l'entreprise.

AMORTISSEMENT FISCAL (ou DÉDUCTION POUR AMORTISSEMENT)
Déduction tenant lieu d'amortissement dont les lois et les règlements fiscaux permettent aux contribuables de tenir compte dans le calcul du bénéfice imposable.

AMORTISSEMENT LINÉAIRE
Méthode d'amortissement selon laquelle la répartition annuelle demeure constante d'un exercice à l'autre, reflétant l'amoindrissement du potentiel de service de l'actif considéré en fonction de l'écoulement du temps. Le calcul de la répartition annuelle se fait en divisant le montant amortissable par le nombre d'années correspondant à la durée probable d'utilisation du bien en cause.

APPEL PUBLIC À L'ÉPARGNE
Le fait pour un émetteur d'offrir ses titres au grand public, le plus souvent par l'intermédiaire d'une maison de courtage de valeurs.

APPORT DE CAPITAL
Sommes d'argent et autres biens que le propriétaire investit dans la création ou l'exploitation de l'entreprise.

ASSIETTE DE L'AMORTISSEMENT (ou COÛT AMORTISSABLE)
Montant amortissable d'une immobilisation comptabilisée au coût d'acquisition, généralement égal à ce coût diminué de la valeur résiduelle du bien ; solde d'un compte à amortir sur un certain nombre d'exercices.

ASSURANCE-EMPLOI (AE)
Programme d'assurance sociale du gouvernement fédéral qui a pour objet d'indemniser le travailleur privé de son emploi, pendant un certain temps et à certaines conditions. Le financement de ce régime provient en grande partie de cotisations à la fois salariales et patronales.

AVANCE
Somme prêtée, généralement à court terme, par une entité à une autre entité ou à une personne, par exemple la somme avancée par une société mère à sa filiale.

BALANCE DE VÉRIFICATION (ou BALANCE DES COMPTES)
Document comptable contenant la liste des comptes figurant dans le grand livre général, avec leur solde respectif. La balance sert à vérifier l'exactitude arithmétique des écritures comptables en s'assurant que les opérations ont été enregistrées dans les comptes conformément au principe de la comptabilité en partie double.

BALANCE DE VÉRIFICATION RÉGULARISÉE
Balance qu'on établit après avoir passé les écritures de régularisation, mais avant la clôture des comptes.

BÉNÉFICE NET (ou PROFIT NET)
Composante de l'état des résultats qui correspond, pour une période donnée, à l'excédent du total des produits d'exploitation sur le total des charges d'exploitation.

BÉNÉFICE NET RÉSIDUEL
Bénéfice restant aux actionnaires ordinaires après les coûts souvent fixes des capitaux empruntés et des autres catégories de capitaux propres, notamment les actions privilégiées.

BÉNÉFICES NON RÉPARTIS (BNR)
Total des bénéfices réalisés par l'entreprise depuis sa constitution, diminué des pertes des exercices déficitaires, compte tenu des dividendes et des autres éléments qui ont pu en être retranchés ou y être ajoutés.

BILAN
État financier qui indique, à une date donnée, la situation financière et le patrimoine (c'est-à-dire les biens, les créances et les obligations) d'une entreprise, et dans lequel figurent l'actif, le passif et les capitaux propres.

BILLET À ORDRE
Effet de commerce par lequel une personne (le souscripteur) s'engage à payer, à vue ou à une date déterminée, une somme au bénéficiaire désigné ou à son ordre.

BON DE COMMANDE
Document qui matérialise une commande, en définit les conditions (quantité achetée, prix convenu et délai de paiement) et engage l'acheteur à l'égard du fournisseur.

BON DU TRÉSOR
Titre de créance à court terme émis par l'État à un prix inférieur à sa valeur nominale, l'écart tenant lieu d'intérêt.

BORDEREAU DE RÉCEPTION
Document émanant du service de la réception sur lequel figure la description des marchandises, des matières ou des fournitures reçues.

BORDEREAU D'EXPÉDITION
Document indiquant le nombre, la nature et les marques distinctives des divers colis d'un lot faisant l'objet d'un même envoi.

BREVET D'INVENTION
Titre délivré par l'État et donnant à l'inventeur d'un produit ou d'un procédé susceptible d'applications industrielles, ou à son cessionnaire, le droit exclusif d'exploitation d'une invention durant un certain temps selon les conditions fixées par la loi.

CAPITAL-ACTIONS
Montant des apports des actionnaires d'une société, représenté par les actions qu'elle a émises.

CAPITAL-ACTIONS AUTORISÉ
Capital représenté par un nombre d'actions de chaque catégorie (actions ordinaires, actions privilégiées, etc.) avec leur valeur nominale, le cas échéant, que le conseil d'administration d'une société peut émettre en conformité avec les dispositions de ses statuts et de la loi en vertu de laquelle elle est constituée.

CAPITAL-ACTIONS ÉMIS
Capital représentant les sommes, ou la valeur de la contrepartie en nature, que les actionnaires ont versées en échange des actions qu'ils ont souscrites.

CAPITAL-ACTIONS SOUSCRIT
Montant des apports que des investisseurs ont effectués ou irrévocablement promis d'effectuer lors de la constitution d'une société ou à l'occasion d'une augmentation de capital.

CAPITAL D'APPORT
Capital investi par les actionnaires et représenté par les sommes inscrites dans les comptes capital-actions et primes d'émission (le surplus d'apport). Autrement dit, c'est l'argent ou les autres biens remis à la société par les actionnaires en échange des actions émises à leur nom.

CAPITAL LÉGAL (ou CAPITAL MINIMAL)
Valeur minimale du capital social qui est exigée par la loi dans le cas de certaines sociétés de capitaux.

CAPITAUX PROPRES
Participation du propriétaire dans l'actif de son entreprise, qui correspond à l'excédent de l'actif sur le passif.

CERTIFICAT DE CONSTITUTION
Document délivré par les autorités compétentes auprès desquelles ont été déposés les statuts d'une société par actions et qui a pour effet d'établir la société à compter de la date qui y figure.

CERTIFICAT DE PLACEMENT GARANTI
Titre attestant qu'une somme a été placée dans un établissement financier à un taux d'intérêt stipulé d'avance pour une période déterminée, habituellement entre un et cinq ans. En règle générale, l'investisseur ne peut exiger que l'établissement financier lui rembourse son titre avant l'échéance.

CERTIFICAT D'OBLIGATION
Document, le plus souvent transmissible et négociable, remis à chaque obligataire par l'entreprise ou l'organisme qui a émis les obligations.

CHARGE À PAYER
Obligation (par exemple des intérêts ou des salaires à payer) qu'une entreprise contracte avec le passage du temps ou au fur et à mesure qu'elle reçoit un service. Bien que cette obligation ne soit pas encore légalement exécutoire, elle constitue un élément de passif et elle est comptabilisée en fin de période, même s'il n'y a encore eu ni facturation ni sortie de fonds.

CHARGE REPORTÉE (ou CHARGE À RÉPARTIR)
Dépense autre qu'une dépense en immobilisations qui, plutôt que d'être passée en charges dans l'exercice au cours duquel elle est effectuée, est portée à l'actif en raison des avantages qu'elle est censée procurer à l'entité durant un certain nombre d'exercices futurs et figure dans le bilan jusqu'à répartition complète entre ces exercices.

CHARGES D'EXPLOITATION
Composante de l'état des résultats qui correspond, pour une période donnée, aux coûts engagés dans le cours normal des activités de l'entité.

CHARGES SOCIALES
Sommes affectées à des avantages sociaux que l'entreprise accorde obligatoirement ou volontairement à son personnel. Aussi, poste des états financiers où figurent ces sommes.

CHÈQUE EN CIRCULATION
Chèque tiré sur un compte en banque et enregistré dans les livres de l'émetteur, mais qui ne paraît pas encore sur le relevé bancaire.

CHIFFRIER
Feuille de travail ou tableau à sections multiples de deux colonnes (débit et crédit) où figurent respectivement la balance de vérification avant régularisations, les régularisations, la balance de vérification régularisée ainsi que les éléments qui feront respectivement partie de l'état des résultats et du bilan. Le chiffrier sert de feuille de récapitulation et facilite la passation des écritures de régularisation et de fermeture ainsi que l'établissement des états financiers.

CLAUSE DE REMBOURSEMENT ANTICIPÉ
Clause du contrat d'émission d'un instrument financier, le plus souvent une obligation, stipulant que l'émetteur a le droit de procéder au remboursement avant l'échéance.

CODIFICATION DES COMPTES
Attribution d'un numéro ou d'un code à chaque compte faisant partie du plan comptable de l'entreprise.

COENTREPRISE
Groupement par lequel plusieurs personnes ou entités (les coentrepreneurs) s'associent selon des modalités diverses et

s'engagent à mener en coopération une activité industrielle ou commerciale, ou encore décident de mettre en commun leurs ressources et d'exercer un contrôle conjoint sur celles-ci en vue d'atteindre un objectif particulier, tout en prévoyant un partage des frais engagés et des bénéfices.

COMPOSANTES DES ÉTATS FINANCIERS (ou RUBRIQUES DES ÉTATS FINANCIERS)
Principales catégories d'éléments d'information ou de postes regroupés selon leurs caractéristiques économiques et présentés dans les états financiers.

COMPTABILISATION (ou CONSTATATION)
Fait d'enregistrer une opération ou un événement dans les comptes d'une entreprise.

COMPTABILISATION À LA VALEUR DE CONSOLIDATION
Méthode de comptabilisation d'une participation selon laquelle l'entité détentrice enregistre sa participation au coût d'acquisition et, par la suite, augmente ou diminue ce montant de sa quote-part des résultats de l'entité émettrice. L'entité détentrice doit également déduire du montant de la participation sa quote-part du dividende déclaré par l'entité émettrice.

COMPTABILITÉ
Système d'information qui permet de rassembler et de communiquer des informations financières relatives aux activités économiques des entreprises.

COMPTABILITÉ EN PARTIE DOUBLE
Comptabilité d'usage généralisé dans laquelle chaque opération est portée à la fois au débit d'un ou de plusieurs comptes et au crédit d'un ou de plusieurs autres comptes, de telle sorte que le total des montants inscrits au débit soit égal au total des montants inscrits au crédit.

COMPTE COLLECTIF (ou COMPTE DE CONTRÔLE)
Compte dont le solde égale le total des soldes des comptes d'un grand livre auxiliaire et dans lequel on trouve généralement un sommaire des opérations enregistrées en détail dans les comptes du grand livre auxiliaire.

COMPTE DE CONTREPARTIE
Compte dans lequel on inscrit les sommes à déduire du solde d'un compte correspondant, par exemple le compte amortissement cumulé (par rapport à un compte d'immobilisations amortissables).

COMPTE EN T
Mode simplifié de présentation d'un compte prenant la forme de la lettre T et comportant l'intitulé du compte au-dessus de la ligne horizontale.

COMPTES PERMANENTS (COMPTES DE VALEURS ou COMPTES DE BILAN)
Comptes ayant pour objet de comptabiliser la valeur initiale et les fluctuations des éléments du patrimoine de l'entité. Les comptes permanents comprennent les comptes d'actif, de passif et de capitaux propres.

COMPTES TEMPORAIRES
Comptes servant à l'enregistrement des éléments du résultat périodique: produits, charges, pertes ou profits. Les comptes de retraits et de dividendes sont des comptes temporaires, mais non des comptes de résultats.

CONDITIONS DE CRÉDIT
Conditions ou modalités selon lesquelles un vendeur accepte de financer, pour une période déterminée, les achats faits par un client.

CONDITIONS DE PAIEMENT (ou CONDITIONS DE RÈGLEMENT)
Ensemble des conditions précisant la façon dont un débiteur versera une somme, réglera une facture, etc., ainsi que la date du versement ou du règlement.

CONTRAT DE SOCIÉTÉ
Contrat conclu entre les associés au moment de l'établissement d'une société de personnes et dans lequel ils précisent, notamment, leur mise de fonds, leurs fonctions respectives, le mode de partage des bénéfices et les formalités à accomplir en cas de dissolution ou de liquidation.

CONTRE-VÉRIFICATION
Action de vérifier l'exactitude d'un montant ou d'un calcul par un recoupement de données, de pièces justificatives, etc.

CONTRÔLE CONJOINT
Contrôle d'une activité économique exercé collégialement en vertu d'un accord contractuel en ce sens, toutes les décisions importantes devant généralement être prises d'un commun accord.

CONTRÔLE INTERNE
Organisation structurelle de l'entité et ensemble des politiques et des procédures définies et maintenues par la direction en vue d'assurer, notamment, la protection des actifs de l'entité, la fiabilité de l'information financière, l'utilisation optimale des ressources ainsi que la prévention et la détection des erreurs et des fraudes.

COOPÉRATIVE (ou SOCIÉTÉ COOPÉRATIVE)
Regroupement de personnes qui, à égalité de droits et d'obligations, mettent en commun des biens et des activités en vue d'exercer à un moindre coût des fonctions de production, de distribution, de crédit ou autres.

COTE DE CRÉDIT (ou COTE DE SOLVABILITÉ)
Résultat de l'évaluation effectuée au sujet de la solvabilité d'un emprunteur ou d'un client, exprimée par une note ou une autre marque d'appréciation.

COUPON
Partie détachable d'un titre permettant à son porteur de toucher les intérêts ou les dividendes auxquels il a droit.

COÛT D'ACQUISITION (COÛT D'ACHAT ou VALEUR D'ACQUISITION)
Prix d'achat d'un bien majoré de certains frais (frais de courtage, de transport, de manutention, de douanes, etc.) qu'il est nécessaire d'engager avant que l'entité puisse utiliser ce bien.

COÛT DES MARCHANDISES VENDUES (CMV)
Dans une entreprise commerciale, montant égal au stock initial de marchandises, augmenté des achats nets de l'exercice et diminué du stock final de marchandises.

COÛT HISTORIQUE
Somme d'argent (ou l'équivalent) qu'une entité a affectée à un bien pour en faire l'acquisition, c'est-à-dire le prix convenu lors de l'opération d'échange plus les frais ou le coût de production.

COÛTS INCORPORABLES
Coûts associés au stock de marchandises et incorporés à leur coût au lieu d'être immédiatement passés en charges. En plus du prix d'achat ou du coût de production, les coûts incorporables comprennent les frais accessoires, comme les frais de transport et de manutention, les autres frais d'acquisition directs et les frais engagés pour acheminer les marchandises ou les produits vers les points de vente ou pour transformer les matières achetées en produits vendables.

CRÉANCE IRRÉCOUVRABLE
Créance considérée comme perdue définitivement, le créancier n'espérant plus récupérer la somme due parce que, par exemple, le débiteur a disparu ou a fait faillite.

CRÉANCIER
Titulaire d'une créance, c'est-à-dire la personne physique ou morale à qui est dû le paiement d'une somme d'argent.

CRÉDIT (ct)
Colonne de droite d'un compte. Somme enregistrée du côté droit d'un compte, soit pour augmenter un passif, un produit d'exploitation ou des capitaux propres, soit pour diminuer un actif ou une charge.

CRÉDIT DE TAXE SUR LES INTRANTS (CTI)
Dans le cadre de la taxe sur les produits et services (TPS), crédit qu'obtient un inscrit à l'égard de la taxe payée ou payable sur les achats liés à son activité commerciale.

CYCLE COMPTABLE
Ensemble des étapes de la comptabilisation des opérations et des faits économiques d'une entreprise.

DÉBIT (dt)
Colonne de gauche d'un compte. Somme enregistrée du côté gauche d'un compte, soit pour augmenter un actif ou une charge, soit pour diminuer un passif, des capitaux propres ou un produit d'exploitation.

DÉBITEUR
Personne physique ou morale qui a une obligation à l'égard d'une autre, notamment une obligation de payer une somme d'argent.

DÉCAISSEMENTS
Sommes d'argent déboursées dans le cadre d'opérations d'exploitation (achats de marchandises, de matières ou de fournitures, frais de personnel, coûts de production, frais d'administration, frais de vente), d'opérations connexes (charges financières et charges exceptionnelles) ou d'opérations hors exploitation (acquisition d'immobilisations, frais de développement, remboursement de dette).

DÉCLARATION DE DIVIDENDE
Résolution adoptée par le conseil d'administration ou l'assemblée générale d'une société par actions qui ainsi s'engage à verser, à une date déterminée, un dividende aux actionnaires inscrits à la date de clôture des registres.

DÉCOUVERT BANCAIRE
Situation d'un compte bancaire dont le solde est débiteur.

DÉLAI DE GRÂCE
Délai accordé à un débiteur, par la loi ou par convention, pour régler une dette après son échéance.

DÉLAI D'ESCOMPTE
Période accordée par l'entreprise à un client pour qu'il puisse régler son compte en bénéficiant d'un escompte sur ventes.

DEMANDE D'ACHAT (ou DEMANDE D'APPROVISIONNEMENT)
Document interne adressé par une section d'une entité au service des achats de cette entité pour obtenir des matières et des fournitures, ce qui donnera généralement lieu par la suite à la passation d'une commande.

DÉMARCATION
Arrêt théorique de l'enregistrement des opérations ou de l'écoulement des stocks en vue de respecter le postulat de l'indépendance des exercices.

DÉNOMINATION SOCIALE
Nom sous lequel est désignée une société de capitaux dans ses statuts.

DÉPÔT À TERME
Somme déposée dans une banque ou un autre établissement financier, que le déposant ne pourra retirer qu'à une date ultérieure déterminée d'avance.

DÉPÔT À VUE
Somme déposée dans une banque ou un autre établissement financier, que le déposant peut retirer à sa discrétion.

DÉPÔT EN CIRCULATION (ou DÉPÔT EN TRANSIT)
Somme inscrite en dépôt dans le compte du déposant, mais qui ne paraît pas encore sur le relevé bancaire.

DIVIDENDE
Partie du bénéfice de l'exercice qu'une société distribue à ses actionnaires en proportion des actions qu'ils détiennent, compte tenu des droits attachés à chaque type d'actions.

DIVIDENDE ARRIÉRÉ
Dividende qu'une société n'a pas versé sur des actions dites à dividende cumulatif et qu'elle devra servir aux détenteurs de ces actions avant de verser quelque autre dividende que ce soit aux autres actionnaires.

DIVIDENDE ATTACHÉ
Se dit d'actions dont le cours ou la valeur de marché comprend un dividende déclaré mais impayé.

DIVIDENDE CUMULATIF
Dividende calculé à un taux annuel fixe qu'une société doit verser aux actionnaires privilégiés. En cas de non-versement, ce dividende s'accumule et sera remis prioritairement sur les bénéfices que le conseil d'administration décidera de distribuer plus tard.

DIVIDENDE EN ACTIONS
Dividende payé sous forme d'actions de la société plutôt qu'en numéraire.

DIVIDENDE EN ESPÈCES (ou DIVIDENDE EN NUMÉRAIRE)
Partie du bénéfice de l'exercice qu'une société par actions distribue par paiement au comptant à ses actionnaires, en proportion des actions que chacun de ceux-ci détient.

DIVIDENDE PRIORITAIRE
Dividende distribué en priorité par rapport à celui de toutes les autres catégories d'actions (mais après le dividende arriéré, qui est versé en premier dans toutes les circonstances).

DOSSIER DE CRÉDIT (ou ANTÉCÉDENTS DE CRÉDIT)
Relevé faisant état de la conduite passée d'une personne ou d'une entreprise par rapport aux crédits qui lui ont été consentis, notamment sa diligence à honorer ses engagements.

DOTATION AUX AMORTISSEMENTS
Charge comptabilisée pour rendre compte du fait que la durée de vie des immobilisations est limitée et pour répartir d'une manière logique et systématique le coût de ces biens, moins leur valeur de récupération ou leur valeur résiduelle, sur les périodes au cours desquelles on s'attend à consommer leur potentiel de service.

DROIT D'AUTEUR
Droit exclusif que détient un auteur ou son mandataire d'exploiter à son profit, pendant une durée déterminée, une œuvre littéraire, artistique ou musicale.

DURÉE DE VIE
Période pendant laquelle on estime qu'une immobilisation peut être utilisable par l'entreprise.

DURÉE DE VIE UTILE
Période pendant laquelle on estime qu'une immobilisation peut contribuer directement ou indirectement aux opérations de l'entreprise; période pendant laquelle l'entreprise s'attend à l'utiliser.

ÉCRITURES DE FERMETURE (ou ÉCRITURES DE CLÔTURE)
Écritures de fin d'exercice qui permettent de virer les soldes des comptes de produits et de charges au compte sommaire des résultats et, de là, au compte bénéfices non répartis ou capital.

ÉCRITURES DE RÉGULARISATION
Écritures passées en fin d'exercice, avant la clôture des comptes, pour: (1) répartir des produits et des charges entre les exercices (par exemple, ventiler la paie lorsque l'exercice se termine entre deux dates de paie); (2) inscrire dans un compte de résultat une partie d'une charge payée d'avance ou d'un produit reçu d'avance; (3) comptabiliser les amortissements et autres provisions.

ÉCRITURES DE RÉOUVERTURE
Écritures qu'on peut passer au début d'un exercice pour pouvoir enregistrer de la façon habituelle une opération ayant nécessité, à la fin de l'exercice précédent, la passation d'une écriture de régularisation portant sur une charge à payer ou un produit à recevoir, ou encore sur une charge payée d'avance ou un produit reçu d'avance enregistrés dans un compte de charges ou de produits à la date de la constatation initiale de l'opération.

EFFET À PAYER
Dette qui fait l'objet d'un billet à ordre.

EFFET À RECEVOIR
Somme qu'un créancier doit recouvrer d'un débiteur qui a signé une traite ou un billet à ordre.

ÉLÉMENTS (ou POSTES)
Dans un état financier ou un budget, éléments d'information constitués d'un intitulé et du montant correspondant.

EMPRUNT HYPOTHÉCAIRE
Prêt garanti par une hypothèque.

EMPRUNT OBLIGATAIRE (ou ÉMISSION D'OBLIGATIONS)
Création et mise en circulation d'obligations; ensemble des obligations créées et mises en circulation à une même date.

ENCAISSE
Sommes d'argent ou valeurs immédiatement utilisables pour effectuer des paiements et gardées dans une caisse ou dans un portefeuille et, par extension, dépôts bancaires; compte retraçant les opérations effectuées au comptant.

ENCAISSEMENTS
Sommes d'argent reçues à la suite d'opérations d'exploitation (ventes), d'opérations connexes (produits accessoires et produits financiers) et d'opérations hors exploitation (augmentation de capital, emprunts, etc.).

ENTITÉ (ou ENTITÉ COMPTABLE)
Unité pour laquelle on peut établir des états financiers. Dans le langage courant, souvent synonyme d'« entreprise ».

ENTREPRISE À PROPRIÉTAIRE UNIQUE (ou ENTREPRISE INDIVIDUELLE)
Entreprise exploitée par une personne qui agit seule, en son nom personnel et pour son propre compte.

ÉQUATION COMPTABLE (ou IDENTITÉ FONDAMENTALE)
Relation mathématique sur laquelle se fonde la comptabilité en partie double et selon laquelle le total des éléments d'actif est égal au total des éléments de passif et des capitaux propres.

ESCOMPTE SUR ACHATS
Réduction de prix que le client obtient du fournisseur lorsqu'il règle sa facture d'achat dans un délai déterminé.

ESCOMPTE SUR VENTES
Réduction de prix que le vendeur consent à son client lorsqu'il règle son compte dans un délai déterminé.

ESTIMATION COMPTABLE
Détermination approximative de la valeur d'un bien ou d'une dette à des fins comptables.

ÉTAT DES BÉNÉFICES NON RÉPARTIS
État financier présentant un sommaire des changements survenus au cours de la période dans les bénéfices non répartis.

ÉTAT DES CAPITAUX PROPRES
État financier qui indique, pour une période donnée, les événements qui ont augmenté ou diminué la valeur comptable des investissements du ou des propriétaires dans l'entreprise.

ÉTAT DES FLUX DE TRÉSORERIE
État financier qui montre les variations de trésorerie pour une période donnée, présentant les entrées et les sorties de liquidités en fonction de leur utilisation pour des activités d'exploitation, de financement ou d'investissement.

ÉTAT DES RÉSULTATS
État financier qui indique, pour une période donnée, les produits d'exploitation, les charges d'exploitation et le bénéfice ou la perte d'une entreprise.

ÉTAT FINANCIER
Document comptable de synthèse, établi périodiquement, dans lequel figurent des informations financières ou comptables propres à une entité et présentées d'une façon organisée et standardisée. Exemples: l'état des résultats, l'état des capitaux propres, le bilan et l'état des flux de trésorerie.

ÉTATS FINANCIERS CONSOLIDÉS
Jeu d'états financiers regroupant les éléments d'actif et de passif, les résultats et autres composantes des états financiers individuels des entités comprises dans le périmètre de consolidation, de façon à faire ressortir la situation financière et les résultats du groupe économique que constitue l'ensemble de ces entités, comme s'il s'agissait d'une seule entité.

ÉVENTUALITÉ
Situation incertaine qui est susceptible de donner lieu à un profit ou à une perte et dont l'issue ultime dépend d'un ou de plusieurs événements futurs qui échappent à la volonté de la direction et dont on ne sait pas s'ils se réaliseront.

EXERCICE FINANCIER
Période, généralement de 12 mois, au terme de laquelle l'entité procède à la clôture de ses comptes et à l'établissement de son rapport financier annuel.

FACTEUR D'ACTUALISATION
Facteur servant au calcul de la valeur actualisée d'un ou de plusieurs versements à encaisser ou à décaisser ultérieurement.

FERMETURE DES COMPTES (CLÔTURE DES COMPTES ou FERMETURE DES LIVRES)
Processus comptable de fin d'exercice par lequel tous les comptes de produits et de charges sont arrêtés au moyen d'écritures de clôture. Ce processus permet d'établir le résultat net de l'exercice et de virer ce résultat au compte sommaire des résultats et, de là, au compte capital. De la même manière, on vire les soldes des comptes retraits et apports dans le compte bénéfices non répartis ou capital.

FICHE D'EMPLOYÉ
Fiche dans laquelle sont consignés tous les renseignements relatifs à la rémunération de chaque salarié : classe salariale, taux de base, taux des heures supplémentaires, salaire de chaque période, retenues à la source, etc.

FILIALE
Se dit d'une entité juridiquement indépendante mais placée sous le contrôle d'une société mère, généralement du fait que cette dernière détient, directement ou indirectement, une participation lui donnant le droit d'élire la majorité des membres du conseil d'administration de cette entité.

FRACTION NON AMORTIE DU COÛT EN CAPITAL (FNACC)
Partie du coût d'un bien que le contribuable n'a pas encore déduite par voie d'amortissement fiscal.

FRACTIONNEMENT D'ACTIONS
Opération qui consiste à remplacer chaque action en circulation d'une catégorie donnée par un nombre déterminé de nouvelles actions de la même catégorie, multipliant ainsi le nombre d'actions en circulation de la catégorie concernée.

FRAIS D'ADMINISTRATION (ou FRAIS GÉNÉRAUX)
Coûts inhérents à la gestion générale de l'entreprise, engagés pour assurer sa bonne marche.

FRAIS DE LIVRAISON (ou TRANSPORTS SUR VENTES)
Frais de transport de marchandises que le vendeur prend à sa charge.

FRAIS D'ÉMISSION D'OBLIGATIONS
Frais résultant d'une émission obligataire, notamment les frais juridiques, les frais de publicité, de vente et d'impression des certificats, etc.

FRAIS DE TRANSPORT À L'ACHAT (ou TRANSPORTS SUR ACHATS)
Frais de transport de marchandises que l'acquéreur prend à sa charge.

FRAIS DE VENTE
Rubrique de l'état des résultats (ou compte de résultat) regroupant l'ensemble des charges ou des frais engagés pour mettre des produits ou des marchandises sur le marché, par opposition aux frais se rapportant à la fabrication, à la gestion et au financement.

FRANCHISE
Droit de fabriquer ou de commercialiser un produit, d'utiliser un brevet ou une marque de commerce, ou de rendre un service conformément aux prescriptions du franchiseur, sous réserve du versement par le franchisé des redevances et des droits convenus.

GESTION DES STOCKS
Ensemble des mesures prises pour assurer un approvisionnement efficace des marchandises, des matières et des fournitures ainsi que leur entreposage, de façon à satisfaire aux besoins à plus ou moins long terme de la production ou de la vente.

GRAND LIVRE AUXILIAIRE DES CLIENTS
Grand livre auxiliaire qui renferme les comptes individuels des clients d'une entité et auquel correspond le compte collectif clients du grand livre général.

GRAND LIVRE AUXILIAIRE DES FOURNISSEURS
Grand livre auxiliaire qui renferme les comptes individuels des fournisseurs d'une entité et auquel correspond le compte collectif fournisseurs du grand livre général.

GRAND LIVRE AUXILIAIRE DES IMMOBILISATIONS
Grand livre auxiliaire qui renferme le plus souvent une fiche pour chaque bien immobilisé important ou pour chaque catégorie d'immobilisations de l'entité. Y sont consignés des renseignements détaillés sur les biens, notamment leur emplacement, leurs caractéristiques, leur coût d'acquisition et l'amortissement cumulé.

GRAND LIVRE AUXILIAIRE DES STOCKS
Grand livre qui renferme une série de fiches représentant chacune des marchandises que l'entreprise a en stock. À ces fiches correspond le compte collectif stock de marchandises du grand livre général.

GRAND LIVRE GÉNÉRAL (ou GRAND LIVRE)
Livre comptable qui contient tous les comptes d'actif, de passif, de capitaux propres, de produits et de charges de l'entité.

GRANDS LIVRES AUXILIAIRES
Grands livres dans lesquels on tient une série de comptes homogènes (par exemple les comptes clients) auxquels correspond un compte de contrôle dans le grand livre général.

HYPOTHÈQUE
Droit réel sur un bien, constitué au profit d'un créancier pour garantir le paiement d'une dette ou l'exécution d'une obligation.

HYPOTHÈQUE IMMOBILIÈRE
Hypothèque grevant un immeuble.

HYPOTHÈQUE MOBILIÈRE
Hypothèque grevant un bien meuble.

IMMOBILISATIONS CORPORELLES
Section de l'actif du bilan qui regroupe les biens physiques meubles ou immeubles d'une durée relativement longue ou permanente qui servent comme instruments de travail ou comme moyens de production et ne sont pas destinés à être revendus.

IMMOBILISATIONS INCORPORELLES
Section de l'actif du bilan qui regroupe les actifs, autres que les actifs financiers, qui n'ont pas d'existence physique, par exemple les brevets d'invention, les droits d'auteur, les marques, les droits miniers, les secrets commerciaux.

IMPUTATION AUX RÉSULTATS DE L'EXERCICE
Action de porter dans les résultats de l'entité un élément à titre de produit ou de profit de l'exercice ou encore à titre de charge ou de perte de l'exercice.

INDEMNITÉ DE VACANCES (ou PAIE DE VACANCES)
Toute somme payée à un salarié, conformément à une convention ou à la législation en vigueur, pour une période de vacances ou en compensation de celle-ci.

INFLUENCE NOTABLE
Fait, pour une entité, d'être en mesure d'agir sur les politiques stratégiques relatives aux activités d'exploitation, d'investissement et de financement d'une autre entité sans toutefois en avoir le contrôle. Cette influence peut se traduire par une représentation au conseil d'administration, la conclusion d'opérations intersociétés importantes, l'échange de personnel, etc.

INSCRIPTION À L'ACTIF (ou CAPITALISATION)
Action de porter une dépense au débit d'un compte d'actif plutôt qu'à un compte de résultat.

INTÉRÊTS À RECEVOIR
Intérêts courus sur des effets de commerce, des prêts ou des obligations, constituant des produits à recevoir constatés à l'actif.

INTÉRÊTS IMPLICITES (ou INTÉRÊTS THÉORIQUES)
Intérêts attribués à des créances, dettes et billets à long ou moyen terme qui ne comportent aucune mention quant à l'intérêt.

INTRANTS
Ensemble des ressources économiques, y compris les moyens techniques, financiers et humains, utilisées ou mises en œuvre dans un processus de production.

INVENTAIRE
Relevé détaillé des stocks que possède une entité à une date donnée.

JOURNAL
Livre ou fichier dans lequel on enregistre les opérations individuellement et chronologiquement avant de les reporter aux grands livres.

JOURNAL DES SALAIRES
Journal auxiliaire dans lequel on enregistre les montants cumulatifs relatifs à la paie de chaque période : salaires, retenues à la source, etc.

JOURNAL GÉNÉRAL
Journal où l'on enregistre chronologiquement les opérations diverses ou celles pour lesquelles il n'existe pas de journal auxiliaire.

JOURNAUX AUXILIAIRES
Journaux exclusivement consacrés à l'enregistrement d'opérations d'une même catégorie. Cette spécialisation facilite la division des tâches et permet de réduire le temps consacré à la tenue de la comptabilité.

JUSTE VALEUR
Montant pour lequel un actif pourrait être échangé ou un passif réglé, entre des parties compétentes et consentantes dans des conditions de pleine concurrence.

LIBELLÉ
Explication servant à justifier une écriture comptable. Le libellé indique normalement la référence précise des pièces justificatives ainsi que la nature de l'opération journalisée.

LIQUIDITÉS
Espèces et autres valeurs dont une entité peut disposer immédiatement pour effectuer des règlements sans nuire aux activités courantes.

MAINTIEN DU CAPITAL (ou PRÉSERVATION DU NUMÉRAIRE)
Notion de la préservation du patrimoine en vertu de laquelle l'entreprise peut distribuer un dividende à ses actionnaires seulement si cela n'a pas pour effet d'entamer la valeur de son actif net.

MARCHANDISES EN CONSIGNATION
Marchandises ou produits expédiés à une entreprise par un fournisseur qui en conserve la propriété.

MARCHANDISES EN TRANSIT
Marchandises ou produits expédiés, mais non encore parvenus à destination.

MARGE BÉNÉFICIAIRE BRUTE (MARGE BRUTE ou BÉNÉFICE BRUT)
Différence entre le prix de vente d'un article et son coût de production ou son coût d'achat.

MARGE DE CRÉDIT (ou LIGNE DE CRÉDIT)
Montant du crédit autorisé par une banque ou un autre établissement de crédit à une entreprise, un organisme ou un particulier (ou par une entreprise à son client), sur lequel sont imputés les paiements effectués, tant qu'ils ne dépassent pas la limite prévue.

MARQUE DE COMMERCE
Actif incorporel constitué du signe distinctif (nom, sigle, dessin, emblème, etc.) attribué par l'entreprise aux produits ou aux services qu'elle commercialise pour les individualiser par rapport à ceux de ses concurrents et pour en revendiquer la responsabilité.

MÉTHODE DE LA MARGE BRUTE
Méthode d'estimation du chiffre du stock final fondée sur la constance de la marge brute.

MÉTHODE DE LA MOINDRE VALEUR (ou MÉTHODE DE LA VALEUR MINIMALE)
Méthode qui consiste, conformément au principe de prudence, à évaluer certains biens (par exemple les stocks et les placements temporaires) à leur coût d'origine ou à leur valeur de marché, selon le moins élevé des deux.

MÉTHODE DE L'AMORTISSEMENT DÉGRESSIF
Méthode qui consiste à calculer l'amortissement périodique en multipliant chaque année, par le même taux, le solde du compte où figure le coût du bien à amortir après déduction de l'amortissement cumulé qui s'y rapporte.

MÉTHODE DE L'AMORTISSEMENT DÉGRESSIF À TAUX DOUBLE
Variante de la méthode de l'amortissement dégressif à taux constant, dont le taux est le double de celui qu'on utiliserait si on appliquait la méthode de l'amortissement linéaire.

MÉTHODE DE L'AMORTISSEMENT LINÉAIRE
Méthode d'amortissement selon laquelle la dotation annuelle demeure constante d'un exercice à l'autre, reflétant l'amoindrissement du potentiel de service de l'actif en fonction de l'écoulement du temps. Le calcul de la dotation annuelle se fait en divisant le coût amortissable par le nombre d'années correspondant à la durée probable d'utilisation du bien.

MÉTHODE DE L'AMORTISSEMENT LINÉAIRE DE LA PRIME OU DE L'ESCOMPTE
Méthode systématique d'amortissement de la différence entre le coût d'acquisition d'obligations et leur valeur nominale, qui consiste, pour chaque période, à ajouter aux intérêts reçus (s'il s'agit d'un escompte) ou à déduire de ces derniers (s'il s'agit d'une prime) un montant constant égal à cette différence divisée par le nombre de périodes au cours desquelles les obligations demeureront la propriété de l'investisseur.

MÉTHODE DE L'AMORTISSEMENT PROPORTIONNEL À L'UTILISATION
Méthode d'amortissement variable qui consiste à exprimer la durée de vie utile en fonction d'un nombre d'unités d'œuvre (nombre de kilomètres pour une automobile, quantité d'articles fabriqués ou d'heures d'utilisation pour une machine) et à calculer l'amortissement périodique en multipliant le coût amortissable par une fraction égale au nombre d'unités produites (ou utilisées) divisé par le nombre total d'unités que le bien en question permettra de produire (ou d'utiliser) au cours de sa durée de vie utile.

MÉTHODE DE LA VALEUR DE RÉALISATION NETTE
Méthode qui consiste à évaluer certains biens au prix de vente (généralement le cours déterminé sur un marché organisé) diminué des frais directs.

MÉTHODE DE L'ÉPUISEMENT À REBOURS (MÉTHODE DU DERNIER ENTRÉ, PREMIER SORTI ou DEPS)
Méthode d'évaluation des stocks qui consiste à attribuer aux articles en stock les coûts les plus anciens.

MÉTHODE DE L'ÉPUISEMENT SUCCESSIF (MÉTHODE DU PREMIER ENTRÉ, PREMIER SORTI ou PEPS)
Méthode d'évaluation des stocks qui consiste à attribuer aux articles en stock les coûts les plus récents.

MÉTHODE DE L'INTÉRÊT RÉEL
Méthode systématique d'amortissement de la différence entre le coût d'acquisition d'obligations et leur valeur nominale, qui consiste à ajouter aux intérêts reçus (s'il s'agit d'un escompte) ou à déduire de ces derniers (s'il s'agit d'une prime) pour la période considérée un montant égal à la différence entre les intérêts reçus et les intérêts effectifs que rapportent ces obligations pour la période par rapport à leur coût d'acquisition.

MÉTHODE DE L'INVENTAIRE AU PRIX DE DÉTAIL
Méthode d'évaluation du coût des marchandises en stock à partir de leur prix de détail, consistant essentiellement à déterminer leur coût estimatif en déduisant de leur valeur de vente le pourcentage de marge brute approprié.

MÉTHODE DE L'INVENTAIRE PÉRIODIQUE
Méthode de tenue de la comptabilité des stocks qui consiste à déterminer périodiquement (le plus souvent à la fin de chaque exercice) la quantité et la valeur des articles stockés en procédant à leur dénombrement.

MÉTHODE DE L'INVENTAIRE PERMANENT
Méthode de tenue de la comptabilité des stocks qui consiste à enregistrer les mouvements d'entrée et de sortie au fur et à mesure qu'ils se produisent de façon à avoir un inventaire comptable constamment à jour.

MÉTHODE D'ÉVALUATION (ou BASE D'ÉVALUATION)
Convention sur laquelle repose la valeur attribuée à un élément à constater dans les états financiers.

MÉTHODE DU COÛT MOYEN
Méthode qui consiste à attribuer à un article en stock une valeur fondée sur le coût moyen des unités de même nature acquises par l'entité au cours d'une période donnée.

MÉTHODE DU COÛT NON AMORTI (MÉTHODE DE L'AMORTISSEMENT DU COÛT ou MÉTHODE DE LA FRACTION NON AMORTIE DU COÛT)
Méthode selon laquelle on présente dans le bilan les placements à long terme en obligations déterminés au coût d'acquisition, pour ensuite ajuster ce montant systématiquement tout au long de la période de détention en amortissant la prime ou l'escompte d'acquisition, de façon à ramener le coût d'acquisition au montant qu'on prévoit réaliser à l'échéance.

MÉTHODE DU COÛT PROPRE (ou MÉTHODE DU COÛT D'ACHAT RÉEL)
Méthode qui consiste à attribuer aux unités vendues une valeur qui correspond au coût d'achat ou de production réel de chacune de ces unités.

MOINS-VALUE
Perte résultant du fait que la juste valeur d'un actif devient inférieure à sa valeur comptable nette.

NOTE DE CRÉDIT
Document établi par l'entreprise pour aviser son client qu'elle a réduit le solde de son compte en raison d'un rabais, d'un retour ou de l'annulation d'une opération.

OBLIGATION
Titre de créance négociable émis par une société ou une collectivité publique dans le cadre d'un emprunt et remis au prêteur (ou obligataire) en représentation de sa créance.

OBLIGATION À ESCOMPTE
Titre obligataire émis ou négocié à un prix inférieur à sa valeur nominale, lorsque le taux d'intérêt effectif, ou taux du marché, excède le taux d'intérêt nominal de l'obligation.

OBLIGATION À PRIME
Titre obligataire émis ou négocié à un prix supérieur à sa valeur nominale, lorsque le taux d'intérêt effectif, ou taux du marché, est inférieur au taux d'intérêt nominal de l'obligation.

OPÉRATION (ou TRANSACTION)
Acte conclu entre deux parties, soit dans le commerce, soit dans le domaine des valeurs mobilières, soit dans la vie de tous les jours.

OPÉRATION COMMERCIALE
Acte de commerce conclu par une entreprise dans le cadre de son exploitation.

OPÉRATION NON MONÉTAIRE
Échange d'actifs, de passifs ou de services non monétaires contre d'autres, impliquant tout au plus une contrepartie monétaire négligeable.

ORGANISME SANS BUT LUCRATIF (OSBL)
Organisme constitué à des fins sociales, éducatives, religieuses ou philanthropiques, qui n'émet généralement pas de titres de capital transférables et dont l'objet n'est pas de procurer un avantage économique à ses membres ni de leur distribuer des profits.

PARTICIPATION (DÉTENTION D'ACTIONS ; PART ou PART DES CAPITAUX PROPRES)
Placement en actions d'une autre société que le détenteur a l'intention de conserver à long terme. Ces actions constituent des titres de participation que l'entreprise acquiert en vue d'exercer une influence sur une autre société, d'en avoir le contrôle ou de créer des liens d'association avec elle. Aussi, possession d'une part des capitaux propres d'une société.

PASSIF
Composante du bilan qui décrit les obligations de l'entité à la suite d'opérations ou de faits passés, et dont le règlement peut nécessiter le transfert ou l'utilisation d'actifs, la prestations de services ou toute autre cession d'avantages économiques.

PASSIF À COURT TERME
Section du bilan qui regroupe les obligations dont l'entité devra s'acquitter dans l'année qui suit la date du bilan.

PASSIF À LONG TERME
Section du bilan qui regroupe les obligations à long terme d'une entité.

PASSIF ÉVENTUEL
Obligation potentielle résultant d'événements passés et dont l'existence ne sera confirmée que par la survenance ou la non-survenance d'un ou de plusieurs événements futurs incertains qui échappent en partie au contrôle de l'entité; obligation actuelle résultant d'événements passés mais non comptabilisée, du fait qu'elle peut être annulée ou du fait que le montant ne peut être évalué avec une fiabilité suffisante.

PÉRIODE (ou PÉRIODE INTERMÉDIAIRE)
Période inférieure à la durée de l'exercice, par exemple un mois, un trimestre ou un semestre, au terme de laquelle l'entité établit des états financiers intermédiaires sans clôturer les comptes.

PERSONNE MORALE
Groupement doté d'une personnalité juridique et titulaire de droits et d'obligations.

PERTE NETTE (ou DÉFICIT)
Pour une période donnée, excédent du total des charges d'exploitation sur le total des produits d'exploitation.

PIÈCES JUSTIFICATIVES
Documentation comptable comprenant un ensemble de pièces qui justifient l'enregistrement comptable d'une opération ou d'une série d'opérations.

PLACEMENT À LONG TERME
Placement en valeurs mobilières ou en biens immobiliers effectué par l'entité pour une durée non déterminée excédant 12 mois ou le cycle d'exploitation si celui-ci est plus long.

PLACEMENT DE PORTEFEUILLE
Placement à long terme ne visant pas à créer de liens d'association avec l'entité émettrice des titres en cause.

PLACEMENT TEMPORAIRE (ou PLACEMENT À COURT TERME)
Placement en valeurs facilement réalisables, souvent acquises au moyen d'un excédent temporaire de fonds, que l'acquéreur n'a pas l'intention de conserver plus d'un an ou au-delà d'un cycle normal d'exploitation, s'il excède un an, et qu'il convient de présenter parmi les actifs à court terme dans le bilan.

PLAN COMPTABLE
Liste codifiée des comptes d'une entité, classés selon leur nature et selon les différentes fonctions de l'entité, établie en vue de permettre une meilleure interprétation des comptes.

PLUS-VALUE
Profit résultant de l'accroissement de la juste valeur d'un actif par rapport à sa valeur comptable nette.

POINTAGE
Opération qui consiste à faire une marque vis-à-vis d'un poste ou d'un montant figurant sur une liste après l'avoir contrôlé.

POLITIQUE DE CRÉDIT
Ensemble d'orientations et de règles d'action en matière d'accord de crédit à ses clients, que l'entreprise choisit pour tenir compte de ses besoins et de ses exigences, et qui reflète les normes de son secteur d'activité.

POSTULAT DE LA CONTINUITÉ DE L'EXPLOITATION
Hypothèse fondamentale sur laquelle l'entité s'appuie pour la préparation des états financiers et selon laquelle elle poursuivra ses activités dans un avenir prévisible et sera en mesure de réaliser ses actifs et de s'acquitter de ses obligations dans le cours normal de ses activités.

POSTULAT DE LA PERSONNALITÉ DE L'ENTITÉ
Hypothèse fondamentale portant sur la relation entre l'entreprise et son propriétaire, en vertu de laquelle on constate une existence propre à chacun et on comptabilise les activités de l'entreprise séparément de son propriétaire.

POSTULAT DE L'INDÉPENDANCE DES EXERCICES
Hypothèse fondamentale selon laquelle l'activité économique d'une entité peut être découpée en périodes égales et arbitraires qu'on appelle « exercices ».

POSTULAT DE L'UNITÉ DE MESURE MONÉTAIRE
Hypothèse fondamentale selon laquelle la monnaie est le dénominateur commun de toute activité économique et, de ce fait, fournit une base appropriée pour l'analyse et la mesure en comptabilité.

POSTULAT DE L'UNITÉ MONÉTAIRE STABLE
Hypothèse fondamentale qui consiste à respecter la valeur nominale de l'unité monétaire sans tenir compte des variations de son pouvoir d'achat.

POSTULATS COMPTABLES
Hypothèses fondamentales relatives à l'environnement économique, politique et sociologique de l'entreprise et de la comptabilité.

POURCENTAGE DE MARGE BRUTE (ou RATIO DE LA MARGE BRUTE)
Rapport entre la marge brute et le chiffre d'affaires de la période.

PRENEUR FERME
Personne physique ou morale, habituellement une maison de courtage de valeurs, qui souscrit la totalité ou une partie d'une émission de titres et se charge de son placement auprès du public, selon les termes de la convention de prise ferme.

PRIME D'ÉMISSION D'ACTIONS
Excédent du prix d'émission d'actions sur leur valeur nominale.

PRINCIPE DE BONNE INFORMATION
Principe comptable selon lequel l'entité doit fournir tous les éléments d'information financière suffisamment importants pour être susceptibles d'influer sur le jugement ou les décisions d'un utilisateur averti.

PRINCIPE DE LA PERMANENCE DES MÉTHODES
Principe comptable selon lequel on utilise les mêmes méthodes comptables d'une période à l'autre de manière à préserver la comparabilité des états financiers.

PRINCIPE DE RÉALISATION
Principe comptable selon lequel on comptabilise un produit ou un profit lorsqu'il est réalisé, c'est-à-dire dans l'exercice financier où a été achevé le travail nécessaire pour le gagner.

PRINCIPE D'OBJECTIVITÉ
Principe comptable selon lequel l'information contenue dans les états financiers doit être basée sur des faits, et être à la fois vérifiable et déterminée avec neutralité.

PRINCIPE DU COÛT D'ACQUISITION (ou PRINCIPE DU COÛT HISTORIQUE)
Principe selon lequel on tient la comptabilité et on établit les états financiers sur la base du coût historique de préférence à toute autre base de mesure.

PRINCIPE DU RAPPROCHEMENT DES PRODUITS ET DES CHARGES
Principe comptable selon lequel les coûts sont passés en charges d'exploitation et rattachés aux produits d'exploitation, directement ou par répartition systématique et logique, dans la période où les produits qu'ils ont contribué à engendrer sont constatés.

PRINCIPES COMPTABLES
Règles fondamentales gouvernant la mesure, le classement et la synthèse des informations d'ordre économique, ainsi que leur présentation dans les états financiers.

PRINCIPES COMPTABLES GÉNÉRALEMENT RECONNUS (PCGR)
Principes ou normes comptables en vigueur dans un espace juridique donné, dont l'existence est reconnue formellement par un organisme responsable de la normalisation en comptabilité ou par des textes faisant autorité, ou dont l'acceptation est attribuable à un précédent ou à un consensus.

PRODUIT À RECEVOIR
Droit à l'obtention future d'une somme d'argent (par exemple des intérêts à recevoir) ou d'un autre bien, qu'une entreprise acquiert avec le passage du temps ou au fur et à mesure qu'elle fournit un service. Bien que ce droit ne puisse pas encore être exercé, il constitue un élément d'actif et il est comptabilisé en fin de période même s'il n'a pas encore donné lieu à une rentrée de fonds.

PRODUITS D'EXPLOITATION
Composante de l'état des résultats qui correspond, pour une période donnée, aux sommes reçues et à recevoir dans le cours normal des activités de l'entité.

PRODUITS D'INTÉRÊTS (ou INTÉRÊTS CRÉDITEURS)
Intérêts figurant à titre de produit financier dans l'état des résultats (ou compte de résultat) du prêteur ou de l'investisseur.

PROVISION
Obligation potentielle, par exemple la provision pour garanties, évaluée à la date de clôture de la période, que des faits survenus ou en cours rendent probable.

PROVISION POUR CRÉANCES IRRÉCOUVRABLES (ou PROVISION POUR CRÉANCES DOUTEUSES)
Compte de contrepartie où figurent les sommes que l'entité estime ne pas pouvoir recouvrer de ses clients.

QUOTE-PART
Part d'un avantage ou d'un engagement financier affectée à chacune des parties en cause.

RABAIS SUR ACHATS
Réduction de prix obtenue sur des marchandises, des matières ou des fournitures achetées.

RABAIS SUR VENTES
Réduction de prix consentie pour diverses raisons à des clients sur des marchandises ou des produits vendus.

RADIATION DIRECTE (ou PASSATION DIRECTE EN CHARGES)
Méthode qui consiste à imputer une charge à l'exercice uniquement si l'entité a effectivement subi une perte (créance irrécouvrable) ou réellement engagé une dépense (travaux résultant d'une garantie).

RADIER
Retirer totalement du bilan un actif ou un passif qui y figure.

RAPPORT FINANCIER
Document qui renferme les états financiers périodiques d'une entité, accompagnés le plus souvent d'un rapport de gestion ou d'analyse de la direction et d'autres renseignements complémentaires.

RAPPROCHEMENT BANCAIRE (ou CONCILIATION BANCAIRE)
Procédure comptable qui sert à faire ressortir les différences entre les données paraissant sur le relevé bancaire et les enregistrements comptables du déposant, de manière à rapprocher le solde du compte en banque et le solde établi dans les comptes du déposant à une date déterminée. Ces différences sont le plus souvent attribuables aux chèques et aux dépôts en circulation, ainsi qu'aux crédits et aux frais bancaires non encore comptabilisés.

RATIO DU COÛT AU PRIX DE DÉTAIL
Dans l'application de la méthode de l'inventaire au prix de détail, quotient obtenu en divisant le coût total des marchandises destinées à la vente par la valeur totale de vente de ces mêmes marchandises, compte tenu des majorations nettes et des réductions nettes.

RECOUVREMENT DES CRÉANCES
Action, pour l'entité, de rentrer en possession de sommes qui lui sont dues.

REFINANCEMENT
Remplacement d'une dette par une autre qui échoit habituellement à une date ultérieure.

RÉGIME DE RENTES DU QUÉBEC (RRQ)
Régime administré par le gouvernement du Québec et semblable au Régime de pensions du Canada. Tous les employés, les travailleurs autonomes et les employeurs du Québec, sauf exception, sont tenus d'y cotiser.

RÉGIME QUÉBÉCOIS D'ASSURANCE PARENTALE (RQAP)
Régime de remplacement du revenu administré par le gouvernement du Québec et selon lequel des prestations financières sont versées aux travailleurs (salariés ou autonomes) admissibles qui se prévalent d'un congé de maternité ou de paternité, d'un congé parental ou d'un congé d'adoption.

RELEVÉ DE COMPTE (ou ÉTAT DE COMPTE)
Document qu'une entreprise expédie à un client, qui contient la liste récapitulative des achats de la période et des paiements qui ont été faits.

REMBOURSEMENT DE LA TAXE SUR LES INTRANTS (RTI)
Dans le cadre de la taxe de vente du Québec (TVQ), crédit qu'obtient un inscrit à l'égard de la taxe payée ou payable sur les achats liés à son activité commerciale.

REMISE (ou RABAIS)
Réduction qui est consentie sur le prix d'un bien ou d'un service, et qui est accordée en fonction d'une clientèle déterminée ou en fonction de l'importance de la vente.

REMISE SUR QUANTITÉ
Réduction, généralement égale à un certain pourcentage du prix de vente habituel, qu'un fournisseur accorde à un client en raison de la forte quantité de marchandises qu'il achète.

RENDU SUR ACHATS (ou RETOUR SUR ACHATS)
Marchandise, matière ou fourniture retournée pour diverses raisons, par l'acheteur au fournisseur, qui accorde alors un remboursement ou une note de crédit.

RENDU SUR VENTES (ou RETOUR SUR VENTES)
Marchandise ou produit retourné, pour diverses raisons, à l'entreprise qui accorde alors au client une note de crédit ou un remboursement.

REPORT
Opération qui consiste à transcrire dans un compte de grand livre un montant enregistré dans un journal ou figurant sur une pièce justificative. Le report inclut la date de l'opération, un libellé et un renvoi au journal ou à la pièce d'où provient le montant.

RESSOURCES NATURELLES
Forêts, gisements de pétrole, de gaz naturel ou de minerai, ressources hydroélectriques et autres biens de même nature qui ont une valeur économique certaine.

RESSOURCES NATURELLES NON RENOUVELABLES
Ressources naturelles qu'on ne peut utiliser qu'une seule fois et qui ne peuvent pas se régénérer, par exemple les gisements miniers, pétroliers ou gaziers.

RESSOURCES NATURELLES RENOUVELABLES
Ressources naturelles qui peuvent, avec le temps, être remplacées par d'autres de même espèce et dont l'utilisation ou la consommation ne mène pas, par conséquent, à une perte irrémédiable, par exemple la forêt.

RETENUES À LA SOURCE (RAS ou RETENUES SUR LE SALAIRE)
Ensemble des sommes que l'employeur retranche du salaire brut de ses employés, à titre obligatoire (cotisations sociales diverses, impôts fédéral et provincial, cotisations syndicales) ou facultatif (épargne, cotisations à un régime privé d'assurance collective).

RETRAIT (ou PRÉLÈVEMENT)
Sommes d'argent et autres biens que le propriétaire retire du fonctionnement de l'entreprise.

RUPTURE DE STOCK
Situation dans laquelle le stock physique est provisoirement épuisé, ce qui empêche l'entité de fonctionner normalement.

SITUATION FINANCIÈRE
Situation d'une entreprise déterminée à une date donnée par l'étude de son actif, de son passif et de ses capitaux propres.

SOCIÉTÉ À BUT LUCRATIF
Société de capitaux établie dans le but de réaliser des profits et dont les titres ou autres droits de propriété sont généralement transférables et susceptibles de procurer un profit à ses membres ou de leur occasionner une perte.

SOCIÉTÉ DE PERSONNES
Entreprise dans laquelle plusieurs personnes (les associés) conviennent de mettre en commun des biens, leur crédit ou leur industrie en vue de partager les bénéfices qui pourront en résulter.

SOCIÉTÉ EN COMMANDITE
Société de personnes constituée d'un ou de plusieurs associés appelés commandités, chargés de la gestion de la société et responsables indéfiniment et solidairement des dettes de la société, et d'un ou de plusieurs autres associés appelés commanditaires, qui fournissent un apport en argent ou en nature et dont la responsabilité à l'égard des dettes de la société se limite à leur apport dans cette dernière.

SOCIÉTÉ EN NOM COLLECTIF (SENC)
Société de personnes qui a un objet commercial et dont la responsabilité des associés à l'égard du passif social est illimitée, conjointe et solidaire.

SOCIÉTÉ EN PARTICIPATION
Société n'ayant pas l'obligation légale de s'immatriculer, dont les associés agissent en leur nom personnel et sont donc responsables de leurs obligations envers les tiers. L'apport d'un associé demeure sa propriété, car cette société ne dispose pas d'un patrimoine distinct comme les autres sociétés de personnes.

SOCIÉTÉ FERMÉE
Société qui ne fait pas d'appel public à l'épargne et dont les actions, qui font souvent l'objet de restrictions, sont généralement détenues par un nombre limité d'actionnaires.

SOCIÉTÉ MÈRE
Se dit d'une entité qui contrôle une ou plusieurs autres entités, appelées filiales, généralement du fait qu'elle détient, directement ou indirectement, une participation lui donnant le droit d'élire la majorité des membres du conseil d'administration de cette ou de ces entités.

SOCIÉTÉ OUVERTE
Société de capitaux dont les actions sont inscrites à la cote officielle, se vendent sur un marché hors cote ou peuvent être offertes au public de quelque autre façon.

SOCIÉTÉ PAR ACTIONS (ou SOCIÉTÉ DE CAPITAUX)
Entité juridique, avec capital social, distincte et indépendante de ses actionnaires et ayant pour objet la fabrication de produits, le commerce ou la prestation de services.

SOCIÉTÉ PRIVÉE
Société qui est la propriété d'un ou de plusieurs particuliers, lesquels ont investi les capitaux nécessaires à sa création, par opposition à société publique.

SOCIÉTÉ PUBLIQUE (ou SOCIÉTÉ D'ÉTAT)
Société appartenant à l'État et exerçant le plus souvent ses activités dans le domaine des services publics.

SOCIÉTÉ SATELLITE (ou SATELLITE)
Entité dont les politiques stratégiques relatives aux activités d'exploitation, d'investissement et de financement subissent l'influence notable d'une autre entité qui, toutefois, ne la contrôle pas.

SOMMAIRE DES RÉSULTATS
Compte du grand livre général où sont virés les soldes des comptes de produits et de charges à la fin d'un exercice financier en vue de déterminer le résultat net de cet exercice.

SOUSCRIPTEUR
Débiteur qui émet un billet à ordre et qui s'engage par le fait même à le payer.

SOUSCRIPTION
Engagement pris par un investisseur d'acheter des titres (le plus souvent des actions) qu'une société a l'intention d'émettre.

STATUTS
Document déposé auprès des autorités compétentes lors de la constitution d'une société de capitaux ou d'un organisme sans but lucratif. C'est l'acte constitutif le plus courant déposé auprès des autorités compétentes pour la création des sociétés par actions.

STOCK À LA FIN (ou STOCK DE FERMETURE)
Marchandises, matières, fournitures ou produits que l'entreprise a en stock à la fin d'une période ou d'un exercice et, par extension, valeur attribuée à ces biens.

STOCK AU DÉBUT (ou STOCK D'OUVERTURE)
Marchandises, matières, fournitures ou produits que l'entreprise a en stock au début d'une période ou d'un exercice et, par extension, valeur attribuée à ces biens.

STRUCTURE DU CAPITAL
Classement, selon leur nature, des capitaux investis dans une société par ses créanciers (le plus souvent, les créanciers à long terme seulement) et les actionnaires ou associés.

SURPLUS D'APPORT
Apport des actionnaires provenant uniquement de transactions effectuées sur les capitaux (ce qui est plutôt rare), la plus courante étant la prime d'émission d'actions à valeur nominale. Ce peut aussi être le produit de la vente d'actions remises à la société à titre gratuit, l'excédent du prix de vente d'actions rachetées sur leur prix de rachat, etc.

SYSTÈME COMPTABLE
Ensemble des règles, méthodes et procédures que suit une entreprise pour l'enregistrement et le contrôle de ses opérations et des faits économiques qui la concernent et pour la fourniture d'informations pertinentes sur sa situation financière.

TABLEAU D'AMORTISSEMENT
Tableau dans lequel figurent, pour une acquisition d'obligations, à chaque date d'intérêt, les intérêts encaissés, le produit d'intérêts, la dotation à l'amortissement de la prime ou de l'escompte d'acquisition (la différence entre les intérêts encaissés et le produit d'intérêts) et la valeur comptable des obligations.

TABLEAU DE REMBOURSEMENT (ou ÉCHÉANCIER)
Plan de remboursement d'une dette qui indique, pour chaque période, le capital non encore remboursé au début de la période, le montant du versement décomposé en intérêts et capital, et le capital restant dû après le versement.

TAUX D'INTÉRÊT NOMINAL
Taux d'intérêt s'appliquant à la valeur nominale d'un titre (une obligation par exemple) ou d'un effet de commerce.

TITRE DE CRÉANCE
Titre constatant le lien de droit entre un créancier et son débiteur.

TITRE DE PARTICIPATION
Titre donnant à son porteur le droit à une participation liée aux résultats de l'entité émettrice et le droit au partage de l'actif net en cas de liquidation.

TRAITEMENT COMPTABLE
Façon d'enregistrer une opération ou un fait dans les comptes.

TRÉSORERIE
Sommes d'argent ou valeurs (y compris les dépôts bancaires) que l'entreprise peut utiliser immédiatement pour effectuer des paiements.

VALEUR ACTUALISÉE
Valeur au moment présent (ou à un autre moment donné) d'une ou de plusieurs valeurs disponibles plus tard ; on calcule la valeur actualisée au moyen d'un taux d'actualisation approprié.

VALEUR ATTRIBUÉE
Valeur nominale des actions et, dans le cas des actions sans valeur nominale, coût moyen unitaire des actions d'une même catégorie.

VALEUR COMPTABLE
Montant attribué à un élément dans les comptes ou les états financiers. Par exemple, pour un élément d'actif, ce peut être le coût d'acquisition moins l'amortissement cumulé.

VALEUR COMPTABLE D'UNE ACTION
Valeur mathématique comptable d'une action, qui équivaut à sa valeur nominale si elle en a une. Si l'action est sans valeur nominale, on obtient sa valeur comptable en divisant le prix d'émission par le nombre d'actions émis et payé de la catégorie. Pour les actions ordinaires, on utilise une autre formule mathématique.

VALEUR DE MARCHÉ
Montant correspondant soit au coût de remplacement, soit à la valeur de réalisation nette.

VALEUR DE RÉALISATION NETTE
Prix estimatif qu'une entreprise pourrait obtenir à la vente d'un bien dans le cours normal des affaires, diminué des frais d'achèvement et de mise en vente auxquels on peut raisonnablement s'attendre.

VALEUR DE RÉCUPÉRATION
Valeur de réalisation nette estimative d'une immobilisation à la fin de sa durée de vie, correspondant généralement à la valeur des éléments de cet actif qui pourront encore servir après sa mise hors service.

VALEUR D'EXPERTISE
Valeur découlant de la réévaluation par un expert d'éléments de l'actif ou du passif.

VALEUR NETTE DES COMPTES CLIENTS
Valeur totale des comptes clients, diminuée du montant de la provision pour créances irrécouvrables.

VALEUR NOMINALE (ou PRINCIPAL)
Valeur de remboursement d'un effet de commerce ou d'une obligation.

VALEUR RÉSIDUELLE
Valeur de réalisation nette estimative d'une immobilisation à la fin de sa durée de vie utile pour l'entreprise ; valeur d'un bien dont la durée est expirée.

VALORISATION (ou ÉVALUATION)
Attribution d'une valeur aux quantités dénombrées d'articles stockés, valeur qui correspond généralement à leur coût d'acquisition.

VENTES (VENTES BRUTES ou CHIFFRE D'AFFAIRES BRUT)
Total des produits d'exploitation tirés de la vente de marchandises ou de produits ou de la prestation de services, avant déduction des retours, des rabais et des escomptes consentis.

VENTES NETTES (ou CHIFFRE D'AFFAIRES NET)
Chiffre des ventes brutes d'une période, diminué des retours, des rabais et des escomptes consentis par l'entreprise à ses clients.

VIREMENT
Opération qui consiste à faire passer une somme d'un compte à un autre.

INDEX

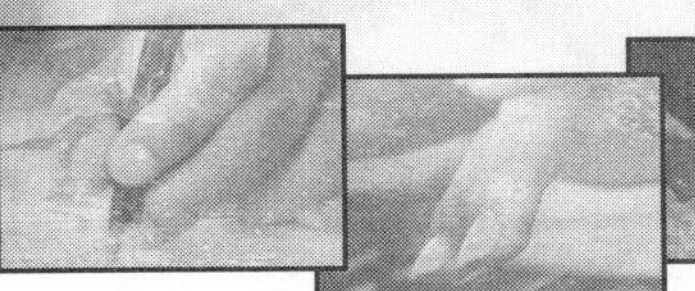

D

E

F

G

H

I

J

L

M

N

O